LA NATION / ST. ISIDORE
IP033608

LE DERNIER TEMPLIER

Raymond Khoury

LE DERNIER TEMPLIER

Traduit de l'anglais par Arnaud d'Apremont

Titre original : *The Last Templar*

ISBN 10 : 2-258-06966-1
ISBN 13 : 978-2-258-06966-4

A mes parents.
A mes femmes :
Mia, Gracie
et Suellen.
Et à mon ami Adam B. Wachtel
(1959-2005).
Tu aurais pris du plaisir à tout cela.
Je suis reconnaissant à Victoria
et à Elizabeth de t'avoir partagé avec nous.
Tu nous manques.
Beaucoup.

« Il nous a bien servis, ce mythe du Christ. »

Léon X, XVIe siècle

Prologue

Acre, Royaume latin de Jérusalem, 1291

« La Terre sainte est perdue. »

Cette seule pensée tourmentait Martin de Carmaux. Oui, la Terre sainte était irrémédiablement perdue et cette prise de conscience lui semblait bien plus terrifiante que les hordes de guerriers qui jaillissaient de la brèche dans le mur.

Le jeune chevalier luttait pour refouler cette sombre réflexion.

Néanmoins, l'heure n'était pas aux lamentations. Il avait encore beaucoup à faire.

Des hommes à tuer.

Sa grande épée dressée, il chargea au cœur des nuages de poussière et de fumée, plongeant dans les rangs de l'ennemi. Il en surgissait de partout. Leurs cimeterres et leurs haches tranchaient les chairs. Leurs cris de guerre couvraient les roulements de timbales lancinants qui s'élevaient à l'extérieur de la forteresse.

De toutes ses forces, Martin abattit son épée et fendit le crâne d'un homme jusqu'au nez. Sans attendre, il ressortit la lame pour courir sus à un autre adversaire. Du coin de l'œil, il repéra Aimard de Villiers sur sa droite. Son aîné plantait son épée dans la poitrine d'un infidèle avant de se précipiter sans transition sur son prochain ennemi. Etourdi par les gémissements de douleur et les hurlements de rage autour de lui, Martin sentit des doigts agripper sa main gauche. D'instinct, il repoussa l'assaillant avec le pommeau de son épée avant de lui enfoncer sa lame dans le ventre. Le fer pénétra le muscle et les os. Soudain, il devina qu'une menace approchait par la droite. Sans regarder, il lança son bras et sectionna, en un seul mouvement, celui d'un nouvel ennemi, avant de lui trancher la joue et la langue.

Cela faisait maintenant des heures que nul n'avait connu de répit. Non seulement l'assaut et le carnage des musulmans étaient ininterrompus, mais ils étaient plus redoutables que prévu. Depuis des jours, des flèches, des projectiles de poix incandescente et des feux grégeois pleuvaient sans discontinuer sur la ville, déclenchant plus d'incendies qu'il n'était possible d'en éteindre. Pendant ce temps, les hommes du sultan avaient creusé sous les grands murs des fosses qu'ils avaient comblées avec du petit bois. En plusieurs endroits, ces brasiers rudimentaires avaient fissuré les murailles qui, maintenant, s'effondraient dans un déluge de pierres. Au prix d'une extraordinaire force de volonté, les Templiers et les Hospitaliers avaient repoussé l'assaut sur la porte Saint-Antoine avant d'y mettre le feu et de se retirer. Hélas, la Tour maudite, fidèle à son nom, laissa les sarrasins déchaînés se répandre dans la ville et sceller son destin.

Les hurlements d'agonie commençaient à couvrir le tumulte. D'un coup sec, Martin arracha son épée d'un corps. Il regarda autour de lui, en quête d'un signe d'espoir. Mais il ne subsistait plus aucun doute dans son esprit : la Terre sainte était irrévocablement perdue. L'angoisse l'envahit quand il comprit qu'ils seraient tous morts avant le prochain chant du coq. Ils affrontaient la plus grande armée qu'il eût jamais vue. Malgré la rage et la passion qui l'animaient, ses efforts – et ceux de ses frères – étaient voués à l'échec.

Son cœur vacilla quand il entendit le cor fatidique qui ordonnait aux chevaliers du Temple d'abandonner les défenses de la cité. En proie à une frénésie confuse, ses yeux finirent par trouver ceux d'Aimard de Villiers. Il y lut l'angoisse et la honte qu'il sentait sourdre au fond de lui-même. Côte à côte, ils se frayèrent un chemin à travers la populace affolée pour tenter de rejoindre, conformément aux ordres, la relative sécurité de l'enceinte de l'Ordre.

Martin suivit son aîné à travers la foule terrorisée qui avait trouvé refuge derrière les murs massifs de la citadelle. Mais le spectacle qui l'attendait dans la grande salle le choqua encore plus que le carnage dont il avait été le témoin. Allongé sur une grossière table de réfectoire, il reconnut Guillaume de Beaujeu, le grand maître des chevaliers du Temple en personne. Pierre de Sevry, le maréchal de l'Ordre[1], se tenait à son côté en compagnie de deux moines. Leur mine décomposée laissait peu de place au doute. Quand les chevaliers arrivèrent près de lui, les yeux de Beaujeu s'entrouvrirent. Il leva la tête, mais le mouvement lui arracha un gémissement de douleur. Martin le regarda avec incrédulité. Le visage du vieil homme s'était vidé de toute couleur et ses yeux étaient injectés de sang. Le jeune chevalier parcourut du regard le corps du grand maître pour comprendre ce qui s'était passé. Il aperçut la tige empennée d'un carreau qui saillait de la cage thoracique. Le dignitaire tenait le bout de la hampe dans le creux de sa main. De l'autre, il fit signe à Aimard d'approcher. Celui-ci s'agenouilla à côté de lui et prit la main de son supérieur entre les siennes.

— Il est temps, parvint-il à prononcer d'une voix faible, chargée de souffrance mais claire. Pars maintenant... et que Dieu soit avec vous.

Les mots effleurèrent les oreilles de Martin sans pénétrer son esprit. Il était ailleurs, concentré sur un détail qu'il avait remarqué dès que Beaujeu avait ouvert la bouche. Sa langue avait viré au noir. La rage et la haine grondèrent dans la gorge du chevalier, qui reconnaissait là les effets du poison. Le carreau était empoisonné. Ce haut personnage qui avait dominé tous les aspects de sa vie de jeune templier, aussi loin que ses souvenirs pouvaient remonter, ce meneur d'hommes était quasiment mort.

Beaujeu leva son regard vers Sevry et hocha la tête presque imperceptiblement. Le maréchal se baissa vers le pied de la table et souleva un coin du drap de velours pour dévoiler un coffret ouvragé. Il ne mesurait pas plus de trois paumes de large[2]. Martin ne l'avait jamais vu. Dans un profond silence, il regarda Aimard se relever à son tour et fixer la boîte. Puis les yeux de Villiers se posèrent sur Beaujeu. Le vieil homme soutint un instant son regard avant de refermer les paupières. Sa respiration s'était transformée en un râle inquiétant. Aimard se dirigea vers Sevry et l'étreignit. Puis il souleva le coffret et, sans un regard en arrière, il avança vers la porte. En passant devant Martin, il lui dit simplement :

---

1. Responsable de la discipline, des affaires militaires et de l'armement de l'Ordre. (*N.d.T.*)

2. Une vingtaine de centimètres. (*N.d.T.*)

— Viens !

Martin hésita. Il regarda Beaujeu, puis le maréchal. D'un hochement de tête, celui-ci manifesta son consentement. Le jeune chevalier se hâta de suivre son aîné.

Aimard se dirigeait vers le quai de la forteresse.

— Où allons-nous ? demanda Carmaux.

— Le *Faucon-du-Temple* nous attend. Dépêche-toi.

Martin s'arrêta sur place, l'esprit en pleine confusion.

— Nous partons ?

Il connaissait Aimard de Villiers depuis quinze ans, plus précisément depuis la mort de son propre père, lorsque lui-même n'avait que cinq ans. Depuis, Aimard avait été son protecteur et son mentor. Son héros. Ils avaient participé ensemble à de nombreuses batailles. Et, quand la dernière heure serait arrivée, il était normal, pensait Martin, qu'ils soient encore côte à côte et meurent l'un près de l'autre. Mais pas de cette manière. Cela n'avait aucun sens. C'était... de la *désertion* !

Aimard s'arrêta à son tour, mais simplement pour attraper son jeune compagnon par l'épaule et lui faire reprendre ses esprits.

— Dépêche-toi ! ordonna-t-il.

— Non ! hurla Martin en repoussant ses mains.

Le jeune homme sentit une nausée monter dans sa gorge. Son visage s'assombrit tandis qu'il cherchait ses mots.

— Je ne veux pas abandonner nos frères, bégaya-t-il. Pas maintenant... ni jamais !

Aimard lâcha un long soupir et tourna les yeux vers la cité assiégée. Les projectiles incendiaires formaient des arcs dans le ciel nocturne et pleuvaient de tous côtés. Serrant toujours le coffret, il pivota et fit un pas menaçant vers Martin. Leurs visages se touchaient presque.

— Tu crois que je veux les abandonner ? siffla Aimard d'une voix tranchante. Tu crois que je veux abandonner notre maître à l'heure de son dernier souffle ? Ne me connais-tu pas mieux que cela ?

Une tempête bouleversait l'esprit de Martin.

— Alors... pourquoi ?

— Ce que nous devons faire est beaucoup plus important que de tuer ces chiens enragés, répondit Aimard. Crois-moi, notre mission est cruciale pour la survie de notre Ordre. Elle est cruciale si nous voulons nous assurer que tout ce pour quoi nous avons œuvré ne mourra pas ici. Il faut partir maintenant.

Martin ouvrit la bouche pour protester, mais l'expression d'Aimard était sans équivoque. A contrecœur, le jeune homme suivit son aîné.

Il ne restait qu'un navire dans le port : le *Faucon-du-Temple.* Toutes les autres galères avaient pris le large avant l'assaut des sarrasins qui, une semaine plus tôt, avaient coupé le port principal du reste de la ville. Déjà chargé d'esclaves, de frères-sergents et de chevaliers, le navire était bas sur l'eau. Les questions se succédaient dans la tête de Carmaux, mais il n'avait pas le temps de les formuler. En approchant du quai, il aperçut le maître du navire, un vieux marin à la puissante carrure dont il ne connaissait que le prénom, Hugues.

Il savait que le grand maître tenait cet homme en haute estime. Martin observa le bateau en détail, du château arrière à la poupe en passant par le grand mât, et jusqu'à l'étrave sous la figure de proue. La sculpture représentait un féroce oiseau de proie.

Sans interrompre sa course, Aimard cria au maître du navire, de sa voix forte :

— Est-ce que l'eau et les provisions sont embarquées ?

— Elles le sont.

— Partons immédiatement.

En quelques instants, la passerelle d'embarquement fut ramenée à bord, les amarres levées, et le *Faucon-du-Temple* s'arracha du quai à la force des bras des rameurs dans la chaloupe. Peu après, les esclaves plongèrent leurs rames dans l'eau sombre. Martin regarda les rameurs de la chaloupe se hisser sur le pont avant de remonter l'embarcation. Au rythme lancinant d'un grand tambour et des ahans de plus de cent cinquante rameurs enchaînés, le navire prit de la vitesse et s'éloigna du grand mur de l'enceinte du Temple.

Au moment où le *Faucon-du-Temple* s'engageait en pleine mer, des flèches se mirent à fondre sur lui. Tout autour, d'énormes gerbes d'écume grésillantes troublaient l'eau, tandis que les arbalètes et les catapultes du sultan visaient la galère qui s'échappait.

Rapidement, elle se retrouva hors de portée et Martin put se redresser sur le pont. Il jeta un regard triste sur le paysage qui s'évanouissait derrière lui. Sur les remparts de la cité, les infidèles s'agitaient, hurlaient des imprécations contre la galère comme des animaux en cage. Derrière eux, un brasier infernal faisait rage. On entendait les cris des hommes, des femmes et des enfants qui se mêlaient au grondement de l'incendie et au tonnerre incessant des roulements de tambours de guerre.

Peu à peu, le navire prenait de la vitesse, aidé en cela par le vent du large et les rangées de rames montant et plongeant dans les vagues comme des ailes balayant les eaux sombres. Au loin, sur l'horizon, le ciel virait au noir.

C'était fini.

Les mains animées par un tremblement irrépressible, Martin de Carmaux tourna lentement, à regret, le dos à sa patrie et fixa la tempête qui les attendait droit devant.

1

D'abord, personne ne remarqua les quatre cavaliers qui émergeaient des ténèbres de Central Park.

Tous les regards étaient tournés dans la direction opposée. A quatre rues de là, vers le sud, sous un barrage de flashs et de projecteurs de télévision, un défilé continu de limousines déversait des célébrités et d'humbles mortels sur le trottoir devant le Metropolitan Museum of Art.

C'était l'un de ces événements gigantesques qu'aucune autre ville au monde ne savait mettre sur pied tout à fait aussi bien que New York, a fortiori quand le cadre de l'événement était le Met. Des faisceaux de lumière balayaient le ciel d'avril. Spectaculairement illuminé, le bâtiment du musée ressemblait à un fanal au cœur de la cité, invitant ses hôtes à s'avancer vers les austères colonnes de la façade néo-classique, sur laquelle flottait une bannière où on lisait : « LES TRÉSORS DU VATICAN ».

Il avait été question de différer l'événement, voire de l'annuler. Une nouvelle fois, à la suite de récents rapports des différentes agences de renseignement américaines, le gouvernement avait proclamé le niveau d'alerte orange en matière de terrorisme. Dans tout le pays, les autorités fédérales et locales avaient mis en place des mesures de sécurité. Dans New York même, des troupes de la Garde nationale étaient postées dans le métro et à l'entrée des ponts, tandis que les policiers travaillaient douze heures d'affilée.

Au regard de son thème, l'exposition représentait un risque accru. Malgré tout, le conseil d'administration du musée avait voté le maintien de sa programmation. L'événement allait se dérouler comme prévu, témoignage supplémentaire de la volonté inébranlable de la métropole.

Une jeune femme à la coiffure impeccable tournait le dos au musée. Pour la troisième fois, elle tentait de réussir son introduction. Jusque-là, elle n'était pas arrivée à adopter la pose de la journaliste bien informée. Mais cette fois, plantée face à l'objectif, elle était décidée à y parvenir.

— Je ne peux me rappeler la dernière fois que le Met a accueilli un tel parterre de stars. Je suis certaine que ce n'est pas arrivé depuis l'exposition maya, qui remonte déjà à quelques années, commença-t-elle.

Au même instant, un homme joufflu, la soixantaine, sortit d'une limousine, accompagné d'une grande femme maigre vêtue d'une robe de soirée trop serrée d'une taille et trop jeune pour elle d'une génération.

— Et voici le maire et sa superbe épouse, s'extasia la journaliste, notre « famille royale », naturellement en retard, comme le veut la coutume.

Mais, immédiatement, elle reprit son sérieux :

— Nombre des objets exposés ici ce soir n'ont jamais été présentés au public auparavant, en quelque occasion que ce soit. Ils étaient enfouis dans les célèbres caves du Vatican depuis des siècles et...

Une explosion soudaine de sifflets et de cris joyeux détourna son attention. Ses derniers mots devenant inaudibles, elle abandonna l'œil de la caméra pour porter son regard en direction de l'agitation.

Ce fut à cet instant précis qu'elle vit les cavaliers.

Ils montaient de superbes chevaux : gris et noisette, impérieux, avec des queues et des crinières noires. Mais c'étaient les cavaliers eux-mêmes qui suscitaient les plus vives réactions de la foule.

Chevauchant de front, les quatre hommes étaient revêtus de la même armure médiévale. Ils arboraient des heaumes à visière, des haubergeons de mailles, des jambières de métal sur des pourpoints noirs et des chausses matelassées. Ils donnaient l'impression de jaillir d'un portail spatiotemporel. Les grandes épées qui pendaient dans les fourreaux ne faisaient qu'ajouter à l'effet spectaculaire. Plus saisissants encore, de longs manteaux blancs ornés de croix pattées rouge sang recouvraient leurs armures.

Les chevaux progressaient maintenant au petit trot.

En voyant avancer les chevaliers, la foule s'anima. Les cavaliers regardaient droit devant eux, indifférents au brouhaha.

— Eh bien, que se passe-t-il ? On dirait que le Met et le Vatican ont décidé de faire les choses en grand ce soir. Ne sont-ils pas magnifiques ? s'exclama la journaliste. Ecoutez cette foule !

Les chevaux atteignirent le bord du trottoir devant le musée. Et c'est alors qu'ils firent une chose curieuse.

Ils ne s'arrêtèrent pas.

Non, ils pivotèrent lentement pour se placer face à l'édifice.

Puis les cavaliers lancèrent calmement leurs montures à l'assaut de l'esplanade.

Côte à côte, ils se mirent à gravir cérémonieusement la volée de marches, droit sur l'entrée du musée.

2

— Maman, il faut vraiment que j'y aille, implora Kim.

Un rictus de contrariété sur le visage, Tess Chaykin regarda sa fille. Toutes les trois – Tess, sa mère Eileen et Kim – venaient de pénétrer dans le musée au milieu d'une foule compacte. La jeune femme avait espéré jeter un coup d'œil sur les objets exposés avant les discours et les mondanités qui allaient suivre. Mais ce projet devait attendre. En digne petite fille de neuf ans, Kim s'était retenue jusqu'au dernier moment avant d'annoncer qu'elle avait besoin de trouver des toilettes.

— Franchement, Kim...

Le grand hall était bondé. On ne pouvait pas dire que Tess goûtait la perspective de louvoyer au milieu de cette foule pour accompagner sa fille aux toilettes.

De son côté, la mère de Tess ne faisait pas grand-chose pour dissimuler le petit plaisir que lui offrait la situation.

— Je vais l'accompagner, dit-elle. Toi, continue ton tour.

Tess regarda sa fille et lui sourit en secouant doucement la tête. Avec ses yeux verts scintillants, le petit visage irradiait un charme qui lui permettait de se sortir de toute situation.

— On se retrouvera dans le hall principal, indiqua-t-elle avant de pointer un doigt impérieux vers l'enfant. Et toi, reste tout près de Nana. Je ne veux pas te perdre dans ce cirque.

Kim gémit et leva les yeux au ciel. Tess les regarda disparaître dans la cohue avant de tourner les talons pour continuer sa visite.

L'immense hall d'entrée du musée était déjà rempli d'hommes aux cheveux poivre et sel et de femmes vertigineusement chics. Cravate noire et robe longue de rigueur ! En regardant autour d'elle, Tess fut gênée. Elle se sentait en décalage : d'abord à cause de son « élégance » minimaliste, mais aussi parce qu'elle détestait l'idée que l'on puisse croire qu'elle appartenait à cette foule – une masse pour laquelle elle n'éprouvait aucune sympathie.

Il y avait pourtant une chose dont Tess n'avait pas conscience. Si les gens la regardaient, ce n'était pas parce qu'ils la jugeaient quelconque dans sa petite robe noire qui flottait à quelques centimètres au-dessus des genoux, ni parce qu'ils sentaient son malaise à l'idée d'assister à un événement d'une extrême platitude. Les gens la remarquaient, tout simplement. Cela avait toujours été le cas. Et qui leur en aurait voulu ? Ses somptueuses boucles blondes encadraient des yeux verts pétillants d'intelligence. Respirant la santé, sa silhouette, ses enjambées fluides et décontractées ajoutaient à sa séduction, ainsi que le fait qu'elle soit inconsciente de son charme. Malheureusement, en matière d'hommes elle était toujours tombée sur de mauvais numéros. Elle avait même fini par épouser le dernier de cette triste série, erreur à laquelle elle avait mis un terme.

Elle s'avança dans la salle principale. Le bourdonnement des conversations se répercutait sur les murs dans un grondement sourd. Apparemment, l'acoustique n'avait pas été une préoccupation majeure lors de la conception du musée. A distance, Tess pouvait percevoir les échos d'une musique de chambre. Elle se laissa guider par ce filet de notes pour découvrir un petit quatuor féminin coincé dans un angle. Les musiciennes s'acharnaient avec énergie sur leurs instruments, mais elles demeuraient presque inaudibles. Tess dépassa les expositions permanentes de fleurs fraîches de Lila Wallace et la niche d'où la sublime terre cuite d'Andrea della Robbia représentant la Vierge et l'Enfant Jésus observait la foule. Ce soir, elle avait de la compagnie car les trésors du Vatican comprenaient de nombreuses représentations de la Madone et de l'Enfant.

Presque tous les objets étaient protégés par des vitrines. Un simple coup d'œil permettait de constater que bon nombre étaient de très grande valeur. Même pour une agnostique comme Tess, ils étaient impressionnants, voire bouleversants. Alors qu'elle quittait le grand escalier pour pénétrer dans la première salle d'exposition, son cœur se mit à battre plus fort à l'idée de ce qu'elle allait voir.

Des objets d'autel en albâtre provenant de Bourgogne et représentant des scènes de la vie de saint Martin ; des profusions de crucifix, la plupart en or massif et incrustés de pierres précieuses. L'un d'eux, une croix du XIIe siècle, était en réalité une défense de morse dans laquelle on avait sculpté des centaines de personnages. Il y avait des statuettes de marbre et des reliquaires de bois gravés. Même vidés de leur contenu originel, ces coffrets demeuraient de superbes exemples d'artisanat. Un lutrin de bronze figurant un aigle en gloire se dressait près d'un exceptionnel chandelier espagnol de six pieds de haut qui avait été emprunté aux appartements du pape.

La plupart des objets qu'elle avait devant les yeux étaient d'une telle qualité qu'elle n'aurait jamais osé espérer les exhumer pendant ses années sur le terrain. Certes, il s'était agi d'années stimulantes et, dans une certaine mesure, enrichissantes et gratifiantes. Elles lui avaient offert la possibilité de voyager à travers le monde et de s'immerger dans différentes cultures. Certaines des curiosités qu'elle avait déterrées étaient maintenant exposées aux quatre coins du monde. Mais rien de ce qu'elle avait découvert n'était assez remarquable pour honorer de sa présence l'aile Sackler d'art égyptien ou l'aile Rockefeller d'art primitif[1].

« Peut-être... peut-être que si je m'étais accrochée un peu plus longtemps... »

Elle repoussa cette pensée. Cette vie, elle en était consciente, se trouvait maintenant derrière elle.

Pour le Met, accueillir cette exposition avait été un coup de maître : quasiment aucun des objets n'avait été exposé auparavant.

Et pourtant tous n'étaient pas faits d'or ou incrustés de pierres scintillantes.

Par exemple, dans la vitrine devant laquelle elle se trouvait, on pouvait voir un objet ordinaire : une sorte de dispositif mécanique en cuivre, de la taille d'une vieille machine à écrire, ayant la forme d'une boîte. A son sommet, il y avait de

1. Sections du Metropolitan Museum. (*N.d.T.*)

nombreux boutons ; une série d'engrenages et de manettes saillaient sur les côtés.

En se penchant pour le regarder de plus près, Tess repoussa une mèche de ses longs cheveux. Elle était en train de fouiller dans son sac pour récupérer son catalogue quand une silhouette indistincte vint rejoindre son propre reflet sur le verre de la vitrine.

— Si tu cherches encore le Saint-Graal, je vais te décevoir. Il n'est pas ici, lança une voix grave dans son dos.

Cela avait beau faire des années qu'elle ne l'avait pas entendue, elle n'eut pas besoin de se retourner pour la reconnaître instantanément.

— Clive !

Tess se releva en pivotant pour se retrouver face à son ancien collègue.

— Comment vas-tu ? Tu as l'air en pleine forme.

Ce qui n'était pas totalement exact. Même s'il entrait à peine dans la cinquantaine, Clive Edmondson paraissait beaucoup plus vieux.

— Merci. Et toi ?

— Je vais bien. Comment se porte le petit business des profanateurs de sépultures, ces temps-ci ?

Edmondson lui présenta le dos de ses mains.

— Les factures de manucure m'assassinent. Sinon, toujours la même inaltérable routine. Et toi ? J'ai entendu dire que tu avais rejoint le Manoukian.

— C'est vrai.

— Et alors ?

— Oh, c'est super, répondit-elle sobrement.

Cela non plus n'était pas exact. Intégrer le prestigieux institut Manoukian avait été un joli coup pour elle, mais jusque-là, l'expérience ne se révélait pas si formidable que cela. Seulement ces choses-là, on les garde pour soi, surtout dans le monde cancanier de l'archéologie. Cherchant une remarque neutre, elle lança :

— Tu sais, je regrette de ne plus être avec vous là-bas.

Au sourire de son interlocuteur, elle comprit qu'il n'en croyait rien.

— Tu ne rates pas grand-chose. On n'a pas encore fait les gros titres.

— Ce n'est pas ça. C'est simplement que…

Elle se tourna et contempla les objets exposés autour d'elle.

— ... ç'aurait été génial de trouver n'importe laquelle de ces pièces. N'importe laquelle.

Quand elle refit face à Clive, un air mélancolique avait envahi son visage.

— Comment se fait-il que nous n'ayons jamais rien découvert d'aussi bien ? maugréa-t-elle.

— Je continue d'espérer. C'est toi qui as échangé les chameaux contre un bureau, railla-t-il. Sans parler des mouches, du sable, de la chaleur, de la nourriture – si tant est qu'on puisse la qualifier ainsi...

— Oh, mon Dieu, la nourriture ! s'esclaffa la jeune femme. En y repensant, je ne suis pas si certaine que tout ça me manque.

— Tu peux toujours revenir.

C'était une chose à laquelle elle songeait souvent.

— Je ne crois pas. Pas avant un moment, en tout cas.

Edmondson arbora un sourire quelque peu forcé.

— On a toujours une pelle à ton nom, tu sais, dit-il d'une voix qui paraissait tout sauf pleine d'espoir.

Un silence pesant s'immisça entre eux.

— Ecoute, ajouta-t-il, ils ont installé un bar dans la salle égyptienne. Apparemment, ils y ont mis quelqu'un qui sait préparer des cocktails corrects. Laisse-moi t'offrir un verre.

— Va devant. Je te retrouve plus tard. Je dois d'abord attendre Kim et ma mère.

— Elles sont ici ?

— Oui.

— Ouah ! Trois générations de Chaykin... Ce doit être bigrement intéressant.

— Tu auras été prévenu.

— Bien noté, acquiesça Clive en se glissant dans la foule. Je te retrouve plus tard. Ne t'envole pas.

Dehors, autour de l'esplanade, l'atmosphère était électrique. Les applaudissements et les cris de joie de la foule exaltée empêchaient la journaliste de travailler. Toutes ses tentatives de commentaire étaient réduites à néant. Son cameraman se mit à jouer des coudes pour essayer d'atteindre un espace dégagé. Le vacarme monta encore d'un cran. La foule venait de repérer un petit homme corpulent en uniforme de vigile, qui abandonnait son poste pour se précipiter vers les cavaliers.

Le cameraman devina que quelque chose ne se passait pas comme prévu. La démarche résolue et la gestuelle du garde indiquaient qu'il n'était pas d'accord avec le mouvement des chevaliers en armure.

En arrivant au niveau des chevaux, il leva les mains. Les chevaliers tirèrent sur les rênes. Les quatre montures s'ébrouèrent et piaffèrent, contrariées d'être immobilisées sur les marches.

Apparemment, on discutait. Pourtant, comme l'observait le cameraman, c'était une discussion à sens unique, un monologue, car il voyait que les cavaliers ne réagissaient pas à l'interpellation du garde.

Enfin, l'un d'eux entreprit quelque chose.

Lentement, exploitant toute la théâtralité de l'instant, le chevalier le plus proche du vigile, un homme à la carrure d'ours, tira sa grande épée et la leva bien haut au-dessus de sa tête. Le geste provoqua un nouveau déchaînement de flashs et d'applaudissements.

Le regard fixé droit devant lui, l'inconnu en armure tenait l'arme des deux mains. Inébranlable.

Le cameraman prit soudain conscience d'un phénomène étrange et il zooma sur le visage du garde. Quel était cet air ? De l'embarras ? De la consternation ?

Puis il comprit ce que c'était.

De la peur.

La foule laissait maintenant libre cours à un tonnerre d'acclamations. Le preneur d'images fit un zoom arrière pour cadrer aussi le cavalier aux bras levés.

A cette seconde précise, celui-ci abaissa son épée en esquissant un arc de cercle. L'arme scintilla d'une manière terrifiante dans la lumière artificielle des flashs avant d'atteindre le garde juste sous l'oreille. La puissance et la rapidité du coup avaient été telles que la lame trancha chair, cartilage et os.

Un instant, la foule resta bouche bée, le souffle coupé. Les cris restaient bloqués au fond des gorges, puis ce fut la délivrance : des hurlements d'horreur déchirèrent la nuit. Le moins strident ne fut pas celui de la journaliste. Elle s'agrippa si fort au bras de son cameraman que l'image se mit à tressauter. L'homme se vit contraint de la repousser du coude pour continuer sa prise de vues.

La tête du garde tomba en avant et rebondit sur les marches du musée, laissant derrière elle une traînée rouge et des éclaboussures de sang. Au terme de ce qui parut une éternité, le corps décapité bascula à son tour. Il s'effondra sur lui-même en projetant un geyser de sang.

Ignorant ce qui se passait mais certains qu'il s'agissait de quelque chose d'important, des curieux tentaient d'approcher. En quelques secondes, les abords du musée furent le théâtre d'une marée de corps entremêlés. L'air était saturé de hurlements.

Les trois autres montures ne tenaient plus en place et piaffaient d'impatience sur les dalles de l'escalier monumental. Alors l'un des chevaliers cria :

— En avant !

L'exécuteur du garde éperonna sa monture et chargea la porte ouverte du musée. Ses comparses lui emboîtèrent le pas.

3

Dans le grand hall, Tess entendit les hurlements provenant de l'extérieur et se tourna juste à temps pour voir le premier chevalier surgir dans l'encadrement de la porte. Il continua sans s'arrêter, projetant des éclats de verre et de bois à l'intérieur, tandis que l'immense salle se transformait en chaos. La foule lisse, propre, sans aspérité, immaculée, en un mot distinguée, implosa en une masse hurlante. Les hommes et les femmes se poussèrent pour s'écarter du chemin de la charge équestre.

Trois des chevaliers se frayèrent violemment un passage à travers la cohue. Leurs épées s'écrasaient sur les vitrines, pulvérisant le verre et le bois, détruisant les objets exposés.

Tess fut bousculée par des dizaines d'invités affolés qui essayaient de s'enfuir. Ses yeux balayaient éperdument le grand hall.

« Kim… Maman… Où êtes-vous ? »

Elle regardait partout sans les apercevoir. A l'autre extrémité, sur sa droite, les chevaux pivotèrent, détruisant des présentoirs sur leur passage. Les invités allaient valser contre les armoires de verre et les murs. Leurs gémissements et leurs cris se répercutaient dans la vaste salle. Tess repéra Clive Edmondson au milieu d'eux. Son ex-collègue venait de se faire pousser de côté par l'un des chevaux, qui s'était cabré.

Naseaux dilatés, les chevaux s'ébrouaient. De l'écume coulait de leurs mors. Les cavaliers se penchaient sur leurs encolures, tendaient les mains vers les vitrines brisées et ramassaient au passage des objets scintillants avant de les fourrer dans des sacs accrochés à leurs selles. Aux portes du Met, la foule cherchant à sortir empêchait la police, impuissante face à la masse terrifiée, de pénétrer dans le musée.

L'un des chevaux fit volte-face. Son flanc heurta une statue de la Vierge Marie, qui tournoya et finit sa chute en se fracassant sur le sol. Les sabots en écrasèrent les fragments, pulvérisant les mains jointes de la Madone. Arrachée à son support par les invités en fuite, une magnifique tapisserie fut piétinée tant par les humains que par les animaux. Une vitrine fut renversée. Une mitre blanc et or traversa le verre brisé, tomba à terre et fut projetée au loin dans la bousculade. Une robe cérémonielle bascula pareillement et jaillit comme un tapis volant avant de s'étaler elle aussi sur le sol.

S'écartant du chemin des chevaux, Tess regarda en bas, dans le grand hall, où, à quelque distance, elle pouvait voir le quatrième cavalier. Derrière lui, à l'autre extrémité de la vaste salle, des invités affolés se dispersaient vers d'autres parties du musée. Elle continua de chercher du regard sa mère et sa fille.

Malgré tous ses efforts, elle désespérait de voir leurs visages dans la masse confuse de la foule.

Entendant un ordre derrière elle, Tess se retourna pour constater que des agents de police étaient parvenus à remonter la vague des fugitifs. L'arme au poing, hurlant pour couvrir le vacarme, ils se rapprochaient de l'un des trois cavaliers, qui, de sous son manteau, sortit un pistolet-mitrailleur. La jeune femme se jeta à terre en se couvrant la tête. En plongeant, elle avait eu le temps de voir l'homme lâcher une salve de balles, de droite à gauche. Une dizaine de personnes s'effondrèrent, dont les policiers. Autour des victimes, le verre brisé et les vitrines éventrées étaient couverts de sang.

Encore tapie sur le sol, Tess sentait son cœur battre à se rompre. Essayant de rester aussi calme que possible, même si tout en elle lui criait de prendre ses jambes à son cou, elle vit deux autres cavaliers brandir des armes automatiques semblables à celle de leur complice. Les balles ricochèrent contre les murs, ajoutant au bruit et à la panique. L'un des chevaux se cabra soudain et les mains de son cavalier battirent l'air. Son pistolet-mitrailleur projeta une rafale sur l'un des murs et sur le plafond, faisant pleuvoir des morceaux de plâtre sur les têtes des invités étendus sur les dalles.

Tess risqua un œil. L'esprit bouillonnant, elle examinait les possibilités de fuite. A trois travées sur sa droite, elle repéra un passage conduisant vers une autre galerie. Dans un immense effort de volonté, elle s'élança dans cette direction.

Elle avait à peine atteint la seconde travée quand elle aperçut le quatrième chevalier. Il se dirigeait vers elle. La jeune femme se figea derrière une vitrine. Elle le regarda se faufiler entre les rangées encore intactes. Il donnait l'impression de rester indifférent au chaos que provoquaient ses trois compagnons.

Tess pouvait presque sentir l'air rejeté par les naseaux du cheval. Le cavalier tira sur la bride pour l'immobiliser à deux mètres d'elle. Tess se plaqua contre la paroi et, en levant les yeux, elle aperçut le reflet du chevalier dans une vitre. Impérieux dans sa cotte de mailles et son manteau blanc, il fixait une vitrine en particulier.

Celle que Tess examinait quand Clive Edmondson s'était approché d'elle.

Le chevalier tira son épée, la leva et l'abattit bruyamment sur le meuble, le réduisant en miettes. Des éclats retombèrent autour de la jeune archéologue. L'homme rengaina son arme et se pencha sans mettre pied à terre. Soigneusement, il souleva la machine avec ses boutons, ses engrenages et ses manettes. Il contempla l'objet un bon moment avec une sorte de respect, puis marmonna quelques mots pour lui-même :

— *Veritas vos liberabit...*

Tess l'observait, fascinée. Puis, soudain, une nouvelle rafale d'arme automatique les tira – l'inconnu et elle – de leur rêverie.

Il fit pivoter son cheval et, un instant, ses yeux, dissimulés en partie derrière la visière de son heaume, croisèrent ceux de Tess. Le cœur de la jeune femme s'arrêta de battre. Le cheval vint dans sa direction, droit sur elle...

... avant de passer en la frôlant. Simultanément, elle entendit le cavalier crier à ses trois comparses :

— On s'en va !

Le grand chevalier qui avait tiré le premier était en train de rassembler un groupe dans un coin, près de l'escalier principal. Tess reconnut l'archevêque de New York, ainsi que le maire et son épouse. Le chef des malfaiteurs hocha la tête et le colosse lança sa monture contre les invités. Il attrapa la femme du maire, qui se débattait, la souleva pour la jeter en travers de son cheval. L'homme planta le canon de son arme sur la tempe de la malheureuse, qui se calma, la bouche ouverte sur un cri silencieux.

Impuissante, Tess regarda les quatre cavaliers se diriger vers la sortie. Le chef – le seul sans arme, remarqua-t-elle – était le seul à ne pas avoir de sac accroché au pommeau de sa selle.

Tandis qu'ils retraversaient les galeries du musée, Tess se releva et se précipita à travers les débris, à la recherche de sa mère et de sa fille.

Les chevaliers se ruèrent dehors. Ils franchirent les portes du musée et débouchèrent dans la lumière des projecteurs de télévision. Autour d'eux, on entendit des cris, des voix d'hommes – principalement des policiers – dont on distinguait certains mots ici et là :

— ... Ne tirez pas !... Otage... Baissez vos armes !...

Puis les quatre hommes dévalèrent les marches et s'engagèrent dans l'avenue. Le cavalier tenant l'otage se plaça en protection à l'arrière-garde. Indifférents aux hurlements des sirènes dans la nuit, ils se déplaçaient rapidement, mais sans précipitation. En quelques instants, ils disparurent dans les ténèbres de Central Park.

4

Au sommet du perron, Sean Reilly se tenait à l'extérieur du périmètre des lieux du crime délimité par le ruban noir et jaune de la police. Songeur, la main dans ses courts cheveux châtains, il contemplait la silhouette de l'homme décapité, tracée à la craie à l'endroit où il était tombé. Puis il laissa ses yeux suivre la traînée sanglante jusqu'à un autre marquage au bas des marches. De la taille d'un ballon de basket, il indiquait la position où la tête avait arrêté sa course.

Nick Aparo s'approcha derrière son partenaire et regarda par-dessus son épaule. A quarante-huit ans, il faisait bien ses dix printemps de plus que Reilly. Avec un visage rond et une calvitie naissante, Aparo était d'une taille moyenne, d'une carrure moyenne et d'un physique... moyen. Même pendant qu'on était en train de lui parler, on pouvait oublier ce à quoi il ressemblait. A dire vrai, il s'agissait d'une qualité fort utile pour un agent spécial, qu'il avait d'ailleurs toujours exploitée fort opportunément depuis que Reilly le connaissait. Par-dessus son costume gris, Nick portait, comme Reilly, un ample coupe-vent bleu foncé avec les grandes lettres blanches « FBI » imprimées dans le dos. A cet instant précis, sa bouche formait une grimace de dégoût.

— A mon avis, le médecin légiste n'aura pas beaucoup de problèmes pour résoudre ce cas-là, observa-t-il.

Reilly hocha la tête. Il ne pouvait détacher ses yeux des traces que la tête avait laissées. La mare de sang avait maintenant foncé. Pourquoi, se demanda-t-il, une mort par balle ou par couteau semblait-elle moins terrible qu'une décapitation ? Il lui revint à l'esprit que les exécutions par décapitation demeuraient la procédure ordinaire dans certaines régions du monde, lesquelles avaient engendré bon nombre de terroristes dont la traque occupait, en l'occurrence, ses journées et une partie de ses nuits.

Il se tourna vers Aparo.

— Quelles nouvelles de l'épouse du maire ?

Il savait qu'elle avait été abandonnée sans cérémonie au milieu du parc, avec les chevaux.

— Juste secouée, répondit Aparo. Son ego a plus souffert que ses fesses.

— Ils ont de la chance qu'une élection arrive. Ça aurait été dommage pour eux de ne pas exploiter une telle mésaventure.

Reilly regarda autour de lui. Il essayait de se faire à l'idée du drame qui venait de se produire.

— Toujours rien du côté des barrages ? demanda-t-il.

Des barrages routiers avaient été mis en place dans un rayon de dix rues et devant tous les ponts et tunnels de Manhattan.

— Rien. Ces types savaient ce qu'ils faisaient. Ils n'allaient pas attendre un taxi.

Reilly opina du chef. Des professionnels bien organisés.

En silence, il balaya du regard la scène du carnage, et sentit une vague de frustration et de colère monter du plus profond de lui. L'aspect aléatoire de ces actes de démence meurtrière et leur propension exaspérante à prendre tout le monde au dépourvu ne cessaient de le stupéfier. Mais cet endroit avait quand même quelque chose d'étrange – d'étrange et même de dérangeant. D'une certaine façon, ce drame était presque trop incongru, trop éloigné de tout ce qu'on avait pu imaginer, de tous les scénarios que ses collègues et lui avaient tenté d'anticiper au cours des dernières années. Reilly avait l'impression d'être planté à l'extérieur d'un grand chapiteau, comme si une scène accessoire distrayait son attention du spectacle principal. Pire : d'une manière inquiétante – et à son grand déplaisir –, il était presque heureux d'éprouver cette sensation.

En sa qualité d'agent spécial dirigeant l'unité antiterroriste du bureau de New York, il avait deviné que le raid finirait par lui incomber dès qu'il avait reçu l'appel. A dire vrai, il n'avait pas peur du travail phénoménal que représentait la coordination des activités de dizaines d'agents et de policiers, mais aussi des analystes, des techniciens des labos, des psychologues, des photographes et d'innombrables autres. C'était ce qu'il avait toujours voulu faire.

Ce sentiment s'était cristallisé pendant ses années à la fac de droit de Notre-Dame. Pour Reilly, beaucoup de choses n'allaient pas dans ce monde – la mort de son père alors qu'il n'avait que dix ans en était une preuve douloureuse – et il voulait contribuer à faire de sa planète un endroit meilleur, au moins pour les autres, à défaut de l'être pour lui. C'était devenu une obsession le jour où, travaillant sur un article à propos d'un crime raciste, il avait assisté à un rassemblement de suprématistes blancs à Terre Haute. L'événement l'avait profondément affecté. Il s'était senti confronté au mal personnifié. Aussi avait-il aussitôt éprouvé un besoin pressant de mieux le comprendre s'il voulait contribuer à le combattre.

Son premier projet ne fonctionna pas aussi bien qu'il l'avait espéré. Dans un élan d'idéalisme juvénile, il avait décidé de devenir pilote de la Navy. L'idée de débarrasser le monde du mal depuis le cockpit d'un Tomcat argenté lui semblait admirable. Son profil correspondait au type de recrue que l'on cherchait alors. Malheureusement, ce dont on avait besoin, c'était de juristes. On avait tenté de le convaincre de rejoindre le corps des assesseurs généraux. Pendant un moment, Reilly avait soupesé cette idée, puis il avait choisi de renoncer et il s'était concentré sur son examen du barreau de l'Indiana.

Une rencontre fortuite dans une boutique de livres d'occasion avait réorienté sa voie, cette fois pour de bon. Un agent du FBI en retraite n'avait été que trop content de lui parler du Bureau et de l'encourager à postuler... Ce qu'il avait fait dès qu'il avait été reçu au barreau. Sa mère n'était guère ravie à l'idée que son fils ait pu suivre sept ans d'études pour finir, selon sa propre expression, dans la peau d'un « flic amélioré ».

Pour sa période d'agent débutant, on l'avait affecté au bureau de Chicago. Là, il enregistrait sur ordinateur les affaires de vol à l'arraché sur la voie publique ou les noms de certains gangs de trafiquants de drogue.

Cela faisait à peine un an qu'il était là quand, le 26 février 1993, tout avait basculé. Ce jour-là, une bombe avait explosé dans le parking souterrain du World Trade Center, tuant six personnes et en blessant plus d'un millier ; plus de huit ans avant le 11 septembre 2001, les terroristes avaient déjà bel et bien projeté de faire s'effondrer l'une des tours du World Trade Center sur l'autre, tout en soulevant un nuage de gaz cyanhydrique. Seuls des problèmes financiers les avaient empêchés d'atteindre leur objectif : ils s'étaient tout simplement retrouvés à court d'argent dans la phase finale de leur projet. Non seulement ils n'avaient pas pu se procurer assez de cartouches de gaz pour accomplir la totalité de leur dessein, mais, en outre, ils avaient placé le dispositif contre la mauvaise colonne, en l'occurrence un pilier qui n'était pas porteur.

Même si l'attaque avait échoué, elle avait représenté une sérieuse alerte. Elle démontrait notamment qu'un petit groupe d'individus sans qualifications particulières – pratiquement des amateurs –, avec très peu d'argent ou de ressources, pouvait causer des dégâts phénoménaux. Les agences de renseignement s'étaient hâtées de réorganiser leurs moyens et leurs dispositifs pour faire face à cette nouvelle menace.

Ainsi, moins d'un an après avoir rejoint le Bureau, Reilly s'était retrouvé muté à l'antenne new-yorkaise. Depuis longtemps, celle-ci avait la réputation d'être le pire endroit où travailler, en raison du coût élevé de la vie à New York, des problèmes de circulation et de la nécessité de vivre assez loin du centre si on voulait habiter quelque chose d'un peu plus spacieux qu'un placard à balais. Toutefois, étant donné que cette mégapole avait toujours engendré de l'action, c'était le poste dont rêvaient la quasi-totalité des nouveaux – et naïfs – agents spéciaux. Reilly faisait partie de ces derniers quand on l'avait nommé à New York.

Aujourd'hui, il n'était plus nouveau… ni naïf.

En observant le spectacle autour de lui, Reilly comprit que son avenir immédiat allait être monopolisé par le chaos qui l'entourait. Il nota qu'il devrait appeler le père Bragg dès le lendemain matin pour lui annoncer qu'il ne serait pas en mesure d'assurer l'entraînement de softball. Cette idée lui était désagréable. Il détestait décevoir les gamins. S'il y avait bien une chose sur laquelle il essayait de ne pas laisser le travail empiéter, c'étaient ses dimanches au parc.

Assurément, ce dimanche-là, il le passerait quand même au parc... mais pour d'autres raisons, beaucoup moins agréables.

— Tu veux aller jeter un coup d'œil à l'intérieur ? proposa Aparo.

— Oui, répondit-il en haussant les épaules.

Une dernière fois, il balaya du regard la confusion surréaliste qui régnait autour de lui.

5

Reilly pénétra dans le Met avec Aparo. En enjambant soigneusement les débris éparpillés, il prit toute la mesure de la désolation qui régnait à l'intérieur.

Partout gisaient des reliques inestimables. La plupart étaient irréparables. Dans le musée même, on n'avait tendu aucune bande noir et jaune. L'ensemble du bâtiment était considéré comme lieu du crime. Le sol du grand hall n'était qu'une effroyable vision de dévastation : fragments de marbre, éclats de verre, taches de sang... Chacune de ces pièces à conviction était susceptible de fournir un indice.

Tout de blanc vêtus, une dizaine de techniciens de la police progressaient méthodiquement au milieu des débris. Pour l'occasion, ils avaient été rejoints par des agents de l'ERT, l'équipe de recherches de preuves du FBI.

Reilly récapitula ce qu'il savait déjà. Quatre cavaliers. Cinq cadavres. Trois flics, un vigile, un civil. Quatre autres policiers et une dizaine de civils souffraient de blessures par balles, dont deux étaient dans un état critique. Une vingtaine avaient reçu des éclats de verre. Et pratiquement le double présentaient des ecchymoses bénignes. Sinon, on dénombrait probablement assez de traumatismes pour occuper pendant des mois une armada de psychologues.

De l'autre côté du hall, Tom Jansson, le directeur adjoint de l'antenne de New York, discutait avec le filiforme chef du 19e district. Ils débattaient de questions d'autorité et de juridiction éminemment sujettes à controverse. L'implication du Vatican et la possibilité d'un attentat entraînaient normalement le transfert immédiat de l'enquête du NYPD[1] au FBI. Heureusement, pour résoudre le problème, un accord avait été passé entre les deux organisations quelques années plus tôt. Quand une arrestation intervenait, le NYPD s'attribuait la gloire de celle-ci, quels qu'en soient les responsables réels. Le FBI n'obtenait sa part d'honneurs que lorsque l'affaire passait en jugement, afin, par son témoignage, d'assurer la condamnation. Hélas, souvent, les susceptibilités personnelles se mettaient en travers d'une coopération sensée. C'était apparemment le cas ce soir-là.

Aparo héla un homme que Reilly ne connaissait pas et le présenta comme l'inspecteur Steve Buchinski.

— Steve est heureux de nous aider en attendant qu'ils aient fini de couper les cheveux en quatre.

— Dites-moi simplement ce dont vous avez besoin, confirma Buchinski. J'ai autant envie que vous de coincer les fils de pute qui ont fait ça.

C'était un bon départ, pensa Reilly en lui adressant un sourire reconnaissant.

— Des yeux et des oreilles dans la rue. Voilà ce dont on a besoin en ce moment. Vous avez le personnel et les réseaux.

— C'est déjà ce que nous faisons. Je vais emprunter quelques hommes supplémentaires au CPP[2]. Ça ne devrait pas poser de problèmes, promit le policier.

Le district jouxtant le 19e était précisément celui de Central Park et les patrouilles à cheval constituaient l'ordinaire de son activité. Reilly se demanda soudain s'il pouvait y avoir un lien ; il lui faudrait vérifier ce point.

— On pourrait aussi utiliser vos gars pour les interrogatoires, ajouta l'agent du FBI.

— Oui, renchérit Aparo. On a ce qu'il faut en matière de témoins oculaires. Même plus qu'il n'en faut.

Du doigt, il montrait le grand escalier. La plupart des bureaux à l'étage avaient été réquisitionnés pour servir de salles d'interrogatoire.

Reilly leva les yeux. Il repéra l'agent spécial Amelia Gaines qui descendait les marches. Jansson avait chargé la jeune rousse – aussi somptueuse qu'ambitieuse – d'interroger les

1. New York Police District, la police judiciaire de New York. (*N.d.T.*)
2. Central Park Precinct, la circonscription de police de Central Park. (*N.d.T.*)

témoins. Un choix fort judicieux, car tout le monde aimait discuter avec elle. Derrière l'agent, une femme blonde portait dans ses bras une réplique d'elle-même en réduction. Sa fille, supposa Reilly. La petite avait l'air endormie.

L'agent de la section antiterroriste revint sur le visage de la mère. D'ordinaire, la seule présence de l'étourdissante Amelia suffisait à éclipser toutes les autres femmes.

Mais pas celle-là.

Même dans son état, il émanait d'elle quelque chose de... magnétique. Leurs yeux se croisèrent. Puis l'inconnue baissa le regard pour vérifier où elle mettait les pieds au milieu de toute cette pagaille.

Reilly la vit gagner la porte en zigzaguant tant bien que mal parmi les débris. Juste derrière elle, il remarqua une autre femme. Elle était plus âgée, mais présentait une vague ressemblance physique avec la jeune mère. Elles sortirent du musée.

L'agent spécial se concentra sur sa tâche présente.

— Le premier débriefing des témoins est toujours une énorme perte de temps. Mais il est impossible de s'y soustraire, au moins pour la forme. On doit parler à tout le monde.

— Et ici, c'est sans doute encore davantage une perte de temps. Toute cette foutue attaque a été enregistrée.

Buchinski tendait le doigt vers une caméra vidéo, puis une autre. Elles appartenaient au système de sécurité du musée.

— Sans parler de toutes les prises de vues des équipes de télé à l'extérieur, ajouta-t-il.

Par expérience, Reilly savait que la haute sécurité s'avérait très efficace pour les crimes high-tech, mais personne n'avait prévu des brigands médiévaux à cheval.

— Super, dit-il avec un hochement de tête. Je vais chercher du pop-corn.

6

Plusieurs cardinaux du Sacré Collège étaient réunis autour d'une longue table d'acajou dans une grande salle proche du cœur du Vatican. Le cardinal Mauro Brugnone observa ses collègues. Etant le seul cardinal-évêque[1] présent, il jouissait d'un rang supérieur à tous les autres, mais il avait évité de s'asseoir en bout de table. Il aimait maintenir un semblant de démocratie, même s'il savait qu'*in fine* tous s'en remettraient à lui. Il le savait et l'acceptait, non par fierté, mais par pragmatisme. Les assemblées sans chef n'aboutissaient jamais à rien.

Hélas, cette malheureuse situation ne réclamait ni chef ni assemblée. Brugnone allait devoir s'occuper seul de cette affaire. Dès qu'il avait vu les images que la télévision avait diffusées dans le monde entier, il l'avait compris.

Ses yeux finirent par se poser sur le cardinal-diacre[2] Pasquale Rienzi, benjamin de l'assemblée, qui était aussi son plus proche confident. Comme les autres, il restait absorbé dans la lecture du compte rendu étalé devant lui. Lorsqu'il leva la tête, son regard croisa celui de son mentor. Aussi pâle et grave que d'habitude, le jeune prélat toussota.

— Comment une chose pareille a-t-elle pu se produire ? demanda quelqu'un. En plein cœur de New York ? Au Metropolitan Museum ?

Quelle absurdité ! pensa Brugnone. Tout pouvait arriver à New York. La destruction du World Trade Center ne l'avait-elle pas prouvé ?

---

1. Titre spécial donné à certains cardinaux (théoriquement six, bien que les autres cardinaux puissent être également évêques). [*N.d.T.*]

2. Titre des derniers cardinaux nommés (théoriquement les quatorze plus récents). [*N.d.T.*]

— Au moins, l'archevêque n'a pas été blessé, releva un autre cardinal.

— Les voleurs ont apparemment réussi à s'échapper. On ne sait pas encore qui est derrière cette... abomination ? interrogea une autre voix.

— C'est une terre de criminels. Des fous inspirés par leurs programmes télévisés amoraux et leurs jeux vidéo sadiques ! s'exclama un autre. Il n'y a plus une place dans leurs prisons depuis des années.

— Mais pourquoi étaient-ils vêtus comme... ils l'étaient ? Des croix rouges sur des manteaux blancs... Ils étaient déguisés en Templiers...

« Nous y sommes », songea Brugnone.

C'était précisément ce déguisement qui avait déclenché ses signaux d'alarme intérieurs. Oui, pourquoi ces criminels s'étaient-ils habillés en Templiers ? Pouvait-il s'agir d'un hasard ? Les malfaiteurs avaient-ils pris ce qui leur était tombé sous la main ? Ou bien le vêtement des quatre cavaliers avait-il une signification plus profonde, peut-être plus... problématique ?

— Qu'est-ce qu'un encodeur à rotors ?

Brugnone leva les yeux. La question avait été posée par le doyen des cardinaux.

— Un encodeur... ? répéta le cardinal-évêque.

Le vieux prélat fixait d'un regard myope le document qui avait été distribué.

— « Objet 129, lut le vieillard : XVIe siècle. Encodeur à rotors. Code référence VNS 1098 ». Je n'ai jamais entendu parler de cela. De quoi s'agit-il ?

Brugnone feignit d'étudier le document qu'il avait en main. Il s'agissait de la copie d'un e-mail fournissant une liste provisoire des objets dérobés au cours de l'attentat. Il s'efforça de conserver un visage impassible. Personne d'autre ne réagissait. Mais après tout, pourquoi auraient-ils réagi ? Ce qu'il savait, lui, eux ne le savaient pas.

Se redressant contre le dossier de son fauteuil, il repoussa le papier de côté.

— Quoi que cela puisse être, dit-il, ces gredins l'ont pris.

Puis il adressa un signe de tête à Rienzi.

— Je pense que vous allez tout faire pour nous tenir informés. Prenez contact avec la police et demandez-lui de nous tenir au courant de toutes ses investigations.

— Avec le FBI, corrigea Rienzi, pas avec la police.

Brugnone leva un sourcil.

— Le gouvernement américain prend cette affaire très au sérieux, affirma le jeune prélat.

— C'est le moins que l'on puisse attendre, grogna le doyen des cardinaux.

Au grand soulagement de Brugnone, le vieil homme avait apparemment oublié la machine.

— Parfait, continua Rienzi. On m'a assuré que tout ce qui pourrait être fait le serait.

Le cardinal-évêque opina du chef pour exprimer son assentiment puis, d'un mouvement de l'index, il invita son jeune collègue à conclure.

Les gens avaient toujours été soumis à Mauro Brugnone. Probablement, pensait-il, parce que son apparence suggérait une grande force physique. Sans ses vêtements ecclésiastiques et avec ses épaules carrées, il savait qu'il ressemblait au massif fermier calabrais qu'il serait devenu si l'Eglise ne l'avait pas appelé, plus d'un demi-siècle plus tôt.

Son aspect et ses manières bourrues – qu'il avait cultivées au cours du temps – empêchaient de prime abord quiconque de le considérer comme un simple homme de Dieu. Certes, il l'était, mais, du fait de sa position au sein de l'Eglise, beaucoup prêtaient au personnage une autre dimension : on le voyait volontiers manipulateur et intrigant. En réalité, il ne l'était pas, sans toutefois se soucier de dissiper les rumeurs. Parfois il se révélait payant de laisser les gens croire une chose, même si, d'une certaine manière, il s'agissait déjà d'une forme de manipulation.

Dix minutes plus tard, Rienzi partait accomplir ce qui lui avait été demandé.

Tandis que les cardinaux quittaient la salle de réunion, Brugnone s'éclipsa par une autre porte. Il remonta un couloir jusqu'à une cage d'escalier qui l'amena dans une petite cour isolée, à l'extérieur du bâtiment. Il descendit une allée de brique couverte, traversa la cour du Belvédère et dépassa la statue d'Apollon. Enfin il pénétra dans les bâtiments qui abritaient une partie de l'immense bibliothèque du Vatican, l'Archivio Segreto Vaticano – les archives secrètes.

Dans les faits, ces archives n'étaient pas particulièrement secrètes. Une grande partie avait été ouverte aux universitaires et aux chercheurs en 1998. Au moins en théorie, ceux-ci pouvaient avoir accès à leur contenu. Parmi les documents les plus célèbres conservés dans les quelque cinquante kilomètres de rayonnages, on relevait les transcriptions manuscrites du procès de Galilée et la requête émanant du roi Henri VIII d'Angleterre pour l'annulation de son mariage.

Cependant, aucun étranger n'était autorisé à pénétrer dans le secteur vers lequel Brugnone se dirigeait.

Il traversa des salles poussiéreuses où travaillaient en silence des membres du Vatican et des chercheurs. Le cardinal ne se donnait pas la peine de les saluer ou de leur répondre. Il se hâtait de s'enfoncer plus avant dans la pénombre de l'immense conservatoire.

Au terme d'un escalier en colimaçon plongeant dans les entrailles du lieu, il atteignit un petit vestibule. Un garde suisse se tenait devant une porte de chêne sculptée. Sur un simple hochement de tête de l'éminence, le factionnaire composa une combinaison sur un boîtier numérique et débloqua la porte. Le claquement du verrou libéré se répercuta dans l'escalier. Sans autre signe au garde, Brugnone pénétra dans une crypte aux voûtes en berceau. La porte se referma en craquant derrière lui.

Peu à peu, ses yeux s'adaptèrent à la faible luminosité du lieu. Après s'être assuré qu'il était bien seul, il poursuivit vers la zone des archives. Dans la crypte, le silence paraissait palpable, presque sonore. Pendant longtemps, le Calabrais avait trouvé cet effet curieux, déconcertant même. Mais il avait appris que, juste au-delà des limites audibles, un bourdonnement émanait du système de contrôle thermique, chargé de maintenir une température et une humidité constantes.

Sans hésitation, il se dirigea vers un meuble à tiroirs : un classeur à fiches. Il n'aimait pas descendre là, mais cette visite était inévitable.

Tandis qu'il faisait défiler les rangées de petites cartes, ses doigts tremblaient. Ce que Brugnone cherchait n'était pas répertorié dans l'un des différents index ou inventaires connus des archives vaticanes. On ne le mentionnait même pas dans le Schedario Garampi, le fichier monumental de près d'un million d'entrées recensant quasiment tout ce qui se trouvait dans les archives jusqu'au XVIIIe siècle. Pourtant, Brugnone savait où chercher. Peu avant sa mort, son mentor y avait veillé.

Ses yeux tombèrent enfin sur la fiche qu'il voulait et il la sortit de son tiroir.

Puis il se dirigea vers les rayonnages, en quête de la référence indiquée par le bristol. En proie à un mauvais pressentiment, le prélat parcourut des linéaires de vieux in-folio et autres ouvrages sans âge. Des rubans rouges loqueteux pendaient partout dans un silence de mort. Les doigts de l'ecclésiastique se raidirent quand il localisa le livre qui l'intéressait.

Très mal à l'aise, il descendit un gros volume relié de cuir et, avec précaution, alla le déposer sur une table de travail.

Après s'être assis, Brugnone examina les épais folios richement illustrés. Leur craquement troublait le silence. Même dans cet environnement climatisé, les pages avaient souffert des ravages du temps. Les feuilles de vélin étaient détériorées et le fer contenu dans l'encre avait rouillé, créant de minuscules estafilades qui remplaçaient maintenant certains des caractères de l'artiste.

Le pouls du cardinal s'accéléra. Il savait qu'il était proche de ce qu'il cherchait. Tournant une page, il sentit sa gorge se nouer alors que l'information apparaissait sous ses yeux.

Il fixa l'illustration. Elle représentait un dispositif complexe d'engrenages et de petites manettes. Sortant de sa poche la copie de l'e-mail, il hocha la tête.

Une migraine se formait à l'arrière de ses globes oculaires. Après s'être frotté les yeux, il regarda de nouveau le dessin. Une fureur sourde montait en lui. L'objet n'aurait jamais dû quitter le Vatican. Il pestait contre lui-même pour n'avoir pu ou su prévenir sa sortie.

Quiconque connaissait la signification de cet antique appareil aurait été pareillement bouleversé. Par chance, ils étaient très rares, même ici, au Vatican, à deviner la fonction, semi-légendaire, de cette machine.

« Nous avons attiré ce drame sur nous. C'est arrivé précisément parce que nous avons trop cherché à ne pas éveiller l'attention. »

Brugnone se sentait vidé, mais il trouva la force de se relever. Avant d'aller replacer le livre sur son étagère, il glissa la petite fiche au hasard entre les pages de l'ouvrage au lieu de la remettre dans le meuble-classeur. Inutile que qui que ce soit tombe dessus.

Le prélat soupira. Plus que jamais, il sentait le poids de chacune de ses soixante-dix années peser sur ses épaules. Il était certain d'une chose : la menace n'émanait pas d'un érudit curieux ou de quelque collectionneur déterminé. Quelle que fût l'identité de celui qui se trouvait derrière tout cela, il savait fort bien ce qu'il cherchait. Et il fallait absolument l'arrêter avant que l'objet puisse livrer ses secrets.

7

Au même instant, à plus de six mille kilomètres de là, un autre homme se trouvait dans une disposition d'esprit exactement inverse.

Après avoir refermé et verrouillé la porte derrière lui, il ramassa la machine sur la marche où il l'avait déposée et descendit lentement dans le caveau. L'appareil n'était pas trop lourd, mais il ne tenait pas à le laisser tomber.

Pas maintenant.

Pas après que le destin l'eut miraculeusement mis à sa portée, pas après tous les efforts déployés pour s'en emparer.

Malgré les dizaines de bougies, la pièce souterraine était trop spacieuse pour que la lumière tremblotante des flammèches puisse se faufiler dans ses moindres recoins : la cave demeurait aussi sombre que froide et humide. Mais l'homme n'y prêtait plus attention. Il avait passé tant de temps dans cet antre qu'il s'y était habitué, sans jamais ressentir de véritable inconfort. L'endroit était quasiment devenu son chez-lui – autant qu'un lieu pouvait l'être.

Chez lui.

Un souvenir lointain et fugitif.

Une autre vie.

Il posa la machine sur une table qui fléchit légèrement sous son poids, puis gagna un coin du caveau pour aller fouiller dans une pile de vieilles boîtes d'archives. Après avoir trouvé celle dont il avait besoin, il la rapporta vers la table et en sortit un dossier. Dans cette chemise, il récupéra plusieurs feuilles d'épais papier qu'il disposa à côté de l'appareil. Une fois assis, savourant l'instant, il laissa plusieurs fois ses yeux aller des documents à l'encodeur.

— Enfin ! murmura-t-il pour lui-même.

Sa voix était douce, un peu cassée à force de silence.

Récupérant un crayon, il tourna son attention vers le premier des documents. D'abord, il s'intéressa à la première ligne de l'écriture fanée, puis il tendit l'index vers les boutons disposés au sommet de la machine. Presque révérencieusement, il entama l'étape suivante, décisive, de son odyssée personnelle.

Une odyssée dont il savait que le résultat ultime ferait basculer le monde.

8

Tess était déjà réveillée, après cinq heures de sommeil à peine, impatiente de s'attaquer à une question qui la travaillait depuis les quelques minutes qui avaient précédé sa rencontre avec Clive. Elle pourrait s'y mettre dès que sa mère et Kim auraient quitté la maison.

Trois ans plus tôt, juste après la mort de son mari, Oliver, Eileen était venue vivre avec elles à Mamaroneck. Leur pavillon de deux étages était niché dans une petite rue tranquille, bordée d'arbres. Même si la proposition venait d'elle, Tess n'était pas certaine d'avoir eu une bonne idée. Cependant, tout avait bien fonctionné : la maison possédait trois chambres et assez d'espace pour tout le monde, ce qui facilitait les choses. La jeune archéologue devait même parfois reconnaître – avec un soupçon de culpabilité – que la balance semblait plutôt pencher de son côté : par exemple, quand elle voulait sortir le soir ou qu'elle n'avait pas le temps d'accompagner sa fille à l'école, Eileen pouvait s'occuper de Kim. C'était précisément le cas : la grand-mère allait emmener sa petite-fille manger des beignets, ce qui lui changerait les idées après les événements de la soirée et ne pourrait lui faire que du bien.

— On y va ! cria Eileen. Tu es sûre de n'avoir besoin de rien ?

Tess se dirigea vers l'entrée pour les regarder sortir.

— Rapportez-m'en quelques-uns.

La sonnerie du téléphone retentit. La jeune femme n'esquissa aucun mouvement vers le combiné. Eileen regarda sa fille.

— Tu ne réponds pas ?

— Le répondeur va s'en charger.

— Il faudra bien que tu lui parles, tôt ou tard.

Tess fit la grimace.

— Oui, eh bien, on verra.

Avec Doug, le plus tard était toujours le mieux.

Elle pouvait aisément deviner la raison des appels que son ex-mari avait laissés sur sa boîte vocale. Doug Merritt était le présentateur du journal télévisé de la filiale d'une chaîne de Los Angeles. Son travail l'absorbait et il avait forcément fait le lien entre le raid sur le Met et le fait que Tess y passait pas mal de temps. Elle devait y avoir un certain nombre de contacts. Des contacts qu'il pourrait exploiter pour obtenir des informations de première main sur ce qui devenait la plus grosse affaire médiatique de l'année.

La dernière chose dont elle avait besoin en ce moment, c'était qu'il apprenne que non seulement elle-même se trouvait là-bas, mais Kim également. Il n'hésiterait pas à utiliser ces munitions à la première occasion.

Kim.

Tess repensa à ce que sa fille avait vécu la veille au soir. Depuis le relatif asile des toilettes du musée, qu'avait-elle ressenti ? Comment allait-elle devoir lui en parler ? Avec un peu de chance, Kim ne manifesterait pas de réaction avant un moment – peut-être même jamais –, ce qui lui laisserait le temps de réfléchir à la meilleure façon de gérer ce problème. Elle se maudissait de l'avoir traînée là-bas... même si elle savait qu'il était idiot de se fustiger pour ce qui s'était passé.

Elle regarda sa fille. Heureusement, elle était bien là devant elle, vivante et en un seul morceau. L'enfant fronça soudain les sourcils.

— Maman, tu pourrais pas le laisser tomber ?

— Quoi ?

— Cet air désolé. Je vais bien, d'accord ? C'est rien. Ce n'est pas moi qui mets mes mains devant mes yeux quand un film fait peur : c'est toi !

— D'accord. A plus tard.

Dès que la voiture eut disparu, elle revint vers le bar de la cuisine, où le clignotement de son répondeur indiquait la présence de quatre messages. Si ses yeux avaient été des pistolets-mitrailleurs, elle aurait pulvérisé l'appareil sur place. Le culot de ce type ! Cela faisait six mois que Doug s'était remarié avec une jeune cadre de son entreprise. Sa nouvelle femme avait vingt ans et quelques, et déjà un physique chirurgicalement bricolé. Tess savait que ce changement de statut conduirait son ex-mari à réclamer une reconsidération de ses droits de visite. Ce n'était pas tant que Kim lui manquât, qu'il l'aimât ou s'en souciât particulièrement. Mais pour ce caractère rancunier, ce n'était qu'une question d'ego... et de méchanceté. Elle ne doutait pas qu'elle aurait à affronter ses sursauts d'élan paternel jusqu'à ce que sa jeune pin-up tombe elle-même enceinte. Alors, avec un peu de chance, il cesserait ses mesquineries et les laisserait tranquilles.

Tess se servit une grande tasse de café noir avant de se diriger vers son bureau.

Tout en allumant son ordinateur portable, elle attrapa son téléphone pour essayer d'obtenir des nouvelles de Clive Edmondson. Au New York Presbyterian Hospital, sur la 68e Rue, on lui répondit que son état n'était pas critique, mais qu'il allait quand même rester là quelques jours.

Pauvre Clive. Elle nota les heures de visite avant de raccrocher.

Puis elle attrapa le catalogue de l'exposition maudite. En feuilletant les pages, elle trouva la photo de l'étrange appareil dérobé par le quatrième cavalier.

Il était désigné sous le nom d'« encodeur à rotors ».

Le descriptif indiquait qu'il s'agissait d'un appareil de cryptographie du XVIe siècle. Elle ne voyait pas à quel titre il pouvait figurer parmi les trésors du Vatican.

Pendant ce temps, l'ordinateur avait fini de démarrer. Tess lança un moteur de recherche sur Internet, et tapa « cryptographie » et « cryptologie ». Les liens renvoyaient à des sites web pour l'essentiel techniques qui traitaient de cryptographie moderne, de codes informatiques et de transmissions électroniques cryptées. Survolant les sites, elle finit par en trouver un qui abordait l'histoire de la cryptographie.

En le parcourant, elle tomba sur une page qui montrait certains instruments primitifs de chiffrage. Le premier présenté était la machine à chiffrer – dite « cryptographe indéchiffrable » –

de Charles Wheatstone[1], datant du XIXe siècle. Elle consistait en deux cercles concentriques : un cercle extérieur avec les vingt-six lettres de l'alphabet plus un blanc, et un anneau intérieur ne comportant que l'alphabet lui-même. Deux aiguilles semblables à celles d'une horloge permettaient de substituer des caractères du cercle extérieur aux lettres du cercle intérieur. Celui qui recevait le message codé devait naturellement posséder un appareil identique, mais aussi connaître la position des deux aiguilles. Quelques années après la généralisation de la machine de Wheatstone, les Français avaient mis au point un cryptographe cylindrique avec vingt disques ordonnés autour d'un axe central. Les lettres étaient inscrites sur le bord externe de chacun de ces disques, ce qui compliquait toute tentative de déchiffrage.

A mesure que défilait le texte, les yeux de Tess tombèrent sur la photo d'un appareil qui ressemblait vaguement à celui qu'elle avait vu au musée.

Elle lut la légende de la photo et resta interdite.

Dénommé le « Convertisseur », il apparaissait comme un encodeur à rotors primitif, utilisé par l'armée dans les années 1940.

Pendant une seconde, elle eut l'impression que son cœur avait cessé de battre. Elle relut les deux lignes.

Les années 1940 étaient-elles encore considérées comme une époque « primitive » pour ce type d'appareil ?

Intriguée, elle entreprit de lire tout l'article. En effet, on y expliquait que les encodeurs à rotors n'avaient été inventés qu'au XXe siècle. Tess remonta jusqu'à la photo du Convertisseur pour relire sa description. Ce n'était pas le même appareil que la machine du Met, mais il en était proche. Et il était beaucoup plus sophistiqué que les machines de cryptage à une seule roue.

Si les autorités américaines pensaient que leur appareil était un modèle primitif d'encodeur, il n'était pas étonnant que le Vatican ait voulu mettre en valeur son propre système... qui précédait de quatre cents ans celui de l'armée américaine.

---

1. Célèbre physicien anglais, né en 1802 à Gloucester et mort à Paris en 1875, qui a particulièrement travaillé sur le son et la communication, en faisant faire des progrès considérables à la télégraphie optique. (*N.d.T.*)

Mais Tess n'en demeurait pas moins déconcertée.

Parmi tous les trésors dont il aurait pu s'emparer, le quatrième cavalier s'était focalisé sur ce mystérieux appareil. Pourquoi ? Certes, les gens collectionnaient les choses les plus bizarres, mais là, on avait affaire à un cas extrême. Avait-il pu se tromper ? Non ! Elle repoussa cette hypothèse. Il était évident que l'inconnu avait choisi cet objet.

En outre, il ne fallait pas non plus oublier qu'il n'avait rien pris d'autre. Il ne voulait que cela.

La jeune archéologue repensa à Amelia Gaines, la femme qui ressemblait plutôt à un mannequin qu'à un agent du FBI. Tess était certaine que les enquêteurs voulaient des faits, pas des spéculations. Malgré cela, après un bref instant de réflexion, elle fila dans sa chambre et sortit du sac qu'elle portait la nuit précédente la carte que lui avait laissée l'agent spécial.

Elle posa le bristol sur son bureau et tâcha de se remémorer avec précision le moment où le quatrième cavalier s'était emparé de l'encodeur : sa manière de saisir l'appareil, de le tenir et de lui murmurer quelque chose...

L'homme avait semblé presque... ému.

Qu'avait-il dit, déjà ? Au Met, Tess était trop affolée pour y prêter attention. Mais cette question l'obsédait. Prenant sa tête entre ses mains, elle s'efforça de la vider de toute autre pensée pour se concentrer sur la scène. Il avait dit... quoi ? Bon sang, il fallait qu'elle arrive à se concentrer davantage.

Elle était presque certaine que le premier mot avait été *Veritas*... Elle s'en était d'ailleurs ouverte à Amelia Gaines. Mais ensuite ? *Veritas*... ? *Veritas* quelque chose...

Veritas vos ? Oui, ce début d'expression lui semblait familier. Elle sonda sa mémoire pour trouver les autres mots, mais c'était inutile. Le reste des paroles du cavalier avait été haché par les coups de feu qui retentissaient derrière lui.

La jeune femme comprit qu'elle allait devoir se débrouiller avec ce qu'elle avait et procéder autrement. Elle retourna à son ordinateur et choisit le plus puissant moteur de recherche dans sa liste de favoris. Elle entra *« Veritas vos »* et obtint plus de vingt-deux mille réponses. Mais cela n'avait pas grande importance. La toute première suffisait.

Elle avait trouvé. Les paroles de l'homme résonnaient dans sa tête.

Veritas vos liberabit.

« La vérité vous rendra libres. »

Elle fixait les mots. La vérité vous rendra libres.

Super.

Son magistral travail de détective lui avait permis de découvrir l'une des expressions les plus banales de notre temps.

9

Gus Waldron sortit de la station de la 23e Rue Ouest et prit la direction du sud.

Il détestait cette partie de la ville. Les bourgeois n'étaient pas sa tasse de thé. Tant s'en fallait. Dans son quartier, sur son propre territoire, sa taille de géant le protégeait. Ici, cette même carrure le faisait singulièrement remarquer au milieu de tous ces snobs filant sur le trottoir avec leur coupe de cheveux à deux cents dollars et leurs vêtements de créateurs.

Il courbait les épaules pour paraître plus petit de quelques centimètres. Mais vu sa taille, cela ne changeait pas grand-chose. Et son manteau noir informe n'arrangeait rien. Seulement il devait faire avec, car il avait besoin de cet ample pardessus pour dissimuler ce qu'il portait.

Il prit à droite dans la 22e Rue. Sa destination se trouvait au cœur d'un ensemble de galeries d'art.

En passant, il remarqua que la plupart des galeries n'exposaient qu'un ou deux tableaux en vitrine. Certaines peintures n'avaient même pas de cadre et le prix n'était jamais indiqué.

« Comment peut-on savoir si c'est une bonne affaire si on ne connaît pas le prix ? »

Il n'était plus qu'à deux portes de son objectif. Extérieurement, le magasin d'antiquités de Lucien Boussard ressemblait à une galerie haut de gamme. C'en était bien une... et autre chose encore. Des faux et des pièces d'origine douteuse se mêlaient aux objets authentiques. A dire vrai, ses voisins n'en soupçonnaient rien, car Lucien avait le style, l'accent et la manière pour donner le change.

Les sens en alerte, Gus Waldron guettait tout ce qui pouvait paraître anormal. Il dépassa la galerie Boussard, compta vingt-cinq pas, puis s'arrêta et pivota sur lui-même. D'abord, il fit mine de vouloir traverser la rue en regardant à droite et à gauche. Apparemment, pas le moindre détail anormal. Il revint donc rassuré sur ses pas et s'engouffra dans la galerie. Pour un homme de sa taille, il avait des mouvements rapides et fluides. En trente combats, on ne l'avait jamais frappé assez durement pour lui faire mordre la poussière... à moins qu'il n'en ait eu la consigne.

A l'intérieur, il garda une main dans sa poche, serrée autour de la crosse d'un Beretta 92 FS. Ce n'était pas son arme de poing favorite, mais il avait connu deux ou trois ratés avec son 45 ACP. Et après la grande nuit, il n'aurait pas été malin de se balader avec le Cobray. Il jeta un coup d'œil autour de lui. Pas de touriste ni de client. Juste le propriétaire de la galerie.

Gus n'aimait pas grand monde et, même dans le cas contraire, il n'aurait pas aimé Lucien Boussard. Ce n'était qu'une insipide créature flagorneuse, avec un visage étroit, des épaules fuyantes et un long catogan.

Sale pédé français.

Il était assis derrière une petite table aux pieds frêles et travaillait au moment où son visiteur était entré. Immédiatement, il avait levé les yeux. En reconnaissant l'homme, il s'était raidi et avait commencé à transpirer, phénomène qu'il avait piteusement tenté de dissimuler avec un sourire forcé. En réalité, c'était peut-être la seule chose que Gus Waldron aimait chez Lucien. Le Français restait toujours sur la défensive, comme s'il pensait que le colosse pouvait à tout moment s'en prendre à lui. Sur ce point, la petite fouine ne se trompait pas.

— Gus !

Il prononçait « *Gueusse* », ce qui le lui faisait détester davantage chaque fois qu'il l'entendait.

Waldron tourna le dos à l'antiquaire et mit le verrou sur la porte. Puis il se dirigea vers la table.

— Y a quelqu'un d'autre ici ? grommela-t-il.

Lucien secoua la tête.

— *Mais non, mais non, voyons*[1], il n'y a que moi.

1. En français dans le texte. (*N.d.T.*)

Il avait aussi l'exaspérante habitude de répéter plusieurs fois ses petites expressions de frenchy. Peut-être qu'ils faisaient tous ça en France...

— Je ne t'attendais pas. Tu n'avais pas dit...

— Ferme-la, connard, cracha Gus. J'ai quelque chose pour toi, reprit-il avec un sourire. Quelque chose de spécial.

De sous son manteau, il tira un sac en papier et le posa sur la table. Nerveusement, il se retourna vers la porte pour s'assurer qu'il ne se trouvait dans le champ de vision d'aucun passant. Ensuite, il sortit du sac un paquet grossier enveloppé dans du papier journal. Pas un instant il ne quitta Lucien des yeux.

Quand son visiteur dévoila enfin l'objet, le Français resta bouche bée, les yeux écarquillés. C'était une croix d'or incrustée de joyaux, d'environ cinquante centimètres de long. La minutie des détails était époustouflante.

Gus déposa le crucifix sur le papier étalé. Il entendait la respiration sifflante de l'antiquaire. Celui-ci avait l'impression qu'un étau lui comprimait la poitrine.

— *Mon Dieu, mon Dieu !*

Le Français plongea son regard dans celui de l'Américain. De grosses gouttes de sueur perlaient maintenant sur son front.

— Bon sang, Gus !

Bien. Il avait compris.

Boussard baissa à nouveau les yeux vers l'objet et Waldron l'imita. Il réalisa soudain que le journal était ouvert sur une photo du musée.

— Ça vient de... du... balbutia le petit homme.

— Ouais, répondit l'autre avec un sourire en coin. C'est quelque chose, hein ? Unique en son genre.

Les lèvres de Lucien se tordaient de désespoir.

— *Non, mais il est complètement taré, ce mec !* Allons, Gus, je ne peux pas toucher à ça !

Ce dernier ne lui demandait pas d'y toucher : il voulait juste qu'il vende la relique. Et il n'avait pas le temps d'attendre que des acheteurs potentiels se livrent à une guerre d'enchères. Au cours des six derniers mois, il avait connu une série noire au jeu. Par le passé, il s'était déjà retrouvé au fond du gouffre, mais pas à ce point. Et même dans ces périodes sombres, il n'avait jamais eu affaire au genre de types qui lui réclamaient leur argent. Durant pratiquement toute sa vie, les gens l'avaient craint. En tout cas au moins depuis le jour où, devenu plus grand et plus lourd, il avait rossé son ivrogne de père pour lui donner une leçon. Il avait quatorze ans. Or, aujourd'hui, pour la première fois depuis cette date, il découvrait ce que signifiait la peur. Les hommes qui avaient récupéré ses dettes de jeu appartenaient à une clique différente de celles qu'il avait connues. Ils le tueraient aussi facilement que lui-même écrasait un cafard.

Si c'était par le jeu qu'il s'était perdu, celui-ci lui avait aussi procuré le moyen de s'en sortir. C'était aux courses qu'il avait fait la connaissance du type qui l'avait branché sur le musée. Le coup avait fonctionné et il allait pouvoir se tirer d'affaire. Bien sûr, on lui avait clairement ordonné de ne pas essayer de vendre la moindre pièce de butin avant au moins six mois.

Mais au diable ces recommandations ! Il avait besoin d'argent et il en avait besoin tout de suite.

— Ecoute, ne t'inquiète pas de sa provenance, ordonna-t-il à l'antiquaire. Tu t'occupes simplement de trouver un acheteur à un bon prix.

Lucien paraissait sur le point d'avoir une attaque.

— *Non, mais...* Ecoute-moi, *Gueusse*, ce n'est pas possible. Absolument pas possible. On ne peut pas toucher à ça en ce moment. C'est trop chaud. Ce serait de la folie de...

Gus attrapa Boussard à la gorge et le tira à moitié sur la table, qui branla dangereusement. Leurs visages n'étaient plus qu'à cinq centimètres l'un de l'autre.

— Je me fous que ce soit de la dynamite, gronda-t-il. Y a des gens qui collectionnent cette came et tu sais où les trouver.

— C'est trop tôt.

Sous la pression qui s'exerçait autour de sa gorge, la voix de Lucien avait viré à l'aigu.

Waldron le relâcha et le Français retomba sur son siège.

— Me prends pas pour un demeuré, aboya-t-il. Tu sais très bien qu'y a des types qui vont vouloir t'acheter ce que je t'apporte justement à cause de ce que c'est et de sa provenance. Des cinglés paieront une fortune rien que pour l'enfermer dans leur coffre-fort. Tout ce que tu as à faire, c'est m'en trouver un et le trouver vite. Et n'envisage même pas d'essayer de m'avoir sur le prix. Tu auras dix pour cent de la somme. On crache pas sur dix pour cent d'une chose inestimable, hein ?

Lucien déglutit avec peine. Il se frotta la nuque, puis sortit de sa poche un mouchoir de soie gris pour s'essuyer le visage. Ses yeux balayaient la pièce. Son esprit était en train de reconsidérer sa position. Relevant enfin la tête vers Gus, il hasarda :

— Vingt.

Quelque peu déconcerté, l'Américain le toisa.

— Dis-moi, Lucien...

Juste pour l'embêter, il prononçait toujours « *Loo-shin* ».

— ... tu n'es quand même pas en train d'essayer de te mesurer à moi, hein ?

— Je suis sérieux. Pour une chose pareille, je veux vingt pour cent. *Au moins.* Je vais prendre un gros risque avec ça.

En réaction immédiate, l'Américain lança sa main pour reprendre le cou de l'antiquaire. Mais cette fois, celui-ci fut plus rapide : il se mit hors d'atteinte en faisant glisser sa chaise en arrière. Gus sortit alors calmement son Beretta, contourna la table et planta le canon de l'arme dans l'entrejambe de Boussard.

— Je ne sais pas ce qui t'a pris, mais tu vois, princesse, je ne suis pas d'humeur à négocier aujourd'hui. Je te fais une offre généreuse et toi, en réponse, tu essayes de profiter de la situation. Je suis vraiment déçu, mec.

— Non, attends, Gus...

Ce dernier releva son arme avec un haussement d'épaules.

— Je ne sais pas si tu as vu le meilleur moment, hier soir, à la télé. Dehors, avec le garde, c'était quelque chose. J'ai encore l'épée, tu sais ? Et laisse-moi te dire que je crève d'envie de recommencer à jouer à Conan le Barbare. Tu vois ce que je veux dire ?

Pendant un moment, tandis qu'il laissait Lucien suer à grosses gouttes, Gus réfléchit à la situation. S'il avait eu tout son temps, la peur qu'il inspirait au Français aurait œuvré en sa faveur. Seulement il n'avait pas tout son temps. La croix valait une fortune. Peut-être même une somme à sept chiffres. Mais dans le cas présent, il se contenterait de ce qu'il pourrait obtenir et ce serait déjà formidable. Il avait pu gagner un délai grâce aux avances qu'on lui avait versées quand il avait accepté de participer au hold-up. Maintenant, il avait besoin de se débarrasser des sangsues qui s'accrochaient à son dos.

— Je vais te dire une dernière chose, lança-t-il à Lucien. Fais en sorte que je sois bien récompensé de ma peine et j'irai jusqu'à quinze.

Il surprit un frémissement dans les yeux chafouins du Français. C'était gagné : il avait mordu à l'hameçon.

Le propriétaire de la galerie ouvrit un tiroir et en sortit un appareil photo numérique.

— J'ai besoin de… commença-t-il.

L'autre hocha la tête.

— Prends tout ce que tu veux.

Lucien fit deux clichés de la croix. Il dressait déjà mentalement une liste de clients potentiels.

— Je vais passer quelques coups de téléphone, indiqua-t-il. Laisse-moi quelques jours.

Mauvais plan. Gus avait un besoin urgent de l'argent et de la liberté qu'il lui conférerait. Il lui fallait aussi quitter la ville en attendant que le calme retombe autour de l'affaire du musée.

— Non, non. Il faut que ça aille vite. Deux jours maxi.

Encore une fois, il sentit le cerveau de Boussard en ébullition derrière ses petits yeux. Il était probablement en train d'imaginer le marché qu'il allait proposer. L'antiquaire demanderait une grosse commission afin d'emporter la décision du vendeur… alors que celui-ci avait déjà donné son accord. Gus songea que d'ici quelques mois, quand il jugerait le moment opportun, il rendrait volontiers une nouvelle visite à Lucien.

— Reviens à six heures, demain, dit ce dernier. Je ne te promets rien, mais je vais faire de mon mieux.

— Je sais.

Gus récupéra la croix, attrapa un chiffon qui traînait sur la table et enveloppa la précieuse relique. Puis il remit le tout dans l'une des poches intérieures de son manteau, avant de faire disparaître le pistolet automatique dans une autre.

— Demain, jeta-t-il au commerçant.

Il grimaça un sourire dénué du moindre soupçon d'humour avant de sortir.

Lorsque le colosse disparut à l'angle de la rue, Lucien tremblait encore.

10

— Vous savez, je me serais bien passé de ça aujourd'hui, grommela Jansson alors que Sean Reilly s'installait face à son patron.

Nick Aparo et Amelia Gaines étaient déjà assis autour de la table dans le bureau du chef de l'antenne new-yorkaise du FBI. L'agent Roger Blackburn et deux de ses adjoints se trouvaient là eux aussi. Blackburn dirigeait la Task Force, l'unité en charge des crimes violents.

Plantés dans le bas de Manhattan, les quatre grands bâtiments gouvernementaux de Federal Plaza n'étaient situés qu'à quelques rues de Ground Zero[1]. Ils hébergeaient vingt-cinq mille employés du gouvernement et abritaient aussi, au numéro 26, le siège du FBI à New York.

Reilly goûtait la paix qui régnait dans la pièce, contrastant avec le bruit incessant du grand espace où la plupart des agents travaillaient. En fait, le calme relatif du bureau de Jansson était à peu près le seul aspect de ce poste qui puisse vaguement le tenter.

En sa qualité de directeur de l'antenne new-yorkaise, Jansson s'était retrouvé avec une énorme charge sur les épaules au cours des dernières années. Chacun des principaux secteurs du Bureau fédéral – la drogue et le crime organisé, les meurtres, les délits financiers, le contre-espionnage et, dernier mouton noir de cet infâme troupeau, le contre-terrorisme – tournait à plein.

Jansson paraissait bâti pour cette tâche : l'homme avait la carrure imposante de l'ancien joueur de football américain

1. Le site de l'ancien World Trade Center, détruit lors de l'attentat du 11 septembre 2001. (*N.d.T.*)

qu'il était, même si, sous ses cheveux gris, son visage carré arborait désormais une expression détachée, distante. Celle-ci ne déconcertait toutefois pas longtemps ceux qui travaillaient sous ses ordres. Ils apprenaient vite qu'en dehors de l'inéluctabilité de la mort, au moins une chose était certaine dans la vie : si Jansson était de votre côté, vous pouviez compter sur lui pour dégager au bulldozer tout ce qui se présenterait en travers de votre route ; à l'inverse, si vous commettiez l'erreur de vous opposer à lui, il ne vous restait plus qu'à quitter le pays.

Le sachant proche de la retraite, Reilly comprenait que son chef ne soit pas ravi de voir ses derniers mois compliqués par un dossier aussi important que le « Metraid » – le néologisme qu'on avait trouvé pour désigner le casse du Metropolitan. En toute logique, les médias avaient bondi sur cette affaire. Ce n'était pas un vol ordinaire, mais un véritable raid de grande envergure. Les rafales de pistolets-mitrailleurs avaient visé l'élite de New York. L'épouse du maire avait été prise en otage. Un homme avait été froidement exécuté devant tout le monde, spectateurs et téléspectateurs. On ne l'avait pas simplement abattu, mais décapité, en plein Manhattan, sur la 5e Avenue.

En direct, à la télévision.

Attendant que la réunion commence, Reilly laissa son regard errer de Jansson vers le mur où s'étalaient le drapeau national et l'écusson du Bureau.

Jansson venait de poser ses coudes sur son bureau en croisant les doigts. Il inspira une grande bouffée d'air.

— Je peux t'assurer que je vais aller dire à ces crétins à quel point ils ont déraillé, alors qu'on les avait prévenus, lui affirma Reilly.

— Je compte sur toi, lui répondit son supérieur en se penchant en avant.

Son regard intense parcourut les visages de son équipe assemblée autour de la table.

— Pas besoin de vous expliquer combien d'appels j'ai reçus, enchaîna-t-il, ni de qui ils émanaient. Dites-moi simplement où nous en sommes et où nous allons avec tout ça.

Reilly dévisagea ses camarades et prit les choses en main.

— Les premières autopsies et autres analyses ne nous indiquent aucune direction particulière. Ces types n'ont pas laissé grand-chose derrière eux en dehors des douilles et des chevaux. Avec le peu qu'ils ont pour travailler, les gars de l'ERT s'arrachent les cheveux. Quoi qu'il en soit, les douilles nous révèlent qu'ils avaient des M11/9 Cobray et des mini Uzi. Rog, tes gars examinent tout ça ?

Blackburn s'éclaircit la gorge. Cette force de la nature avait récemment réussi le démantèlement du plus gros réseau de trafic d'héroïne de Harlem, avec deux cents arrestations à la clé.

— Bah, il ne s'agit que d'articles courants. Nous nous intéressons aux selles, mais je ne compte pas trop là-dessus. Pas dans un cas comme celui-ci. J'ai du mal à imaginer que des types pareils les aient achetées sur Internet.

Jansson hocha la tête.

— Et les chevaux ?

Reilly reprit :

— Rien de ce côté pour l'instant. Des hongres gris et des alezans assez communs. Nous sommes en train d'éplucher les registres de chevaux disparus et nous recherchons l'origine des selles, mais encore une fois...

— Pas de marque ou de puce ?

Avec plus de cinquante mille chevaux volés chaque année dans tout le pays, le recours à des marques d'identification s'était répandu comme à la grande époque de la conquête de l'Ouest. La méthode la plus populaire était le marquage à froid. On utilisait pour cela un fer à gel pour modifier les cellules productrices de pigments colorés. Ainsi, à l'endroit du marquage, les poils repoussaient blancs. On rencontrait d'autres méthodes moins courantes : par exemple, l'implantation sous la peau d'une micropuce avec numéro d'identification.

— Apparemment, il n'y en a pas, répondit Reilly, mais on va les rescanner. Les puces sont si petites qu'à moins de savoir exactement où elles sont implantées, on ne peut pas les trouver. Et en plus, comme vous le savez, on les place généralement dans des zones pas évidentes pour être certain qu'elles seront encore là quand on retrouvera un cheval volé. Il n'y a souvent que le propriétaire qui soit capable d'indiquer leur emplacement. C'est le but. Sinon, les chevaux retrouvés portaient des marquages au gel. Seulement, ils ont été surmarqués et ne sont donc plus lisibles. Les gars du labo pensent quand même pouvoir identifier quelque chose en séparant les différentes strates afin de déceler la marque d'origine.

— Et du côté de leurs déguisements et de leurs armements médiévaux ? demanda Jansson à Amelia Gaines.

— Ça risque de prendre plus de temps, répondit-elle. Pour ce type d'équipement, les fournisseurs habituels sont des spécialistes disséminés dans tout le pays, surtout en ce qui concerne les grandes épées, qui sont de vraies armes de combat et pas seulement des panoplies décoratives. Alors, oui, ça prendra du temps, mais je pense que nous finirons par obtenir un résultat de ce côté-là.

— Ainsi ces types se sont volatilisés dans les airs, c'est ça ?

Le directeur commençait ostensiblement à perdre patience.

— Des voitures devaient les attendre, estima Aparo. Il y a deux sorties du parc près de l'endroit où ils ont abandonné leurs chevaux. On est en train de chercher des témoins... mais jusque-là, on n'en a pas trouvé, avoua-t-il. C'est facile de ne pas se faire repérer, pour quatre hommes sortant chacun de son côté à cette heure de la nuit.

Jansson se redressa contre le dossier de son fauteuil. Fermant les yeux une seconde, il tâcha de rassembler les quelques fragments d'informations qu'ils détenaient pour remettre de l'ordre dans ses pensées.

— Bien, qui parle ? Quelqu'un a une idée à proposer ?

Reilly regarda autour de la table avant de reprendre la parole.

— L'affaire semble complexe. En temps normal, la première chose à laquelle nous devrions penser, c'est à une liste de commandes.

Les vols d'objets d'art – surtout quand les œuvres sont connues – répondent souvent à une commande précise. L'acheteur est alors un collectionneur qui veut à toute force posséder ces œuvres, même s'il sait qu'il ne pourra jamais les montrer à quiconque. Mais depuis son arrivée au musée, Reilly avait repoussé cette hypothèse au fin fond de ses pensées. Les commandes étaient presque toujours passées à des voleurs subtils. Remonter la 5e Avenue à cheval, déguisé en chevalier du Moyen Age, n'était pas caractéristique de ce type de malfaiteurs. Pas plus que le chaos qui avait suivi, et encore moins l'exécution.

— Je pense que nous sommes tous d'accord sur ce point, continua-t-il. Et les examens préliminaires des profileurs vont dans le même sens. Cette affaire n'est pas un simple vol de reliques. Il y a autre chose derrière tout ça. Si vous voulez juste les objets, vous vous choisissez une petite matinée tranquille et pluvieuse. Vous venez avant que la foule arrive. Vous sortez éventuellement votre Uzi, mais sans vous en servir. Et vous prenez calmement tout ce que vous voulez. Exposition et risques minimaux. Au lieu de ça, ces énergumènes ont choisi le pire moment imaginable, celui où il y avait le plus de monde, le plus de surveillance et de gardes. On pourrait presque penser qu'ils ont cherché à nous narguer. Certes, ils voulaient s'emparer du butin. Mais ils voulaient aussi nous faire comprendre quelque chose, nous faire passer un message.

— Quelle sorte de message ? demanda son chef.

— On travaille dessus.

Le directeur se tourna vers Blackburn.

— Tu es d'accord ?

L'agent du département anticriminalité acquiesça.

— Affirmatif. Ces types ont réalisé dans la vie réelle ce sur quoi tous ces intoxiqués de la Playstation, collés à leur écran, ne peuvent que fantasmer : ils sont sortis de chez eux et ils l'ont fait en vrai. Tout ce qu'il faut espérer, c'est que ces détraqués n'aient pas lancé une mode. Mais pour te répondre, oui, je pense comme Sean que ces types n'ont pas simplement voulu faire la démonstration de leur efficacité.

Jansson revint vers Reilly.

— On dirait bien que c'est ton bébé, finalement.

L'intéressé hocha la tête. « Bébé » n'était toutefois pas le premier mot qui lui serait venu à l'esprit. Le bébé en question ressemblait davantage à un bon gros gorille.

La réunion fut interrompue par l'arrivée d'un homme frêle et d'apparence ordinaire. Plus que son costume de tweed marron, c'était son col d'ecclésiastique que l'on remarquait. Jansson se leva pour aller l'accueillir. Il lui serra la main, de son énorme poigne.

— Content que vous ayez pu venir, monsignore. Prenez un siège, je vous en prie. Mes amis, voici Mgr De Angelis, annonça-t-il à ses collaborateurs assemblés. J'ai promis à l'archevêque de lui permettre de se joindre à nous afin que nous collaborions de toutes les manières possibles.

Le directeur continua en présentant chaque participant à l'ecclésiastique. Il était exceptionnel d'autoriser un étranger à assister à une réunion aussi sensible que celle-là, mais le nonce apostolique – l'ambassadeur du Vatican aux Etats-Unis – s'était occupé de passer les coups de téléphone nécessaires.

L'homme approchait de la cinquantaine, estima Reilly. Ses cheveux noirs soigneusement coupés formaient des arcs parfaits autour des tempes, avec quelques filaments argentés près des oreilles. Il portait de modestes lunettes à monture métallique. Le visiteur se montrait affable, presque timide, tandis qu'on lui indiquait les noms et les fonctions des agents rassemblés autour de la table.

— Je vous en prie, je ne veux pas vous interrompre, dit-il en s'asseyant.

D'un mouvement de tête, Jansson lui fit comprendre qu'il n'en était rien.

— Pour l'instant, les éléments dont nous disposons ne nous orientent dans aucune direction, mon père. Sans vouloir préjuger de l'affaire – et il me faut insister sur le fait qu'il ne s'agit là que de conjectures –, nous étions en train de mettre en commun toutes nos idées sur l'identité possible des auteurs du hold-up.

— Je vois, répondit De Angelis.

Jansson se tourna vers Reilly. Celui-ci comprit qu'il allait devoir mettre l'ecclésiastique au courant, même si l'idée le gênait quelque peu.

— Nous étions en train de dire que nous avons manifestement affaire à autre chose qu'un simple vol à main armée dans un musée. La manière dont il a été exécuté, son déroulement, tout indique que quelque chose d'important est en jeu.

Pinçant les lèvres, De Angelis saisit ce que cette remarque impliquait.

— Je comprends.

— A priori, continua Reilly, on pourrait être tenté de penser aux fondamentalistes musulmans. Mais dans le cas présent, je suis presque certain qu'ils sont hors du coup.

— Pourquoi pensez-vous cela ? demanda le prélat. Je suis sûr que vous vous souvenez de la tempête que le pillage du musée de Bagdad a provoquée. Les réactions d'indignation, les condamnations, la colère… Cela n'a pas trop plu dans la région.

— Croyez-moi, ce que nous avons ici ne concorde pas avec leur mode opératoire. En réalité, cela n'y ressemble ni de près ni de loin. Les islamistes ont une façon d'agir typique, claire. Non seulement ils aiment revendiquer leurs actions, mais nous savons hélas qu'ils affectionnent généralement les méthodes kamikazes. En outre, je ne vous apprendrai pas qu'il serait sacrilège pour n'importe quel fondamentaliste musulman de porter un vêtement exhibant une croix.

Reilly fixa De Angelis. Celui-ci parut acquiescer.

— Naturellement, poursuivit l'agent spécial, nous allons étudier cette piste comme les autres. Mais je suis prêt à parier que la réalité est ailleurs.

— Un job de *bubba*.

En utilisant ce surnom politiquement incorrect, Jansson voulait désigner les poseurs de bombes sudistes.

— C'est déjà beaucoup plus probable selon moi, admit Reilly.

Les extrémistes de l'intérieur et les Américains blancs radicaux appartenaient autant à son quotidien que les terroristes de l'étranger.

De Angelis parut déconcerté.

— *Bubba* ?

— Les terroristes de chez nous, mon père. Des groupes aux noms ridicules comme la Fraternité du Silence. Des gens qui opèrent principalement au nom d'une idéologie de haine qu'ils appellent l'Identité chrétienne, ce qui, je le reconnais, est une perversion assez étrange du terme…

— Je pensais que ces individus étaient des fanatiques chrétiens, observa l'ecclésiastique.

— C'est le cas. Mais souvenez-vous que nous sommes en train de parler du Vatican, de l'Eglise catholique, pas du christianisme en général. Ces gens ne sont pas fanatiques de

Rome, mon père. Le Vatican ne reconnaît pas une seule de leurs sectes, qui, au demeurant, n'ont rien de catholique. A juste titre, vos collègues font régulièrement savoir qu'ils n'ont pas le moindre rapport avec eux. Tout ce que ces gens ont en commun – en dehors du fait d'accuser les Noirs, les Juifs et les homosexuels d'être responsables de tous les maux de la terre –, c'est une haine des gouvernements organisés. Le nôtre en particulier, et le vôtre par association. Ils pensent que nous sommes le grand Satan – ce qui, assez curieusement, est exactement la terminologie que Khomeyni utilisait pour nous désigner et que l'on retrouve encore dans tout le monde musulman aujourd'hui. Rappelez-vous quand même que ces types ont fait sauter le bâtiment fédéral d'Oklahoma City. Des chrétiens ! Des chrétiens américains ! Et ils sont nombreux. Nous venons de mettre la main sur l'un d'eux à Philadelphie. On le recherchait depuis un moment. Il appartient à l'Eglise des Fils de Yahvé, une émanation du groupe Nations aryennes. Or ce type qu'on vient d'arrêter a justement été le délégué de ce dernier groupe pour les relations avec l'islam. Dans ce rôle, il a essayé de former des alliances avec des extrémistes musulmans antiaméricains après les attentats du 11 Septembre.

— L'ennemi de mon ennemi... soupira De Angelis.

— Exactement, approuva Reilly. Ces mecs ont une conception du monde sérieusement détraquée. Il faut simplement essayer de comprendre quelle nouvelle mission démente ils se sont attribuée.

Un ange aux ailes sombres passa dans la pièce. Puis Jansson reprit la parole.

— O.K., donc c'est dans cette direction que tu veux aller.

Imperturbable, Reilly hocha la tête.

— Oui.

Le directeur se tourna vers Blackburn.

— Et toi, Rog, tu vas continuer à examiner l'angle du vol pur et simple ?

— Absolument. Nous devons suivre les deux pistes jusqu'à ce qu'un élément nous oriente dans l'une ou l'autre direction.

— Bien, fit Jansson. Maintenant, mon père, cela nous aiderait vraiment si vous pouviez nous fournir une liste exacte, aussi détaillée que possible, de ce qui a été volé. Des photographies en couleur, les poids, les dimensions, tout ce que vous avez. Il faut qu'on mette rapidement en place des systèmes d'alerte au cas où l'un des objets réapparaîtrait.

— Naturellement.

— Sur ce point précis, intervint Reilly, l'un des cavaliers semblait ne s'intéresser qu'à une seule chose : celle-ci.

Il avait sorti l'agrandissement d'une image vidéo provenant de l'une des caméras de surveillance du musée.

On distinguait clairement le quatrième « chevalier » tenant l'encodeur. Reilly la tendit à l'homme d'Eglise.

— Le catalogue de l'exposition le présente comme un « encodeur à rotors », ajouta-t-il. Vous avez une idée de la raison pour laquelle on pourrait s'intéresser à ça plutôt qu'à l'or et aux joyaux qu'il y avait autour ?

De Angelis ajusta ses lunettes pour étudier la photographie. Puis il secoua la tête.

— Je suis désolé. Je ne sais pas grand-chose de ce... de cette machine. Elle doit avoir une valeur en tant que curiosité scientifique. Je ne vois que ça. Tout le monde aime faire étalage de son génie de temps en temps. Même, semble-t-il, mes frères qui ont choisi les objets à présenter dans cette exposition.

— Eh bien, vous pourriez les interroger. Ils auront peut-être une idée... je ne sais pas... ils auront peut-être connaissance de collectionneurs qui auraient pu les contacter à ce propos antérieurement.

— Je vais m'en occuper.

Jansson regarda autour de lui. Tous les participants étaient immobiles et le fixaient.

— O.K., les amis, dit-il en réunissant ses papiers. Mettons ces tarés hors d'état de nuire.

Alors que tout le monde quittait la salle, De Angelis se dirigea vers Reilly et lui serra la main.

— Merci, agent Reilly. Je sens que nous sommes en de bonnes mains.

— Nous les aurons, mon père. Il y a toujours quelque chose qui permet de les coincer.

Les yeux plantés dans ceux de son vis-à-vis, l'ecclésiastique étudiait le fonctionnaire fédéral.

— Vous pouvez m'appeler Michael.

— Je m'en tiendrai à « mon père », si vous le voulez bien. Une sorte d'habitude tenace, difficile à rompre.

De Angelis sembla surpris.

— Vous êtes catholique ?

Reilly acquiesça.

— Pratiquant ?

Soudain gêné, De Angelis baissa les yeux.

— Pardonnez-moi, je ne devrais pas être si curieux. Je suppose que certaines de mes habitudes sont, elles aussi, difficiles à changer.

— Pas de problème. Et, oui, vous pouvez me compter au nombre des fidèles.

Une expression joyeuse illumina les traits du prélat.

— Vous savez, par bien des aspects, nos actions ne sont pas si différentes. Tous les deux, nous aidons nos prochains à faire face à leurs péchés.

Reilly sourit.

— Peut-être, mais... je ne suis pas certain que nous soyons exposés au même calibre de pécheurs.

— Oui, c'est effrayant...

De Angelis marqua une pause, puis releva les yeux vers Reilly :

— Ce qui donne encore plus de valeur à notre travail.

L'ecclésiastique s'aperçut que Jansson regardait de leur côté et lui faisait signe.

— J'ai pleine confiance en vous, agent Reilly. Je suis convaincu que vous les trouverez.

Reilly le regarda s'éloigner avant de récupérer le cliché sur la table. Au moment de le remettre dans son dossier, il y jeta un nouveau coup d'œil. Etant donné la faible résolution des caméras de surveillance, l'image avait beaucoup de grain. Mais dans un coin, on distinguait nettement une silhouette accroupie derrière une vitrine, épiant, terrorisée, le cavalier et l'objet. Pour avoir visionné la bande, il savait qu'il s'agissait de la femme blonde qu'il avait remarquée cette nuit-là, alors qu'elle quittait le musée. Il pensa à l'épreuve qu'elle avait vécue, à la terreur qu'elle avait dû éprouver. Quelque chose en elle l'attirait. Il espérait qu'elle allait bien.

Enfin, il rangea la photo dans sa chemise. Puis, en sortant de la pièce, il ne put s'empêcher de repenser à un mot que Jansson avait utilisé pour conclure la réunion.

Tarés.

Cette idée n'avait rien de rassurant.

Découvrir les motivations de criminels sains d'esprit était déjà assez difficile. Mais pénétrer à l'intérieur de l'esprit des fous se révélait souvent impossible.

11

Allongé sur son lit d'hôpital, Clive Edmondson était pâle, mais il ne semblait pas trop souffrir, ce qui surprit Tess.

Elle savait que l'un des chevaux l'avait bousculé et jeté à terre et que, dans la panique qui avait suivi, il avait eu trois côtes brisées, situées trop près des poumons pour qu'on puisse faire quoi que ce soit. Et vu l'âge de Clive, son état de santé et son penchant pour les activités fatigantes, les médecins du New York Presbyterian Hospital avaient décidé de le garder quelques jours en observation.

— Ils m'ont collé un sacré cocktail, lui dit-il en regardant la poche qui pendait sur sa potence. Je ne sens absolument rien.

Tess se demanda si elle allait réussir à lui faire part de la raison de sa visite.

— Tu es en mesure de discuter ?

— Bien sûr. Du moment qu'il ne s'agit pas de raconter encore une fois ce qui s'est passé. C'est la seule chose que tout le monde veut entendre ici, soupira-t-il. C'est sans doute compréhensible, mais...

— Eh bien, c'est... relativement lié, admit Tess, penaude.

Clive la dévisagea et sourit.

— A quoi penses-tu ?

Tess hésita, puis décida de se lancer.

— Quand nous nous sommes rencontrés au musée, est-ce que tu as remarqué ce que j'étais en train de regarder ?

— Non.

— C'était une machine, une sorte de boîte avec des boutons et des manettes. Le catalogue de l'expo la présente comme un « encodeur à rotors ».

Il plissa le front pour réfléchir une seconde.

— Non, je ne l'ai pas remarquée.

Evidemment qu'il n'avait pas remarqué cet objet. Tess présente, il n'avait rien vu d'autre.

— Pourquoi ? s'enquit-il.

— L'un des cavaliers l'a emporté. Il n'a pris que ça.

— Et alors ?

— Tu ne trouves pas cela étrange ? Avec les merveilles inestimables qui l'entouraient, il ne s'est emparé que de cet appareil. Et il n'y a pas que ça : quand il l'a soulevé et tenu devant lui, on aurait dit qu'il exécutait un rituel. Ce type avait l'air totalement absorbé.

— Cela signifie que c'est un collectionneur de mystérieuses machines à chiffrer. Appelle vite Interpol. La machine Enigma[1] est probablement la prochaine sur sa liste.

Il lança à Tess un regard plein de malice :

— Les gens collectionnent vraiment n'importe quoi.

— Je suis sérieuse, protesta-t-elle. Il a même dit quelque chose quand il tenait l'objet : « *Veritas vos liberabit.* »

Clive la regarda.

— *Veritas vos liberabit ?*

— Je crois. Je suis quasiment certaine que c'est ce qu'il a dit.

Clive réfléchit quelques instants, avant de sourire.

— C'est parfait. On n'a pas seulement affaire à un collectionneur fanatique de machines à crypter, mais à un gars qui, en plus, est allé à Johns Hopkins. Ça va réduire les recherches.

— Johns Hopkins ?

— Oui.

— Que veux-tu dire ?

Elle avait l'air déroutée.

— C'est la devise de l'université de médecine. *Veritas vos liberabit.* « La vérité vous rendra libres. » Crois-moi, j'en sais quelque chose. J'y suis allé. On y fait même allusion dans notre hymne, tu sais, cette terrifiante chanson, *The Johns Hopkins Ode*.

---

1. Pendant la Seconde Guerre mondiale, la machine Enigma servit aux militaires, espions et diplomates allemands à coder leurs messages. Les signaux furent « incassables » jusqu'à ce que les services polonais aient pu se procurer une de ces machines. (*N.d.T.*)

Il commença à chantonner : « *Let knowledge grow from more to more, and scholars versed in deepest lore*[1]... »

Clive s'amusait de la mine déconcertée de Tess.

— Tu penses... ?

Puis elle remarqua l'expression de son ami. Elle connaissait ce petit sourire satisfait.

— Tu me taquines, hein ?

Clive acquiesça en affectant un faux air coupable.

— A dire vrai, c'est soit un ancien de Johns Hopkins, soit un ex-agent de la CIA en colère. *Veritas vos liberabit*, c'est la première chose que tu vois quand tu entres dans leur siège à Langley.

Anticipant la question de la jeune femme, il précisa :

— Tom Clancy. Je suis super fan.

Tess secoua la tête. Sa crédulité la faisait pester intérieurement. Mais une nouvelle réflexion de Clive la surprit.

— En réalité, tu es sûrement dans le vrai. Ça colle.

Tess n'avait pas manqué d'observer que le visage de son ex-collègue était redevenu sérieux.

— Que portaient les chevaliers ?

— Ils étaient vêtus de costumes médiévaux classiques : cottes de mailles, heaumes...

— Et... ? la pressa-t-il. Rien de plus spécifique ?

Devinant que Clive lui tendait une perche, elle essaya de se remémorer le spectacle des chevaliers qui ravageaient le musée.

— Non... ?

— Des manteaux blancs... des croix rouges... des croix rouge sang.

Comprenant toujours aussi peu où il voulait l'amener, elle hasarda en grimaçant :

— Des croisés ?

La réponse ne satisfaisait pas encore le blessé.

— Tu brûles. Allez, Tess. Leurs croix ne t'évoquent rien de particulier ? Une croix rouge sur l'épaule gauche, une autre sur la poitrine ? Alors ?

Et soudain, cela lui revint.

— Des templiers ?

---

1. « Que la connaissance croisse toujours plus, et que les étudiants soient versés dans la science la plus profonde. » (*N.d.T.*)

L'esprit de la jeune femme bouillonnait. Quel était le rapport entre cet ordre médiéval et la phrase prononcée par le quatrième cavalier ?

— Oui, tu as raison, reconnut-elle, ils étaient habillés en templiers. Mais cela ne signifie pas forcément quelque chose. C'est l'allure typique des croisés, non ? Si ça se trouve, ils ont simplement copié la première représentation de croisé qu'ils ont trouvée. Et il y a de grandes chances pour que cette image ait été celle d'un templier.

— Je le pensais aussi. Et au départ, je n'y ai pas accordé d'importance. Les Templiers sont de loin le plus célèbre – voire le plus tristement célèbre – groupe de chevaliers associé aux croisades. Mais il y a ta petite formule latine... et elle change tout.

Tess regarda Clive, désespérant de comprendre de quoi il parlait. Il demeurait silencieux et cela la rendait folle.

— En quoi change-t-elle tout ?

— *Veritas vos liberabit*, souviens-toi. C'est aussi une devise inscrite sur un château du Languedoc, dans le sud de la France.

Il marqua une pause.

— Un château templier !

12

— Quel château ?

Tess en avait le souffle coupé.

— Celui de Blanchefort, dans le Languedoc. La devise est gravée à la vue de tous, sur le linteau du porche, juste au-dessus de l'entrée du château. *Veritas vos liberabit.* « La vérité vous rendra libres. »

La phrase semblait ramener à la surface un flot de souvenirs chez Clive Edmondson.

La jeune femme fronça les sourcils : quelque chose la tracassait.

— Les Templiers n'ont-ils pas été dissous… ?

Mécontente du mot qu'elle avait choisi, elle corrigea immédiatement :

— … exécutés dans les années 1300 ?

— 1314, pour être précis.

— Alors ça ne concorde pas, car le catalogue dit que l'encodeur date du XVIe siècle.

Edmondson médita un instant sur ce problème.

— Peut-être que la date indiquée est fausse. Le XIVe siècle n'est pas franchement le moment dont le Vatican peut se sentir le plus fier.

Il en était même très loin. En 1305, le pape Clément V, marionnette de l'impitoyable roi de France Philippe IV le Bel, avait été contraint de quitter Rome pour installer le Saint-Siège en Avignon. C'est au cours de cette période qu'il avait conspiré avec le souverain français pour abattre les Templiers. Mais le déménagement n'avait pas été éphémère. Pendant soixante-dix ans, les papes étaient demeurés sous le contrôle total de la France. C'était l'époque dite de la papauté à Babylone. Et finalement, Grégoire XI avait été ramené à Rome par la mystique Catherine de Sienne.

— S'il date du XIVe siècle, ajouta Clive, il y a des chances pour que l'objet ne soit même pas né à Rome.

— Surtout s'il est d'origine templière.

— Exactement.

Tess eut un instant d'hésitation.

— Penses-tu que j'aie mis le doigt sur un fait intéressant, ou est-ce que je me raccroche à n'importe quoi ?

— Non, je crois qu'il peut y avoir quelque chose là-dessous. Seulement... les Templiers ne sont pas ta spécialité, hein ?

— Oh si, à deux mille ans et un continent près, sourit-elle.

Son domaine d'expertise, c'était l'histoire de l'Assyrie.

— Il faut que tu parles à un bon connaisseur des Templiers. J'en vois trois, suffisamment érudits pour t'être utiles : Marty Falkner, William Vance et Jeb Simmons. Falkner est âgé de quatre-vingts ans et quelques, et il doit être un peu difficile de communiquer avec lui. Je n'ai pas croisé Vance depuis des années, mais je sais que Simmons est dans le coin...

— Bill Vance ?

— Oui. Tu le connais ?

William Vance avait rejoint une des campagnes de fouilles de son père à laquelle elle participait. Cela faisait dix bonnes années, se souvenait-elle. Elle collaborait avec son père dans l'est de la Turquie, aussi près du mont Ararat que les y autorisaient les militaires. Elle se rappelait à quel point Oliver Chaykin, phénomène rare pour lui, traitait Vance comme son égal. La jeune femme le revoyait très nettement : un homme grand, bien fait de sa personne, sans doute âgé d'une quinzaine d'années de plus qu'elle.

Il s'était montré charmant, serviable, et il l'avait beaucoup encouragée. Pour elle, cela avait été une période difficile. Aux conditions désastreuses du terrain s'ajoutait sa grossesse pénible. Pourtant, même s'il la connaissait à peine, Vance avait paru percevoir sa tristesse et son inconfort. Il s'était comporté si gentiment qu'il lui avait permis de se sentir bien quand elle était au plus mal, attirante quand elle se savait affreuse.

Et il n'y avait jamais eu la moindre allusion, le moindre signe laissant croire qu'il ait pu avoir une arrière-pensée. Au contraire : elle était presque gênée maintenant de songer que son attitude platonique à son endroit l'avait un peu déçue, parce qu'elle avait été attirée par lui.

Vers la fin du bref séjour de Vance au camp, cette attirance, pensait-elle, avait peut-être même – mais seulement peut-être – été réciproque... bien qu'elle doutât de l'attrait que pouvait exercer une femme enceinte de sept mois.

— Je l'ai rencontré une fois avec mon père. Mais je pensais que sa spécialité à lui, c'était l'histoire phénicienne.

— C'est le cas. Mais tu sais comment ça se passe avec les Templiers. Ils sont un peu à l'archéologie ce que le porno est au cinéma. C'est quasiment un suicide universitaire. Si quelqu'un s'intéresse au sujet, il n'a surtout pas envie que ça se sache. Voilà où on en est arrivé. Mais il est certain qu'il y a beaucoup trop de cinglés obsédés par les délires de conspiration qui entourent leur histoire. Tu sais ce que dit Umberto Eco ?

— Non.

— Un indice sûr pour savoir si quelqu'un est fou, c'est que, tôt ou tard, il mettra la question des Templiers sur le tapis.

— Après ce que je viens de t'annoncer, j'ai du mal à prendre ça pour un compliment.

— Je suis de ton côté. J'estime qu'ils méritent largement des recherches universitaires sérieuses.

Il haussa les épaules.

— Mais pour en revenir à notre sujet, comme je te l'ai dit, je n'ai pas eu de nouvelles de Bill Vance depuis des années. Selon mes dernières informations, il était à l'université Columbia. Enfin, si j'étais toi, j'irais plutôt voir du côté de Simmons. Je pourrais te mettre en contact avec lui assez facilement.

— O.K., super.

Une infirmière passa la tête à la porte.

— Examens. Cinq minutes.

— Génial, grommela Clive.

— Tu me donneras des nouvelles ?

— Bien sûr. Et quand je serai sorti d'ici, que dirais-tu d'une invitation à dîner ? Tu pourras me raconter comment ça se sera passé.

Elle se rappela son dernier dîner avec lui, en Egypte, après avoir plongé ensemble au-dessus d'une épave phénicienne au large d'Alexandrie. Grisé par l'arak, il l'avait plus ou moins draguée et elle l'avait gentiment repoussé. Puis il s'était endormi en plein restaurant.

— D'accord, répondit-elle en songeant qu'elle aurait bien le temps de se trouver des excuses.

Elle se sentit aussitôt coupable d'avoir eu une telle pensée.

13

Lucien Boussard se déplaça avec précaution sur le plancher de sa galerie.

Parvenu près de la fenêtre, il se dissimula derrière une petite horloge en bronze doré – encore un faux ! – et scruta la rue. Il demeura plusieurs minutes dans cette position, à réfléchir fébrilement. Une partie de son cerveau nota soudain que l'horloge avait besoin d'être dépoussiérée et il la rapporta vers la table, où il la déposa sur une feuille du journal que Gus avait laissé.

C'était précisément celle du compte rendu de l'affaire du Met. Les photos du casse le narguaient.

L'antiquaire passa ses doigts sur le papier pour en lisser les plis.

« Je ne peux pas être impliqué là-dedans. »

Mais il ne pouvait pas non plus rester sans rien faire. Gus le tuerait pour n'avoir pas bougé, aussi facilement qu'il l'abattrait pour s'être mal débrouillé.

Il n'existait qu'une façon de s'en tirer et l'antiquaire y avait déjà réfléchi alors que le gangster se dressait encore devant lui et le menaçait. Le livrer à la police était un jeu dangereux – surtout quand on savait ce qu'il avait fait au musée. Mais c'était précisément à cause de ce qu'il avait fait avec son épée devant le Metropolitan Museum que Lucien pouvait s'estimer raisonnablement en sûreté. Une fois arrêté et jugé, il n'y avait aucune chance pour que le colosse puisse sortir un jour de prison et se venger. Si la loi ne changeait pas, Gus allait passer sa vie derrière les barreaux, sans espoir de libération conditionnelle. Oui, c'était ce qu'il fallait faire.

Cependant, Lucien avait un autre problème, pratiquement

aussi important que Gus : il avait un flic sur le dos. Un type impitoyable qui était après lui depuis des années et qui ne montrait aucune volonté d'arrêter ou même d'atténuer sa pression. Tout ça à cause d'une maudite statuette dogon du Mali qui s'était révélée plus récente que Lucien ne l'avait prétendu et qui ne valait donc qu'une fraction du prix qu'il l'avait vendue. Heureusement pour Lucien, son acheteur septuagénaire était mort d'une attaque cardiaque avant que la justice ait pu trancher l'affaire. Le Français était miraculeusement parvenu à s'extraire d'une nasse serrée. Mais Steve Buchinski n'avait pas voulu laisser tomber. C'était même devenu pour lui une sorte de croisade personnelle. Lucien avait essayé de lui donner un peu d'argent, mais cela n'avait pas suffi. Rien ne suffirait jamais de ce côté-là.

Seulement cette fois, c'était différent. S'il lui livrait Gus Waldron, cette sangsue le laisserait peut-être enfin tranquille.

Il regarda sa montre. Il était une heure et demie.

Ouvrant un tiroir, Lucien fouilla dans une boîte de cartes. Il trouva enfin celle qu'il cherchait. Attrapant le téléphone, il composa le numéro.

14

L'appartement se trouvait au cinquième étage d'un immeuble de Central Park ouest. En position devant la lourde porte de bois du logement, le chef de l'unité tactique du FBI leva le bras, les doigts écartés. Il regarda son équipe. Son adjoint approcha prudemment sa main de la porte et attendit l'ordre. De l'autre côté du couloir, un autre homme épaula un fusil à pompe. Le quatrième membre de l'équipe enleva la sûreté d'une grenade incapacitante. Les deux derniers agents de l'unité ôtèrent la sécurité de leurs fusils-mitrailleurs Heckler & Koch MP5.

— On y va !

L'agent le plus proche de la porte – l'adjoint du chef d'unité – frappa violemment avec son poing et hurla :

— FBI ! Ouvrez !

La réaction fut presque instantanée. Des balles traversèrent la porte, projetant des éclats de bois dans tout le couloir.

Le tireur du FBI retourna le compliment, faisant feu jusqu'à ce qu'il ait ouvert plusieurs trous de la taille d'une tête dans la porte. Son arme tremblait dans sa main. Malgré les bouchons d'oreilles, Amelia Gaines ressentait les ondes de choc des impacts dans l'espace confiné.

Fusant de l'intérieur, de nouveaux tirs firent éclater les montants de la porte et fracassèrent les plaques de plâtre de l'autre côté du couloir. Le quatrième homme de l'équipe s'avança et lança sa grenade à travers l'un des trous de la porte, juste avant que le tireur achève de la détruire. Quelques instants plus tard, les deux hommes aux H & K se ruèrent à l'intérieur.

Les assaillants marquèrent une pause. Le silence retomba. On entendit alors un coup de feu solitaire, suivi d'un autre silence. Une voix cria :

— Zone sous contrôle !

Un autre « Zone sous contrôle » retentit. Puis quelqu'un dit :

— O.K. Opération terminée.

Amelia suivit les autres dans l'appartement. A l'intérieur, tout transpirait l'argent. Même le mot « luxueux » semblait insuffisant pour décrire ce qu'ils voyaient. Il ne leur fallut pas longtemps pour comprendre que c'était le parfum de la drogue qu'ils respiraient.

Les quatre occupants furent rapidement identifiés comme des narcotrafiquants colombiens. L'un d'eux avait été sérieusement touché au torse. Les agents du FBI trouvèrent également une petite réserve de drogue, une bonne quantité d'argent liquide et assez d'informations pour donner à la DEA[1] de quoi s'occuper pendant des mois.

L'informateur – un appel téléphonique anonyme – avait parlé de tas d'argent à ne plus savoir qu'en faire, d'armes et de plusieurs hommes s'exprimant dans une langue étrangère. Tout était vrai. Mais cela n'avait aucun rapport avec le Metraid.

Dommage.

Ce ne devait pas être la dernière fausse piste.

Dépitée, Amelia inspecta les lieux tandis que les Colombiens étaient menottés et emmenés. Elle compara l'endroit à son propre appartement. Le sien était mignon, de bon goût, avec même une certaine classe, selon elle. Mais celui-là était à couper le souffle. Il possédait tout, y compris une vue superbe sur le parc. Enfin, après en avoir fait le tour, elle conclut que le luxe excessif n'était pas son style et qu'en réalité cela ne lui faisait pas envie. Sauf peut-être la vue.

Elle resta un moment plantée devant la fenêtre à regarder le parc en bas. Deux silhouettes se promenaient à cheval. Même à cette distance, elle vit qu'il s'agissait de deux femmes. L'une d'elles avait un problème : son cheval semblait trop fougueux, à moins qu'il n'ait été effrayé par les deux jeunes en rollers qui venaient de les dépasser.

1. Drug Enforcement Administration, l'agence officielle américaine de lutte contre les stupéfiants. (*N.d.T.*)

Amelia fit un dernier tour de l'appartement, puis elle laissa les hommes de l'unité tactique emballer les objets et regagna son bureau pour taper le rapport qu'elle allait remettre à Reilly.

Ce dernier avait programmé toute une série de visites de routine à des mosquées et à d'autres lieux de rassemblement islamiques de la ville. Après s'être entretenu avec Jansson à propos de la philosophie de ce pan de l'enquête, l'agent du FBI avait décidé que toutes ces démarches suivraient le même schéma : des visites simples, menées par deux agents ou des policiers, en veillant dans la mesure du possible à ce que l'un des deux au moins soit musulman. Et elles ne devaient surtout pas s'apparenter à des descentes. Tout ce qu'ils attendaient, c'était un peu de coopération et, dans la majorité des cas, c'est ce qu'ils obtinrent.

Les ordinateurs du FBI de Federal Plaza crachaient sans interruption des données qui venaient s'ajouter à la masse d'informations en provenance de la police new-yorkaise, des services de l'Immigration et de la Sécurité nationale. Les bases de données qui avaient proliféré après l'attentat d'Oklahoma City étaient pleines de noms de radicaux et d'extrémistes nord-américains. Et celles qui avaient suivi le 11 Septembre débordaient de renseignements sur des musulmans de différentes nationalités. Reilly savait bien que la plupart d'entre eux se trouvaient sur ces listes non pas parce qu'ils étaient soupçonnés par les autorités d'intentions criminelles, mais simplement en raison de leur religion. Non seulement cela heurtait ses principes, mais extraire quelques candidats potentiels au milieu de tous ces innocents représentait beaucoup de travail inutile.

Il sentait toujours que la piste *« bubba »* était la bonne, mais une pièce du puzzle manquait : le motif spécifique, le lien entre un groupe de fanatiques lourdement armés et l'Eglise catholique. Pour essayer d'isoler ce fil insaisissable, une équipe d'agents passait au crible documentation et bases de données.

Sean Reilly traversa l'immense plateau de travail, sans faire attention à la cacophonie des agents suspendus à leur téléphone. Il poursuivit sa route jusqu'à son box. En l'atteignant, il vit Amelia Gaines venir vers lui.

— Tu as une minute ?

On avait toujours une minute pour Amelia.

— Qu'y a-t-il ?

— Tu sais, cet appartement que nous avons attaqué ce matin ?

— Oui, j'en ai entendu parler. Il nous a au moins permis d'être bien vus de la DEA, ce qui n'est pas mauvais en soi.

D'un haussement d'épaules, Amelia montra le peu de cas qu'elle faisait de cet aspect des choses.

— Quand j'étais là-bas, j'ai observé le parc par la fenêtre. Deux cavalières passaient. L'une d'elles avait un problème avec son cheval et ça m'a fait réfléchir.

Reilly poussa une chaise vers elle et Amelia s'assit. L'agent Gaines était une bouffée d'air pur dans un Bureau dominé par les mâles – les recrues féminines n'y avaient atteint que récemment un taux de dix pour cent. Les recruteurs du FBI ne faisaient pas mystère de leur vœu d'avoir davantage de candidates, mais elles étaient peu nombreuses à se présenter. Un seul agent féminin était parvenu au rang d'agent spécial – tout en héritant dans la foulée du sobriquet de la Reine des abeilles.

Au cours des derniers mois, Reilly avait beaucoup travaillé avec Amelia. Celle-ci se révélait un atout particulièrement utile en ce qui concernait les suspects moyen-orientaux. Ils adoraient ses boucles rousses et sa peau couverte de taches de rousseur. L'expérience prouvait qu'un sourire opportun ou le dévoilement calculé d'un carré de peau permettaient souvent d'obtenir plus de résultats que des semaines de surveillance.

Si personne au Bureau ne se donnait de mal pour dissimuler l'attirance qu'elle provoquait, Amelia n'encourageait pas le moindre harcèlement sexuel. Il était tout aussi difficile d'imaginer quelqu'un s'en prendre à elle. Seule fille au milieu de quatre frères, la jeune femme avait été élevée dans une famille militaire. En outre, à seize ans, elle était déjà ceinture noire de karaté, avant de devenir une tireuse d'élite de premier ordre. Elle n'avait besoin de personne pour prendre soin d'elle.

Une fois, moins d'un an auparavant, ils s'étaient retrouvés seuls dans un café et Reilly avait été sur le point de l'inviter à dîner. Il avait finalement décidé de s'abstenir, estimant – non sans un certain optimisme – que la soirée risquait fort de ne pas s'achever par le dîner. Les relations dans le travail n'étaient jamais faciles ; au Bureau, il le savait, elles n'avaient aucune chance de succès.

— Continue, l'encouragea-t-il.

— Tu as vu les vidéos du hold-up ? Il est clair que ces cavaliers ne se contentaient pas de monter les chevaux ; ils les contrôlaient à la perfection. Rappelle-toi quand ils ont gravi les marches, par exemple. Pour des cascadeurs d'Hollywood, c'est facile, mais dans la vie réelle, c'est une tout autre affaire. C'est même très difficile.

A son ton, on devinait qu'elle savait le faire... tout en ne maîtrisant pas totalement cette technique.

Surprenant le regard interrogateur de Reilly, Amelia lui sourit.

— Je monte à cheval, confirma-t-elle.

Aussitôt, il comprit qu'elle avait mis le doigt sur quelque chose. La connexion avec les chevaux se précisa dans son esprit. Dès les premières heures de l'enquête, il avait eu un doute en songeant aux policiers montés de Central Park. Hélas, il n'avait pas approfondi cette question, sinon il aurait pu aboutir plus tôt au même constat.

— Tu veux enquêter sur les cascadeurs ayant un casier judiciaire ?

— Par exemple, pour commencer. Mais je ne pense pas seulement aux cavaliers. Il y a aussi les chevaux eux-mêmes.

Amelia se rapprocha insensiblement.

— D'après ce que nous avons entendu et vu sur les vidéos, les gens hurlaient, criaient, gesticulaient. Il y avait des coups de feu. Pourtant, les chevaux n'ont jamais paniqué.

La jeune femme s'arrêta. Elle regarda dans la direction d'Aparo, qui répondait à un appel téléphonique, comme si elle répugnait à pousser plus loin sa réflexion.

Reilly devina où elle voulait en venir. Galamment, il exprima pour elle la déplaisante déduction.

— Des chevaux de la police.

— Exactement.

Bon sang ! Cette idée ne lui plaisait pas plus qu'à elle. Des chevaux de la police, cela signifiait aussi... des policiers. L'hypothèse que des agents des forces de l'ordre étaient impliqués n'enchanterait personne.

— Tu peux y aller, dit-il. Mais fais attention. Vas-y en douceur.

Elle n'eut pas le temps de répondre. Bondissant de sa chaise comme un diable, Aparo se précipitait vers eux.

— C'était Steve. On a quelque chose. Cette fois, on dirait qu'on tient le bon bout.

15

En tournant dans la 22e Rue, Gus Waldron commença à se sentir nerveux. Assurément, depuis la nuit du samedi, il avait eu maintes fois l'occasion de sursauter. Mais cette fois c'était différent. Il reconnaissait les signes. Le boxeur agissait beaucoup à l'instinct. Notamment pour ses paris aux courses. Résultat ? Nul ! Mais d'autres choses fonctionnaient parfois mieux. Donc il prêtait toujours attention aux signes.

Plus il avançait dans la rue, plus il remarquait des détails qui justifiaient sa nervosité. Là, une voiture, anonyme, ordinaire. Trop anonyme, trop ordinaire. Et, à l'intérieur, deux types ne regardant rien de particulier. Des flics ?

Il compta ses pas et s'arrêta devant une vitrine. Dans son reflet, il repéra une autre voiture furetant au coin de la rue. Un véhicule tout aussi anodin. En risquant un coup d'œil pardessus son épaule, il constata que dans celle-là aussi il y avait deux hommes.

Il était coincé.

Tout de suite, Gus pensa à Lucien. Dans sa tête, il passa en revue mille façons abominables de mettre un terme à la vie de ce cafard.

Rapidement, il gagna la galerie et plongea soudain vers la porte. S'engouffrant à l'intérieur, il traversa la pièce au pas de course jusqu'à l'endroit où un Boussard surpris venait de bondir de son fauteuil. Waldron repoussa violemment la table du pied. L'horrible grosse horloge et un petit bidon de liquide de nettoyage s'écrasèrent sur le sol. De sa grosse main de boxeur, il gifla violemment le propriétaire des lieux, qui tomba à terre.

— Tu m'as balancé aux flics, hein ?

— Non, *Gueusse*…

Alors que ce dernier levait la main pour frapper de nouveau, il vit l'antiquaire, les yeux exorbités, tourner la tête vers le fond de la galerie. Il y avait donc aussi des flics derrière. Gus sentit brusquement une odeur singulière. Peut-être de l'essence. Le liquide de nettoyage pour les bronzes se répandait sur le sol.

Tout en ramassant le récipient, Gus releva Lucien par le col et l'entraîna vers la porte. Là, d'un coup de pied derrière les genoux, il envoya encore une fois le gringalet s'affaler sur le plancher. Le colosse immobilisa sa victime à terre, de sa botte, puis il inclina le bidon au-dessus de sa tête.

— Tu aurais été mieux inspiré de ne pas faire l'idiot avec moi, sale vermine, rugit-il en versant l'essence.

— Pitié ! bredouilla le Français.

Le liquide lui brûlait déjà les yeux. Soudain – trop vite pour qu'il puisse comprendre ce qui lui arrivait – son agresseur ouvrit la porte, le souleva par le col, sortit son Zippo, mit le feu à l'essence et le poussa d'un coup de pied dans la rue.

Les flammes formaient une auréole bleuâtre et jaune autour des épaules et de la tête du malheureux, qui chancelait sur le trottoir. Ses hurlements se mêlaient aux cris des témoins horrifiés et au concert de klaxons qui venait de se déclencher. Gus sortit juste derrière la torche humaine.

Les yeux du colosse balayèrent les parages de droite à gauche, fixés comme ceux d'un faucon sur les quatre hommes en embuscade, deux à chaque extrémité de la rue. Ils jaillissaient maintenant de leurs voitures, l'arme au poing, plus préoccupés par l'homme en feu que par Waldron.

C'était exactement ce qu'il lui fallait.

Dès qu'il avait vu l'homme accélérer le pas pour s'engouffrer dans la galerie, Reilly avait compris qu'ils étaient découverts. Il avait crié dans le micro dissimulé dans sa manche :

— On est repérés. On y va. Je répète : on y va !

Il fit monter une balle dans la chambre de son browning Hi-Power et sortit de la voiture. Côté passager, Aparo venait de l'imiter.

Quelques secondes à peine s'étaient écoulées depuis que leur cible était entrée dans le magasin. Reilly était encore derrière la portière de sa voiture quand il vit quelqu'un surgir en vacillant de la galerie. L'agent spécial n'était pas sûr de bien voir, mais la tête de l'homme avait l'air en feu.

Tandis que Lucien titubait sur le trottoir, les cheveux et la chemise en flammes, Gus restait aussi près que possible derrière lui pour que les flics n'osent pas faire usage de leurs armes.

Du moins l'espérait-il.

Pour les inciter à réfléchir avant de se rapprocher trop, il tira dans les deux directions. Le Beretta était inapproprié dans ce type d'action, mais il obligea quand même les quatre hommes à plonger pour se mettre à couvert.

Des pare-brise volèrent en éclats et des cris de panique retentirent d'un bout à l'autre de la rue tandis que les trottoirs se vidaient.

Reilly le vit lever son pistolet. Les coups de feu crépitèrent dans la rue. Deux balles s'écrasèrent sur un mur de brique derrière lui. Une troisième partit se loger dans le phare avant gauche de sa Chrysler, dans une explosion de chrome et de verre. En jetant un coup d'œil sur sa droite, l'agent spécial aperçut quatre passants terrifiés, accroupis derrière une Mercedes garée. A leur attitude, il devina qu'ils réfléchissaient au moyen de s'enfuir, ce qui n'était pas une bonne idée. Ils étaient plus en sûreté derrière la voiture. L'un d'eux regarda de son côté. Tout en lui adressant un signe de la main de haut en bas, Reilly lui cria :

— Baissez-vous ! Ne bougez pas !

Avec un hochement de tête, l'homme se blottit un peu plus pour rester invisible.

Revenant au vif du sujet, l'agent du FBI se pencha pour tirer. Mais l'homme qu'il connaissait sous le nom de « Gus » s'était glissé derrière le propriétaire de la galerie et le serrait de trop près. Impossible de viser correctement sans risquer de blesser l'antiquaire. Celui-ci venait de tomber à genoux. Ses cris d'agonie se répercutaient dans toute la rue maintenant déserte. Malgré l'urgence de la situation, les agents spéciaux n'étaient pas en mesure d'agir.

Brusquement, Gus s'écarta de l'homme-torche. Il lâcha des rafales en direction de l'autre équipe de fédéraux. Le temps parut ralentir. Soudain, Reilly entrevit une occasion et la saisit. Retenant sa respiration, il jaillit de derrière la portière, bras tendus, brandissant son Hi-Power à deux mains. En une fraction de seconde, il aligna le guidon et le cran de mire du pistolet, puis pressa la détente en exerçant une force régulière et délicate. La gueule du browning cracha la balle. Presque simultanément, une tache rouge s'élargit sur la cuisse du boxeur.

Reilly se précipita vers l'homme en flammes. Gus Waldron s'apprêtait à mettre un coup d'arrêt aux élans héroïques de l'agent fédéral quand un camion de livraison choisit ce moment pour s'avancer au ralenti dans la rue.

A terre, Lucien se tordait de douleur. Il essayait désespérément d'éteindre les flammes en battant des bras. Son agresseur savait qu'il était temps de prendre ses jambes à son cou. Une douleur cuisante à la cuisse gauche le fit soudain vaciller. Il palpa la zone de la blessure et, lorsqu'il examina sa main, elle était maculée de sang.

Fils de... Les flics avaient eu de la veine.

C'est à cet instant qu'il vit le camion remonter lentement la rue. Arrosant de balles les deux groupes de policiers, il l'utilisa comme couverture pour filer en boitant. Dès qu'il eut passé le carrefour, la chance lui sourit enfin. Un taxi venait de se ranger le long du trottoir et déposait son client, un homme d'affaires japonais en costume clair. D'un coup d'épaule, Gus bouscula l'homme qui payait. Il ouvrit à la volée la portière du conducteur et arracha celui-ci de son siège pour l'éjecter du véhicule.

A peine au volant, Waldron passa la première et sentit quelque chose lui frapper le côté de la tête. C'était le chauffeur du taxi qui voulait récupérer son bien et qui hurlait dans une langue inintelligible. L'abruti. Gus pointa le canon de son Beretta à la fenêtre, pressa la détente et logea une balle en plein dans le visage rubicond. Puis il appuya sur l'accélérateur et dévala la rue en trombe.

16

Ecrasant le champignon de sa Chrysler de service, Reilly la lança sur le trottoir et dépassa le camion de livraison. Du coin de l'œil, il entrevit un groupe de personnes penchées au-dessus du cadavre du chauffeur de taxi.

Aparo communiquait à la radio et écoutait son collègue Buchinski organiser les barrages routiers et les renforts. Toute l'opération avait été montée dans la précipitation. Ils auraient dû boucler la rue. Mais le policier avait dit qu'ils risquaient d'alerter le coupable avant même qu'il atteigne la galerie si l'artère était anormalement calme. Reilly repensa à la silhouette embrasée qu'il avait vue sortir en titubant de la boutique et au conducteur du taxi projeté en arrière par la puissance du tir en pleine tête. Il aurait peut-être mieux valu que le suspect fût alerté.

Il scruta le rétroviseur en se demandant si Buchinski les suivait.

Mais non. Ils étaient seuls.

— Regarde la route !

L'exclamation d'Aparo le recentra sur sa conduite. L'agent fédéral fit zigzaguer la Chrysler dans une enfilade de voitures et de camions. Plusieurs klaxonnaient furieusement contre le taxi qui venait de passer comme un fou au milieu d'eux. Celui-ci obliqua brusquement pour s'engager dans une ruelle. Reilly l'imita. Une bourrasque de détritus soulevés par le passage de la première voiture s'écrasa sur son pare-brise. Il avait le plus grand mal à se repérer.

— Bon Dieu, où sommes-nous ? hurla-t-il.

— On va vers la rivière.

Quand le taxi déboucha de la ruelle, il vira à droite dans un crissement de pneus. Quelques instants plus tard, Reilly en fit autant.

Ils venaient d'atteindre une grande artère. Des véhicules circulaient dans les deux directions, mais aucun signe du taxi.

Il avait disparu.

Conduisant avec maestria pour éviter le trafic dense et rapide, Reilly observait à droite et à gauche.

— Là, cria Aparo en tendant le doigt.

Sans ralentir, le conducteur tourna la tête et vira à gauche sur les chapeaux de roue pour s'engager dans une autre ruelle. Il écrasa la pédale d'accélérateur. La Chrysler rebondit dans la voie étroite, fracassa à toute volée des poubelles pleines et projeta des gerbes d'étincelles de chaque côté.

La rue dans laquelle ils surgirent était encombrée de voitures garées. Reilly entendit des grincements de métal. Dans sa course éperdue, le taxi frottait les pare-chocs et les enjoliveurs des véhicules qui ne lui laissaient pas le champ libre. Les impacts étaient furtifs, mais suffisants pour ralentir sa fuite.

Un autre virage sec vers la droite permit cette fois aux deux agents d'apercevoir enfin des panneaux indicateurs : ils annonçaient le Lincoln Tunnel. Mais surtout, la Chrysler gagnait du terrain. Du coin de l'œil, Reilly vit qu'Aparo avait sorti son revolver, posé sur ses cuisses.

— N'essaye pas, lui dit-il. Tu pourrais avoir la chance de l'atteindre.

A cette vitesse, si le taxi incontrôlable partait dans le décor, il pouvait provoquer un désastre.

Le véhicule du fugitif tourna encore brutalement pour s'engager dans une nouvelle artère. Il sema la panique au milieu des piétons qui traversaient un passage protégé.

Soudain, Reilly surprit une forme sortant de la vitre avant gauche du taxi. Une arme ? Non, c'était impossible. Il aurait fallu être stupide pour conduire et tirer simultanément. Stupide… ou fou à lier.

La réponse vint dans la seconde. Un éclair et de la fumée jaillirent.

— Accroche-toi ! hurla-t-il.

Braquant le volant en catastrophe, il exécuta un violent tête-à-queue et lança la Chrysler vers un espace dégagé qu'il venait de repérer sur l'emplacement d'un bâtiment abattu. Le véhicule pulvérisa une chaîne barrant l'accès et poursuivit sa course dans un grand nuage de poussière.

Quelques secondes plus tard, il quittait le terrain vague et relançait son véhicule sur la piste du taxi. Pour autant que Reilly pût en juger, le bras et l'arme du fuyard ne sortaient plus de la vitre.

— Attention ! s'étrangla Aparo.

Une femme promenant un chien avait trébuché et heurté un livreur qui poussait une pile de caisses de bière. Les caisses basculèrent en travers de la route. D'un coup de volant, Reilly évita d'un cheveu les passants, mais pas les caisses. Projetée en l'air, l'une d'elles retomba sur le pare-brise blindé, qui s'étoila sur toute sa surface.

— Je ne vois plus rien ! rugit-il.

Avec la crosse de son pistolet, Aparo martela le pare-brise. Au troisième coup, le verre céda et se souleva d'un seul tenant. Passant par-dessus la voiture, il alla atterrir sur le toit d'un véhicule en stationnement.

Le vent s'engouffra dans l'auto, obligeant les deux agents à plisser les yeux. Malgré cela, Reilly entrevit à quelque distance devant eux un panneau de sens interdit, là où la ruelle se rétrécissait. Le tueur allait-il s'y risquer ? S'il rencontrait quelqu'un en sens inverse, c'était la mort assurée.

Cinquante mètres environ avant le panneau, l'agent du FBI avisa une ouverture sur la droite. Le taxi allait l'emprunter, supposa-t-il. Reilly appuya sur l'accélérateur, dans l'espoir de rejoindre la voiture de Waldron et de lui faire rater le virage. La Chrysler gagna du terrain.

Elle n'était plus qu'à quelques centimètres du pare-chocs arrière de l'autre véhicule. Ce dernier obliqua en crissant vers le passage et partit en léger dérapage. Il fit chauffer ses pneus en heurtant un muret d'angle.

Reilly le suivit.

— Bon sang ! murmura Aparo.

Les deux agents du FBI venaient d'apercevoir un gamin qui traversait la rue sur un skate-board. Des écouteurs sur les oreilles, le jeune garçon ne se rendait pas compte de l'ouragan qui fondait sur lui.

D'instinct, Reilly ralentit. Mais devant lui, aucune lumière rouge ne s'était allumée à l'arrière du taxi, qui continuait de foncer.

« Il va le renverser. Il va le tuer. »

Désespérément, Reilly klaxonna, en espérant que l'enfant l'entendrait malgré son baladeur. Le taxi se rapprochait. Nonchalamment, le jeune garçon regarda sur sa gauche et vit le véhicule, qui n'était plus qu'à quelques mètres. Il plongea juste à temps pour éviter le bolide qui le frôla sans ralentir en pulvérisant sa planche à roulettes.

La Chrysler passa à son tour devant l'enfant abasourdi. La voie était libre. Aucun véhicule ni piéton en mouvement. Si Reilly voulait tenter quelque chose, c'était le moment. Avant que cette affaire ne tourne véritablement mal.

Pied au plancher, il regagna du terrain sur le taxi. La roue arrière gauche de Waldron se mit à fumer et les hommes du FBI devinèrent que le choc contre le mur avait dû rabattre la carrosserie sur le pneu.

— Que fais-tu ? demanda Aparo en constatant que l'autre voiture n'était plus qu'à quelques centimètres.

La Chrysler heurta l'arrière du taxi. Les deux agents sentirent l'effet de la collision leur remonter dans les épaules et le cou.

Boum. Une fois.

Boum. Deux fois.

Reilly se laissa un peu distancer. Puis il remit les gaz et poussa à nouveau le taxi.

Cette fois, celui-ci partit en tête-à-queue avant de heurter le trottoir en se renversant sur le flanc et d'aller détruire une vitrine. La Chrysler s'immobilisa dans un crissement de freins. Son conducteur observa l'arrière du taxi, toujours couché, émergeant de la devanture du magasin – une boutique d'instruments de musique, constata l'agent spécial.

Les deux policiers sortirent de leur véhicule. Aparo brandissait déjà son arme et son collègue plongeait la main pour attraper la sienne. Mais il réalisa vite que c'était inutile.

Le fugitif avait volé au travers du pare-brise et gisait, face contre terre, au milieu du verre brisé, entouré d'instruments de musique tordus ou cassés. Des partitions retombaient en voletant sur le corps inerte.

Prudemment, Reilly le tâta de la pointe de sa chaussure et le retourna sur le dos. Bien qu'inconscient, l'homme respirait.

Son visage était strié de coupures sanglantes. En roulant, il avait lâché son pistolet. D'un coup de pied, l'agent fédéral repoussa l'arme. Puis il repéra quelque chose qui dépassait du manteau de Gus Waldron.

Une croix incrustée de joyaux.

17

Quand Tess retrouva son bureau de l'institut archéologique Manoukian, au coin de Lexington et de la 79e Rue, quelques messages l'attendaient. Comme elle pouvait s'en douter, la moitié émanaient de son ex-mari Doug. Et de manière presque aussi prévisible, Leo Guiragossian, le patron de l'institut, s'attribuait le reste. Ce dernier ne tolérait Tess que pour une raison : quand il était en quête de fonds, il lui était fort utile de compter la fille d'Oliver Chaykin au sein de son établissement. Elle détestait ce type mais elle avait besoin de ce poste. En outre, avec les rumeurs de compression de personnel dues aux restrictions budgétaires, ce n'était pas le moment de se comporter envers lui comme elle l'aurait voulu.

La jeune femme jeta tous les messages dans la corbeille, sous les yeux écarquillés de Lizzie Harding, la discrète secrétaire qu'elle partageait avec trois autres chercheurs. Leo et Doug n'attendaient qu'une chose d'elle : les détails les plus croustillants des événements de la nuit du samedi. Somme toute, les motivations de son patron, en dépit d'une certaine curiosité morbide, étaient moins agaçantes que celles de son ex-mari.

Tess avait placé son ordinateur et son téléphone de manière à apercevoir, en tournant très légèrement la tête, le jardin pavé qui s'étendait derrière le bâtiment de grès brun. L'édifice avait été restauré longtemps avant son arrivée à l'institut par le fondateur de celui-ci, un richissime armateur arménien. Un grand saule pleureur dominait la cour. Son élégant feuillage en cascade abritait des dizaines de pigeons et de moineaux, en une voûte au-dessus d'un petit banc.

Tess abandonna sa rêverie. Consultant les coordonnées de Jeb Simmons que Clive Edmondson lui avait laissées, elle composa un premier numéro. Tombant sur un répondeur, elle raccrocha sans laisser de message et en essaya un autre. La secrétaire du département d'histoire de l'université de Brown l'informa que Simmons était en train d'effectuer des fouilles dans le désert du Néguev pour une durée de trois mois. Mais on pouvait le joindre en cas d'urgence. Tess la remercia et lui dit qu'elle rappellerait.

Puis elle repensa à sa conversation avec Clive. Un annuaire web lui livra rapidement le numéro qui l'intéressait. Elle cliqua sur l'icône « numérotation » et obtint le standard de l'université Columbia.

— Le professeur William Vance, demanda-t-elle à la voix aiguë qui lui répondit.

— Un moment, s'il vous plaît.

Après un silence, la standardiste reprit la ligne :

— Je suis désolée, mais je ne vois personne de ce nom sur ma liste.

Tess s'y attendait.

— Vous pouvez me passer le département d'histoire ?

Quelques bourdonnements plus tard, une nouvelle voix de femme lui répondit. Apparemment, celle-là savait de qui parlait Tess.

— Oh oui, bien sûr, je me rappelle Bill Vance. Il nous a quittés... cela doit faire cinq ou six ans.

— Savez-vous où je peux le joindre ?

— J'ai peur que non. Je crois qu'il a pris sa retraite. Je suis désolée.

Mais la jeune archéologue avait encore un coup à jouer.

— Est-ce que vous pourriez m'accorder une faveur ? insista-t-elle. J'ai vraiment besoin de le contacter. Je suis de l'institut Manoukian et nous nous sommes rencontrés sur une fouille il y a plusieurs années. Pourriez-vous demander autour de vous ? Un autre de ses collègues du département sait peut-être où le trouver ?

L'assistante du département semblait désireuse de l'aider. Tess lui laissa donc son nom et ses coordonnées.

Après avoir raccroché, elle passa un moment à réfléchir. Puis elle revint à son écran et chercha un William Vance dans l'annuaire en ligne. Personne de ce nom à New York... ce qui ne prouvait rien. Beaucoup de gens n'avaient plus qu'un téléphone portable et la plupart n'étaient pas répertoriés. Le Connecticut ne donna pas davantage de résultats. Alors elle élargit la recherche à tout le pays, mais cette fois, il y avait beaucoup trop de William Vance. En désespoir de cause, Tess se rabattit sur son moteur de recherche. Si les réponses se comptèrent par centaines, un rapide survol ne fournit pas le moindre élément probant.

Dans le jardin, les pigeons s'étaient envolés, mais le nombre de moineaux avait doublé et ils se querellaient. Elle fit pivoter son fauteuil et laissa ses yeux parcourir les rayonnages couverts de livres et de dossiers. Soudain, une nouvelle idée germa et elle rappela l'université Columbia pour joindre la bibliothèque.

Après s'être identifiée auprès du bibliothécaire, elle lui expliqua qu'elle cherchait tout article ou publication qui aurait été écrit par Vance. Elle épela le nom du professeur et ajouta qu'elle était particulièrement intéressée par tout ce qui avait trait aux croisades. Tess se garda de mentionner les Templiers.

— D'accord, ne quittez pas, lui répondit son interlocuteur.

L'attente dura un moment, puis l'homme reprit le combiné.

— J'ai rassemblé tout ce que nous avions de William Vance.

Il lut les titres des textes et des conférences qui semblaient correspondre aux espoirs de Tess.

— Vous serait-il possible de m'envoyer des copies ?

— Aucun problème. Mais nous allons devoir vous les facturer.

Tess lui donna l'adresse de son bureau et s'assura que la facture serait bien établie à son nom. Ce n'était pas le moment de troubler les contrôleurs de gestion de l'institut. Après avoir raccroché, elle ressentit une étrange exaltation, qui lui remit en mémoire des souvenirs du terrain et de l'enthousiasme qui était le sien, particulièrement au début d'une fouille, quand tout était possible.

Seulement il ne s'agissait pas d'une fouille.

« Qu'es-tu en train de faire ? Tu es archéologue. Ce n'est pas à toi de jouer au détective amateur. Appelle le FBI, dis-leur ce que tu as en tête et laisse-les suivre cette piste. » Elle se demanda même si, d'une certaine manière, elle n'entravait pas leur enquête en ne leur parlant pas de ce qu'elle avait à l'esprit. Mais elle repoussa cette pensée. Si elle était allée leur en faire part, ils l'auraient renvoyée en riant. Pourtant… pourtant il n'y avait pas une si grande différence entre le travail des archéologues et celui des enquêteurs. Les uns comme les autres essayaient de découvrir ce qui s'était passé. Certes, les archéologues ne s'intéressaient pas franchement à ce qui s'était passé deux jours plus tôt. Leur échelle de temps était tout autre.

Mais cela ne faisait rien.

Elle ne pouvait s'empêcher d'aller au bout de son idée. Toute cette affaire l'intriguait beaucoup trop. Après tout, elle s'était trouvée sur place et le lien qu'elle cherchait à approfondir, c'était elle qui l'avait découvert. Cela légitimait son intérêt et sa quête personnelle. Enfin par-dessus tout, sa vie manquait vraiment, mais alors vraiment, d'un peu de piment et d'exaltation. Elle se planta donc devant son écran et replongea dans sa recherche sur les chevaliers du Temple. Levant les yeux, elle remarqua que Lizzie, la secrétaire, la regardait un peu curieusement. Tess lui sourit. Elle aimait bien Lizzie et, de temps en temps, elle n'hésitait pas à discuter avec elle de sujets personnels. Mais elle avait déjà parlé de cette affaire avec Clive Edmondson et ne voulait pas se confier à qui que ce soit d'autre.

18

Ni Reilly ni Aparo n'avaient été blessés. Ils ne souffraient que de quelques contusions à cause des ceintures de sécurité et de coupures bénignes. Les deux hommes avaient suivi l'ambulance filant sur FDR Drive[1] pour emmener Gus Waldron au New York Presbyterian Hospital. Une fois leur suspect dans la salle d'opération, une infirmière noire les somma de se laisser examiner. Ils finirent par s'incliner ; la femme nettoya et pansa leurs plaies – un peu plus brutalement qu'ils ne l'auraient souhaité. Ensuite, ils furent libres de partir.

D'après les médecins urgentistes, il était peu probable que leur homme soit en mesure de parler avant au moins deux jours, peut-être davantage. Ses blessures étaient très sérieuses. Tout ce qu'ils pouvaient faire, c'était de patienter avant qu'il soit en état d'être interrogé. Pendant ce temps, leurs collègues du FBI et les policiers allaient se plonger dans la vie du gangster pour essayer de découvrir où l'homme s'était terré depuis le hold-up du Met.

— Je pense que j'en ai assez pour la journée, confia Aparo à son équipier.

Et il retourna chez lui retrouver sa petite femme qui, à près de quarante-cinq ans, attendait leur troisième enfant. De son côté, Reilly resta dans les parages jusqu'à ce que le tueur sorte du bloc opératoire. Epuisé tant physiquement que mentalement par les événements du jour, il n'était pas pressé de regagner la solitude de son appartement. Vivre seul dans une cité animée produit généralement cet effet.

Alors il se mit à errer dans les couloirs en quête d'une tasse de café chaud. En pénétrant dans l'ascenseur, il se

---

1. La promenade Franklin-Delano-Roosevelt. (*N.d.T.*)

retrouva nez à nez avec un visage familier. Il ne pouvait y avoir d'erreur sur ces yeux verts. Ils appartenaient à la jeune femme du musée. Elle lui adressa un hochement de tête poli avant de détourner la tête. La belle inconnue paraissait préoccupée. Pour ne pas donner l'impression de la dévisager, il regarda les portes de l'ascenseur se refermer, puis baissa les yeux.

Mais rapidement, l'exiguïté de la cabine aidant, il se sentit troublé par sa présence toute proche. Tandis que l'ascenseur descendait en vrombissant, il releva la tête et la vit ébaucher un nouveau signe de tête cordial. Il hasarda un sourire, et c'est alors que, à sa grande surprise, une expression illumina le visage de la jeune femme. Elle venait apparemment de le reconnaître :

— Vous étiez là, n'est-ce pas ? Au musée, la nuit de...

— Oui, en quelque sorte. En fait, je suis arrivé plus tard.

Il s'interrompit en jugeant son explication trop évasive.

— Je suis du FBI, précisa-t-il.

C'était la façon la plus simple d'exprimer ce qu'il était, mais il détesta instantanément cette présentation qu'il jugea trop brutale.

— Oh.

Un silence inconfortable s'ensuivit. Puis ils se mirent à parler en même temps, le « Comment se passe... » de Tess se télescopant avec le « Donc vous êtes... » de l'agent fédéral. Ils s'arrêtèrent sans finir leurs phrases et sourirent.

— Je suis désolé, s'excusa Reilly le premier. Vous disiez ?

— J'allais juste vous demander comment se passait l'enquête. Mais j'imagine que ce n'est pas une chose dont vous pouvez parler librement.

— Pas vraiment.

En l'espèce, cette réponse confinait beaucoup trop à la fatuité, pensa Reilly, aussi rectifia-t-il le tir :

— En réalité, il n'y aurait de toute façon pas grand-chose à dire actuellement. Pourquoi êtes-vous ici ?

— Je rendais visite à un ami. Il a été blessé cette nuit-là.

— Il va bien ?

— Oui, il va s'en tirer.

La sonnerie de l'ascenseur tinta. La cabine avait atteint le rez-de-chaussée. L'enquêteur la regarda s'éloigner. Subitement, elle se retourna, soucieuse, comme si elle avait envie d'ajouter quelque chose mais hésitait.

— J'ai voulu contacter votre bureau. L'agent Gaines m'a laissé sa carte cette nuit-là.

— Amelia Gaines. Nous travaillons ensemble. Je m'appelle Reilly. Sean Reilly.

Il lui tendit la main.

Tess la prit et se présenta.

— Est-ce que je peux faire quelque chose pour vous ? questionna-t-il.

— Eh bien, c'est simplement qu'elle m'a dit de l'appeler si d'autres éléments me revenaient en mémoire. Et j'ai justement repensé à une chose. En fait, c'est mon ami hospitalisé ici qui m'a aidée à clarifier mes idées. Enfin, j'imagine que vous avez déjà réfléchi à cette question et que vous l'avez approfondie.

— Pas nécessairement. Et croyez-moi, nous sommes toujours ouverts à de nouvelles pistes. De quoi s'agit-il ?

— C'est à propos de cette affaire de Templiers.

L'agent fédéral ne voyait pas de quoi elle voulait parler.

— Quelle affaire de Templiers ?

— Vous savez, les costumes qu'ils portaient, l'encodeur qu'ils ont pris. Et la citation latine que l'un des cavaliers a prononcée quand il s'en est emparé.

Reilly la fixa, interloqué.

— Vous avez le temps de prendre une tasse de café ?

19

La cafétéria du rez-de-chaussée de l'hôpital était presque vide. Tess fut très surprise par la première question de Reilly. Il lui avait demandé si l'enfant qui l'accompagnait au musée était sa fille.

— Oui, en effet, sourit-elle. Elle s'appelle Kim.

— Elle vous ressemble.

Cette remarque la déçut instantanément. Même si elle ne l'avait qu'entraperçu au Met, il y avait quelque chose chez cet homme qui l'avait mise à l'aise.

« Mon Dieu, j'ai besoin de reformater mes capteurs masculins. »

Contractée, elle attendit l'inévitable compliment du dragueur ordinaire qui devait suivre : « Oh, je pensais que vous étiez sœurs », « Vous n'avez pas l'air d'avoir l'âge d'être sa mère » ou n'importe quoi de la même eau. Cependant, la question qu'il lui posa fut tout autre.

— Où était-elle quand tout cela est arrivé ?

— Kim ? Ma mère l'avait emmenée aux toilettes. Elles s'y trouvaient encore quand elles ont entendu le vacarme, et elles ont décidé de ne pas bouger.

— Donc elles ont échappé au pire.

Tess hocha la tête, de plus en plus intriguée par l'intérêt qu'il témoignait à leur endroit.

— Aucune des deux n'a vu quoi que ce soit.

— Et ensuite ?

— Je suis allée les chercher et je me suis assurée qu'elles restent à l'écart jusqu'au départ des ambulances, lui répondit-elle sans comprendre où il voulait en venir.

— Ainsi votre fille n'a vu aucun des blessés ni...

— Non, juste le grand hall dévasté.

Il opina à son tour.

— Bien. Mais elle sait évidemment ce qui s'est passé.

— Elle a neuf ans, agent Reilly. A l'école, elle est devenue une sorte d'héroïne. Tout le monde veut être son ami. Ils ont tous envie de savoir quelle impression ça fait d'avoir vécu ça.

— J'imagine. Mais vous devriez garder un œil sur elle. Si elle n'a pas été un témoin oculaire direct, un événement pareil peut avoir des répercussions psychologiques, surtout sur quelqu'un d'aussi jeune. Peut-être que cela ne s'exprimera que par des cauchemars, mais des réactions plus néfastes sont également possibles. Restez attentive, c'est tout. On ne sait jamais.

Cet intérêt pour Kim déconcerta Tess. Abasourdie, elle acquiesça.

Reilly s'adossa à sa chaise.

— Bon, et vous ? Comment allez-vous après ça ? Vous étiez au cœur de l'action.

— Comment le savez-vous ? s'étonna-t-elle.

— Grâce aux caméras de surveillance. Je vous ai vue sur l'enregistrement.

Sean eut peur que sa remarque n'ait pu paraître quelque peu perverse. Il espérait que non, mais l'expression de la jeune femme ne permettait pas de le savoir.

— Alors ? Vous allez bien ?

— Oui.

Tess revit les cavaliers ravageant le musée, tirant avec leurs armes automatiques, et le quatrième cavalier ramassant l'encodeur à quelques centimètres d'elle. Elle avait presque l'impression de sentir encore les naseaux de son cheval lui souffler dans la nuque. Elle ne pourrait sans doute jamais oublier cette image, et la peur qui l'étreignait mettrait du temps à se dissiper. Mais elle s'efforça de n'en rien montrer.

— C'était d'une grande intensité, ajouta-t-elle, mais... d'une certaine manière, cela paraissait si irréel que, je ne sais pas, peut-être que je l'ai expédié dans la section fiction de ma banque mémorielle personnelle.

— Ce qui est aussi bien.

Il hésita avant de poursuivre :

— Je suis désolé de me montrer curieux. Mais c'est simplement que je me suis retrouvé dans des circonstances de ce type ; je sais qu'il n'est pas toujours facile d'y faire face.

En le découvrant avec de nouveaux yeux, Tess se détendit :

— Je comprends. Et j'apprécie votre sollicitude.

D'habitude, quand quelqu'un lui parlait de sa fille, elle se mettait sur la défensive. Or, curieusement, elle ne s'était pas offusquée quand cet homme l'avait fait. Sa préoccupation semblait authentique.

— Donc, reprit-il, quelle est cette affaire de Templiers dont vous vouliez me parler ?

— Vous n'avez pas du tout étudié l'angle templier ?

— Pas que je sache.

L'archéologue esquissa une moue dépitée.

— Bah, je savais que ce n'était rien.

— Dites-moi quand même ce que vous aviez en tête.

— Que savez-vous des Templiers ?

— Pas grand-chose, avoua-t-il.

— La bonne nouvelle, c'est que vous n'êtes pas fou.

Elle sourit avant de regretter immédiatement son trait d'humour incompréhensible pour quiconque n'avait pas lu Umberto Eco. Mais l'homme n'avait pas relevé et elle poursuivit.

— Allons-y... En 1118, la première croisade est finie et la Terre sainte est tombée entre des mains chrétiennes. Le roi de Jérusalem s'appelle Baudouin II. Toute l'Europe jubile. Les pèlerins se précipitent en masse pour visiter ce qui a justifié cette agitation. Seulement, ce que ces hommes ignorent souvent, c'est que les territoires dans lesquels ils vont s'aventurer sont dangereux. Une fois la Terre sainte « libérée », les croisés ont considéré qu'ils avaient accompli leur vœu et ils sont pour la plupart rentrés chez eux en Europe, les bras chargés des richesses de leurs pillages. En repartant, ils ont laissé la région dangereusement cernée par des Etats islamiques hostiles. Les Turcs et les musulmans, qui ont abandonné beaucoup de terres aux armées chrétiennes, n'entendent ni oublier ni pardonner. Ainsi de très nombreux pèlerins qui partent pour Jérusalem n'y arrivent-ils jamais. Ils sont attaqués en route, volés, souvent tués. Le premier échec de la croisade, c'est cette menace permanente que les bandits font peser sur les voyageurs.

Tess raconta comment, cette année-là, des maraudeurs sarrasins avaient tendu une embuscade à plus de trois cents pèlerins, qu'ils avaient massacrés sur la route qui reliait le port de Jaffa – où l'on débarquait en arrivant en Palestine – à la ville sainte de Jérusalem. Des bandes de guerriers avaient même fini par s'installer à l'extérieur des murs de la cité. C'est alors que les Templiers avaient fait leur apparition.

Neuf pieux chevaliers conduits par Hugues de Payens s'étaient présentés au château du roi Baudouin à Jérusalem. Ils lui avaient offert leurs humbles services en précisant qu'ils avaient prononcé les trois vœux solennels : chasteté, pauvreté et obéissance. Et à ces trois-là, ils en avaient ajouté un quatrième : le vœu perpétuel de protéger les pèlerins au cours de leur voyage de la côte jusqu'à la ville sainte. Etant donné la situation, l'arrivée de ces chevaliers semblait providentielle. L'Etat croisé avait désespérément besoin de combattants aguerris.

Très impressionné par la mission que ces moines-soldats venaient de se donner, le roi Baudouin leur avait octroyé des quartiers dans la partie orientale de son propre palais, qui se dressait sur le site jadis occupé par le Temple du roi Salomon. Ils devinrent connus sous le nom d'Ordre des Pauvres Soldats du Christ et du Temple de Salomon... ou plus simplement de Templiers.

Tess se pencha en avant.

— La signification religieuse du site que Baudouin confie à l'ordre balbutiant est déterminante, expliqua-t-elle.

Salomon avait construit le premier Temple en 950 avant notre ère. En réalité, c'était son père David qui avait commencé l'ouvrage pour répondre à une injonction de Dieu : l'Eternel lui avait demandé de bâtir un temple pour abriter l'Arche d'Alliance, un reliquaire portatif qui contenait les Tables de pierre sur lesquelles étaient gravés les Commandements que Dieu avait donnés à Moïse.

Le glorieux royaume de Salomon ne lui survécut quasiment pas. Peu après sa mort, des nations orientales arrivèrent et conquirent les terres juives. Le Temple lui-même fut détruit en 586 avant Jésus-Christ par les envahisseurs chaldéens, qui emmenèrent les Juifs en esclavage à Babylone.

Plus de cinq cents ans après, le Temple fut reconstruit par le roi juif Hérode, qui voulait s'insinuer dans les bonnes grâces de ses sujets et leur montrer que leur souverain, en dépit de ses origines étrangères, était un fervent fidèle de la religion qu'il avait adoptée. Cette construction devait être le couronnement de son règne : dominant la vallée du Cédron, ce Second Temple était un édifice magnifique dont le plan dépassait en taille et en splendeur le précédent. Deux immenses portes d'or donnaient accès au sanctuaire intérieur, le saint des saints, dans lequel seul pouvait pénétrer le grand prêtre.

Après la mort d'Hérode, la rébellion juive éclata contre l'envahisseur romain et, en 66 de l'ère chrétienne, les insurgés reprirent le contrôle de la Palestine. L'empereur Vespasien envoya son fils Titus mater la révolte. En 70, après plus de six mois de féroces combats, les légions romaines finirent par prendre Jérusalem. Titus ordonna que la ville, dont la population était désormais anéantie, soit rasée. Et l'« édifice le plus merveilleux que l'on ait jamais vu ou dont on ait jamais entendu parler », comme le décrivit à l'époque l'historien Flavius Josèphe, disparut.

Moins d'un siècle plus tard, une seconde rébellion juive fut aussi écrasée par les Romains. Cette fois, tous les Juifs se virent bannis de Jérusalem, et des sanctuaires consacrés à Zeus et à l'empereur Hadrien s'élevèrent sur le mont du Temple. Six cents ans plus tard, le site le plus saint du judaïsme allait être religieusement requalifié : avec l'avènement de l'islam et la conquête de Jérusalem par les Arabes, on en fit l'endroit d'où le cheval du prophète Mahomet serait monté au ciel. C'est pourquoi, en 691 de notre ère, le Dôme du Rocher fut érigé sur ce site par le calife Abd el-Malik. Depuis lors et jusqu'à aujourd'hui, cet endroit est demeuré un haut lieu de l'islam – à l'exception de la période d'occupation de la Terre sainte par les croisés, époque pendant laquelle le Dôme du Rocher fut converti en église chrétienne sous le nom de Templum Domini, le « Temple de Notre-Seigneur », et la mosquée Al-Aqsa, construite dans la même enceinte, se transforma en quartier général du jeune Ordre du Temple.

L'image héroïque de ces neuf courageux moines défendant les pèlerins vulnérables frappa les esprits dans toute l'Europe. Beaucoup demandèrent bientôt à intégrer l'Ordre. Des nobles de toute l'Europe les soutinrent généreusement et les inondèrent de terres et d'argent. La bénédiction papale qui leur fut octroyée contribua en grande partie à ce phénomène.

Les Templiers étaient des combattants de premier plan, très bien formés. Plus le nombre de leurs succès augmentait, plus leurs activités s'étendaient. Au-delà de leur mission initiale de protection des pèlerins, ils devinrent vite les défenseurs militaires de toute la Terre sainte.

En moins d'un siècle, le Temple devint l'une des puissances les plus riches et les plus influentes d'Europe. Avec ses immenses possessions en Angleterre, en Ecosse, en France, en Espagne, au Portugal, en Allemagne et en Autriche, il venait en second, juste derrière la papauté elle-même. Mieux : grâce à ce maillage serré de domaines et de châteaux, les Templiers s'établirent bientôt comme les premiers banquiers internationaux de l'histoire. On les vit organiser des facilités de crédit pour les souverains de toute l'Europe en état de banqueroute, sauvegarder les finances des pèlerins en route pour Jérusalem et inventer de fait le concept du chèque de voyage.

A cette époque, la valeur des pièces d'or et d'argent dépendait très précisément de leur poids. Au lieu de les emporter avec eux et de risquer de se faire voler au cours de leur périlleux voyage, les pèlerins pouvaient déposer leur argent dans une maison ou une commanderie templière n'importe où en Europe. On leur délivrait en échange un billet codé. Quand ils avaient atteint une étape ou leur destination, ils pouvaient se rendre dans la maison templière locale, présenter le billet qui allait être décodé, en utilisant des techniques de cryptage jalousement gardées, et obtenir l'argent qu'ils voulaient.

Tess fixait Reilly pour s'assurer qu'il ne décrochait pas.

— Ce qui n'était au départ qu'un groupe de neuf nobles pleins de bons sentiments et voués à la défense de la Terre sainte contre les sarrasins se métamorphosa donc très vite pour devenir l'organisation la plus puissante et la plus secrète de son temps, allant jusqu'à rivaliser avec le Vatican en termes de richesse et d'influence.

— Puis tout a mal tourné pour eux, n'est-ce pas ?

— Oui. Très mal. Au XIIIe siècle, les armées musulmanes parvinrent à reconquérir la Terre sainte et à en chasser les croisés, cette fois pour de bon. Il n'y eut plus jamais de croisades. Les Templiers furent les derniers à partir, après leur défaite à Acre en 1291. Quand ils revinrent en Europe, leur raison d'être avait disparu. Il n'y avait plus de pèlerins à escorter, plus de Terre sainte à défendre. Ils n'avaient plus de domicile, plus d'ennemi, plus de cause. Et ils n'avaient pas non plus beaucoup d'amis. Ce pouvoir et cette richesse leur étaient montés à la tête. Les Pauvres Soldats du Christ n'étaient plus franchement pauvres. De nombreux souverains, en particulier Philippe le Bel, le roi de France, leur devaient beaucoup d'argent.

— Et ils se sont effondrés.

— Oui, ils se sont brûlé les ailes, acquiesça Tess.

La jeune femme avala une gorgée de son café. Puis elle raconta comment une campagne de rumeurs et de dénigrement avait visé les Templiers. Sans nul doute, le secret entourant les rites d'initiation de l'Ordre depuis son origine avait facilité leur chute. Bientôt, une litanie d'accusations scandaleuses avait été portée contre eux.

— Qu'arriva-t-il alors ?

— Un vendredi 13, répondit Tess. Le vendredi 13 qui est à l'origine de la sinistre réputation de ce jour.

20

Paris, mars 1314

Peu à peu, Jacques de Molay recouvra ses esprits.

Combien de temps l'épreuve avait-elle duré, cette fois ? Une heure ? deux ? Le grand maître savait que cela ne pouvait avoir été beaucoup plus long. Quelques heures d'inconscience représentaient un luxe qu'ils ne lui autoriseraient jamais.

A mesure que les brumes se dissipaient de son cerveau, les premiers signes de douleur revinrent et, comme d'habitude, il les réprima. L'esprit était une chose étrange et puissante. Après toutes ces années d'emprisonnement et de torture, il avait appris à s'en servir comme d'une arme. Une arme défensive, mais une arme quand même, avec laquelle il pouvait contrer au moins une partie de ce que ses ennemis essayaient d'accomplir.

Ils pouvaient briser son corps et ils l'avaient fait. Mais son esprit et sa conscience, bien que meurtris, lui appartenaient encore.

Comme ses convictions.

Ouvrant enfin les yeux, il constata que rien n'avait changé, bien qu'il perçût une subtile différence qu'il n'identifia d'abord pas. Les murs de la cellule souterraine étaient toujours couverts d'une vase verdâtre qui s'écoulait sur le sol grossièrement pavé. L'accumulation de poussière, de sang séché et d'excréments l'avait nivelé au cours du temps. Quelle quantité de saleté provenait de lui-même ? Une grande part, il le craignait. Après tout, il était ici depuis... Il se concentra. Six ans ? sept ? Bien assez longtemps pour détruire son corps.

Ses os avaient été brisés. On les avait laissés vaguement se consolider. Et on les avait recassés. Ses articulations avaient été broyées, ses tendons déchirés. Il savait qu'il ne pourrait plus rien faire de ses mains et de ses bras, pas plus qu'il ne pourrait marcher. Mais, tant qu'il vivrait, ses tortionnaires n'arrêteraient jamais le mouvement de son esprit, libre de vagabonder, de quitter ces cachots infects sous les rues de Paris et de voyager… n'importe où.

D'ailleurs, où allait-il se rendre aujourd'hui ? Vers les terres agricoles vallonnées du centre de la France ? Vers les contreforts des Alpes ? Vers la côte ou, au-delà, vers son cher outremer ?

« Suis-je devenu fou ? » se demanda-t-il – et ce n'était pas la première fois. Après tout ce que lui avaient infligé les bourreaux qui dirigeaient ce cloaque infernal, comment aurait-il pu conserver sa santé mentale ?

Il se concentra un peu plus sur le temps. Cela faisait six ans. Six ans et demi exactement depuis la nuit où les hommes du roi avaient envahi le Temple de Paris.

Son Temple de Paris.

Un vendredi, se rappela-t-il. Le 13 octobre 1307. Il dormait, comme la plupart de ses chevaliers, quand des dizaines de sénéchaux avaient donné l'assaut aux premières lueurs du jour. Il aurait dû mieux préparer les siens. Depuis des mois, il savait que le souverain cherchait un moyen de renverser la puissance de l'Ordre.

Ce matin-là, les soldats de Philippe le Bel avaient réussi à rassembler assez de courage pour affronter les moines-guerriers… et les excuses nécessaires pour justifier un tel forfait. Si les Templiers ne s'étaient pas rendus facilement, les hommes du roi eurent l'effet de surprise et le nombre de leur côté ; les chevaliers n'avaient pas tardé à être submergés.

Impuissants face à cette marée humaine, ils avaient battu en retraite dans le Temple mis à sac. Le grand maître n'espérait plus qu'une chose : que le roi et ses sbires ne comprennent pas la signification du butin qu'ils emportaient ou que, consumés par leur soif d'or et d'argent – qu'ils ne pouvaient trouver en ces lieux –, ils ne remarquent pas des objets apparemment sans valeur.

Puis le silence retomba et, avec une étonnante courtoisie, Jacques de Molay et ses frères chevaliers furent poussés dans des chariots qui allaient les emmener vers leur destin.

Soudain, alors qu'il se remémorait ce silence, il réalisa que c'était cela qui était différent aujourd'hui.

Tout était tranquille.

D'ordinaire, les cachots étaient un lieu bruyant : les chaînes résonnaient, les chevalets et les roues craquaient, les brasiers sifflaient au milieu des cris interminables des victimes et des bourreaux.

Mais pas aujourd'hui.

Ce fut alors que le grand maître entendit un bruit. Des pas approchaient. D'abord, il pensa à Gaspard Chaix, le chef des tortionnaires. Mais ses pas étaient différents, lourds et menaçants. Ce n'étaient pas non plus les pas traînants de l'un des membres de son équipe d'assassins. Non, plusieurs hommes arrivaient. Ils remontèrent le couloir sombre, puis débouchèrent dans la cellule où Molay était pendu à des chaînes.

A travers des yeux bouffis et injectés de sang, celui qui était encore le chef suprême du Temple entrevit une demi-douzaine de silhouettes en livrée éclatante devant lui. Et au centre de ces gens, il y avait le roi en personne.

Mince et imposant, Philippe le Bel faisait une bonne tête de plus que le groupe de courtisans agglutinés autour de lui. En dépit de sa situation peu enviable, Molay continuait d'être frappé par l'aspect du souverain français. Comment un homme d'une telle grâce physique pouvait-il se montrer si impitoyable ? A quarante-six ans, Philippe le Bel avait encore une apparence de jeune homme, avec une peau claire et des cheveux blonds. Il était l'incarnation même de la noblesse. Pourtant, depuis près d'une décennie, poussé par une soif de richesse et de puissance qui n'avait d'égale que sa débauche, il avait méticuleusement semé autour de lui la mort et la destruction, infligeant les pires tourments à tous ceux qui se dressaient sur sa route ou qui, simplement, n'avaient pas l'heur de lui plaire.

Les Templiers avaient fait plus que lui déplaire.

Molay entendit d'autres pas, hésitants et nerveux, remonter le tunnel. Leur son précéda l'arrivée dans la cellule d'une minuscule silhouette revêtue d'une longue robe grise encapuchonnée. Le pied de l'homme glissa et il trébucha sur le sol inégal. La capuche tomba et Molay reconnut le pape Clément. Cela faisait longtemps qu'il ne l'avait pas vu et, dans l'intervalle, le visage du pontife s'était modifié. Des rides profondes cernaient les commissures de ses lèvres comme s'il souffrait d'un mal intérieur permanent. Quant à ses yeux, ils avaient reculé au fond de cavités sombres.

Le roi et le pape. Ensemble.

Cette visite ne pouvait être de bon augure.

Le regard du souverain demeurait fixé sur Molay. Mais pour l'instant, le haut dignitaire ne s'intéressait pas à lui. Ses yeux ne quittaient pas le nabot dans sa pèlerine qui se dandinait en évitant son regard. Quel tourment interne rongeait le pape au point qu'il n'osait pas l'affronter en face ? s'interrogea Molay. Se sentait-il coupable d'avoir précipité la chute des Templiers par sa manipulation du roi de France ? Ou ne supportait-il pas de voir ses membres cruellement déformés, ses plaies béantes et suppurantes, sa chair couverte de blessures putréfiées ?

Le roi s'approcha.

— Toujours rien ? gronda-t-il à l'intention d'un homme qui se tenait à l'écart du groupe.

Celui-ci s'avança et Molay constata que, cette fois, il s'agissait bien du bourreau barbu Gaspard Chaix.

— Rien, répondit le tortionnaire.

— Qu'il aille en enfer, ordonna le roi d'une voix qui transpirait la rage qui le dévorait.

Tu m'y as déjà envoyé, pensa Molay. Il vit Chaix tourner son regard de son côté. Sous ses sourcils broussailleux, ses yeux étaient aussi morts que les pierres du sol. Le souverain fit deux pas de plus, un mouchoir sur le nez pour masquer la puanteur que le grand maître avait cessé de remarquer depuis longtemps, mais qu'il savait omniprésente. Philippe étudia le prisonnier de tout près.

La voix chuchotante du roi fendit l'air vicié.

— Parle, maudit. Où est le trésor ?

— Il n'y a pas de trésor, se contenta de répondre Molay d'une voix à peine audible.

— Pourquoi te montres-tu si entêté ? tonna Philippe. A quoi cela peut-il servir ? Tes frères ont tout révélé : vos sordides cérémonies d'initiation, vos chevaliers de la Croix niant la divinité du Christ, crachant sur cette croix qu'ils étaient censés honorer et même urinant dessus. Ils ont admis... tout.

Lentement, Molay passa sa langue gonflée sur ses lèvres craquelées.

— Sous une torture pareille à celle que j'ai endurée, parvint-il à dire, ils auraient confessé avoir tué Dieu.

Le visage de Philippe se rapprocha encore de quelques centimètres.

— La Sainte Inquisition prévaudra, lâcha-t-il. Cela au moins devrait être évident pour un homme de ton intelligence. Donne-moi ce que je veux et j'épargnerai ta vie.

— Il n'y a pas de trésor, répéta Molay de la voix d'un homme résigné à ne jamais pouvoir convaincre ceux qui l'interrogeaient.

Depuis longtemps, Molay avait senti que Gaspard Chaix le croyait, même s'il n'avait pas adouci les tortures infligées à la chair de sa victime. Il savait aussi que le pape le croyait. Mais la tête de l'Eglise n'allait pas révéler au roi ce qu'elle savait en son for intérieur. Par ailleurs, le roi avait grand besoin des richesses que les Templiers avaient amassées au cours des deux cents dernières années. Nécessité faisant loi, ce besoin crucial l'empêchait de voir ce que tout être sensé aurait compris en regardant l'homme brisé contre le mur devant lui.

— C'est inutile.

Le roi se détourna. Si la fureur ne l'avait pas abandonné, il paraissait désormais aussi résigné que sa victime.

— Ils ont dû faire disparaître le trésor dès la première nuit, conclut-il.

Molay observa le pape, qui continuait de faire mine de regarder ailleurs. Les manœuvres de l'homme ont été admirablement exécutées, pensa-t-il. Cette certitude instilla une étrange satisfaction perverse dans l'esprit du grand maître. Et sa détermination en fut renforcée d'autant, car les manigances du souverain pontife ne faisaient que confirmer la noblesse du but des Templiers.

Le roi considéra froidement le bourreau.

— Combien d'entre eux sont encore entre ces murs ?

Tout le corps de Molay se raidit. Pour la première fois, il allait apprendre le sort de ses frères du Temple de Paris. Gaspard Chaix répondit à son souverain que, en dehors du grand maître lui-même, seul son adjoint, Geoffroi de Charnay, était encore en vie.

Le vieux templier ferma les yeux. Un fouillis d'images atroces envahit sa conscience. « Tous morts, songea-t-il. Et pourtant nous étions si près du but. Si seulement... Si seulement des nouvelles du *Faucon-du-Temple* étaient arrivées, toutes ces années auparavant, des nouvelles d'Aimard et de ses hommes ! »

Or rien n'était venu.

Le *Faucon-du-Temple* et sa précieuse cargaison avaient disparu.

Le roi pivota et lança un ultime regard à l'homme brisé.

— Achevez-le, ordonna-t-il.

Le bourreau s'approcha en traînant les pieds.

— Quand, Votre Majesté ?

— Demain matin.

Cette perspective illumina l'humeur du roi Philippe.

En entendant ces mots, Molay sentit quelque chose l'envahir, quelque chose qu'il n'identifia d'abord pas, une sensation qu'il n'avait pas éprouvée depuis des années.

Le soulagement.

De sous ses paupières tombantes, il observa le pape et vit celui-ci retenir avec peine son plaisir.

— Et qu'en est-il de leurs biens ? demanda le pontife d'une voix tremblante.

Molay savait que tout ce qui était resté à l'intérieur des maisons du Temple n'avait guère de valeur marchande et ne pouvait donc être vendu pour aider à payer les dettes du roi.

— Les livres, les papiers, les objets, insista le vicaire du Christ. Ils appartiennent à l'Eglise.

— Alors prenez-les, concéda le roi en agitant une main dédaigneuse.

Puis il jeta un regard haineux au prisonnier, avant de sortir de la cellule. Son entourage lui emboîta le pas sans tarder.

Pendant un très bref instant, les yeux du pape et ceux du grand maître se croisèrent enfin, avant que Clément ait pu se ruer dehors. Dans cet infime laps de temps, Molay eut l'occasion de lire les pensées du petit homme. Et ce qu'il y vit ne fit que confirmer son jugement sur lui : un opportuniste qui avait manipulé le roi cupide à ses propres fins, celles de l'Eglise.

Un intrigant... qui l'avait vaincu.

Molay n'entendait toutefois pas lui donner cette satisfaction. Puisant dans ses dernières forces, il se redressa et fixa un regard de défi serein et confiant sur le responsable de sa ruine. Pendant une seconde, une expression de peur passa sur les traits vieillis du pape. Puis il se ressaisit et retrouva une expression implacable avant de remonter son capuchon.

Les lèvres craquelées du grand maître s'ourlèrent pour esquisser ce qui aurait pu être un sourire. Il savait qu'il était parvenu à semer le doute dans l'esprit de son ennemi.

Finalement, il avait remporté une sorte de victoire.

Ce soir, le pape ne dormirait pas bien.

« Tu as peut-être remporté cette bataille, pensa Molay. Mais notre guerre est loin d'être terminée. » Et sur cette pensée, il ferma les yeux et attendit sa mort prochaine.

21

Reilly fit de son mieux pour éviter de trahir ses réserves. S'il prenait un grand plaisir à être assis en compagnie de Tess, il ne voyait pas l'intérêt ni le sens de tout ce qu'elle venait de lui raconter. Un groupe de chevaliers altruistes s'était transformé en superpuissance médiévale pour finalement se faire couper les ailes et disparaître dans les annales de l'histoire. Quel rapport cela pouvait-il bien avoir avec une bande de gangsters attaquant un musée sept cents ans plus tard ?

— Vous pensez que les types du musée étaient habillés en templiers ?

— Oui. Les Templiers portaient des costumes simples, très différents des équipements voyants que d'autres chevaliers arboraient alors. C'étaient des religieux, des moines qui avaient fait vœu de pauvreté. Les robes blanches symbolisaient la pureté de vie qu'on attendait d'eux et les croix rouge sang stigmatisaient au sens propre leur relation particulière avec l'Eglise.

— D'accord. Mais si vous m'aviez demandé de travestir un type en chevalier, je crois que j'aurais abouti à quelque chose d'assez approchant, sans pourtant avoir pensé aux Templiers. C'est un déguisement médiéval assez typique, non ?

— Exact. Pris isolément, leur habillement n'a rien de concluant. Mais il y a l'encodeur.

— L'objet que le quatrième chevalier a pris ? Celui près duquel vous vous trouviez ?

Tess se rapprocha un peu. L'excitation s'emparait d'elle.

— Oui. Je l'ai bien vu et je me suis renseignée à son sujet. Cette machine à chiffrer avait beaucoup d'avance sur celles qui sont apparues ensuite : en un mot, cet objet était révolutionnaire. Or les Templiers étaient connus comme des maîtres du cryptage. Les codes étaient l'épine dorsale de tout leur système bancaire. Quand les pèlerins se rendant en Terre sainte déposaient de l'argent chez eux, les reçus qu'on leur donnait étaient codés. Seuls d'autres Templiers pouvaient les déchiffrer. De cette manière, personne ne pouvait fabriquer un faux. Ils ont été des pionniers dans ce domaine et, d'une certaine manière, cet encodeur correspond parfaitement à leurs méthodes secrètes et perfectionnées.

— Pourquoi un encodeur templier aurait-il fait partie des trésors du Vatican ?

— Parce que le Vatican et le roi de France ont conspiré ensemble pour abattre l'Ordre. Ils voulaient s'approprier ses richesses. On peut aisément imaginer que tout ce qui a été trouvé dans les commanderies et les maisons du Temple a fini soit au Louvre, soit à Rome.

Reilly n'était pas encore convaincu.

— Vous avez aussi mentionné quelque chose à propos d'une phrase en latin...

— Oui, c'est ce qui a été le déclencheur pour moi. Le quatrième cavalier, celui qui a pris l'encodeur... quand il l'a soulevé, on aurait dit qu'il exécutait une sorte de rite. Comme s'il était en transe. Et en le tenant, il a prononcé des paroles en latin. Je crois qu'il a dit : « *Veritas vos liberabit.* »

Elle s'interrompit pour voir si Reilly savait ce que cela voulait dire. Son expression trahit son ignorance.

— Cela signifie : « La vérité vous rendra libres. » Je me suis donc intéressée à cette phrase. Si c'est une citation très largement répandue, il se trouve qu'elle est gravée sur un château templier du sud de la France.

Tess constata que l'agent fédéral était en train de méditer sur ce qu'elle venait de dire, mais elle était incapable d'interpréter son expression. Après avoir fait tournoyer son fond de café dans sa tasse, elle l'avala et enchaîna.

— Je sais que de prime abord cela ne paraît pas avoir beaucoup de sens. Mais quand on connaît l'intérêt que les Templiers inspirent à bon nombre de gens, ça change bien des choses. Leur origine, leurs activités, leurs croyances, leur disparition violente... Tout ce qui les concerne est entouré de mystère. Ils ont suscité énormément d'émules et de passion. Si je vous disais le nombre de livres et de documents que j'ai trouvés sur eux, vous ne voudriez pas le croire. Et je n'ai pas fait de recherches approfondies. C'est tout simplement phénoménal. Là est le point clé. Une bonne partie des conjectures à leur propos tourne autour de leur fabuleuse richesse supposée, qui n'aurait jamais été retrouvée.

— Je croyais que c'était pour ça que le roi de France les avait renversés ? observa Reilly.

— C'est ce qu'il cherchait, oui. Mais il n'a jamais mis la main dessus. Ni lui ni aucun autre. Pas d'or, pas de joyaux, pas d'autres biens précieux. Rien. Tout a disparu. Et pourtant les Templiers possédaient un trésor considérable. Par exemple, un historien prétend que les Templiers auraient découvert cent quarante-huit tonnes d'or et d'argent à Jérusalem et autour de la Ville sainte quand ils y sont arrivés, avant même que les dons ne commencent à pleuvoir sur eux à partir de toute l'Europe.

— Et personne ne sait ce que ce trésor est devenu ?

— Il y a une théorie largement admise : beaucoup considèrent que la nuit précédant l'arrestation, vingt-quatre chevaliers seraient sortis du Temple de Paris avec plusieurs chariots remplis de caisses et se seraient enfuis vers le port de La Rochelle, sur l'Atlantique. Ils sont censés avoir pris la mer à bord de dix-huit galères que l'on n'a jamais revues.

Reilly soupesa l'information.

— Donc vous êtes en train de dire que les pilleurs du musée en avaient en réalité après l'encodeur, afin de l'utiliser pour retrouver le trésor des Templiers ?

— Peut-être. Encore faudrait-il s'entendre sur un point : quelle était la nature de ce trésor ? S'agissait-il de pièces d'or et de joyaux ? Ou d'autre chose, quelque chose de plus ésotérique, quelque chose qui...

Elle hésita avant de continuer.

— ... qui requiert une profession de foi plus profonde.

Elle attendit de voir comment son interlocuteur prenait cette remarque. Mais Reilly lui renvoya un sourire réconfortant.

Elle se pencha et baissa inconsciemment la voix.

— Nombre de ces théories prétendent que les Templiers ont fait partie d'une conspiration séculaire visant à découvrir et à conserver quelque connaissance hermétique. Mais beaucoup de choses peuvent être en cause. On a, par exemple, raconté qu'ils étaient les gardiens de nombreuses reliques. Il y a même un historien français qui pensait qu'ils possédaient la tête embaumée de Jésus. Enfin, j'ai rencontré une thèse qui me semble plus consistante que les autres : elle soutient que toute cette question templière est en rapport avec le Saint-Graal. Comme vous le savez probablement, au demeurant, ce Graal n'est pas nécessairement un objet réel, un « calice » physique dans lequel Jésus aurait bu lors de la Cène. Il pourrait s'agir d'une référence métaphorique à un secret concernant les événements réels autour de sa mort et la survie de sa lignée à l'époque médiévale.

— La lignée de Jésus ? Sa descendance ?

— Aussi hérétique qu'elle puisse paraître, cette théorie considère que Jésus et Marie Madeleine auraient eu un enfant ensemble – peut-être même davantage –, enfant qui aurait été élevé à l'écart et caché aux Romains. Pendant les deux mille années suivantes, le secret de cette lignée de Jésus aurait été soigneusement gardé. Toutes sortes de sociétés obscures auraient eu la responsabilité de protéger ses descendants et de transmettre leur secret à un groupe choisi d'*illuminati*. Léonard de Vinci, Isaac Newton, Victor Hugo, bon nombre de noms illustres sont censés avoir fait partie de cette société secrète des protecteurs de la Sainte Lignée.

Tess marqua une pause et étudia la réaction de Reilly.

— Je sais que ça a l'air ridicule, mais je vous assure que c'est une histoire très répandue. Beaucoup s'y sont intéressés et ont fait des recherches sur cette question. Et je ne parle pas seulement de best-sellers, mais de travaux d'universitaires et d'érudits parfaitement sérieux.

Une nouvelle fois, elle l'observa en s'interrogeant sur ce qu'il pouvait penser.

« Si j'avais réussi à l'appâter avec le trésor, j'ai manifestement tout réduit à néant avec mon histoire de lignée. »

Une pensée la traversa : réfléchir à une idée n'était pas la même chose que la verbaliser. Plus elle s'entendait exprimer sa théorie templière à haute voix, plus celle-ci lui semblait absurde.

Reilly, de son côté, se taisait aussi. Pendant un long moment, il donna l'impression d'être perdu dans ses réflexions, puis un sourire revint sur ses lèvres.

— La lignée de Jésus ? S'il a eu un gosse ou deux, et en supposant qu'ils aient eu à leur tour des enfants, et ainsi de suite… pendant deux mille ans… Ça fait quoi ? Quelque chose comme soixante-dix ou quatre-vingts générations plus tard… En suivant une courbe exponentielle, ses descendants devraient être des milliers aujourd'hui. La planète en serait envahie, non ?

Il rit doucement.

— Il y a des gens qui prennent ça au sérieux ? ajouta-t-il.

— Absolument. Le trésor perdu des Templiers est l'un des plus grands mystères de tous les temps. Il est facile de comprendre pourquoi il attire tant de gens. Rien que le début de l'histoire offre de quoi séduire : neuf chevaliers se présentent à Jérusalem en prétendant vouloir défendre les pèlerins. Neuf, vous m'entendez. Rien que neuf ! Vous ne croyez pas que la tâche paraît ambitieuse pour un si petit groupe ? Le roi Baudouin les reçoit et, après les avoir entendus, il leur accorde un domaine sur le site même de la Jérusalem originelle, le mont du Temple de Salomon, à l'emplacement exact du Second Temple, celui d'Hérode. Ce dernier a été détruit en 70 par les légions de Titus, qui ont rapporté son trésor à Rome. Et voilà la grande question : quand les Juifs du Temple comprirent que les Romains allaient donner l'assaut, n'auraient-ils pas caché leurs biens les plus précieux, que les Romains n'auraient jamais trouvés ?

— Et que les Templiers auraient découverts ?

Elle hocha la tête.

— Voilà de quoi alimenter bien des mythes. Et donc ce trésor reste enterré pendant mille ans, puis les Templiers l'exhument. Ensuite, près de mille ans après, il y a la découverte à Qumran du document que l'on appelle le « Rouleau de Cuivre ».

— Ah ! Les manuscrits de la mer Morte viennent aussi montrer leur nez dans cette histoire ?

« Calme-toi, Tess. Ne va pas trop vite. »

Mais elle en était incapable, et poursuivit sur le même rythme.

— Oui. Le Rouleau de Cuivre mentionne d'énormes quantités d'or et d'autres valeurs enterrées sous le Temple lui-même, théoriquement dans vingt-quatre caches différentes[1].

1. Le Rouleau de Cuivre (faisant partie des célèbres manuscrits de la mer Morte, découverts en 1947, dans des grottes près de Qumran, en bordure de la mer Morte) mentionne exactement soixante-quatre caches, la plupart se situant dans des villages entre Jérusalem et Qumran. Mais il signale également l'existence de vingt-quatre autres rouleaux enterrés sous le Temple et qui devaient répertorier d'autres trésors ou mystères. (*N.d.T.*)

Mais il évoque aussi un trésor d'une nature non spécifiée. Quel était ce dernier ? Nous l'ignorons. Encore une fois, il peut s'agir de n'importe quoi.

— D'accord. Et dites-moi maintenant à quel moment le suaire de Turin fait son apparition dans cette affaire ? ironisa Reilly.

Fugitivement, un soupçon d'irritation effleura les traits de la jeune femme. Mais elle se reprit très vite pour arborer l'un des sourires désarmants dont elle avait le secret.

— Vous ne croyez rien de tout ça, n'est-ce pas ?

Affectant un air légèrement contrit, Reilly leva les mains.

— Pardonnez-moi. Je vous en prie, continuez.

— Ces neuf chevaliers ordinaires se sont donc vu accorder une partie du palais royal, avec des écuries apparemment assez grandes, dit-on, pour accueillir deux mille chevaux. Pourquoi Baudouin s'est-il montré si généreux envers eux ?

— Je ne sais pas. Peut-être qu'il avait un don de prescience et qu'il avait vu ce que l'Ordre allait devenir ? Ou peut-être qu'il avait été enthousiasmé par la cause à laquelle ils entendaient se vouer ?

— C'est bien là la question, rétorqua-t-elle sans se décourager. Ils n'avaient encore rien fait. Le roi leur concède donc un territoire immense pour accomplir leur tâche, or que vont faire nos neuf chevaliers ? Entreprennent-ils d'exécuter quelques hauts faits héroïques ? Se mettent-ils vraiment à protéger les pèlerins en route pour Jérusalem ? Non. Ils vont passer les neuf premières années confinés dans le Temple. Jamais ils ne vont le quitter. Jamais ils ne vont en sortir, et ils ne vont pas engager la moindre recrue pendant toutes ces années. Ils vont se contenter de rester enfermés là. Pendant neuf ans !

— Ils sont peut-être devenus subitement misanthropes ou...

— ... ou cette prétendue mission protectrice n'était qu'une vaste supercherie. Selon la théorie la plus acceptée – que, personnellement, je trouve cohérente –, ils auraient effectué des fouilles pour retrouver quelque chose enterré sur place.

— Un objet que les Juifs auraient caché aux légions de Titus mille ans plus tôt ?

Avec soulagement, elle sentit qu'elle arrivait enfin à se faire comprendre et ses yeux pétillèrent de satisfaction.

— Exactement. Ils ont fait profil bas pendant neuf ans, et soudain, du jour au lendemain, ils se retrouvent propulsés sur le devant de la scène et commencent à croître en envergure et en richesse à une vitesse étourdissante, avec le soutien inconditionnel du Vatican. N'ont-ils pas découvert sous le Temple quelque chose qui aurait tout rendu possible ? Quelque chose qui aurait contraint le Vatican à se mettre à leur service ? De ce point de vue, la découverte d'une preuve établissant que Jésus ait pu avoir un ou deux enfants ferait l'affaire.

Les traits de l'agent fédéral s'assombrirent.

— Holà, pas si vite ! Vous voulez dire qu'ils auraient fait chanter le Vatican ? Je pensais qu'ils étaient des soldats du Christ ! N'est-ce pas plus raisonnable d'imaginer que leur trouvaille ait fait plaisir au Vatican et que le pape ait décidé de les récompenser ?

Cette fois, ce fut le visage de Tess qui se rembrunit.

— Si c'était le cas, ne l'auraient-ils pas annoncé au monde entier ?

Elle se détendit, tout en donnant l'impression d'être un peu perdue.

— Je sais qu'il me manque encore une pièce du puzzle. Ils ont continué de lutter pour la chrétienté pendant encore deux cents ans. Mais vous devez admettre que toute cette affaire est assez étrange.

Ils se turent un moment en s'étudiant du regard.

— Alors, pensez-vous qu'il y a quelque chose d'intéressant à glaner là-dedans ? lui demanda-t-elle enfin.

Reilly évaluait l'importance de l'information qu'elle venait de lui exposer avec tant de chaleur. Bien que tout cela semblât ridicule, il ne pouvait l'écarter d'un revers de main.

Pratiquement tout le monde s'accordait à dire que l'attaque du Met et sa mise en scène extravagante dissimulaient autre chose qu'un simple casse. Il savait également que les extrémistes excellaient dans la récupération des mythologies et des croyances. Ils ne se contentaient pas de les adopter, ils les déformaient à tel point que leurs adeptes finissaient par perdre toute notion de la réalité et se retrouvaient susceptibles de déclencher n'importe quoi.

Pouvait-il s'agir ici du chaînon manquant qu'il cherchait ? Les légendes templières semblaient enclines à toutes les distorsions. Pouvait-il exister en Amérique un individu assez fou des Templiers pour s'identifier à eux, se déguiser, reprendre leur cause à son compte en tentant de se venger du Vatican et, peut-être, de retrouver leur trésor légendaire ?

Les yeux de Reilly se posèrent sur la jeune femme.

— Les Templiers étaient-ils les gardiens d'un grand secret – bon ou mauvais – relatif aux premiers jours de l'Eglise ?

Il laissa s'écouler quelques secondes avant d'ajouter :

— Je n'en ai aucune idée.

Pour dissimuler tout signe extérieur de sa consternation, Tess détourna la tête. Mais il se pencha pour continuer.

— Est-ce qu'il peut y avoir un lien entre les Templiers et ce qui est arrivé au Met ?

Encore une fois, il laissa sa réponse en suspens. Puis un petit sourire vint se poser sur ses lèvres.

— Je suis certain que cette question mérite d'être approfondie.

22

Gus Waldron n'était pas dans un de ses meilleurs jours.

Il se rappelait avoir repris connaissance quelque temps plus tôt. Combien de temps exactement ? Il était incapable de le dire. Des heures, des minutes… ? Puis il s'était rendormi. Et maintenant, il était de nouveau réveillé, un peu plus alerte qu'auparavant.

Il savait qu'il était mal en point. Le souvenir de l'accident lui arracha une grimace. A en croire la douleur, il avait reçu plus de coups qu'une côtelette de veau au Cipriani[1]. Et les signaux incessants des moniteurs autour de lui l'agaçaient au plus haut point.

Il avait deviné qu'il se trouvait dans un hôpital. Les bruits ambiants l'attestaient. Seulement il devait s'en remettre à son ouïe, puisqu'il ne pouvait rien voir. Ses yeux le brûlaient de manière infernale. Quand il essayait de bouger, un obstacle autour de sa poitrine l'en empêchait.

« Ils m'ont attaché au lit. »

Or la sangle n'était pas vraiment serrée. Donc les liens étaient là pour des raisons médicales et non policières. Bien ! Ses mains libres se déplacèrent sur son visage. Il sentit des bandages et des bouts de caoutchouc. On lui avait collé plein de tubes.

Il n'y avait aucune raison de lutter contre pour l'instant. Au préalable, il devait savoir à quel point il était blessé et, de toute façon, il aurait besoin de récupérer ses yeux pour sortir d'ici. Donc, avant de pouvoir agir, il allait essayer de passer un marché avec les flics.

---

1. Restaurant branché de Manhattan. (*N.d.T.*)

Qu'avait-il à offrir ? Il leur faudrait quelque chose de conséquent. Les autorités n'avaient sûrement pas apprécié la décapitation de ce maudit vigile. Il n'aurait jamais dû faire ça. Seulement, il n'avait pas pu s'en empêcher : habillé en Prince Vaillant sur le dos d'un cheval, il avait voulu voir ce que cela faisait de décoller la tête d'un type d'un coup d'épée. Et il avait trouvé ça sacrément agréable. Il ne pouvait pas le nier.

Bien, mais que faire ? Tout ce qu'il voyait, c'était donner Branko Petrovic. De toute manière, il en avait assez de ce type qui avait refusé de lui révéler le nom de celui qui l'avait recruté. Il le revoyait lui raconter que cette idée de cellules indépendantes était super. Maintenant, il comprenait pourquoi. Il avait été engagé par Petrovic, qui avait été engagé par quelqu'un d'autre, qui lui-même avait été engagé par un autre. Qui pouvait dire combien d'échelons il y avait à remonter avant d'atteindre celui que les flics voulaient coincer, en haut de l'échelle ?

Les bruits de l'hôpital augmentèrent quelques secondes, puis retombèrent. La porte avait dû s'ouvrir et se refermer. Il entendit des pas discrets sur le sol. Quelqu'un s'approchait du lit. L'inconnu prit la main de Gus et posa deux doigts à l'intérieur de son poignet. On lui prenait le pouls. Un médecin ou une infirmière, sans doute. Non, un médecin. Les doigts étaient moins délicats, plus forts que ceux d'une femme. Tout au moins ceux du genre d'infirmière sur lequel il fantasmait.

Il avait besoin de connaître la gravité de son état.

— Qui est là ? Docteur ?

La personne ne répondit pas. Les doigts soulevaient les bandages qui entouraient sa tête et ses oreilles.

Le blessé ouvrit la bouche pour poser une nouvelle question, mais il sentit soudain une main puissante s'écraser sur le bas de son visage et, simultanément, une douleur fulgurante s'enfonça dans son cou. Tout son corps tressauta sous l'effet de la piqûre.

La main serra plus fort la bouche de Gus. Ses cris se muèrent en gémissements étouffés. Une vague de chaleur se répandit dans le cou du colosse impuissant, puis autour de sa gorge. Alors seulement, la main qui le bâillonnait relâcha sa pression.

Une voix d'homme, très douce, murmura à son oreille. Gus pouvait sentir son haleine chaude.

— Les médecins ne vont pas permettre qu'on t'interroge avant un moment. Mais je ne peux pas attendre jusque-là. J'ai besoin de savoir qui t'a engagé.

« Bon sang, qu'est-ce que... ? »

Gus essaya de se redresser pour s'asseoir, mais la sangle retenait toujours son corps, et la main appuya de nouveau sur sa tête.

— Réponds à la question, insista la voix.

Qui était-ce ? Ça ne pouvait être un flic. Un salaud intéressé par une part de ce qu'il avait volé au musée ? Mais dans ce cas, pourquoi lui demander qui l'avait engagé ?

— Réponds-moi.

La voix restait très calme, mais elle se faisait plus tranchante.

— Va te faire voir, rétorqua Gus.

Sauf qu'aucun son ne sortit de sa bouche. Ses lèvres avaient pourtant bien formé des mots et il les avait entendus dans sa tête.

« Où est passée ma voix ? »

— Ah, murmura l'inconnu. J'avais oublié de te dire. C'est l'effet de la lidocaïne. Une petite dose suffit pour paralyser les cordes vocales. C'est ennuyeux que tu ne puisses pas parler. Mais le côté positif, c'est que tu ne peux pas non plus crier.

Crier ?

Les doigts qui lui avaient pris si doucement le pouls étaient descendus sur sa hanche gauche, là où la balle du policier l'avait touché. Ils y restèrent un moment, immobiles. Et soudain, ils pressèrent. Fort.

Une douleur foudroyante se propagea dans tout son corps comme si du liquide en fusion avait été versé dans ses organes. Gus Waldron hurla.

Silencieusement.

Un instant, il fut sur le point de s'évanouir, puis la douleur s'éloigna quelque peu. Une concentration de bile envahissait le fond de sa gorge. Il crut qu'il allait vomir. Alors, les mains de l'homme le touchèrent de nouveau et il frémit. Mais cette fois, le contact était doux.

— Tu es gaucher ou droitier ? demanda la voix douce.

Gus suait à grosses gouttes. Gaucher ou droitier ?

« Quelle différence ça peut bien faire ? »

Il leva faiblement sa main droite et devina que l'on glissait un bâtonnet entre ses doigts. Un crayon.

— Ecris simplement les noms, lui souffla la voix en guidant le crayon vers ce qui devait être un bloc-notes.

Les yeux bandés et sans voix, Gus se sentait coupé du monde. Plus seul qu'il ne l'avait jamais imaginé. « Bon sang, il n'y a personne dans cet hôpital ? Où sont-ils tous ? Où sont les médecins, les infirmières et ces damnés flics ? »

Les doigts se posèrent sur la chair autour de la blessure et pressèrent, cette fois plus fort et plus longtemps. Une douleur atroce le transperça. Chaque nerf de son corps semblait en feu. Gus se battait contre la sangle qui l'entravait en hurlant toute sa souffrance silencieuse.

— Inutile que ça prenne toute la nuit, indiqua l'homme d'un ton calme. Donne-moi simplement les noms.

Il n'y avait qu'un seul nom qu'il pût écrire. Et c'est ce qu'il fit.

— Branko... Petrovic ? demanda l'homme en déchiffrant l'écriture.

Gus hocha la tête.

— Et les autres ?

Le blessé secoua négativement la tête du mieux qu'il put.

« Bon Dieu, c'est tout ce que je sais. »

Les doigts reprirent leur ouvrage, appuyant plus fort, plus profondément, tordant la chair.

La douleur revint.

Et les hurlements silencieux.

Gus avait perdu la notion du temps. En sueur, rassemblant ses dernières forces, il tâcha d'écrire le nom d'un endroit où Branko travaillait. En dehors de cela, tout ce qu'il pouvait faire, c'était secouer la tête en laissant sa bouche former un « non » muet.

Encore et encore. Et encore.

Finalement, grâce à Dieu, il sentit qu'on enlevait le crayon de ses doigts. Enfin, l'homme comprenait qu'il disait la vérité.

Gus entendit alors de petits bruits qu'il n'identifia pas. De nouveau, les doigts de l'homme soulevèrent une partie du bandage de la tête. Gus eut un mouvement de recul, mais, cette fois, il perçut à peine la piqûre de l'aiguille.

— Encore un peu de calmant, murmura l'homme. Ça va soulager ta douleur et t'aider à dormir.

Gus sentit une lente vague d'engourdissement monter dans sa tête et descendre dans son corps. C'était comme si le noir l'envahissait. En même temps, une douce onde de soulagement se propagea dans tout son être, la conscience que son épreuve, sa douleur, était terminée. Soudain, une idée terrifiante se fit jour : la conviction que le sommeil dans lequel il s'enfonçait était de ceux dont on ne se réveille pas.

Désespéré, il essaya de bouger, mais en fut incapable. Très vite, il lui sembla qu'il ne voulait même plus remuer. Il se détendit. Quelle que soit sa destination, l'endroit ne pouvait être que préférable au cloaque dans lequel il avait passé toute sa vie.

23

Reilly se leva, enfila un tee-shirt et regarda par la fenêtre. Dehors, la rue était mortellement tranquille. La ville qui ne dort jamais… tu parles ! L'expression ne semblait s'appliquer qu'à lui.

De nombreuses raisons l'empêchaient souvent de dormir. A commencer par son incapacité à lâcher prise. Au cours des dernières années, ce problème s'était posé avec de plus en plus d'acuité. Il ruminait les indices et les données relatives aux affaires sur lesquelles il travaillait. Il n'avait pas vraiment de problèmes pour s'endormir. Habituellement, il s'effondrait exténué et plongeait aussitôt dans le sommeil. Mais quand il atteignait le seuil maudit de quatre heures du matin, il se retrouvait bien réveillé, le cerveau bouillonnant, en train de passer en revue et d'analyser toutes les informations en sa possession afin de débusquer le détail essentiel qui lui permettrait de sauver des vies.

La plupart du temps, la charge de travail était assez intense pour monopoliser ses pensées. Pourtant, son esprit s'abandonnait parfois à des sujets personnels. Alors il errait dans des contrées encore plus sombres que le monde obscur de ses enquêtes, et de fort désagréables crises d'angoisse remontaient à la surface et le submergeaient.

Une bonne partie concernait ce qui était arrivé à son père. Quand le petit Sean avait dix ans, il s'était tiré une balle dans la tête. Ce jour-là, le jeune garçon était rentré de l'école et s'était précipité dans le bureau pour dire bonsoir à son père. Il avait trouvé celui-ci assis dans son fauteuil favori, comme chaque soir. Seulement cette fois, tout l'arrière de son crâne avait disparu.

Les deux heures suivantes étaient toujours très frustrantes.

L'épuisement l'empêchait de sortir du lit pour faire quelque chose d'utile. En même temps, il était trop énervé pour se rendormir. Alors il restait étendu dans le noir, laissant son esprit voguer vers les lieux les plus désolés. Il attendait. Un sommeil libérateur intervenait vers six heures du matin, ce qui ne lui apportait qu'un repos très relatif car il devait se lever une heure plus tard pour aller travailler.

Cette nuit-là, le réveil de quatre heures fut provoqué par un appel de l'agent de service de nuit. Il l'informait que l'homme qu'ils avaient poursuivi dans les rues de Lower Manhattan[1] venait de succomber. Le factionnaire parla d'une hémorragie interne et d'un arrêt cardiaque, et mentionna les vains efforts entrepris pour le ranimer.

Comme d'habitude, Reilly avait passé les deux heures suivantes à ruminer l'affaire. Avec Gus Waldron, ils venaient de perdre la piste la plus prometteuse – et à dire vrai, la seule exploitable pour l'instant, car il était peu probable que Lucien Boussard puisse leur apprendre grand-chose, à condition qu'il fût un jour en mesure de parler. Subrepticement, ces réflexions autour de l'enquête glissèrent vers d'autres pensées qui s'agitaient dans son esprit depuis qu'il avait quitté l'hôpital dans la soirée. Des pensées liées à Tess Chaykin.

Il songea à la première chose qu'il avait notée quand ils s'étaient assis dans la cafétéria : elle ne portait pas d'alliance, ni aucune autre bague, d'ailleurs. Ce genre de détail jouait un rôle important dans sa vie professionnelle.

Mais cette fois, cela ne concernait pas le travail : Tess n'était pas suspecte.

— Il s'appelait Gus Waldron.

Une tasse de thé brûlant entre les mains, Reilly écoutait Aparo. Celui-ci parcourait le casier judiciaire avec des yeux exercés, allant à l'essentiel pour épargner les détails inutiles à l'équipe d'agents fédéraux réunis autour de la table.

— C'était une personne de tout premier plan qui va cruellement manquer à la communauté, continua Aparo, pince-sans-rire. Boxeur professionnel, petit niveau, un homme sauvage sur le ring et en dehors, interdit de combat dans trois

1. Le bas Manhattan, le quartier financier de New York. (*N.d.T.*)

Etats. Quatre chefs d'accusation pour voies de fait et vol à main armée, à la fois ici et dans le New Jersey. Deux séjours à Rikers[1]...

Il leva les yeux et ajouta d'un ton sarcastique :

— Sans oublier une croisière sur le *Vernon Bain*.

Le *Vernon C. Bain* avait été baptisé en hommage à un directeur de prison très apprécié, mort dans un accident de voiture. C'était une vieille barge de huit cents lits qui abritait des détenus de haute et moyenne sécurité.

— Soupçonné de deux homicides, les deux à coups de poing. Pas d'inculpation dans les deux cas. Joueur compulsif. Sa vie n'a été qu'une succession d'échecs.

Aparo releva les yeux.

— Voilà.

— Ça ressemble à un type toujours à court de fric, observa Jansson. Sait-on qui il fréquentait ?

Son subordonné tourna une page et consulta une liste des relations de Waldron.

— Josh Schlattmann, mort l'année dernière... Reza Fardousi, un gros lard de cent cinquante kilos. A mon avis, pas un cheval de ce pays ne serait en mesure de le supporter.

Ses yeux parcoururent l'inventaire.

— Lonnie Morris, un dealer à la petite semaine actuellement en liberté conditionnelle. Croyez-le si vous voulez, mais il vit chez sa grand-mère, qui possède un magasin de fleurs dans le Queens, où il travaille.

Le visage d'Aparo se troubla.

— Branko Petrovic, continua-t-il. Un ex-flic. Et écoutez ça : il appartenait à la division montée de la police new-yorkaise.

Il balaya ses collègues du regard.

— En retraite... et pas par choix, si vous voyez ce que je veux dire.

Amelia Gaines se tourna vers Reilly avec un air entendu.

— Qu'a-t-il fait ? demanda-t-elle.

— Il a plongé la main dans le pot de confiture après une saisie de drogue, répondit Aparo. Je n'ai pas l'impression qu'il

---

1. La plus grande prison de New York, située sur une île en face du Queens et non loin de l'aéroport de La Guardia. (*N.d.T.*)

ait fait de la prison. On l'a simplement renvoyé de la police avec perte de sa pension.

Reilly fronça les sourcils. Les perspectives qui s'ouvraient devant lui ne l'enchantaient guère.

— Allons lui parler. Voyons comment il gagne sa vie.

24

Branko Petrovic avait beau déployer tous les efforts possibles, il ne parvenait pas à se concentrer sur son travail. Ce n'était pas trop son poste aux écuries qui posait problème. Il était loin de lui réclamer une attention de tous les instants. La plupart du temps, Petrovic nourrissait les chevaux, leur donnait de l'eau, ramassait le crottin et en profitait pour se tenir en forme. Son esprit avait tout loisir d'étudier des projets, d'évaluer des risques. Enfin, en général.

Mais aujourd'hui, c'était différent.

Le problème s'appelait Gus Waldron. Ou plutôt l'idée stupide qu'il avait eue de l'engager. On lui avait demandé de trouver quelqu'un de grand et de solide, capable de monter à cheval. Alors il avait pensé à lui. D'accord, il savait que Gus pouvait de temps en temps se montrer incontrôlable. Mais il ne s'attendait pas à ce qu'il décapite un homme à l'épée. Même ces maudits Colombiens ne faisaient pas ça. Pas en public, en tout cas.

Quelque chose ne tournait pas rond. Il avait essayé d'appeler Gus le matin même. Sans obtenir de réponse. Passant son doigt sur une vieille cicatrice de son front, il sentit la douleur qui se manifestait toujours quand quelque chose n'allait pas. « Ne fais rien qui puisse attirer l'attention », lui avait-on dit, ordonné même. Et c'était très exactement ce qu'il avait répété à Gus. Sans que ça serve à grand-chose. Maintenant, attirer l'attention était le cadet de ses soucis.

Une soudaine panique l'envahit. Il devait quitter les lieux tant qu'il le pouvait encore.

Au pas de course, il traversa les écuries et ouvrit l'une des stalles où une pouliche de deux ans un peu fougueuse lui balança sa queue au visage. Dans un coin, il y avait un grand bac au couvercle ondulé, rempli de nourriture pour les animaux. Il plongea ses mains à l'intérieur, ratissa les grains du bout des doigts et en remonta un sac. Après l'avoir soupesé un moment, il y enfonça la main et en sortit une statuette d'or scintillante représentant un cheval cabré, couvert de diamants et de rubis.

Il la contempla quelques secondes, puis fouilla de nouveau et exhuma un collier d'argent serti d'émeraudes. Dans le sac, il possédait assez de munitions pour pouvoir changer de vie. En procédant soigneusement et en prenant son temps, il savait que toutes les merveilles qui se trouvaient à l'intérieur lui suffiraient à s'acheter la propriété sur le golfe du Mexique qu'il s'était toujours promise. Un rêve qui n'avait jamais cessé de s'éloigner depuis qu'il avait été viré des forces de l'ordre...

Refermant le box, il descendit la travée entre les stalles. Il avait presque atteint la porte quand il entendit l'un des chevaux hennir et ruer sans interruption. Quelque chose lui avait fait peur. Puis un autre cheval l'imita, et encore un autre. Petrovic se retourna. Les sens en alerte, il scruta la travée sans rien voir de particulier. Mais tous les animaux s'étaient maintenant joints au vacarme.

C'est alors qu'il comprit ce qui se passait.

Une volute de fumée s'échappait d'un box vide à l'autre extrémité du bâtiment.

L'extincteur le plus proche était à mi-chemin dans l'allée. Il courut, déposa le sac au pied du poteau, décrocha le gros cylindre rouge et se dirigea vers la stalle vide. La fumée avait épaissi. Ouvrant la porte, il constata que le feu avait pris dans une botte de paille posée dans un coin. Tirant la goupille de l'extincteur, il pressa la poignée et éteignit rapidement les flammes. Soudain, il se rappela qu'il avait fini de nettoyer ce box moins d'une heure plus tôt. Il n'y avait pas de botte de paille, juste le tapis de fourrage qu'il avait étalé lui-même.

Branko se précipita hors du box. On n'entendait rien d'autre que les hennissements affolés des chevaux. Certains ruaient contre les flancs et les portes de leurs stalles.

En remontant la travée, il aperçut de la fumée, cette fois à l'autre bout du bâtiment. Il y avait quelqu'un dans l'écurie avec lui. Puis il se souvint du sac. Il devait aller le récupérer. Tous ses projets en dépendaient.

Abandonnant l'extincteur, il courut vers son trésor, l'attrapa au vol, puis s'arrêta net.

Les chevaux.

Il ne pouvait pas s'enfuir de cette manière. Il devait faire quelque chose pour eux.

Tirant violemment le loquet du box le plus proche, il bondit sur le côté pour éviter le cheval qui sortit comme une furie. Puis il passa au verrou suivant. Un second animal jaillit comme un boulet de canon et le claquement de ses sabots retentit dans l'espace confiné. Il n'en restait que trois à libérer… lorsqu'un bras d'acier s'enroula autour du cou de Petrovic.

— Ne résiste pas, dit tranquillement une voix, les lèvres contre l'oreille de l'ex-policier. Je ne veux pas avoir à te neutraliser.

Branko se raidit. L'étreinte était ferme, professionnelle. Il ne douta pas un instant que l'homme était sérieux.

Rapidement, il fut tiré vers la porte de l'écurie. Petrovic sentit l'autre main de l'homme s'emparer de son poignet, puis le contact du métal froid contre sa peau. En un mouvement agile, l'inconnu lui menotta la main à l'énorme porte coulissante.

Même à sa meilleure époque dans la police, songea Branko, il n'aurait jamais été capable de procéder aussi vite. Dans la foulée, l'homme lui prit l'autre poignet et répéta la procédure. L'ancien policier se retrouva accroché les bras en croix en travers de la porte.

Les trois chevaux encore enfermés dans leurs box hennissaient, se cabraient sauvagement et frappaient du sabot les panneaux de bois, tandis que les flammes se rapprochaient.

L'homme passa sous le bras droit de Branko et se redressa pour se retrouver face à lui. Puis il prit sa main et, sans le moindre effort apparent, lui brisa le pouce comme une allumette.

Petrovic hurla de douleur en donnant de grands coups de pied. Mais l'autre se déporta d'un bond sur le côté.

— Que voulez-vous ? glapit l'ex-flic.

— Des noms, répondit l'homme.

Sa voix se perdait presque dans le vacarme des chevaux.

— Et fais vite. Nous n'avons pas tout notre temps.

— Quels noms ?

Le prisonnier surprit un éclair de colère sur le visage de l'inconnu. Celui-ci attrapa la main gauche de sa victime. Mais cette fois, il ne s'intéressa pas à ses doigts. Il s'empara plutôt de son bras et, avec une torsion d'une force incroyable, il brisa le poignet de Branko. Sous l'effet de la douleur, celui-ci perdit momentanément connaissance. Puis son hurlement se mêla à la fureur des chevaux affolés.

Levant les yeux, il vit l'homme impassible le contempler à travers une fumée de plus en plus épaisse.

— Des noms d'amis. Des amis avec lesquels tu visites des musées.

Petrovic toussa. Avec des yeux éperdus, il regardait les flammes crépitantes progresser derrière son bourreau. Un à un, les barreaux de bois s'embrasaient. Il ne pouvait laisser durer cette épreuve.

— Gus, bredouilla-t-il. Gus et Mitch. C'est les seuls que je connais.

— Mitch qui ?

Branko avait du mal à prononcer les mots aussi vite qu'il l'aurait voulu.

— Adeson. Mitch... Adeson. C'est tout ce que j'sais. Je le jure devant Dieu.

— Mitch Adeson.

— C'est ça. C'est comme ça qu'il s'est présenté. Je ne sais rien d'autre. C'est comme une échelle. On connaît l'échelon au-dessus et celui en dessous. Mais c'est tout.

L'homme l'étudia soigneusement.

— Je sais, souffla-t-il avec un hochement de tête.

« Grâce à Dieu, ce salaud me croit. »

— Maintenant, enlève-moi ces maudites menottes, l'implora-t-il. Allez !

— Où puis-je trouver ce Mitch Adeson ? s'enquit l'homme.

L'inconnu écouta attentivement Branko cracher tout ce qu'il savait. Avant d'en finir, il ajouta :

— Il y avait un quatrième homme avec vous. Décris-le-moi.

— Je n'ai jamais vu son visage. Il avait une cagoule de ski qu'il n'a jamais enlevée. Il l'a gardée même sous son armure.

— O.K., murmura l'autre en opinant une dernière fois du chef.

Tournant les talons, il s'éloigna vers l'intérieur de l'écurie.

— Eh ! cria Branko.

L'homme ne réagit pas. Gagnant l'autre extrémité de la travée, il s'arrêta pour ramasser le sac contenant les reliques volées au musée.

— Vous pouvez pas me laisser là !

Brusquement, il comprit ce que l'homme était en train de faire : il libérait les derniers chevaux.

Branko hurla en voyant la pouliche pommelée surgir la première de son box. Les yeux effrayés, les naseaux dilatés, les trois chevaux terrorisés filèrent comme des flèches vers la sortie pour fuir l'incendie. Avec l'écran de flammes derrière eux, ils paraissaient jaillir de la gueule de l'enfer.

Et Branko Petrovic était menotté en travers de leur seule échappatoire.

25

— Alors, parle-moi de cette poule.

La question fit pester Reilly. Dès l'instant où il avait évoqué devant son partenaire sa conversation avec Tess, il avait compris qu'elle allait lui valoir des remarques ironiques.

— Cette poule ? répéta-t-il sans rire.

Aparo remontait les rues embouteillées du Queens en direction de l'est. Sa couleur mise à part, la Pontiac qu'on leur avait affectée était quasiment un clone de la Chrysler qu'ils avaient détruite en poursuivant Gus Waldron. Ils passèrent près d'un camion immobilisé avec un radiateur fumant. Son conducteur frappait du pied la roue avant dans un geste d'impuissance.

— Je suis désolé. Mlle Chaykin, répondit Aparo, faussement contrit.

Reilly fit de son mieux pour paraître surpris.

— Il n'y a rien à dire.

— Allez !

Nick connaissait son partenaire mieux que quiconque. Reilly n'était pas du genre à se lier avec grand monde.

— Que veux-tu savoir ?

— Elle t'a abordé, comme ça, à l'improviste. Elle te croise furtivement au musée. A peine un coup d'œil de l'autre côté du hall. Et au milieu de tout ce qu'elle a vécu ce soir-là et des gens qu'elle a croisés, elle se souvient de toi ?

— Cette femme a une mémoire photographique.

— Mémoire photographique, tu parles, ricana Aparo. Cette fille est en chasse, oui.

— Elle n'est pas en chasse. Elle est juste… curieuse.

— C'est ça. Elle a donc une mémoire photographique et un esprit curieux. Et… elle est sacrément sexy, je te le dis. Mais naturellement tu n'as rien remarqué. Non, tu ne pensais qu'à l'affaire.

Sean haussa les épaules.

— O.K. Admettons que je l'ai peut-être un peu remarquée.

— Dieu merci. Il respire. Il est vivant, se moqua Nick. Tu sais déjà qu'elle est célibataire, pas vrai ?

— Je crois l'avoir noté.

En réalité, il avait surtout essayé de ne pas y accorder trop d'attention. Plus tôt, ce matin-là, il avait lu sa déposition recueillie par Amelia Gaines au musée. Dans la foulée, il avait demandé à un analyste du Bureau de chercher toutes les références aux Templiers dans les volumineux dossiers qu'ils conservaient sur les groupes extrémistes de tout le pays.

Aparo le connaissait si bien qu'il pouvait lire en lui à cinquante mètres. Et il adorait le titiller.

— Je ne sais pas, moi, mais une fille comme ça me draguerait, je serais collé à ses basques toute la journée.

— Tu es marié.

— Oui, eh bien je peux rêver, non ?

La Pontiac quittait la 405. Ils seraient bientôt sortis du Queens. L'adresse mentionnée dans le dossier de Petrovic n'était plus valable, mais son ancien propriétaire avait indiqué l'endroit où il travaillait. Les écuries se trouvaient quelque part dans le coin et Reilly attrapa un plan des rues. Il indiqua la direction à Aparo, puis, certain que son partenaire ne renoncerait pas comme ça, il relança lui-même le sujet, à contrecœur.

— De toute façon, elle ne m'a jamais dragué, protesta-t-il.

— C'est sûr. Ce n'est qu'une citoyenne consciencieuse et responsable qui cherche à nous aider.

Il secoua la tête.

— Allons, je ne te comprends pas. Tu es célibataire. A ma connaissance, tu ne dégages aucune odeur insupportable. Et pourtant... Regarde-nous, les hommes mariés, nous avons besoin de potes comme toi, libres, s'amusant sans contrainte, draguant, pour pouvoir vivre par procuration. Et toi, qu'est-ce que tu fais ? Tu fous en l'air ce partenariat bien pensé en refusant de jouer ton rôle.

Reilly pouvait difficilement le contredire. Cela faisait longtemps qu'il n'avait pas eu de relation durable. Or, même s'il n'entendait pas le révéler à son équipier, il ne pouvait nier l'attirance qu'il avait ressentie pour Tess. Seulement il savait que des femmes comme Amelia Gaines ou Tess Chaykin n'étaient pas du genre à se laisser aller à des aventures sans lendemain. En même temps, cela tombait bien parce que ce n'était pas non plus son style. Et c'était là tout le paradoxe de sa vie, la clé de sa solitude. Si une femme ne le fascinait pas totalement, il n'était pas intéressé. Et si elle montrait cette qualité particulière qui l'attirait, la malédiction qui s'était abattue sur son père finirait par s'abattre aussi sur lui : à un moment donné, ses angoisses se manifesteraient et condamneraient la relation.

« Tu dois laisser les choses se faire. Il n'y a aucune raison pour que cela t'arrive aussi. »

Les yeux toujours fixés sur la route, il vit d'abord la fumée, puis, à proximité, les lumières de deux camions de pompiers. Reilly attrapa le gyrophare et le plaqua sur le toit de la Pontiac, tandis qu'Aparo lançait la sirène et enfonçait l'accélérateur.

Quelques secondes plus tard, ils se faufilèrent au milieu d'un embouteillage de voitures et de camions, pare-chocs contre pare-chocs.

En s'engageant sur le parking de l'écurie, il constata qu'en plus des véhicules des pompiers il y avait deux voitures de police et une ambulance. Après s'être garés, ils quittèrent le véhicule et se dirigèrent vers l'attroupement en présentant leur badge. L'un des hommes en uniforme s'avança vers eux, les bras écartés pour leur interdire le passage, mais il s'effaça en reconnaissant leur carte du FBI.

Bien que l'incendie fût quasiment éteint, une forte odeur de bois carbonisé flottait dans l'air. Trois ou quatre personnes – des membres du personnel de l'écurie, à leur allure – couraient au milieu de la fumée en essayant de maîtriser les chevaux affolés. Un fouillis de lances serpentait sur le sol. Un homme en imperméable gris charbon les regarda approcher avec une expression lugubre.

Les agents fédéraux se présentèrent, ce qui ne parut pas ravir le policier, un sergent répondant au nom de Milligan.

— Ne me dites pas, maugréa-t-il d'un ton sarcastique, que vous passiez dans le coin.

Reilly fit un signe de tête vers les écuries réduites en cendres.

— On cherche Branko Petrovic.

Milligan haussa les épaules.

— Suivez-moi.

Il les précéda vers l'entrée du bâtiment en ruine où deux urgentistes étaient accroupies près d'un corps. Un brancard léger était posé à côté.

Atterré, l'agent fédéral écarquilla les yeux, puis il se tourna vers Milligan, qui capta immédiatement le message : le périmètre devait être cerné séance tenante et considéré comme un lieu du crime avec une mort suspecte à la clé.

— Que savons-nous ? demanda Reilly.

Le policier se pencha sur le corps décomposé qui gisait au milieu d'éclats de bois.

— Et moi qui croyais que ce serait un dossier vite réglé...

Reilly regarda par-dessus l'épaule du sergent. Difficile de distinguer ce qui était de la chair noircie par la fumée et ce qui était du sang mêlé à la suie et à l'eau des lances à incendie. Un autre détail macabre complétait le tableau : le bras gauche de l'homme était posé le long de son corps... mais rien ne le reliait plus au torse. L'homme du FBI fronça les sourcils. Le magma qui avait été Branko Petrovic n'avait plus grand-chose d'humain.

— Comment pouvez-vous être certain qu'il s'agit bien de lui ?

Milligan se pencha et tendit le doigt vers la tempe du cadavre. Reilly distingua une balafre qui, à la différence des autres blessures, ne semblait pas récente.

— Il a reçu un coup de sabot, il y a des années. Lorsqu'il était encore dans la police. Il en était fier. Y a pas grand monde qui survit à une ruade en pleine tête.

Tandis que l'agent fédéral s'accroupissait à son tour pour regarder de plus près, il remarqua que l'une des deux urgentistes, une brune qui n'avait pas la trentaine, semblait désireuse de leur parler.

— Vous avez quelque chose pour nous ?

Elle sourit et souleva le poignet gauche de Petrovic.

— Ne le dites pas au médecin légiste, mais je voudrais vous montrer un détail. Quelqu'un n'aimait pas cet homme. Son autre poignet a brûlé, mais regardez celui-ci.

Elle désignait celui du bras arraché.

— Les contusions sont encore bien visibles. Il a été attaché.

La jeune fille se tourna et tendit le doigt vers la porte.

— A mon avis, on lui a attaché une main à chaque montant. Comme s'il était crucifié.

— Vous voulez dire que quelqu'un a laissé les chevaux lui passer dessus ? demanda Aparo avec une grimace de dégoût.

— Ou plutôt à travers, précisa son coéquipier.

La fille hocha la tête. Reilly les remercia, sa collègue et elle, pour ces précisions, avant de s'éloigner avec Milligan et Nick.

— Pourquoi cherchiez-vous Petrovic, les gars ? interrogea le sergent.

— Avant notre arrivée, aviez-vous la moindre raison de penser que quelqu'un pouvait en vouloir à sa vie ? s'enquit l'agent spécial en observant les chevaux.

Le policier inclina la tête vers le bâtiment qui finissait de se consumer.

— Pas particulièrement. Enfin vous savez comment ça se passe dans ce milieu, et, vu le passé de Petrovic… Mais rien de spécifique. Et de votre côté ?

Il écouta Reilly lui expliquer les liens entre Waldron et Petrovic, et leur relation possible avec le Metraid.

— Je vais demander qu'on affecte un ordre de priorité à toute cette affaire et que l'autopsie soit traitée en urgence, indiqua Milligan à Reilly. Et je vais immédiatement faire venir nos techniciens et dire au chef des pompiers de vérifier, dès aujourd'hui, s'il s'agit d'un incendie volontaire.

Quand les deux fédéraux rejoignirent leur voiture, une bruine avait commencé à tomber.

— Quelqu'un est en train de faire le ménage, commenta Aparo.

— On dirait. Nous allons devoir demander au médecin légiste de réétudier plus attentivement Waldron.

— Si c'est bien ce que nous pensons, il va falloir qu'on trouve les deux autres cavaliers avant celui qui a fait ça.

Reilly leva les yeux vers un ciel de plus en plus sombre avant de se tourner vers son équipier.

— Les deux cavaliers ? Pas sûr. Peut-être un seul, corrigea-t-il, si le liquidateur est le quatrième.

26

Après les heures passées à étudier minutieusement les vieux manuscrits, ses yeux le picotaient. Il enleva ses lunettes et se massa les paupières avec une serviette mouillée.

Combien de temps avait-il travaillé ? Etait-ce déjà le matin ? La nuit ? Il avait perdu toute notion du temps depuis qu'il était revenu après son équipée au Metropolitan Museum of Art.

Dans son caveau, il n'avait pas accès aux médias, mais les journalistes, ce ramassis d'abrutis, parlaient probablement de cette expédition comme d'un casse ou d'une attaque à main armée. Ni eux ni les hautes sphères de la société ne comprendraient jamais qu'il considérait cela comme un exercice pratique dans un cadre expérimental. C'était pourtant bien ce dont il s'agissait. Bientôt, le monde entier saurait ce qu'était l'événement de la nuit du samedi : le premier acte d'un processus qui allait transformer ceux qui s'intéressaient au devenir de leur univers ; un acte qui, un jour prochain, permettrait à toutes les œillères de tomber et aux petits esprits de s'ouvrir à des mystères qui transcendaient largement tout ce qu'ils pouvaient imaginer.

« J'y suis presque. Ce ne sera plus long maintenant. »

En se tournant, il regarda le mur derrière lui, sur lequel était accroché un calendrier. Si l'heure n'avait aucune importance pour lui, ce n'était pas le cas des dates.

L'une d'elles était entourée de rouge.

Il se pencha à nouveau sur les résultats de son travail avec l'encodeur à rotors et relut l'un des passages qui l'avaient troublé depuis son décryptage.

« Très énigmatique », songea-t-il. Puis il sourit en s'apercevant qu'il avait utilisé le mot approprié. Ce texte n'avait pas seulement été codé : avant d'être crypté, ce passage avait d'abord été conçu comme une énigme.

Il ressentit une grande admiration pour l'homme qui l'avait rédigé.

Pour autant, il n'y avait pas de temps à perdre. Il devait résoudre l'énigme très rapidement. A sa connaissance, il était parvenu jusque-là à effacer toutes les traces pouvant conduire à lui. Mais il n'était pas stupide au point de sous-estimer l'ennemi. Malheureusement, pour éclairer les derniers détails de l'énigme, il avait besoin d'une bibliothèque. Cela signifiait qu'il allait devoir quitter la sécurité de sa cache et s'aventurer dehors.

Il resta un moment à réfléchir, puis estima que le soir était venu. Il allait pouvoir se rendre dans une bibliothèque. Avec prudence ! On ne savait jamais : quelqu'un avait peut-être fait le lien et demandé au personnel de signaler toute personne réclamant des documents d'une certaine nature.

Puis il sourit. « Tu deviens parano. Ils ne sont pas aussi malins. »

Après ses recherches à la bibliothèque, il reviendrait ici, avec la solution, espérait-il. Alors, il pourrait achever le décodage des derniers passages.

Il regarda de nouveau le calendrier avec la date cerclée.

Une date gravée à tout jamais dans sa mémoire.

Une date qu'il ne pourrait oublier, aussi longtemps qu'il vivrait.

Il lui restait un devoir à accomplir. Petit, mais important. Et surtout douloureux. Ensuite, le manuscrit décrypté, il pourrait partir au-devant de la destinée qui lui avait été injustement imposée.

27

Mgr De Angelis s'assit sur la dure chaise en rotin de sa chambre au dernier étage. Pour la durée de son séjour à New York, le diocèse avait organisé son hébergement dans l'austère foyer d'Oliver Street. Mais ce n'était pas si mal. Après tout, situé à quelques rues à peine à l'est de Federal Plaza, ce logement était pratique. Et, des étages supérieurs, la vue sur le pont de Brooklyn ne pouvait manquer d'inspirer des rêveries romantiques dans le cœur des amoureux de la ville qui occupaient normalement ces chambres. Mais l'ecclésiastique n'avait pas de temps à perdre dans la contemplation du paysage.

Et il n'avait pas une disposition d'esprit propre à tomber amoureux de quoi que ce soit.

Il consulta l'heure. C'était le moment d'appeler Rome. Il ouvrit le rabat de son téléphone portable et composa le numéro. Le cardinal Rienzi répondit. Le prélat rechigna un peu à l'idée de déranger le cardinal Brugnone, mais finit par accepter, comme De Angelis l'avait prévu.

— Dites-moi que vous avez de bonnes nouvelles, Michael, lança Brugnone en s'éclaircissant la gorge.

— Les gens du FBI progressent. Certains des objets volés ont été retrouvés.

— C'est encourageant.

— Effectivement. Le Bureau et la police new-yorkaise sont fidèles à leur parole et consacrent beaucoup de moyens à cette affaire.

— Et les voleurs ? En ont-ils arrêté d'autres ?

— Hélas, non, Votre Eminence. L'homme qu'ils ont appréhendé est mort avant qu'on ait pu l'interroger. Un second membre du gang est aussi décédé, dans un incendie. J'ai parlé à l'agent qui supervise l'affaire. Ils attendent encore les résultats des analyses médico-légales. Mais il pense que l'homme pourrait avoir été assassiné.

— Assassiné ? C'est terrifiant, soupira Brugnone. Et tragique aussi. Leur avidité les détruit. Ils se déchirent autour du butin.

— Cela y ressemble, oui.

De l'autre côté de l'Atlantique, l'Italien marqua une pause.

— Il existe une autre possibilité, Michael.

— Elle m'a effleuré l'esprit.

— Notre homme pourrait être en train de nettoyer le terrain.

Dans sa chambre austère, l'ecclésiastique hocha la tête.

— Je soupçonne que c'est le cas.

— Et ce n'est pas bon. Une fois seul, il sera encore plus difficile à trouver.

— Tout le monde commet des erreurs, Votre Eminence. Et quand il en fera une, je suis certain que nous ne le manquerons pas.

De Angelis entendait le cardinal s'agiter sur son fauteuil.

— Ces derniers développements me mettent mal à l'aise. Il n'y a rien que vous puissiez faire pour accélérer les choses ?

— Pas sans ce que le FBI considérerait comme des interférences injustifiées.

Brugnone resta un moment silencieux, avant d'ajouter :

— Eh bien, pour l'instant, ne les indisposons pas. Mais assurez-vous que nous sommes informés de tous les détails de l'enquête.

— Je fais de mon mieux.

La voix de Brugnone prit un ton plus inquiétant.

— Vous comprenez à quel point tout cela est important, Michael. Il est impératif pour nous de tout récupérer avant que des dommages irréversibles se produisent.

De Angelis savait ce que signifiait l'accent que le cardinal avait mis sur le mot « tout ».

— Naturellement, Votre Eminence, répondit-il. Je comprends.

Après avoir raccroché, De Angelis réfléchit quelques minutes sans quitter sa chaise. Puis il s'agenouilla près de son lit pour prier. Non pas pour réclamer quelque intervention divine, mais pour que ses faiblesses personnelles ne le fassent pas échouer.

Il y avait beaucoup trop en jeu.

28

Quand les photocopies de Columbia arrivèrent au bureau de Tess cet après-midi-là, elle trouva le paquet trop mince. Après un coup d'œil, sa déception ne fut que plus grande. Il n'y avait pas le moindre élément utile ou exploitable. Bien sûr, au regard de ce que Clive Edmondson lui avait dit, elle ne s'attendait pas à trouver quoi que ce soit sur les Templiers. Officiellement, ce n'était pas le champ d'étude de William Vance. Il s'était surtout concentré sur l'histoire phénicienne jusqu'au IIIe siècle avant notre ère. Pourtant, il y avait un lien naturel et potentiellement prometteur entre la Phénicie et l'Ordre du Temple : les grands ports phéniciens de Sidon et de Tyr étaient devenus, mille ans plus tard, de formidables places fortes templières. En quelque sorte, l'archéologue qui voulait jeter un coup d'œil sur la civilisation phénicienne était contraint de traverser – presque d'éplucher, au sens propre – des strates d'histoire des croisades et des Templiers.

Mais il n'existait rien d'approchant dans les textes envoyés, et pas un ne faisait allusion à la cryptographie ou à la cryptologie.

La jeune femme ressentit un certain découragement. Elle avait déjà passé du temps en bibliothèque à lire et à chercher, et maintenant à parcourir les textes de Bill. Et aucun ne l'avait mise sur la moindre piste.

Elle décida de tenter une dernière recherche sur Internet. De nouveau, elle obtint des centaines d'occurrences quand elle entra le nom de Vance dans le moteur de recherche. Seulement cette fois, elle décida de prendre son temps et de mieux les étudier.

Elle avait déjà consulté une vingtaine de sites quand elle tomba sur un texte qui ne mentionnait Vance qu'incidemment

– et en s'en moquant ouvertement. L'article – en réalité, la traduction d'une conférence donnée par un historien français à l'université de Nantes, près de dix ans plus tôt – passait en revue de manière acerbe toutes les idées que son auteur considérait comme sans valeur et qui, selon lui, semaient la confusion dans le champ de recherches plus sérieuses.

Vance était cité aux deux tiers de l'intervention. L'historien racontait qu'il avait même entendu l'idée ridicule, formulée par Vance, selon laquelle Hugues de Payens aurait pu être un cathare, simplement parce que l'arbre généalogique de sa famille indiquait qu'elle était originaire du Languedoc.

Tess relut le passage. Hugues de Payens, le fondateur des Templiers, un cathare ? C'était en effet une hypothèse absurde. Les deux obédiences étaient aussi antagonistes que possible. Pendant deux cents ans, les Templiers avaient été les indéfectibles défenseurs de l'Eglise. En revanche, le catharisme était un mouvement gnostique hostile à l'Eglise.

Pourtant, la théorie de Vance possédait quelque chose d'intrigant.

Le catharisme était né au milieu du Xe siècle. Il avait emprunté son nom au grec *katharos*, qui signifiait « pur ». Il se fondait sur l'idée que le monde était mauvais et que les âmes devaient continuellement se réincarner – et même revenir sur terre sous la forme d'animaux, ce qui expliquait le végétarisme des cathares – jusqu'à ce qu'elles puissent échapper au monde matériel et rejoindre le ciel spirituel.

Tout ce en quoi croyaient les cathares était sacrilège aux yeux de l'Eglise. Ils étaient dualistes et pensaient que, à côté d'un dieu miséricordieux et bon, il y avait une autre divinité tout aussi puissante, mais mauvaise, à l'origine des horreurs et des souffrances du monde. Le dieu bienveillant avait créé les cieux et l'âme humaine ; le mauvais avait emprisonné cette dernière dans le corps humain. Aux yeux du Vatican, les cathares avaient élevé Satan au rang d'égal de Dieu. Aux yeux des cathares, toute possession terrestre était néfaste. De ce fait, ils réprouvaient la soif de richesse matérielle et de pouvoir qui avait corrompu l'Eglise catholique médiévale.

Comble de l'horreur pour l'Eglise, les cathares étaient aussi gnostiques. Comme le catharisme, le gnosticisme vient d'un terme grec, *gnosis*, qui signifie, lui, « connaissance ». Selon cette croyance, l'homme peut entrer en contact direct et intime avec Dieu sans l'intermédiaire d'un prêtre ou de l'Eglise. Croire en un contact personnel direct avec Dieu affranchissait les cathares de tout interdit moral et de toute obligation religieuse. N'ayant nul besoin d'églises somptueuses et de cérémonies contraignantes, ils n'avaient pas davantage besoin de prêtres. Les cérémonies religieuses prenaient place dans des maisons ou dans des champs. Et si ce tableau n'était pas suffisant, les femmes étaient traitées en égales des hommes. Elles pouvaient devenir « parfaites » – les « parfaits » étant, dans la foi cathare, ce qui se rapprochait le plus d'un prêtre. Dès lors que la forme physique n'avait pas d'importance chez eux, l'âme résidant dans un corps humain pouvait aussi bien être mâle que femelle, indépendamment de l'apparence.

Plus cette spiritualité rencontrait de succès et se répandait dans le sud de la France et le nord de l'Italie, plus le Vatican s'inquiétait. Enfin, il décida que cette hérésie ne pouvait être tolérée davantage. Non seulement elle mettait en péril l'Eglise catholique, mais c'était tout le système féodal européen qu'elle menaçait, car les cathares considéraient également que les serments étaient des péchés, dans la mesure où ils liaient un individu au monde matériel. Cette idée sapait le principe même du serment d'allégeance entre un seigneur et ses vassaux.

De ce fait, le pape n'eut aucune peine à obtenir le soutien d'une grande partie de la noblesse de la France du Nord pour neutraliser ce péril. En 1209, une armée de croisés descendit dans le Languedoc. Au cours des trente-cinq années suivantes, ils massacrèrent plus de trente mille hommes, femmes et enfants. Des chroniqueurs ont raconté que le sang montait jusqu'aux chevilles dans certaines églises où des villageois avaient trouvé refuge, et que lorsque les soldats du pape se plaignaient de ne pas savoir s'ils étaient en train de tuer des hérétiques ou de fidèles chrétiens, on leur répondait simplement : « Tuez-les tous ! Dieu reconnaîtra les siens ! »

Cela n'avait aucun sens. Les Templiers étaient allés en Terre sainte pour escorter les pèlerins et constituaient les troupes d'assaut du Vatican, ses partisans les plus dévoués, alors que les cathares étaient les ennemis de l'Eglise.

Comment Vance – si c'était le cas – avait-il pu formuler une hypothèse aussi folle, surtout en ne s'appuyant que sur l'argument ténu de l'éventuel berceau familial ? s'étonna Tess. Et comment quelqu'un avait-il pu découvrir que Bill avait avancé une telle théorie ? La jeune femme se demanda si elle n'était pas en train de faire fausse route. Puis elle conclut que ce dont elle avait besoin, c'était de lui parler. Indépendamment de cet éventuel faux pas d'un universitaire, s'il existait un lien entre les Templiers et le hold-up du Met, il l'identifierait probablement en un éclair.

Elle composa encore une fois le numéro de Columbia et obtint rapidement le département d'histoire. Après avoir rappelé à la secrétaire leur conversation précédente, elle lui redemanda si quelqu'un dans son département savait comment joindre William Vance. La femme répondit qu'elle avait posé la question à deux professeurs qui avaient enseigné là en même temps que Vance, mais qu'ils avaient perdu tout contact avec lui après son départ.

— Je vois, se résigna Tess avec d'évidents regrets dans la voix.

Elle ne savait plus vers qui se tourner.

Son interlocutrice remarqua son désarroi.

— Je sais que vous avez besoin de le contacter, mais peut-être qu'il ne veut pas être joint. Vous savez… quelquefois, les gens préfèrent qu'on ne leur rappelle pas, euh… comment dire… les moments douloureux.

Son intérêt rallumé, Tess réagit du tac au tac.

— Les moments douloureux ?

— Bien sûr. Après ce qu'il a traversé… Ce fut si triste. Il l'aimait tellement, vous savez.

— Je suis désolée mais je ne suis pas certaine de comprendre ce dont vous parlez. Le professeur Vance a perdu quelqu'un ?

— Oh, je pensais que vous étiez au courant. C'était son épouse. Elle est tombée malade et a fini par mourir.

Aucun des sites qu'elle avait consultés ne mentionnait ce malheur. Mais il est vrai qu'ils étaient purement universitaires et n'avaient aucune raison d'aborder un sujet personnel.

— Quand est-ce arrivé ?

— Cela fait quelques années, maintenant. Cinq ou six ans ? Voyons… je me rappelle que c'était au printemps. Le professeur a pris un été sabbatique et n'est jamais revenu.

Tess remercia la secrétaire et raccrocha. Un instant, elle se demanda si elle ne devait pas oublier Vance et chercher plutôt à contacter Simmons, comme le lui avait conseillé Clive. Mais elle était toujours intriguée. Entêtée, elle se reconnecta à Internet et cliqua sur le site web du *New York Times*. Sélectionnant l'option « Recherche avancée », elle fut soulagée de constater que les archives remontaient jusqu'à 1996. Elle entra le nom « William Vance », cocha la rubrique « nécrologie » et obtint une réponse.

L'entrefilet annonçait la mort de son épouse, Martha. Il se contentait de mentionner des complications après une brève maladie, mais il ne donnait pas davantage de détails. En passant, Tess nota l'endroit où, selon l'article, elle devait être enterrée : le cimetière de Greenwood, à Brooklyn. Vance payait-il pour l'entretien de la tombe ? Si c'était le cas, le cimetière conservait son adresse dans un registre.

Elle pensa appeler le cimetière elle-même, puis supposa qu'on ne lui délivrerait probablement pas une telle information. Elle chercha la carte que Reilly lui avait donnée et appela à contrecœur son bureau. On lui répondit que l'agent était en réunion. Tess hésita à laisser un message à l'homme qu'elle avait en ligne, puis estima qu'il valait mieux attendre de pouvoir parler à Reilly en personne.

Revenant à son écran, ses yeux tombèrent sur la notice nécrologique et, soudain, un frémissement d'excitation la parcourut.

La secrétaire avait raison : la mort de Martha Vance était bien intervenue au printemps. Et cela ferait exactement cinq ans… le lendemain !

29

— L'autopsie confirme que Waldron a bien été assassiné, lui aussi, déclara Reilly en regardant les personnes présentes autour de la table, dans la salle de visionnage du Bureau.

Le seul « étranger » était encore une fois Mgr De Angelis.

— Nous avons trouvé des traces de lidocaïne dans son sang. C'est un anesthésiant, et il n'a pas été administré par le personnel de l'hôpital. La haute dose a entraîné la rupture cardiaque. Il est intéressant de noter qu'il portait des marques d'aiguille dans le cou. La drogue a été utilisée pour paralyser ses cordes vocales, aussi n'a-t-il pas pu appeler à l'aide.

Consterné, l'ecclésiastique se raidit un peu en écoutant le compte rendu de l'agent. Les autres étaient les principaux acteurs de l'enquête sur le Metraid : Jansson, Buchinski, Amelia Gaines, Aparo, Blackburn et ses deux assistants. Il y avait aussi un jeune technicien qui manipulait les commandes audiovisuelles. Le rapport n'était guère rassurant.

— Nous avons aussi découvert du matériel de marquage au gel dans les écuries, poursuivit Reilly. Petrovic a pu l'utiliser pour déguiser les marquages des chevaux qui ont participé au raid. Nous ne sommes pas confrontés à cinquante hypothèses, car tout cela ne peut signifier que deux choses : soit celui qui se trouve derrière tout ça est en train de liquider ses exécutants, soit l'un des membres du gang se débarrasse de ses complices afin de tout garder pour lui. Dans les deux cas, nous avons encore au moins un et peut-être deux autres cavaliers représentant des cibles potentielles.

De Angelis se tourna vers Reilly.

— Dans les écuries, vous n'avez retrouvé aucune des pièces qui nous ont été volées ?

— Hélas non, mon père.

De Angelis enleva ses lunettes et nettoya les verres sur sa manche.

— Et qu'en est-il de ces groupes extrémistes auxquels vous vous intéressiez ? Vos investigations de ce côté-là ont-elles donné quelque chose ?

— Pas encore. Nous en surveillons deux en particulier, des groupes qui ont récemment manifesté leur colère contre l'Eglise parce que celle-ci les aurait critiqués. Ils se trouvent tous deux dans le Midwest, nos antennes locales s'en occupent.

De Angelis remit ses lunettes en fronçant les sourcils. Son inquiétude était manifeste, mais il s'efforça de ne pas la trahir.

— J'imagine que nous n'avons pas d'autre choix que d'attendre.

Reilly savait qu'ils ne progressaient pas beaucoup dans la résolution de cette affaire. Jusque-là, ils n'avaient fait que réagir aux événements au lieu de les provoquer.

— Tu ne veux pas parler de cette hypothèse templière ? intervint Aparo.

De Angelis se tourna subitement vers ce dernier et, suivant son regard, il aboutit à Reilly.

— Des Templiers ? releva l'ecclésiastique.

L'agent spécial ne s'attendait pas que son équipier soulève cette question. Il tenta de l'éluder.

— Ce n'est qu'une piste que nous essayons de suivre.

Mais le regard interrogateur de De Angelis l'incita à poursuivre.

— L'un des témoins, une archéologue, a imaginé qu'il pouvait y avoir un lien entre les Templiers et le raid.

— A cause de la croix rouge sur les manteaux blancs ?

Au moins, ce n'est pas trop à côté de la plaque, songea Reilly.

— Oui. Ça... et d'autres détails. Le chevalier qui a pris l'encodeur a prononcé quelques mots en latin, et cette phrase serait gravée sur un château templier en France.

De Angelis dévisagea Reilly, l'amorce d'un sourire amusé à la commissure des lèvres.

— Et cette archéologue pense que le raid sur le musée a été l'œuvre d'un ordre religieux qui a cessé d'exister il y a près de sept cents ans ?

— Pas exactement. Elle estime qu'au regard de leur histoire et de leur dimension culturelle, les Templiers ont pu inspirer une poignée de fanatiques qui pourraient vouloir mettre en scène une sorte de revanche ou de reconstitution.

De Angelis se leva et rassembla ses papiers en arborant un air dépité.

— Eh bien, oui, cela semble prometteur. Je vous souhaite bonne chance pour la suite de vos recherches, agent Reilly. Messieurs, agent Gaines, salua-t-il avant de quitter la pièce.

La réaction de l'homme d'Eglise avait laissé un arrière-goût très désagréable dans la bouche de Reilly.

« Manifestement, il n'y a pas que les universitaires qui héritent de l'étiquette de fous quand ils s'intéressent trop à la question templière », songea-t-il.

30

Mitch Adeson savait que s'il devait se terrer dans ce taudis plus longtemps, il allait perdre la tête. Mais il était déraisonnable de rester chez lui et les rues avaient toutes les chances d'être aussi dangereuses. Au moins ici, à l'intérieur de l'appartement de son père dans le Queens, il se sentait en sécurité.

D'abord Gus, puis Branko. Mitch était intelligent, mais même s'il avait été aussi bête que Gus Waldron, il aurait compris que quelqu'un avait une liste et qu'il y avait une quasi-certitude pour qu'il soit le suivant.

Il était temps de filer vers des pâturages plus sûrs.

De l'autre côté de la pièce, son père sourd et presque incontinent se livrait à son activité habituelle : il regardait les images neigeuses de la télé, branchée comme toujours sur une succession ininterrompue de talk-shows volant aussi bas les uns que les autres. Par intermittence, il proférait quelques insultes en direction de l'appareil.

Mitch aurait voulu se renseigner sur l'homme qui l'avait engagé. Il s'était demandé si ce type n'était pas celui qui les menaçait. Mais il estima que c'était impossible. L'homme tenait assez bien en selle, mais il n'aurait jamais pu tuer Branko. Et encore moins maîtriser la montagne qu'était Gus Waldron. Ce devait être quelqu'un de plus haut placé dans la hiérarchie. Mais, pour l'atteindre, Mitch allait devoir passer par celui qui l'avait recruté, celui qui le premier lui avait parlé de ce projet. Le seul problème – et non des moindres –, c'était qu'il ne voyait aucun moyen de le contacter. Il ne connaissait même pas son nom.

Que ce soit le jour ou la nuit, il devait bouger. Il annonça à son père qu'il serait de retour dans quelques heures. Le vieil homme l'ignora. Mais quand Mitch repassa devant lui après avoir enfilé son manteau, il grommela :

— Bière et cigarettes !

C'était la plus longue phrase qu'il lui eût adressée depuis les premières heures du dimanche matin où il était arrivé ici, directement de Central Park, une fois qu'ils s'étaient débarrassés des armures et dispersés dans des directions différentes. On l'avait désigné pour jeter les accessoires médiévaux dans un fourgon anonyme et aller enfermer celui-ci dans un box à deux rues de chez lui. La location avait été payée d'avance pour un an et, d'ici là, il ne s'en approcherait pas.

Il sortit de l'appartement et descendit les marches. Après avoir pris le temps de vérifier qu'il n'y avait rien de suspect aux alentours, il s'avança dans la rue de plus en plus sombre à l'approche du soir et se dirigea vers le métro.

Il s'était mis à pleuvoir. Mitch remontait prudemment la ruelle derrière l'immeuble de sept étages qui abritait son appartement. Il portait un sac en papier avec un pack de six Coors et une cartouche de Winston pour son vieux père sous le bras. Il était trempé. Il n'avait pas prévu de revenir à son appartement avant un moment. Mais, s'il devait disparaître un certain temps, il lui fallait prendre le risque d'aller récupérer quelques vêtements.

Pendant deux minutes, il resta immobile dans la ruelle pour épier ce qu'il pouvait y avoir d'anormal. Enfin, tout paraissant tranquille, il fit coulisser l'échelle de secours. Il veillait à ce qu'elle soit toujours bien huilée. Au cas où. Justement, il la vit descendre dans un silence très réconfortant. Puis il se hâta de gravir les marches, sans cesser de jeter des regards nerveux vers la ruelle. Devant la fenêtre de sa chambre, il posa le sac des bières sur l'échelle et fouilla du bout des doigts dans une échancrure entre elle et le mur. Il en sortit la bande métallique qu'il cachait toujours là. Un instant plus tard, il avait achevé de forcer le loquet de la fenêtre et se hissait à l'intérieur.

Connaissant la pièce par cœur, il préféra rester dans le noir et se déplacer au jugé. Sur l'étagère du placard, il récupéra un vieux duffle-coat. Puis il chercha à tâtons dans le fond et rapporta quatre boîtes de cartouches qu'il mit dans son sac.

Ensuite, il passa dans la salle de bains et attrapa un sac de Nylon dans le réservoir d'eau des toilettes. Dedans, il y avait un grand paquet enveloppé dans une toile cirée, qu'il ouvrit. Il en sortit un Kimber 45 et un petit Bersa 9 mm. Il les vérifia, chargea le Bersa, qu'il glissa dans sa ceinture, et jeta le Kimber dans le sac avec les cartouches. Il récupéra des vêtements et sa paire de bottes favorite. Ça ferait l'affaire.

Il ressortit en enjambant la fenêtre de sa chambre et la referma derrière lui. Après avoir mis le duffle-coat autour de ses épaules, il se baissa pour récupérer le sac de bières.

Il n'était plus là.

Pendant un instant, Mitch se figea. Puis il sortit son pistolet. Il regarda en bas dans la ruelle. Pas le moindre mouvement. Par un temps pareil, même les chats ne mettaient pas le nez dehors.

Qui avait pris le sac ? Des gamins ? Probablement. Si quelqu'un était sur sa piste, il n'allait pas s'encombrer d'un pack de bières et d'une cartouche de cigarettes. Mitch n'était toutefois pas d'humeur à vérifier la validité de ses hypothèses. Il décida de grimper jusqu'au toit. De là-haut, il pourrait passer sur un autre bâtiment et se débrouiller pour redescendre dans la rue une centaine de mètres plus loin. Il l'avait déjà fait par le passé… mais pas sur des toits mouillés par la pluie.

Il commença à monter l'échelle en silence. Arrivé sur le toit, il contournait un conduit d'aération quand son pied trébucha sur des tubes d'échafaudage en acier, oubliés là par une équipe d'ouvriers. Il bascula en avant pour s'affaler dans une mare d'eau de pluie. D'un bond, il se redressa et se précipita vers le parapet qui lui arrivait à mi-cuisse. Il passa la jambe droite par-dessus, mais ressentit soudain une douleur aiguë dans la jambe gauche. Quelqu'un venait de frapper l'arrière de son genou, qui se déroba sous lui.

Mitch voulut plonger la main pour attraper son pistolet. Mais l'inconnu lui saisit le bras et le tordit. Il lâcha l'arme, qu'il entendit rebondir sur le toit en pente. Se tortillant de toutes ses forces, il tenta de se soustraire à la poigne qui l'immobilisait. Il sentit que l'inconnu cédait et qu'il allait pouvoir s'échapper. Goûtant une seconde d'exaltation, il perdit l'équilibre et bascula par-dessus le parapet.

Ses doigts tentèrent désespérément d'agripper quelque chose. Il parvint à s'accrocher des deux mains aux pierres rugueuses de la margelle. Mais l'autre était déjà après lui et lui attrapait les bras, juste au-dessus des poignets. En le retenant, il l'empêchait de glisser vers une mort certaine. Mitch leva les yeux et découvrit enfin le visage de l'homme. Il ne le connaissait pas.

— Remonte-moi, haleta-t-il. Remonte-moi !

Lentement, l'homme s'exécuta, jusqu'à ce que Mitch soit étendu sur le ventre, le visage contre le sol, le corps à moitié sur la margelle et à moitié en dehors, les pieds dans le vide. L'inconnu lui lâcha un bras et Adeson vit quelque chose luire dans la lumière. Un instant, il pensa qu'il s'agissait d'un couteau. Puis il finit par comprendre que c'était une seringue.

Ignorant ce que cela pouvait bien signifier, il recommença à se tortiller pour s'enfuir. Soudain, avant d'avoir pu bouger, il sentit une douleur cuisante se diffuser de son épaule jusqu'à son crâne.

L'homme venait de lui planter l'aiguille dans le cou.

31

De Angelis avait posé sur son lit le tirage papier d'une image vidéo. Tout en regardant le cliché, il passait son doigt sur une statuette en or incrustée de diamants et de rubis représentant un cheval cabré.

Au fond de lui-même, il trouvait cette antiquité vulgaire. Il savait que c'était un cadeau offert par l'Eglise orthodoxe russe au saint-père à l'occasion d'une audience pontificale à la fin du XIXe siècle. Il n'ignorait pas non plus sa valeur inestimable. Vulgaire, affreuse, mais sans prix.

Prenant la photo dans sa main, il l'étudia. C'était celle que Reilly lui avait donnée lors de leur première réunion, quand l'agent s'était enquis de l'importance de l'encodeur à rotors. Chaque fois qu'il la contemplait, il sentait une folle exaltation s'emparer de lui. Même ce simple tirage à gros grain parvenait à le transporter de joie, comme lorsqu'on lui avait montré, à Federal Plaza, toute la séquence prise par les caméras de surveillance.

Des chevaliers en armure rutilante pillant un musée de Manhattan en plein XXIe siècle.

La photo montrait l'homme que l'on surnommait le quatrième cavalier, tenant l'encodeur. Le prélat fixa le heaume du chevalier, comme s'il voulait traverser l'encre et le papier pour sonder les pensées de l'inconnu. L'image était une vue de trois quarts, prise de l'arrière gauche. Des vitrines d'exposition fracassées gisaient autour du malfaiteur. Et dans le coin supérieur gauche du cliché, se découpait le visage d'une femme cachée derrière une vitrine, hasardant un coup d'œil furtif.

Une archéologue avait entendu le quatrième cavalier dire quelque chose en latin, médita De Angelis. Pour cela, elle devait être assez près, et, en regardant l'image, il eut la conviction que c'était elle.

Il se concentra sur le visage paralysé par la peur. Oui, c'était sûrement elle.

Il reposa la photo et le cheval incrusté sur le lit, près d'un pendentif en argent serti de rubis. Il prit ce dernier. Cette fois, il s'agissait d'un cadeau du nizam d'Hyderabad. Il valait le prix d'une rançon de prince... ce qu'il avait été jadis. En le faisant tournoyer autour de son index, il se mit à pester intérieurement : il butait au fond d'une impasse et ne savait comment en sortir.

Sa proie avait bien effacé ses traces. Il n'en attendait pas moins d'un homme d'une telle audace. Ses complices, ces crapules que De Angelis était parvenu à débusquer, à interroger et à expédier ad patres avec une telle facilité, ne lui avaient servi à rien.

L'homme lui-même – le « quatrième » – continuait de lui échapper.

Il avait besoin d'un élément nouveau. Une sorte d'intervention divine.

Et maintenant, il y avait en plus ceci. Une contrariété.

Peut-être un parasite.

Il regarda encore une fois le visage de la femme. Puis il attrapa son téléphone portable et appela un numéro en mémoire. Deux sonneries plus tard, une voix rauque et râpeuse répondit.

— Qui est-ce ?

— A combien de personnes exactement avez-vous donné ce numéro ? questionna l'ecclésiastique.

L'homme soupira bruyamment.

— Ça fait plaisir de vous entendre, monsieur.

De Angelis devinait que l'homme était en train d'écraser un mégot de cigarette avant d'en chercher une autre. Il avait toujours trouvé ce vice répugnant, mais les talents de l'homme compensaient largement cette tare.

— J'ai besoin de votre aide.

Tout en disant cela, il fronça les sourcils. Il avait espéré ne pas avoir à impliquer qui que ce soit. Ses yeux s'arrêtèrent encore sur le visage de Tess.

— J'ai besoin que vous accédiez pour moi à la base de données du FBI sur le Metraid.

Puis il ajouta :

— Discrètement !

— Pas de problème. C'est l'un des avantages de la guerre au terrorisme. Nous fonctionnons tous sur un mode de partage généreux des bases de données. Dites-moi simplement ce dont vous avez besoin.

32

Après avoir quitté l'une des nombreuses artères goudronnées du cimetière, Tess remontait maintenant une allée de gravier.

Il était à peine huit heures du matin. Les premières fleurs printanières s'épanouissaient autour des pierres tombales. Partout, l'herbe coupée ras était encore humide de la pluie de la nuit. En raison de la remontée de la température, une brume s'immisçait entre les tombes et les arbres.

Au-dessus de sa tête, une perruche moine s'envola, brisant de son cri entêtant le calme serein du lieu. En dépit des quelques degrés de plus et de son manteau, Tess frissonna en s'enfonçant un peu plus dans le cimetière. Déjà, dans des conditions optimales, un lieu comme celui-là la mettait mal à l'aise. Sa présence ici, au milieu de cette nécropole, la fit soudain songer à son père. Depuis combien de temps n'était-elle pas allée sur sa tombe ?

Un peu plus loin, elle s'arrêta et consulta le plan qu'elle avait dessiné dans le kiosque de la monumentale entrée gothique. Elle pensait jusque-là se diriger dans la bonne direction, mais maintenant, elle n'en était plus sûre. Le cimetière s'étendait sur plus de deux cents hectares et il était facile de s'y perdre, surtout à pied. Elle avait pris le métro depuis le centre de la ville jusqu'à la station de la 25e Rue à Brooklyn. Ensuite, elle avait marché vers l'est, à une rue de là, et elle était entrée dans le cimetière par la porte principale.

Tournant sur elle-même, Tess tenta de se repérer. Elle commençait à se dire qu'elle n'avait pas eu une bonne idée en venant. Elle se trouvait dans une situation sans issue. Si Vance était ici, elle allait tomber très mal au milieu d'un moment intime. Et, s'il ne se montrait pas, sa promenade n'aurait été qu'une perte de temps.

Au point où elle en était, elle préféra refouler ses doutes et poursuivre sa marche. Elle était à présent dans une partie plus ancienne du cimetière. Alors qu'elle passait devant une tombe surmontée d'un ange de granit, elle entendit un son venant de sa droite. Effrayée, elle scruta le brouillard mais ne put entrevoir que les formes sombres et mouvantes des arbres. Elle accéléra le pas. Mètre après mètre, elle s'enfonçait plus profondément dans les recoins de la nécropole.

Consultant une nouvelle fois le plan, elle constata qu'elle était maintenant tout près. Désormais certaine de l'endroit, elle décida de prendre un raccourci par un tertre et allongea le pas sur l'herbe glissante. Malencontreusement, elle trébucha sur une bordure de pierres en ruine. Pour ne pas tomber, elle se rattrapa de justesse à une borne décrépie.

C'est alors qu'elle l'aperçut.

Il se tenait à cinquante mètres devant elle, seul, planté devant une pierre tombale. Un bouquet d'œillets, rouge sombre, était posé devant la stèle. L'universitaire avait la tête baissée. Une Volvo grise était garée dans l'allée derrière lui.

Tess attendit un moment avant d'oser s'approcher. Elle marcha lentement dans sa direction. Parvenue à proximité de la stèle, elle put lire les mots gravés dessus : « Vance » et « Martha ». Tess n'était plus qu'à trois mètres de lui. Il ne s'était pas encore retourné.

— Professeur Vance, risqua-t-elle avec hésitation.

Il resta immobile un moment, avant de pivoter vers l'intruse.

La jeune femme faisait face à un homme métamorphosé.

Ce n'était plus le sémillant Bill Vance qu'elle avait connu. Son épaisse chevelure argentée encadrait un visage décharné. Bien qu'il fût encore grand et élancé, sa carrure d'athlète avait fondu. Il avait même les épaules légèrement voûtées. Ses mains disparaissaient au fond des poches de sa veste. Il portait un pardessus sombre au col remonté. Tess nota que les poignets étaient très usés et comportaient une ou deux taches.

Elle se sentit coupable d'avoir remarqué ces détails. Toute l'allure de Vance était pitoyable ; il était évident qu'il occupait une position bien en deçà de celle dont il avait joui. Si elle l'avait croisé dans la rue, une décennie après leur dernière rencontre, elle ne l'aurait sans doute pas reconnu.

— Je suis désolée de cette intrusion, bredouilla-t-elle. J'espère que vous allez me pardonner. Je sais que c'est un moment très personnel pour vous, mais, croyez-moi, il n'y avait pas d'autre moyen de vous contacter...

Elle s'interrompit en remarquant que le visage du professeur semblait soudain s'être éclairé, comme s'il commençait à la reconnaître.

— Tess ? Tess Chaykin ? La fille d'Oliver ?

Elle laissa échapper un soupir de soulagement. Tandis que Vance se détendait, ses yeux gris perçants se mirent à pétiller et elle retrouva un peu de la force charismatique qui émanait de lui lorsqu'elle l'avait rencontré, des années auparavant.

— Ah, je sais pourquoi vous avez l'air différente. Vous étiez enceinte quand nous nous sommes rencontrés. Je me souviens même avoir pensé que le désert turc n'était pas la meilleure place pour vous.

— C'est vrai.

Elle précisa :

— J'ai une fille, Kim.

— Elle doit avoir...

— ... neuf ans, indiqua-t-elle en venant à son secours.

Elle mesura alors l'inconvenance de la situation et détourna les yeux, gênée.

— Je suis désolée... vraiment... Je... je ne devrais pas être là.

Elle eut envie de s'enfuir quand elle vit que le sourire de l'universitaire s'était évanoui. Un voile sombre s'était déposé sur son visage. Il fixait la pierre tombale.

— Ma fille Annie aurait cinq ans aujourd'hui, expliqua-t-il de sa voix douce.

Sa fille ? Tess, déconcertée, se tourna vers la stèle. Elle était élégante dans sa simplicité, blanche, avec une inscription gravée en lettres d'environ cinq centimètres de hauteur :

MARTHA & ANNIE
VANCE
Que leurs sourires éclairent
Un monde meilleur que celui-ci.

Elle ne comprit d'abord pas. Puis l'évidence lui sauta à l'esprit.

Sa femme avait dû mourir en accouchant.

Tess sentit le rouge lui monter aux joues. Elle ne savait plus où se mettre. Comment avait-elle pu poursuivre cet homme jusque devant la tombe de sa femme et de sa fille ? Elle leva les yeux vers Vance. La tristesse marquait profondément les rides de son visage. Le cœur de la jeune femme vacilla.

— Pardonnez-moi, marmonna-t-elle. J'ignorais tout cela.

— Nous avions déjà choisi les prénoms. Matthew, si cela avait été un garçon. Et sinon, Annie. Nous les avons choisis la nuit de notre mariage.

— Que... comment est-ce... ?

Elle ne put achever sa question.

— C'est arrivé alors qu'elle atteignait à peine la moitié de sa grossesse. Elle était étroitement surveillée depuis le départ. Elle était... En fait, nous étions un peu âgés pour avoir un premier enfant. Et il y avait des antécédents d'hypertension dans sa famille. Quoi qu'il en soit, elle a développé un syndrome appelé prééclampsie. Les médecins ne savent pas pourquoi ça arrive. On m'a dit que c'était assez courant, mais cela peut avoir des conséquences tragiques. Ce fut le cas pour Martha.

Il s'arrêta et prit une profonde inspiration. Il lui coûtait beaucoup d'en parler. Tess aurait voulu qu'il arrête. Elle aurait souhaité que la terre s'entrouvre et l'avale dans ses entrailles pour éviter à Vance d'être obligé de revivre ces moments.

— Les médecins ont dit qu'ils ne pouvaient rien faire, continua-t-il. Ils nous ont expliqué que Martha allait devoir subir un avortement. Le fœtus était trop jeune et n'avait donc pas la moindre chance de se développer dans une couveuse. En outre, chaque jour qui passait diminuait les chances que Martha survive à sa grossesse.

— L'avortement n'a pas...

— Normalement, nous ne l'aurions même pas envisagé. Mais là, c'était différent. La vie de Martha était en jeu.

Son expression se durcit.

— Nous sommes allés trouver le prêtre de notre paroisse, le père McKay, et nous lui avons demandé conseil.

Tess éprouva un profond écœurement en devinant ce qui s'était passé ensuite.

— Sa position, la position même de l'Eglise, était très claire. Il a dit qu'il s'agirait d'un meurtre. Pas simplement d'un meurtre, vous comprenez, mais du plus abominable des meurtres. Un crime innommable. Oh, ça, il a été très éloquent sur ce sujet. Il affirmait que nous allions violer l'un des Dix Commandements : « Tu ne tueras point. » Il disait que c'était d'une vie humaine que nous étions en train de parler. Nous allions tuer un être humain au commencement même de sa vie, la plus innocente victime possible. Une victime qui ne pouvait pas comprendre. Une victime qui ne pouvait ni discuter ni implorer qu'on lui laisse la vie sauve. Il nous a demandé si nous le ferions si nous pouvions entendre ses cris, si nous pouvions voir ses pleurs. Et comme si tout cela n'était pas suffisant, son ultime argument a achevé d'emporter notre décision : « Si vous aviez un bébé d'un an, le tueriez-vous, le sacrifieriez-vous pour sauver votre propre vie ? Non. Naturellement. Et même s'il n'était âgé que d'un mois ? Ou d'un jour ? Quand l'horloge de la vie se met-elle vraiment en marche ? »

Vance marqua une pause.

— Nous avons suivi son conseil. Pas d'avortement. Et nous avons fait confiance à Dieu.

L'universitaire fixa la tombe.

— Martha a tenu jusqu'à ce que les convulsions se produisent. Elle est morte d'une hémorragie cérébrale. Et Annie, eh bien... ses petits poumons n'ont jamais eu l'occasion de respirer notre air vicié.

Tess pouvait à peine parler. Mais cela n'avait pas vraiment d'importance. Vance paraissait parti dans son monde. En observant ses yeux, elle vit que toute trace de tristesse avait été submergée par une rage qui montait du plus profond de lui.

— Nous avons été idiots de remettre nos vies entre les mains de ces charlatans. Cela n'arrivera plus. Cela n'arrivera plus à quiconque. Je vais m'en assurer.

Il balaya le cimetière vide du regard.

— Le monde a beaucoup changé en mille ans. La vie n'est pas la manifestation de la volonté de Dieu ou de la malice du diable. C'est un fait scientifique. Et il est temps que les gens s'en rendent compte.

A cet instant, Tess comprit.

Son sang se figea quand cette prise de conscience la foudroya comme une évidence absolue.

C'était l'homme du musée. William Vance était le quatrième cavalier.

— *Veritas vos liberabit.*

Les mots s'étaient échappés sans prévenir de la bouche de Tess.

Il la fixa, interloqué. Ses yeux gris la transpercèrent. Lui aussi venait de comprendre.

— Exactement.

Elle devait fuir au plus vite, mais ses jambes s'étaient changées en plomb. Tout son corps était raide. A cet instant précis, elle songea à Reilly.

— Je suis désolée. Je n'aurais jamais dû venir ici.

Ce fut tout ce qu'elle parvint à dire.

Tess repensa au musée, à tous ces gens morts à cause de ce qu'avait fait cet homme. Elle fouilla les alentours du regard, espérant apercevoir d'autres proches de défunts, voire des touristes. Mais il était trop tôt pour cela.

— Non, au contraire, je suis content que vous soyez venue. J'apprécie la compagnie et vous, particulièrement, vous devriez pouvoir comprendre ce que je suis en train d'essayer de faire.

— S'il vous plaît, je...

Elle parvint à retrouver l'usage de ses jambes et, malhabilement, esquissa quelques pas en arrière. Elle cherchait désespérément une échappatoire. A cet instant précis, son téléphone portable sonna.

Tess tourna des yeux écarquillés vers Vance. Tandis qu'elle continuait de reculer maladroitement, elle le vit s'avancer. La jeune femme tendit une main devant elle pendant que l'autre plongeait dans son sac pour attraper le téléphone, qui continuait de sonner.

— S'il vous plaît, l'implora-t-elle.

— Ne faites pas ça.

Il tenait une sorte de revolver dans sa main. L'arme ressemblait à un jouet, avec des bandes jaunes sur son court canon quadrillé. Avant qu'elle ait pu bouger ou crier, les doigts toujours cramponnés au téléphone dans son sac, elle le vit presser la détente. Deux minuscules fléchettes rattachées par des fils au pistolet fendirent l'air. Elles la frappèrent en pleine poitrine. Une douleur insupportable l'envahit comme une décharge électrique.

Instantanément, ses jambes cédèrent sous elle. Puis tout son corps fut paralysé.

Elle s'effondra et bascula dans l'inconscience.

Caché derrière un arbre proche, un homme de haute taille sentit une poussée d'adrénaline en voyant Tess s'affaler sur le sol. Crachant une boulette de gomme Nicorette, il sortit son téléphone portable et appuya sur une touche de la mémoire. Simultanément, son autre main avait plongé sous sa veste sombre empestant la cigarette. Elle attrapa le Heckler & Koch USP compact rangé dans le holster qu'il avait dans le dos.

De Angelis répondit rapidement.

— Que se passe-t-il ?

— Je suis encore au cimetière. La fille...

S'interrompant, Joe Plunkett jeta un nouveau coup d'œil sur la scène. La jeune femme était toujours étendue sur l'herbe humide.

— Elle a rencontré un type et il vient de la neutraliser avec un *taser*[1].

— Quoi ?

— Je vous dis qu'elle est hors jeu. Qu'est-ce que vous voulez que je fasse ? Vous voulez que je liquide le type ?

Son esprit était déjà en train de dresser un plan d'action. Le *taser* ne serait pas une menace. Il ne savait pas si l'homme aux cheveux gris près de la fille avait ou non d'autres armes sur lui. Mais dans tous les cas, cela ne changerait rien. Il abattrait le gars avant qu'il ait une chance de réagir, d'autant qu'il semblait seul.

Plunkett attendit l'ordre. Son cœur se préparait déjà à la course. Il pouvait presque entendre l'esprit de De Angelis

---

1. Le *taser* est une arme non mortelle équipant notamment la police américaine. Il s'agit d'une sorte de pistolet paralysant électromagnétique à électrochocs tirant à plus de cinq mètres deux fléchettes qui vont infliger à la cible une décharge électrique de plus de cinquante mille volts par l'intermédiaire d'un câble très fin relié aux projectiles. La dernière génération n'a même plus besoin de fil et remplace celui-ci par un aérosol, les particules de gaz en suspension se chargeant de conduire l'électricité. (*N.d.T.*)

fonctionner. Puis l'ecclésiastique reprit la parole d'une voix calme et maîtrisée.

— Non. Ne faites rien. Elle n'a plus d'importance. Maintenant, c'est lui la priorité. Suivez-le et surtout ne le perdez pas. J'arrive.

33

Une vague de terreur submergea Reilly, qui écoutait, l'oreille collée à son téléphone.

— Tess ? Tess !

Son appel demeura sans réponse. Puis la ligne se coupa abruptement.

Immédiatement, il appuya sur la touche Rappel automatique. Mais, après quatre sonneries, ce fut la voix enregistrée de la jeune femme qui lui répondit en demandant de laisser un message. Un deuxième rappel aboutit au même résultat.

« Quelque chose ne tourne pas rond. Vraiment pas rond. »

Il avait vu que Tess avait appelé sans laisser de message, mais elle avait déjà quitté son bureau quand il avait essayé de la contacter. Au demeurant, il ignorait jusqu'où il était prêt à pousser l'hypothèse templière. Il s'était senti mal, presque honteux d'avoir mis ce sujet sur la table – largement aidé en cela par Nick – lors de la réunion avec le reste de l'équipe et l'ecclésiastique.

De bonne heure, le matin même, il avait rappelé le bureau de Tess. Sa secrétaire, Lizzie Harding, lui avait répondu qu'elle n'était pas encore là.

« Elle a appelé pour dire qu'elle risquait d'arriver tard, avait-elle expliqué.

— Tard ? A quelle heure ?

— Elle ne l'a pas précisé. »

Quand il avait demandé le numéro du portable de Tess, il s'était entendu répondre qu'on ne pouvait pas lui donner ce genre d'information. Toutefois, la position de principe de l'institut ne compta plus quand il expliqua qu'il appartenait au FBI.

Après trois sonneries, Tess avait décroché, mais elle n'avait rien dit. Il avait simplement pu percevoir un bruit sourd, comme lorsque quelqu'un compose accidentellement un numéro mémorisé sur un portable enfoui dans une poche ou un sac. Puis il l'avait entendue crier « S'il vous plaît ! » d'un ton qui n'avait rien de rassurant.

Aussitôt après, il avait perçu une succession de bruits qu'il cherchait à comprendre ou à identifier : un claquement aigu, voire une détonation, puis des petits bruits sourds, un autre son qui ressemblait à un hurlement de douleur étouffé et un choc un peu plus sonore. Il avait crié encore une fois « Tess ! » dans le téléphone, sans obtenir davantage de réponse. Puis la ligne avait été coupée.

Le cœur battant, il regardait son téléphone, impuissant. Décidément, il n'aimait pas le ton de ce « S'il vous plaît ! ».

L'esprit en ébullition, il composa le numéro de l'institut et retomba sur Lizzie.

— C'est de nouveau l'agent Reilly. J'ai besoin de savoir où est Tess...

Il corrigea rapidement.

— ... Mme Chaykin. C'est urgent.

— Je l'ignore. Elle ne précise jamais où elle va. Tout ce qu'elle a dit, c'est qu'elle arriverait tard.

— J'ai besoin que vous alliez vérifier dans son agenda ou dans sa messagerie. Est-ce qu'elle a un agenda électronique ? Elle a peut-être un programme synchronisé avec son PDA[1] ? Elle doit avoir noté quelque chose quelque part.

— Laissez-moi une minute.

Reilly voyait son équipier lui jeter des regards intrigués.

— Qu'est-ce qui se passe ? demanda Aparo.

L'agent fédéral mit sa main sur le combiné et griffonna de l'autre le numéro du portable de Tess, qu'il tendit à son collègue.

— C'est Tess. Quelque chose est arrivé. Trouve la position de son portable.

De l'autre côté de l'East River, une Volvo grise progressait sur la voie express Brooklyn-Queens en direction du pont de Brooklyn.

---

1. Assistant numérique personnel miniaturisé et portable. (*N.d.T.*)

Une Ford gris métallisé la suivait à trois voitures de distance. A son volant se trouvait un homme qui avait la fâcheuse habitude de jeter ses mégots de cigarette encore allumés par la vitre de son véhicule.

A sa gauche, de l'autre côté de la rivière, il avait l'impression que les flèches du Lower East Side[1] lui faisaient signe.

Comme il l'avait supposé, la Volvo s'engagea bientôt sur le pont pour gagner Manhattan.

---

1. Le bas du quartier est de Manhattan. (*N.d.T.*)

34

Même avant d'avoir ouvert les yeux, Tess prit conscience de l'odeur d'encens. Quand elle les ouvrit, elle vit des centaines de bougies. Leurs flammes jaunes projetaient une lueur flamboyante autour de la pièce.

Elle était allongée sur une sorte de tapis, un vieux kilim usé et rêche au toucher. Soudain, sa rencontre avec Bill Vance lui revint en mémoire et une onde de panique s'empara d'elle. Mais il n'était pas là. Elle était seule.

Lorsqu'elle voulut s'asseoir, une brusque sensation de vertige la fit chanceler, mais elle parvint à se relever malaisément. Une douleur aiguë lui transperçait la poitrine et une autre le flanc gauche. Tess baissa les yeux et se palpa en essayant de se rappeler ce qui était arrivé.

Elle examina ses vêtements, à la recherche de traces de balles, tout en se demandant pourquoi elle était encore en vie. Puis elle repéra deux petits trous dans le tissu, à l'endroit où elle avait été touchée. Leurs bords étaient légèrement brûlés et effilochés. Peu à peu, tout lui revint, la vision de Vance et de l'arme qu'il tenait. Elle comprit qu'il n'avait pas voulu la tuer, mais simplement la neutraliser, et que son arme devait être une sorte de pistolet paralysant.

Ce qui, au bout du compte, n'était pas une pensée très réconfortante.

Elle se trouvait dans une crypte : des murs nus, un sol pavé, un plafond voûté bas, soutenu par des piliers ouvragés. Pas de fenêtre. Pas de porte. Dans un angle, elle repéra un escalier de bois dont le sommet se perdait dans des ténèbres que n'atteignait pas la lumière des bougies. La plupart de ces dernières n'étaient déjà plus que des masses informes de cire coulée.

L'endroit était plus qu'une cave. Quelqu'un vivait ici. Contre un mur, il y avait un lit de camp. Un vieux coffre de bois faisait office de table de chevet. Il ployait sous les livres et les papiers. A l'extrémité opposée se dressaient une longue table et un grand fauteuil de bureau pivotant, incliné pour avoir probablement beaucoup servi. A chaque bout de la table s'empilaient livres et papiers. Et au milieu du plateau, entouré de bougies, trônait l'encodeur du Met.

Même dans la pénombre de la cellule, il semblait irradier une sorte de présence irréelle. Il paraissait surtout en meilleur état que dans son souvenir.

Tess reconnut son sac sur la table, son portefeuille ouvert à côté. Son téléphone portable lui revint en mémoire. Confusément, elle se rappela avoir entendu sa sonnerie juste avant de perdre connaissance. Elle se souvint d'avoir tâtonné ; elle était presque sûre d'avoir réussi à presser une touche pour établir la communication. Elle s'avança pour récupérer son sac mais, avant qu'elle ait pu l'atteindre, un bruit la fit sursauter.

Elle devina qu'il provenait du sommet des marches : une porte venait de s'ouvrir et de se refermer avec un bruit métallique. Puis des pas descendirent les marches et des jambes apparurent. L'homme portait un long pardessus.

D'instinct, elle recula quand sa tête fut visible. Vance regardait dans sa direction et lui souriait chaleureusement. Pendant un moment, elle se demanda si elle n'avait pas tout imaginé.

Le professeur se déplaça vers elle. Il tenait une grande bouteille d'eau en plastique.

— Désolé, Tess. Mais je n'avais pas d'autre solution.

Attrapant un verre au milieu des livres sur la table, il y versa de l'eau et le lui tendit. Puis il fouilla ses poches pour en extraire une plaquette de comprimés.

— Tenez. Ce sont des antalgiques. Prenez-en un et buvez autant d'eau que vous pouvez. Cela vous soulagera.

Elle considéra la plaquette et reconnut la marque.

— C'est juste du Voltarol. Allez-y. Prenez-en. Vous vous sentirez mieux.

Elle hésita, puis sortit un comprimé et l'avala avec une grande gorgée d'eau. Il remplit à nouveau son verre et elle le vida. Encore étourdie par ce qui lui était arrivé, elle dévisagea Vance, mais sa vision avait du mal à s'ajuster à la lueur des bougies.

— Où sommes-nous ? Quel est cet endroit ?

Son visage prit un air affligé, presque perdu.

— Je pensais que vous auriez deviné que vous vous trouviez chez moi.

— Chez vous ? Vous ne vivez pas ici !

Il ne répondit pas.

Tess avait du mal à donner du sens à ce qui se passait.

— Que voulez-vous de moi ?

— C'est vous qui êtes venue me trouver.

— Je suis venue pour que vous m'aidiez à comprendre quelque chose, rétorqua-t-elle avec colère. Je ne m'attendais pas à ce que vous me tiriez dessus et me kidnappiez.

— Calmez-vous, Tess. Personne n'a été kidnappé.

— Ah bon ? Donc je suppose que je suis libre de m'en aller ?

Pensif, Vance regarda ailleurs. Puis il se tourna de nouveau vers elle.

— Peut-être que vous n'aurez plus envie de partir quand vous aurez entendu ma version de l'histoire.

— Croyez-moi, je filerai d'ici immédiatement.

— Eh bien... vous avez peut-être raison.

Il semblait perdu, presque honteux.

— Mais c'est un peu plus compliqué que ça.

Tess sentit sa colère laisser place à la prudence.

Jetant un nouveau coup d'œil vers l'encodeur, elle remarqua une ouverture dans le mur contre lequel était appuyée la table. Le soupirail était petit, carré et fermé par des volets. Un espoir naquit à nouveau en elle... mais s'évanouit presque aussitôt quand elle comprit qu'il ne lui aurait pas laissé d'échappatoire. Il était peut-être dérangé, mais sûrement pas stupide.

Comme attirés par un aimant, ses yeux se posèrent sur l'encodeur. Tout était arrivé à cause de cet objet. Elle résolut d'en apprendre davantage. Une fois calmée grâce à un immense effort de volonté, elle osa hasarder :

— C'est un objet des Templiers, n'est-ce pas ?

— Oui... Dire que je me suis rendu plusieurs fois dans la Bibliothèque vaticane et que tout ce temps il devait se trouver quelque part pas loin, dans un obscur caveau, croulant sous la poussière ! A mon avis, ils n'ont jamais su ce qu'ils avaient entre les mains.

— Et après toutes ces années, il fonctionne encore ?

— Il avait besoin d'un peu de désencrassage et d'huile. Mais oui, il fonctionne encore très bien. Les Templiers avaient des artisans méticuleux.

Tess étudia l'objet. Elle remarqua les quelques feuilles de papier posées à côté. Elles avaient l'air de très vieux documents, comme les pages d'un manuscrit. Elle tourna la tête vers Vance, qui lui-même l'observait. Il donnait l'impression de prendre du plaisir à constater le trouble de la jeune femme.

— Pourquoi avez-vous fait cela ? demanda-t-elle finalement. Pourquoi en aviez-vous tant besoin ?

— Tout a commencé en France, il y a quelques années.

Laissant son esprit dériver dans le temps et l'espace, il posa un regard mélancolique sur les vieux parchemins posés près de l'encodeur.

— En fait, c'était peu après la mort de Martha et d'Annie. J'avais déjà quitté l'université. J'étais... Comment dire ? Perdu, et en colère. Il fallait que je m'éloigne. Alors j'ai atterri dans le sud de la France, dans le Languedoc. J'y étais déjà venu auparavant, pour des randonnées avec Martha. C'est une région magnifique. On peut facilement imaginer à quoi elle ressemblait jadis. Elle a une histoire très riche, même si une bonne partie est assez sanglante... Quoi qu'il en soit, pendant que j'étais là-bas, on m'a raconté une aventure particulière qui ne m'a plus quitté. Une histoire qui a débuté il y a plusieurs siècles. Elle parlait d'un jeune moine qui avait été appelé au chevet d'un vieil homme mourant pour lui administrer l'extrême-onction et entendre sa confession. On pensait que le vieillard était l'un des derniers Templiers survivants. Le jeune moine répondit donc à l'appel, alors que l'homme n'appartenait pas à sa congrégation et n'avait même pas demandé à le voir. A dire vrai, dans un premier temps, il aurait même refusé le secours du religieux. Finalement, il fléchit. La légende prétend qu'en ressortant le jeune moine était blanc, en état de choc. Ce n'était pas seulement son visage : ses cheveux eux aussi avaient subitement blanchi. On raconte qu'il ne sourit plus jamais de sa vie après ce jour. Et des années plus tard, juste avant de mourir, il livra la vérité. Il apparut que le templier lui avait raconté son histoire et lui avait montré des papiers, une sorte de lettre, pour être plus précis. Ce qu'il aurait appris aurait littéralement fait sortir de lui toute vie, comme un choc violent, un traumatisme. Dès lors, je ne pus m'ôter cette histoire de la tête. Cette image des cheveux du moine qui blanchissaient, après quelques minutes avec un mourant, m'obsédait. A partir de cet instant, découvrir ce qu'était ce manuscrit, cette lettre, fut, ou devrais-je dire, devint…

« Une obsession », pensa Tess.

— ... une mission, en quelque sorte.

Vance esquissa un sourire triste.

— J'ignore combien d'archives poussiéreuses j'ai pu fouiller dans des musées, des églises et des monastères de toute la France, et même de l'autre côté des Pyrénées, dans le nord de l'Espagne.

Il marqua une pause, puis tendit la main et effleura les papiers près de l'encodeur.

— Et un jour, continua-t-il, j'ai trouvé quelque chose. Dans un château templier.

Un château avec une inscription au-dessus du portail. Tess repensa aux mots latins qu'elle l'avait entendu prononcer et à la citation latine qui, d'après ce que lui avait dit Clive, était gravée sur le linteau du château de Blanchefort.

— Vous avez découvert le manuscrit ?

Puis un éclair de lucidité traversa son esprit.

— Mais il était codé, n'est-ce pas ? C'est pour cela que vous aviez besoin de l'encodeur.

— Oui. C'était si frustrant ! Pendant des années, j'ai su que j'étais tombé sur quelque chose d'important. Je savais que j'avais trouvé les bons papiers, mais je ne pouvais pas les lire. J'ai tout essayé. Or de simples codes de substitution ou d'omission ne fonctionnaient pas. Et puis j'ai découvert que les Templiers étaient beaucoup plus malins. J'ai notamment déniché des références mystérieuses concernant leurs appareils de cryptage. Seulement je ne parvenais pas à localiser la moindre de ces machines. Cette quête semblait sans espoir. Tous leurs biens avaient été détruits quand ils avaient été menacés en 1307. Et alors, le destin est intervenu et a exhumé ce petit joyau des entrailles du Vatican, où il dormait depuis toutes ces années, caché et oublié depuis bien longtemps.

— Et maintenant, vous pouvez les lire.

Il tapota les feuilles.

— Comme le journal du matin.

Tess fixa les documents, en proie à une folle exaltation. Brusquement, elle se fustigea de se laisser aller ainsi : elle ne devait pas oublier que des gens avaient perdu la vie ni que cet homme était dérangé et, au regard des événements récents, dangereux. Certes, ce sur quoi il travaillait représentait une immense découverte, beaucoup plus grande que tout ce qu'elle avait eu l'occasion d'exhumer. Mais elle était souillée par le sang d'innocents. Il y avait aussi quelque chose de ténébreux autour de cet appareil, quelque chose de dérangeant à propos de cette histoire.

— Qu'espérez-vous ? questionna-t-elle.

— Quelque chose qui a été perdu depuis trop longtemps. Quelque chose qui va remettre le monde en ordre.

Une chose qui mérite qu'on tue pour elle ? voulut-elle ajouter, mais elle préféra s'abstenir. En revanche, elle se rappela ce qu'elle avait lu concernant l'hypothèse avancée par Vance : le fondateur des Templiers aurait pu être cathare. Il venait de lui expliquer qu'il avait trouvé la lettre dans le Languedoc – région dont aurait été originaire la famille d'Hugues de Payens, selon lui, au grand dam de l'historien français dont elle avait lu l'article. Elle voulait en savoir davantage. Mais avant d'avoir pu poser sa question, elle entendit un bruit fracassant, en haut, comme le son d'une brique s'écrasant sur un pavement de pierre.

— Restez ici, ordonna Vance.

Les yeux fixés sur le plafond, Tess tentait d'identifier la source du bruit.

— Qu'est-ce que c'est ?

— Restez ici, insista-t-il.

Il passa derrière la table et récupéra le *taser* qu'il avait utilisé contre elle. Puis il hésita une seconde et le reposa. Fouillant dans un sac, il en sortit un autre pistolet, une arme traditionnelle cette fois, et, fébrilement, il fit monter une balle dans la chambre en se précipitant vers l'escalier.

Il le gravit rapidement. Quand ses jambes furent hors de vue, elle entendit le bruit métallique de la porte qu'il refermait derrière lui.

35

De Angelis se maudit à l'instant où son pied heurta le morceau de bois carbonisé qui, en se déplaçant, perturba l'équilibre des débris dispersés autour de lui. Avancer discrètement dans l'église incendiée n'était pas chose facile. L'espace sombre et humide était envahi de poutres brûlées et de blocs de pierre brisés tombés du toit effondré.

D'abord, il avait été surpris de découvrir que la filature de Plunkett suivant Tess et son ravisseur aux cheveux argentés l'avait conduit jusqu'à cette ruine. Mais maintenant, en progressant entre les vestiges silencieux et fantomatiques de l'église de l'Ascension, il s'apercevait que c'était un endroit parfait pour quelqu'un qui voulait travailler sans être dérangé, quelqu'un dont les préoccupations ne s'arrêtaient pas à de simples questions de confort personnel. Cela ne faisait que confirmer – si tant est qu'il en ait eu besoin – que l'homme savait ce qu'il avait pris cette nuit-là au Met.

Laissant Plunkett monter la garde dehors, l'ecclésiastique avait pénétré dans l'église par une entrée latérale. Moins de quarante minutes plus tôt, le premier avait vu Tess Chaykin, un bandeau sur les yeux, extraite de l'arrière de la Volvo grise et conduite vers cette même entrée par son kidnappeur. Elle semblait à peine consciente ; il lui avait fallu l'aide de l'homme pour franchir les quelques marches du seuil. L'inconnu avait passé le bras de la jeune femme autour de ses propres épaules.

La petite église se trouvait sur la 114e Rue ouest, entre deux rangées de bâtiments de grès. Une ruelle étroite courait le long de sa façade est. La Volvo et la Ford y étaient garées. L'édifice avait récemment souffert d'un terrible incendie et sa reconstruction ne semblait pas à l'ordre du jour : un grand panneau devant sa façade indiquait l'avancée de la collecte des fonds nécessaires, sous la forme d'un grand thermomètre de deux mètres de haut dont les graduations représentaient les centaines de milliers de dollars qui permettraient de rendre au sanctuaire un peu de son ancienne gloire. Actuellement, le thermomètre atteignait à peine le premier tiers.

L'ecclésiastique s'était glissé dans un passage étroit, puis dans la nef. Des alignements de colonnes la divisaient en deux ailes latérales et une section centrale, encombrée de bancs à demi brûlés. Autour de lui, le feu avait fait tomber les stucs du mur, révélant la maçonnerie de brique noircie et percée par endroits. Sous le plafond, les quelques vestiges d'arches de plâtre qui enjambaient le vide des murs extérieurs jusqu'aux colonnes étaient méconnaissables, carbonisés et déformés par les flammes. Un grand orifice circulaire indiquait l'endroit où une rosace se dressait jadis au-dessus de l'entrée principale, à présent condamnée.

L'ecclésiastique s'était avancé à pas de loup en longeant les bords de la nef. Il avait dépassé les grilles de bronze de l'autel et gravi les marches pour gagner le sanctuaire. Les vestiges carbonisés d'une grande chaire se découpaient indistinctement sur sa droite. Tout autour de lui, l'église était silencieuse. De la rue provenaient quelques bruits occasionnels, s'immisçant par l'une des nombreuses cavités de la carcasse éventrée. Celui qui avait enlevé la fille, avait-il supposé, devait utiliser les salles du fond.

De Angelis s'était glissé derrière les restes de l'autel et se faufilait dans le passage à l'arrière. Lentement, il avait vissé un silencieux au bout du canon de son Sig Sauer.

Ce fut à cet instant précis que son pied heurta les débris.

Le bruit se répercuta dans le couloir obscur. Les sens en alerte, il se figea pour tendre l'oreille et guetter une réaction. Du coin de l'œil, il venait de repérer une porte à l'autre extrémité du passage quand, soudain, de ce côté-là, il entendit un petit bruit étouffé, puis des pas faibles se rapprochant.

Rapidement, l'ecclésiastique se plaqua de côté, collé contre le mur, l'arme levée. Les pas s'approchaient. La poignée de la porte cliqueta. Mais, au lieu de s'ouvrir vers l'extérieur, autrement dit vers lui, la porte pivota vers l'intérieur. Il n'aperçut qu'un espace sombre. C'était lui qui se trouvait dans une lumière relative.

Trop tard pour se retirer. Alors il se lança dans les ténèbres.

Les doigts crispés sur son arme, Vance regarda de l'autre côté de la porte l'homme qui venait de s'aventurer dans son sanctuaire. Il ne le reconnaissait pas. La vue de ce qu'il identifia comme un col ecclésiastique le fit hésiter.

Puis l'inconnu s'élança vers lui et le professeur tenta maladroitement de se servir de son arme. Mais, avant qu'il ait pu presser la détente, l'étranger fut sur lui et le jeta à terre. Le pistolet lui échappa des mains. Le corridor étant étroit et bas, Vance s'efforça d'utiliser le mur pour se redresser. Mais son adversaire était beaucoup plus fort et il le renvoya à terre. Dans une nouvelle tentative, il releva brutalement son genou et, avec satisfaction, perçut un grommellement de douleur. Une autre arme, celle de son agresseur, rebondit sur le sol. Mais déjà, ce dernier se ressaisissait et lui décochait un violent coup de poing au visage.

Le choc ébranla Vance sans l'étourdir. En revanche, il alluma en lui une rage folle. Deux fois dans la même journée, d'abord avec Tess Chaykin, puis maintenant avec cet inconnu, son entreprise s'était vue en péril. Soudain habité par une énergie furieuse, il redonna un coup de genou, puis un coup de poing, avant de laisser pleuvoir sur son adversaire un formidable déluge de droites, de gauches, d'uppercuts et de revers. Ses frappes manquaient de style, mais leur hétérodoxie était compensée par sa colère. Rien ni personne n'avait le droit de venir se mettre entre son but et lui.

L'intrus parait les coups en expert, tout en reculant. Brusquement, il trébucha sur des planches de bois et bascula à terre. Saisissant cette occasion, Vance se rua sur lui, le rouant de coups de pied, visant le genou. Récupérant son arme, le professeur la leva et pressa la détente. Mais son ennemi était rapide. Il roula de côté pour éviter les balles et se redressa. Dans la pénombre, au cri aigu qui suivit, Vance supposa que l'une d'elles au moins avait atteint sa cible, mais il ne pouvait en être sûr. L'homme s'éloigna en titubant vers la nef.

Un instant, l'universitaire hésita.

Allait-il le suivre, découvrir qui il était et l'achever ? Mais au même instant, il entendit du bruit provenant de l'angle opposé de l'église. L'inconnu n'était pas seul.

Il valait mieux filer. Tournant les talons, Vance se hâta de regagner la trappe qui protégeait sa crypte.

36

Tess entendit un échange de coups de feu sourds, puis ce qui ressemblait à un cri de colère. Quelqu'un avait été blessé. Des pas pressés revinrent vers la trappe. Elle ignorait s'il s'agissait de Vance ou de quelqu'un d'autre. Mais elle ne comptait pas se contenter de rester là à attendre.

Elle se précipita à l'autre bout de la pièce, attrapa son sac sur la table et récupéra son portable. Dans la faible lueur des bougies, l'écran à diodes lumineuses s'alluma comme un flash... simplement pour lui signaler qu'il n'y avait pas de réseau dans la cave. Cela n'avait pas d'importance. Elle ne connaissait pas par cœur le numéro du FBI et, si elle pouvait toujours appeler le 911, expliquer ce qui se passait prendrait trop de temps. En outre, elle n'avait aucune idée de l'endroit où elle se trouvait.

« A l'aide, je suis dans une cave quelque part dans la ville. Euh, je pense... »

Parfait comme indication.

Encore étourdie et le cœur battant, elle jeta des regards nerveux tout autour de la chambre ; elle se souvint de l'ouverture obstruée qu'elle avait repérée près de la table. Sans hésiter, elle dégagea une partie de la pagaille, grimpa dessus et tira sur les planches de bois barrant le passage pour les arracher. Mais elles ne bougèrent pas d'un pouce. Elle s'acharna. Elle les martela désespérément à coups de poing, mais elles tenaient bon. Puis elle entendit la porte de la cave s'ouvrir. Pivotant sur elle-même, elle aperçut des jambes qui commençaient à descendre et elle reconnut les chaussures. C'était Vance.

Ses yeux se posèrent sur le *taser* qu'il avait laissé là, sur le coin de la table le plus proche d'elle, derrière un tas de livres.

Elle s'en empara et le brandit vers le professeur, les mains tremblantes. Quand le visage de Vance émergea de l'obscurité, ses yeux fixèrent ceux de la jeune femme.

— Ne vous approchez pas de moi ! hurla-t-elle.

— Tess, il faut que nous sortions d'ici.

— Nous ? De quoi parlez-vous ? Contentez-vous de rester à distance.

Il continua de marcher vers elle.

— Tess, posez cette arme.

Paniquant, elle pressa la détente, mais rien ne se passa. Il était maintenant à moins de trois mètres. Inclinant le pistolet, elle l'étudia fébrilement. Ses yeux éperdus cherchaient à découvrir si elle avait raté quelque chose. Vance avait accéléré le pas. Tripotant désespérément le pistolet en gardant un œil sur l'homme, elle finit par repérer la petite sécurité et la releva. Un voyant rouge s'alluma à l'arrière de l'arme.

Elle la tendit de nouveau devant elle et constata qu'elle avait aussi, sans le savoir, activé son laser, qui formait une minuscule tache rouge sur la poitrine de Vance. Le point dansait de gauche à droite, reproduisant le tremblement de ses mains. L'homme était très proche maintenant. Le pouls accéléré, elle ferma les yeux et écrasa la détente, ce qui ressemblait plus à la pression d'une touche enveloppée de caoutchouc qu'au contact du métal froid qui, imaginait-elle, constituait une détente de pistolet. Le *taser* lâcha une détonation bruyante et Tess cria quand les deux fléchettes de métal aux barbillons d'acier inoxydable jaillirent de son canon, entraînant derrière elles des filins.

Le premier projectile frappa Vance à la poitrine, le second mordit sa cuisse gauche. Cinquante mille volts se répandirent en lui pendant cinq secondes, submergeant son système nerveux et déclenchant des contractions incontrôlables dans ses muscles. L'homme se tordit et s'arqua en arrière tandis que les spasmes dévoraient tout son corps. Ses jambes se dérobèrent sous lui. Il s'effondra, impuissant, le visage déformé par la douleur.

Tess avait été momentanément troublée par le nuage de minuscules disques semblables à des confettis qui avait surgi de la cartouche au moment de la détonation. Les gémissements de Vance se tordant par terre la ramenèrent vite à sa situation. Elle pensa à l'enjamber et à filer vers l'escalier. Mais elle n'avait pas envie de se rapprocher de lui. Elle ne savait pas non plus qui Vance avait affronté en haut et n'avait guère envie de le découvrir. De nouveau, elle se tourna vers l'ouverture obstruée. A force de taper dessus et de tirer, elle finit par déplacer l'une des planches. Elle parvint à l'arracher et à l'utiliser pour forcer les autres. Enfin elle examina le trou qu'elle venait d'aménager.

Au-delà s'étendait un tunnel sombre.

N'ayant pas d'autre solution, elle commença à se glisser dans l'ouverture, avant de s'arrêter et de regarder en arrière. Vance continuait de se tordre de douleur. Elle aperçut également l'encodeur et les quelques feuillets du manuscrit posés là, à portée de main.

Ils l'appelaient irrésistiblement.

Se surprenant elle-même, elle revint dans la pièce, attrapa la liasse de feuillets et la fourra dans son sac. Son attention fut attirée par son portefeuille, gisant au milieu des documents qu'elle avait sans réfléchir projetés à terre. Elle esquissa un pas pour le récupérer mais, du coin de l'œil, elle vit Vance bouger. Elle hésita, puis, considérant qu'elle avait suffisamment pris de risques, elle partit sans attendre. Une fois dans le tunnel, elle s'enfonça le plus vite possible dans la pénombre.

Accroupie, sa tête frottant le plafond, elle avait déjà franchi une trentaine de mètres quand le boyau s'ouvrit sur un couloir plus large et plus haut. Elle eut la réminiscence aussi déconcertante que soudaine d'une vieille catacombe mexicaine qu'elle avait visitée quand elle était étudiante. L'air était encore plus saturé d'humidité ici. En baissant les yeux, elle en comprit la raison. Un ruisselet d'eau noire s'écoulait en son centre.

Tess avança tant bien que mal contre l'étroite bande sèche le long du mur, évitant de mettre les pieds dans l'eau. Mais elle glissait sur le sol mouillé. L'eau d'un froid mordant s'enroulait autour de ses chevilles. Puis le cours d'eau prit fin. Le liquide saumâtre se déversait en une cascade de près de deux mètres, dans un autre tunnel encore plus grand.

Jetant un coup d'œil derrière elle, Tess tendit l'oreille. Ne percevait-elle que le bruit de l'eau ? Ou y avait-il autre chose ? Puis un cri déchirant se répercuta dans les ténèbres.

— Tess ! hurla la voix de Vance.

Il était parvenu à se remettre sur pied et la suivait.

Prenant une grande inspiration, elle se laissa glisser le long de la corniche, le ventre contre la muraille, jusqu'à ce que ses bras soient tendus. L'eau s'écoulait dans l'une des manches de son manteau, inondant ses vêtements et son corps. Mais le bout de ses chaussures touchait le sol ferme et elle lâcha. Cette fois, elle constata que, dans cette partie de la galerie, le cours d'eau était plus profond et plus large. Une fange nauséabonde flottait à la surface, d'où s'élevait une puanteur si infecte qu'elle comprit où elle se trouvait : dans un égout.

Après deux essais infructueux pour se maintenir et marcher sur le bord, elle abandonna. L'incurvation était trop raide et la surface trop lisse. Alors, tentant de ne pas penser à ce que l'eau charriait dans sa masse visqueuse, elle descendit en son centre. Elle en avait maintenant presque jusqu'aux genoux.

Du coin de l'œil, elle crut surprendre un mouvement et de la couleur. Tournant la tête, elle vit de petits points rougeâtres scintiller dans les ténèbres et perçut un couinement.

Des rats trottaient sur les bords du flux d'immondices.

— Tess !

La voix de Vance résonna dans le tunnel inondé, rebondissant contre les parois, semblant provenir de tous les côtés à la fois.

Après quelques mètres supplémentaires, elle s'aperçut que, devant elle, l'obscurité n'était plus aussi intense. Elle continua d'avancer vaille que vaille, aussi vite que sa prudence le lui permettait. Elle ne pouvait en aucun cas prendre le risque de tomber la tête la première là-dedans. Quand, enfin, elle atteignit la source de la lumière, elle se rendit compte que cette lueur venait d'en haut. D'une grille de trottoir ! Elle entendait des gens au-dessus. Hissée sur la pointe des pieds, elle pouvait même les voir, marchant à environ six mètres au-dessus de sa tête.

Elle se sentit envahie d'une vague d'espoir et se mit à hurler.

— A l'aide ! Aidez-moi ! En bas ! A l'aide !

Apparemment personne ne l'entendait. Et même si certains avaient bien perçu ses cris, ils se contentèrent de les ignorer.

Les cris se répercutaient aussi dans le tunnel. Elle écouta. Certains sons se rapprochaient. Des sons de clapotis et de grosses éclaboussures. Elle ne comptait pas rester là à attendre. Sans plus se soucier de l'eau et des immondices, elle se remit en marche. Presque immédiatement, elle atteignit une fourche.

L'un des passages était plus large que l'autre, mais il paraissait plus sombre et plus inondé. Plus facile de s'y cacher ? Peut-être. Elle choisit celui-là. Au bout d'à peine une quinzaine de mètres, elle comprit qu'elle avait fait le mauvais choix. Devant elle, il n'y avait plus qu'un mur de brique uniforme.

Elle s'était précipitée dans un cul-de-sac.

37

Après avoir repoussé l'intrus dans l'église, Vance avait prévu d'emprunter les tunnels pour quitter la cave. Il aurait emporté l'encodeur et le manuscrit partiellement déchiffré, mais il n'avait plus en sa possession que la machine qu'il serrait dans ses bras. Les papiers s'étaient envolés. Il sentit une fureur froide l'envelopper et hurla le nom de Tess. Ses cris de colère rebondissaient contre les murs humides qui l'engloutissaient.

Il n'avait rien contre Tess Chaykin. Il se rappelait même l'avoir appréciée jadis, à l'époque où il était encore capable d'aimer les gens. Et il n'aurait dû avoir aucune raison de ne plus l'aimer aujourd'hui. En vérité, l'idée lui avait même traversé l'esprit de l'inviter à rejoindre sa… croisade.

Mais elle avait volé les papiers, ses papiers, et cela le mettait dans une rage folle.

Calant l'encodeur dans une position plus confortable, il continua sa course sur les talons de la jeune femme. S'il ne la rejoignait pas rapidement, elle risquait de tomber sur l'une ou l'autre des nombreuses sorties de ce labyrinthe.

Il ne pouvait permettre que cela arrive.

De nouveau, il sentit monter sa fureur aveugle, mais la réprima. Il ne pouvait pas non plus se permettre de prendre le risque d'agir sans réfléchir, sous le coup de la colère.

Pas maintenant.

Et surtout pas dans ce tunnel.

Après s'être heurtée au fond de l'impasse, Tess n'avait eu d'autre issue que de rebrousser chemin et de remonter le passage qu'elle venait de suivre. Mais elle aperçut alors une porte de fer encastrée dans un mur latéral. Elle saisit sa poignée. La porte n'était pas verrouillée, mais elle était bloquée. En poussant désespérément dessus, elle parvint à l'ouvrir. Derrière, un escalier en colimaçon descendait. S'enfoncer dans des entrailles encore plus sombres ne paraissait pas très sage, mais elle n'avait guère le choix.

Avec hésitation, éprouvant du bout du pied les marches aux angles aigus avant d'y peser de tout son poids, Tess s'engagea dans l'escalier et finit par se retrouver dans un autre tunnel. Combien de galeries pouvait-il exister encore ? Au moins celle-ci était-elle plus grande que les précédentes et, mieux encore, elle semblait sèche. En tout cas, ce n'était pas un égout.

Elle ne savait pas dans quelle direction s'orienter. Elle opta pour la gauche. Devant elle, elle entrevit une vague lueur. Une lueur mouvante, jaune.

Prudemment, elle se rapprocha.

La lumière disparut.

Tess se raidit. Puis elle se rendit compte que la lueur ne s'était pas éteinte. Quelqu'un s'était planté devant elle.

Derrière, la jeune archéologue entendit encore des bruits distants. Peut-être Vance connaissait-il le plan de ces tunnels. Il avait dit qu'il vivait là. Pourtant, elle décida qu'il valait quand même mieux prendre le risque d'avancer.

A présent, elle pouvait voir qu'il n'y avait pas seulement une, mais deux silhouettes à quelques mètres dans le tunnel. Réflexion faite, ni l'une ni l'autre ne devaient être le professeur. Elle ignorait s'il s'agissait d'hommes ou de femmes. De toute façon, dans ces profondeurs, la présence humaine risquait fort de ne pas être de bon augure.

— Salut, bébé, lança une voix graveleuse. Tu t'es perdue ?

Tess reprit sa marche malaisée dans l'obscurité presque totale.

— On dirait qu' c'est ton jour de chance, mec, ajouta une autre voix, plus aiguë.

Ils n'avaient pas l'air particulièrement amicaux.

Tess continua d'avancer. Derrière elle, un bruit plus sourd se rapprochait. Elle eut un haut-le-corps. Les deux silhouettes étaient maintenant tout près. La pénombre voilait encore leurs visages. Dans la faible lueur de la bougie brûlant derrière eux, la jeune femme pouvait voir un amoncellement de boîtes de carton, de chiffons, de tapis enroulés – ou de ce qui y ressemblait…

Tess devait réfléchir rapidement.

— La police arrive, cria-t-elle alors qu'ils s'approchaient.

— Qu'est-ce qu'elle viendrait foutre ? grommela l'un d'eux.

Alors que Tess arrivait à leur hauteur, l'un des hommes tendit la main et l'attrapa par le manteau.

— Allez, viens, poupée…

Tess tournoya sur elle-même et frappa la tempe de l'homme de son poing serré. Il chancela en poussant un jappement d'effroi. Son compère à la voix aiguë était sur le point de tenter sa chance, mais, à la lueur jaune de la flamme, il dut lire quelque chose dans les yeux de sa proie qui le fit battre en retraite.

La fugitive s'éloigna et mit autant de distance que possible entre les deux clochards et elle. Malgré son épuisement, haletante, elle se mit à courir. La tristesse lugubre de ce monde souterrain commençait à l'écraser.

Parvenue à une nouvelle fourche, elle n'avait pas davantage d'éléments pour choisir la meilleure voie à emprunter. Cette fois, elle opta pour la droite. Quelques mètres plus loin, elle avisa une cavité dans le mur obturée par une grille. Celle-ci s'ouvrit quand elle la poussa. Une autre échelle encastrée dans le mur descendait. Or, c'était de monter qu'elle avait besoin. Seulement il lui fallait aussi échapper à Vance. Alors elle préféra l'emprunter quand même, en espérant qu'il ne la suivrait pas.

En bas, elle se retrouva dans un tunnel beaucoup plus large, sec lui aussi, avec des murs bien droits. Il faisait également beaucoup plus sombre. Elle s'avança avec précaution, laissant une main courir le long du mur pour lui servir de guide. N'entendant plus les pas de Vance ni ses cris, elle s'arrêta un instant. Qu'allait-il se passer ? Elle reprit sa marche. Moins d'une minute après – même si le temps dans le noir semblait s'étirer à l'infini –, elle perçut un son derrière elle. Pas des rats cette fois, ni son poursuivant. Non, ce qu'elle entendit ressemblait au grondement d'un train.

« Bon sang, je suis dans le métro ! »

Une faible lueur vacillante rebondissait contre les murs. Le train crissant approchait. Progressivement, les rails s'éclairaient sur le sol. Elle se mit à courir désespérément, sans jamais perdre de vue le rail sous tension pour ne pas s'électrocuter, en espérant que la rame ne la heurterait pas. Le train arrivait à toute allure. Son vacarme rythmé se répercutait contre les parois du tunnel.

Il l'avait presque rejointe quand le relief d'une étroite cavité dans le mur apparut dans les lumières des phares : elle s'y jeta. En se plaquant dans l'espace incurvé, elle vit le train passer à pleine vitesse à quelques centimètres à peine de son corps tremblant. Le cœur emballé, elle se protégea le visage de ses bras.

Malgré ses yeux fermés, elle percevait sur le fond de ses paupières les flashs de lumière stroboscopique du train qui défilait devant elle. L'air chaud et saturé de suie la giflait, couvrant les moindres parcelles de son corps et s'immisçant dans sa bouche et ses narines. Elle se plaqua encore davantage contre le mur. Le bruit assourdissant neutralisait ses autres sens. Les dernières lumières s'évanouirent.

Elle n'avait pas encore rouvert les yeux. Un crissement strident déchira l'air. Les freins du train mordaient les roues dans une gerbe d'étincelles. Les battements de son cœur retentissant à ses oreilles, Tess sentit un immense soulagement l'envahir.

« Une station. Je dois être près d'une station. »

Elle rassembla ses ultimes réserves d'énergie et parcourut les derniers mètres en titubant. Le train redémarrait déjà quand elle surgit dans la lumière vive et se hissa sur le quai. Les passagers disparaissaient dans les escaliers. Si quelqu'un la vit, personne ne réagit.

Pendant un moment, Tess resta là, seule, à quatre pattes au bord de la plate-forme, le cœur battant encore à se rompre, de peur et d'épuisement. Puis, trempée, empestant et toujours tremblante, elle se releva.

Exténuée, ne sentant plus ses jambes cotonneuses, elle suivit le flux des passagers pour remonter vers la civilisation.

38

Enveloppée dans une couverture, une grande tasse de café brûlant entre les mains, Tess était assise dans la voiture de Reilly, de l'autre côté de la chaussée, face à la station de la 103e Rue. Elle frissonnait. Le froid avait pénétré ses vêtements trempés. De la taille aux pieds, elle était frigorifiée.

Reilly lui avait proposé de l'emmener directement à l'hôpital ou de la ramener chez elle, mais elle avait répondu qu'elle était indemne et n'avait pas besoin de rentrer chez elle. Elle avait la conviction de devoir d'abord l'informer de ses découvertes.

Tout en observant les allées et venues des équipes de police qui entraient dans la station, elle lui raconta ses démêlés avec Vance. Pour se faire comprendre – et être certaine de ne pas perdre elle-même le fil de sa réflexion –, elle reprit tout depuis le début : Clive lui avait suggéré d'aller consulter le professeur, elle avait déjà rencontré Vance des années auparavant, elle avait saisi sa chance au cimetière en espérant qu'il allait l'aider à trouver un lien avec ce qui s'était passé au Met…

Elle rapporta tout ce qu'il lui avait raconté à propos de sa femme morte en couches et de la responsabilité qu'il imputait au prêtre. Elle n'oublia pas de mentionner que l'universitaire avait affirmé vouloir « remettre le monde en ordre », ce qui parut intriguer l'agent fédéral.

Tess continua avec l'histoire du templier mourant et du moine dont les cheveux avaient brusquement blanchi. Puis elle revint en arrière pour expliquer comment Vance lui avait tiré dessus, comment elle s'était retrouvée dans la cave, avant que quelqu'un vienne les interrompre. Elle parla de l'échange de coups de feu qu'elle avait entendu avant de finir par le récit de sa fuite.

Tout en parlant, elle imaginait les équipes déployées dans les différentes galeries, cherchant Vance dans ce cauchemar souterrain. Il y avait de grandes chances pour qu'il ait filé depuis longtemps. Le souvenir des tunnels la fit frissonner. Ce n'était pas un endroit qu'elle avait envie de revisiter et elle espérait qu'on n'allait pas le lui demander.

Quand elle eut fini son récit, Reilly secoua la tête.

— Qu'y a-t-il ? demanda-t-elle.

Il se contenta de l'observer en silence, les lèvres pincées.

— Pourquoi me regardez-vous comme ça ? insista-t-elle.

— Parce que vous êtes complètement cinglée, vous savez ?

Elle soupira de lassitude.

— Pourquoi ?

— Allons, Tess ! Vous n'êtes pas censée partir à la chasse aux indices et essayer de résoudre seule cette affaire. Bon sang, vous n'êtes même pas supposée vous en occuper du tout. C'est mon boulot !

— Vous avez peur que je vous ridiculise tous, c'est ça ?

— Je suis sérieux. Vous auriez pu être gravement blessée. Ou pire. Vous ne voulez pas comprendre, hein ? Des gens sont morts à cause de cette machine. Ce n'est pas de la blague.

— Ecoutez, je n'avais pas l'impression de me jeter dans la gueule du loup. Je pensais simplement aller rencontrer un vieux professeur d'histoire que je connaissais pour un petit papotage érudit autour d'une tasse de café. Je ne m'attendais pas du tout à ce qu'il tente de m'éliminer avec ce...

Elle eut soudain un trou.

— ... *taser.*

— Ce *taser*, oui, je ne m'attendais pas à ce qu'il me jette à l'arrière de sa voiture et me poursuive dans des égouts infestés de rats. Bon sang, ce n'est qu'un professeur d'histoire ! Ils sont censés être des fumeurs de pipe introvertis et bien élevés, pas des...

— ... psychopathes ?

Tess fronça les sourcils et détourna le regard. D'une certaine manière, elle ne jugeait pas ce terme approprié, en dépit de tout ce qui s'était passé.

— Je n'irais peut-être pas aussi loin, mais... il n'est assurément pas en bonne forme physique et mentale.

Elle se rendit compte qu'elle ressentait pour le professeur un élan de sympathie qui la décontenança. Elle s'entendit même dire :

— Il a besoin d'aide.

L'agent du FBI l'étudia. Il garda un moment le silence.

— D'accord, nous ferons un débriefing correct et approfondi dès que vous vous sentirez mieux. Mais, pour l'instant, je dois m'assurer que nous allons bien trouver l'endroit où il vous a emmenée. Vous n'avez aucune idée de l'emplacement de cette crypte où il vous a détenue ?

— Non. Je vous l'ai dit. Quand je suis arrivée en voiture, j'avais les yeux bandés. Et le chemin que j'ai emprunté pour m'échapper n'était qu'un immense labyrinthe de tunnels sombres dans lequel j'ai erré à l'aveuglette. Mais ça ne peut être très loin d'ici puisque je n'ai fait que marcher.

— A vue de nez, combien de pâtés de maisons avez-vous parcourus ?

— Je ne sais pas... Cinq ?

— Allons chercher un plan et voyons si nous pouvons trouver votre prison.

Reilly allait sortir de la voiture quand Tess l'arrêta de la main.

— Il y a une chose que je ne vous ai pas dite.

— Pourquoi ne suis-je pas surpris ? soupira-t-il. De quoi s'agit-il ?

Tess plongea sa main dans son sac et en extirpa la liasse de cinq ou six feuillets qu'elle avait récupérée sur le bureau de Vance. Elle les tendit à Reilly pour qu'il y jette un coup d'œil. Elle-même les voyait pour la première fois à la lumière. Les vieux manuscrits sur vélin étaient magnifiques, même s'ils ne comportaient aucune illustration. En revanche, les pages étaient étrangement pleines, l'écriture aux caractères impeccablement tracés courant quasiment de bord à bord. On ne repérait ni ruptures ni espaces entre les mots ou les paragraphes.

L'agent du FBI contempla les feuilles dans un silence ébahi, puis il releva les yeux vers elle. Tess souriait, et ce sourire éclairait un visage encore barbouillé des saletés et de la poussière des tunnels.

— Ces documents appartiennent à Vance, lui apprit-elle. Ce sont des manuscrits templiers venant du Languedoc. Mais voilà le problème : le texte n'a aucun sens. C'est du charabia. Et c'est précisément pour ça qu'il avait besoin de l'encodeur. Ces textes contiennent la clé de l'affaire.

L'expression de l'agent s'assombrit.

— Alors ces pages sont inutiles sans l'encodeur.

Un pétillement de semi-satisfaction illumina les pupilles de Tess.

— Exact, mais... l'encodeur n'a aucun intérêt sans elles.

La jeune archéologue aurait toujours plaisir à se remémorer ce moment : elle avait devant elle un Reilly sans voix et en proie à des sentiments contradictoires. Avec une certaine fierté, elle savait qu'il devait être ravi, mais qu'en même temps il ne pouvait le montrer. Encourager son imprudence était la dernière chose qu'il souhaitait.

Il la fixa quelques instants en silence avant de sortir du véhicule et d'appeler un de ses subordonnés, auquel il demanda de faire aussitôt photographier tous les feuillets. Peu après, un autre agent arriva en courant avec un gros appareil photo. Reilly lui tendit les feuilles.

Tess regarda le photographe les étaler sur le coffre de la voiture et se mettre au travail. Puis elle vit Reilly attraper un poste émetteur-récepteur et s'informer de la situation dans les tunnels. Alors qu'il marmonnait de manière inaudible dans la radio, il se tourna vers elle. Un instant, Tess crut qu'il lui avait souri.

— J'ai besoin de descendre là-bas, lui dit-il après s'être déconnecté. Ils ont trouvé vos deux amis.

— Et Vance ?

— Aucun signe de lui.

Cela ne le réjouissait manifestement pas.

— Je vais demander à quelqu'un de vous ramener chez vous.

— Il n'y a pas d'urgence, lui répondit-elle.

Ce qui n'était pas totalement la vérité. Elle avait hâte de se débarrasser de ses vêtements mouillés et empestant les égouts, et de se relaxer dans un bain. Mais elle ne voulait pas s'en aller avant que le photographe ait fini. En réalité, elle avait hâte de jeter encore un coup d'œil sur ces documents qui étaient à l'origine de tout.

Reilly s'éloigna en la laissant seule dans la voiture. Elle le vit discuter avec deux autres agents. Puis ils se dirigèrent tous ensemble vers l'entrée de la station.

Brusquement, ses pensées furent interrompues par la sonnerie de son portable. Le cadran afficha son propre numéro de domicile.

— Tess, ma chérie, c'est moi.

C'était Eileen.

— Maman, je suis désolée. J'aurais dû t'appeler.

— M'appeler ? Pourquoi ? Il y a un problème ?

Elle laissa échapper un soupir de soulagement. Effectivement, il n'y avait aucune raison pour que sa mère s'inquiète à son propos.

— Non. Bien sûr que non. Et toi, que se passe-t-il ?

— Je me demandais simplement à quelle heure tu rentrais à la maison. Ton ami est déjà là.

Tess sentit soudain un frisson lui parcourir l'échine.

— Mon ami ?

— Oui, chantonna presque sa mère. Un homme charmant. Je te le passe, ma chérie. Ne rentre pas trop tard. Je lui ai demandé de rester dîner.

Tess entendit le téléphone changer de main. Puis une voix familière retentit.

— Tess, ma chère. C'est Bill. Bill Vance.

39

Tess se raidit sur son siège. Une boule venait de se former dans sa gorge. Il était là-bas, dans sa propre maison. Avec sa mère. Et... Kim.

Les doigts serrés sur le téléphone, elle s'écarta de la portière du véhicule.

— Que faites-vous... ?

— Je pensais que tu serais déjà là, la coupa-t-il calmement. Je ne crois pas m'être trompé d'heure. Ton message disait que c'était assez urgent.

« Il se trouve dans ma maison et il joue avec nous. »

Une colère sourde se mit à bouillir en elle.

— Si vous leur faites du mal, je jure...

— Non, non, non, l'interrompit-il. Ce n'est pas un problème. Mais je ne peux vraiment pas rester trop longtemps. J'aurais adoré accepter l'invitation de ta mère et dîner avec vous trois, mais je dois regagner le Connecticut. Tu m'as dit que tu avais quelque chose pour moi. Quelque chose que tu voulais que je regarde.

« Les manuscrits. Il veut les récupérer. »

Vance ne voulait pas causer le moindre ennui à sa mère et à Kim. Il s'était présenté en ami et se comportait comme tel. Sa mère ne saurait pas que quelque chose n'allait pas. « Bien. Continuons dans cette voie. »

— Tess ? demanda-t-il avec une troublante sérénité. Es-tu encore là ?

— Oui. Vous voulez que je rapporte les manuscrits.

— Ce serait formidable.

Son esprit s'arrêta sur son portefeuille gisant au milieu du désordre sur le sol de la cave de Vance. Elle se maudit d'avoir renoncé à le récupérer. Nerveuse, elle regarda par la vitre de la voiture. Seul le photographe se trouvait à proximité. Il prenait encore des clichés des parchemins.

— Je suis en route. S'il vous plaît, ne faites rien...

— Bien sûr. Je t'attends, alors. Est-ce que quelqu'un d'autre se joint à nous ?

Tess fronça les sourcils.

— Non.

— Parfait.

Il marqua une pause. Tess se demanda ce qu'il faisait.

— Ce serait merveilleux de passer un peu de temps ensemble et d'apprendre à les connaître un peu mieux, poursuivit-il enfin. Kim est une petite fille délicieuse.

Donc elle était bien là.

— Je viens seule, ne vous inquiétez pas, indiqua Tess fermement.

— Ne tarde pas trop.

Elle l'entendit raccrocher le téléphone. Pendant un moment, elle continua de tenir son portable à son oreille. Essayant d'assimiler ce qui venait d'arriver, elle repassait dans sa tête toute la conversation. Elle avait une grande décision à prendre.

« Est-ce que je le dis à Reilly ? »

Elle connaissait la réponse : évidemment ! Mais c'étaient sa famille et elle qui étaient impliquées. Sa mère et sa fille se trouvaient entre les mains d'un homme détruit. Si elle brûlait de tout raconter à Reilly, elle n'avait pas la moindre envie de prendre le risque de provoquer une prise d'otages.

Se raccrochant à un espoir ténu, elle essaya de se convaincre que Vance ne leur ferait rien. Après tout, il ne lui avait pas vraiment fait de mal. Il s'était même excusé. Seulement maintenant, elle s'était mise en travers de sa route et elle possédait des documents cruciaux pour sa mission. Des documents pour lesquels, Reilly n'avait pas manqué de le souligner, des gens étaient morts.

Non, elle ne pouvait courir ce risque. Sa famille était en péril.

Elle se retourna vers le photographe. Il avait fini. Son portable encore collé à l'oreille, elle se dirigea vers lui.

— Oui, dit-elle haut et fort dans le téléphone déconnecté. Il vient de finir de les photographier.

Elle adressa un signe de tête au photographe et hérita d'un sourire.

— Oui. Je les rapporte tout de suite... Allez-y et commencez à lancer les machines.

Refermant le clapet du portable, elle s'adressa au fonctionnaire du FBI.

— Est-ce que vous êtes sûr que les documents vont bien ressortir sur vos clichés ?

Sa question le surprit.

— J'espère bien. Je suis payé pour ça.

Il s'écarta des manuscrits et Tess s'empressa de les rouler.

— Je dois me dépêcher d'aller les porter au labo.

On parlait toujours de labo dans les séries télé. Il fallait juste qu'elle ait l'air suffisamment crédible. Jetant un regard vers l'appareil photo, elle ajouta :

— Reilly veut que ces clichés soient développés rapidement. Vous pouvez le faire pour lui ?

— Bien sûr. Aucun problème... vu que je travaille en numérique.

Comprenant son erreur, Tess grimaça. Elle retourna vers la voiture de Reilly en tâchant de paraître aussi sereine que possible. Ce n'est qu'au prix d'un suprême effort de volonté qu'elle parvint à ne pas courir. Arrivée près de la portière du conducteur, elle constata avec soulagement que les clés étaient encore là où elle avait vu Reilly les laisser. Elle s'assit au volant et mit le contact.

Scrutant les visages alentour, elle pria pour ne pas apercevoir l'agent spécial. Mais il n'était pas dans le coin, pas plus que son équipier. Elle dégagea la voiture garée en double file. Louvoyant au milieu des véhicules de police, elle s'avança tout doucement. D'un air penaud, elle sourit à deux policiers qui lui faisaient signe de passer. Elle espérait que la terreur qu'elle ressentait au fond d'elle-même ne transparaissait pas.

Dès que la voie fut libre, elle s'éloigna encore de quelques mètres, jeta un coup d'œil dans le rétroviseur, et accéléra pour filer aussi vite que possible, direction Westchester.

40

En pénétrant dans l'allée devant sa maison, Tess évalua mal la distance de la bordure et la heurta durement avant de s'arrêter dans un grand crissement de freins.

Assise sans bouger, tétanisée par la peur, elle regarda ses mains. Elles tremblaient. Sa respiration était hachée, haletante. De toutes ses forces, elle essaya de s'apaiser. Elle devait surtout rester calme.

Elle sortit du véhicule et regretta soudain sa décision de cacher à Reilly ce nouveau développement. Elle aurait encore eu le temps de venir ici, pendant qu'il organiserait... Quoi ? Une unité d'intervention, des hommes avec des fusils et des mégaphones tout autour de la maison, hurlant « Sortez, les mains en l'air ! » ? Des heures de négociations pénibles autour des otages avant l'inévitable assaut ? Son imagination était en train de s'emballer. Ce n'était pas le moment. Elle devait se concentrer sur la réalité immédiate.

De toute façon, il était trop tard.

Elle était là, devant chez elle.

Seule.

Marchant vers la porte, elle s'immobilisa soudain. Elle pouvait imaginer ce qui s'était déroulé à cet endroit, quelque temps plus tôt. Vance avait lui aussi remonté l'allée. Il avait sonné à la porte, discuté avec Eileen. Ils avaient échangé quelques mots sur Oliver Chaykin, sur Tess, et sa mère s'était retrouvée désarmée... Probablement charmée aussi.

Si seulement elle avait parlé à Reilly !

Glissant sa clé dans la serrure, elle ouvrit la porte et s'avança dans le séjour. Une scène irréelle l'accueillit. Vance se trouvait là, assis avec sa mère sur le canapé, conversant aimablement en sirotant une tasse de thé. De la musique descendait de la chambre de Kim. Sa fille était en haut.

Eileen demeura bouche bée en découvrant l'état de sa fille, crasseuse et échevelée. Elle se releva d'un bond.

— Oh, mon Dieu, Tess ! Qu'est-ce qui t'est arrivé ?

— Tu vas bien ?

Vance s'était lui aussi levé. Avec ses yeux écarquillés, il paraissait surpris.

« Il a le culot de demander ça ! » Tess le toisa. Elle faisait l'impossible pour dissimuler la fureur qui, à cet instant, surmontait toute la peur qu'elle avait pu ressentir jusque-là.

— Je vais bien.

Elle parvint même à esquisser un sourire.

— Il y avait une voie d'eau juste devant le bureau. Un camion a foncé droit dans la flaque alors que j'étais là au bord du trottoir et... et... C'est sans importance.

Eileen attrapa le bras de sa fille.

— Il faut que tu te changes, ma chérie. Tu vas attraper froid. Vous nous excusez, Bill ?

Tess regarda le professeur. Il était debout, plein de chaleur, et, apparemment, il s'était montré inquiet pour elle.

— En fait, je dois partir.

Ses yeux plongèrent dans ceux de la jeune femme.

— Si tu veux bien me donner ces papiers, Tess... ensuite, je me sauve. En outre, je suis certain que la dernière chose dont tu as envie en ce moment, c'est d'un invité dans ta maison.

Plantée devant lui, Tess le dévisageait dans un silence total. Eileen scruta Vance, puis sa fille. Cette dernière sentit que sa mère était en train de deviner qu'un malaise régnait dans la pièce. Elle changea aussitôt de physionomie et sourit à son « ami ».

— Bien sûr. Ils sont là.

Elle attrapa son sac et en sortit les manuscrits, qu'elle lui tendit. Il approcha sa main pour les attraper et, pendant quelques secondes, ils les tinrent tous les deux.

— Merci. Je vais retourner travailler dessus aussi vite que possible.

Tess se força une nouvelle fois à sourire.

— Ce serait formidable

Vance se tourna vers Eileen. Il lui prit les doigts et esquissa un semblant de baisemain.

— Ce fut un plaisir.

La veuve d'Oliver Chaykin se détendit et rougit. Le compliment la faisait rayonner. C'était un soulagement qu'Eileen ignore qui était Vance en réalité. Pour le moment au moins. Tess se tourna vers lui. Il était en train de la dévisager, mais elle fut incapable d'interpréter son regard.

— Je m'en vais.

Il adressa un petit signe de tête à la maîtresse de maison.

— Encore merci.

— Il n'y a pas de quoi.

Il s'arrêta sur le seuil et se retourna vers Tess.

— On se voit bientôt, lui lança-t-il.

Sur ce, il s'en alla.

La jeune femme gagna la porte de sa maison pour regarder son ravisseur reprendre sa voiture et s'éloigner. Sa mère la rejoignit.

— C'est un homme charmant ! Pourquoi ne m'as-tu pas dit que tu le connaissais ? Il m'a raconté qu'il a travaillé avec Oliver.

— Tu parles, murmura Tess de manière inaudible.

Elle ferma doucement la porte. Ses mains tremblaient encore.

41

Dans le long miroir de sa salle de bains, Tess put enfin se contempler. Elle n'avait jamais été dans un aussi piteux état, sale et livide. Malgré les frémissements de tension qui palpitaient encore dans ses jambes meurtries, elle résista à la tentation de s'asseoir. Après ce qui était arrivé aujourd'hui, si elle s'asseyait, elle savait qu'elle ne serait plus capable de se relever. Et elle se doutait que la journée était loin d'être terminée.

Reilly était en route pour venir la voir. Il avait appelé peu après le départ de Vance et il arrivait en quatrième vitesse. Même s'il avait su garder un semblant de calme au téléphone, elle devinait qu'il était furieux contre elle. Elle s'apprêtait à fournir de sérieuses explications.

Encore une fois.

Seulement, ce serait encore plus difficile. Elle allait devoir dire à Reilly pourquoi elle ne lui avait pas fait assez confiance pour réclamer son aide.

Elle regarda l'étrangère que lui montrait le miroir. La blonde pimpante, gaie et sûre d'elle avait disparu. A sa place, il y avait une épave, tant physiquement que mentalement. Le doute assiégeait son esprit. Repassant dans sa tête les événements de la journée, elle remettait en question le moindre de ses actes ou mouvements et s'en voulait d'avoir mis sa mère et sa fille en danger.

« Ce n'est pas un jeu, Tess. Tu dois arrêter ça. Tu dois arrêter immédiatement. »

En se déshabillant, elle sentit monter les larmes. Elle était parvenue à les réprimer jusque-là, notamment quand elle était allée étreindre Kim, après le départ de Vance. Elle avait même réussi à refouler des larmes de rire nerveux quand sa fille l'avait repoussée en s'exclamant : « Eh, maman, tu pues !

T'as besoin d'une douche. » Elle les avait contenues aussi au téléphone avec Reilly, tout en s'assurant que sa mère et Kim n'écoutaient pas la conversation. En y songeant, elle ne parvenait pas à se souvenir de la dernière fois qu'elle avait pleuré. Mais cela ne l'aidait en rien. Elle se sentait effroyablement mal, affreuse, tremblant autant de peur rétrospective que d'angoisse quant aux scénarios que lui réservait peut-être l'avenir.

Après s'être lavée à grande eau sous la douche, elle s'allongea dans son bain pour se détendre et prendre certaines décisions. Déjà, se dit-elle, elle devait à Eileen et Kim la sécurité.

Une idée lui vint.

Vêtue d'un peignoir et les cheveux encore dégoulinants, Tess retrouva sa mère dans la cuisine.

— J'ai repensé à nos projets de séjour chez tante Hazel cet été, lâcha Tess sans préambule.

Hazel était la sœur de sa mère. Elle vivait seule dans un ranch près de Prescott, dans l'Arizona, avec quelques dizaines d'animaux.

— Et alors ?

Sans perdre une seconde, Tess embraya.

— Je pense que nous devrions y aller dès maintenant, pour Pâques.

— Pourquoi diable... ? commença sa mère avant de s'interrompre. Tess, qu'est-ce que tu me caches ?

— Rien, mentit-elle en repensant à l'homme qui était venu débusquer Vance dans la cave, à l'échange de coups de feu et à son cri de douleur.

— Mais...

— Nous avons toutes les trois besoin de vacances. Et je vais même venir avec vous, d'accord ? Il va me falloir quelques jours pour liquider tout ce que j'ai sur mon agenda et pour m'organiser avec le bureau. Mais je veux que toi et Kim partiez dès demain.

— Demain ?

— Pourquoi pas ? Tu brûles de partir et Kim peut bien commencer ses vacances de Pâques avec quelques jours d'avance. Je vais prendre les billets. Ce sera plus facile en avion. On évitera la ruée.

— Tess !

Le ton était ferme et irrité.

— Je te le redemande : que se passe-t-il ?

La fille n'eut qu'un sourire timide à opposer à l'énervement de sa mère.

— C'est important, maman, se contenta-t-elle de répondre.

Eileen l'étudia du regard. Elle avait toujours été capable de lire en elle et ce jour-là ne faisait pas exception.

— Que se passe-t-il ? Es-tu en danger ? Je veux une réponse honnête. L'es-tu ?

— Je ne pense pas. En revanche, ce dont je suis certaine, c'est qu'en Arizona il n'y aura pas le moindre sujet d'inquiétude.

Sa mère fronça les sourcils. Ce n'était pas la réponse qu'elle espérait.

— Très bien, alors viens avec nous dès demain.

— Je ne peux pas.

Le regard et le ton de sa fille ne laissaient aucune place à la discussion.

— Tess...

— Je ne peux pas, maman.

— Mais tu vas nous suivre là-bas ? Tu le promets ?

— Je le promets. Je vous rejoins dans deux jours.

Simultanément, une sensation de soulagement l'envahit.

Puis la sonnerie de l'entrée retentit.

— Vous auriez dû me le dire, Tess. Vous auriez vraiment dû me le dire.

Reilly était livide.

— On aurait pu l'attraper dès qu'il serait sorti d'ici. On lui aurait mis le grappin dessus. Il y avait quantité de moyens pour le faire. On aurait pu le prendre et mettre un terme à toute cette affaire.

Ils discutaient dans le jardin derrière la maison, à l'écart d'Eileen et de Kim. Elle lui avait assuré qu'elles étaient en sécurité et lui avait demandé de se montrer discret. Aparo montait la garde devant la maison et attendait qu'une voiture de la police locale les rejoigne. Dès son arrivée, Reilly avait vérifié que la situation était, comme elle l'avait dit, sous contrôle et que tout danger avait disparu.

Tess portait un peignoir de bain en éponge blanc qui laissait entrevoir ses jambes nues. Mouillés, ses cheveux paraissaient plus sombres. Assise sous un grand althæa et en dépit de la colère de Reilly, elle se sentait étrangement calme. La présence de l'agent y était pour beaucoup. Deux fois dans la même journée, elle avait affronté des menaces sans précédent. Et les deux fois, il s'était trouvé là pour elle.

Rassemblant ses pensées, elle laissa son agitation intérieure s'apaiser un peu avant de relever les yeux vers lui.

— Je ne savais pas quoi faire d'autre. Je sais bien que je n'ai pas réagi intelligemment. J'avais toutes ces images d'équipes d'intervention et de négociateurs de prise d'otages. Et...

— ... et vous avez paniqué. Je comprends. C'est parfaitement normal. Le type menaçait votre fille et votre mère. Mais...

— Je sais. Vous avez raison. Je suis désolée.

Non, elle ne savait pas tout. Reilly détestait l'idée qu'elle ait pu être en danger. Il détestait aussi que sa fille l'ait été. Et il était également conscient qu'il n'avait pas le droit de la blâmer. Elle n'était pas agent du FBI, mais archéologue et mère. Il ne pouvait pas s'attendre qu'elle réfléchisse de la même façon que lui, pour répondre froidement et rationnellement à une situation aussi extrême. Pas quand sa fille était concernée. Pas après la journée qu'elle venait de vivre.

Au bout d'une minute, il rompit le silence.

— Allons, vous avez fait ce qui vous semblait le mieux pour votre famille, et personne ne peut vous condamner pour ça. J'aurais probablement agi de la même façon. L'essentiel, c'est que vous soyez saine et sauve. C'est tout ce qui compte.

Les joues de Tess s'empourprèrent. Elle se sentit coupable en revoyant Vance, assis là, dans le salon.

— Mais... je lui ai rendu ses papiers.

— Nous avons toujours les copies.

Reilly consulta sa montre.

— Bon, je vais arrêter de vous embêter. Je suis sûr que vous avez besoin de repos. Je fais mettre une voiture de police devant chez vous pour monter la garde. Fermez bien à clé après mon départ.

— Ça va aller.

Elle prenait soudain conscience de sa vulnérabilité. De leur vulnérabilité à toutes les trois.

— Je n'ai rien d'autre qui l'intéresse.

— En êtes-vous sûre ?

L'agent ne plaisantait qu'à moitié.

— Parole de scout.

Cette fois, ça y était. Il savait comment la détendre.

— Bon, si vous en êtes sûre. Mais j'aimerais que vous veniez nous voir demain matin. Je pense qu'il serait utile de tout repasser en détail avec le reste de l'équipe, de tout mettre bien à plat.

— Pas de problème. Laissez-moi simplement installer d'abord maman et Kim dans un avion.

— Parfait. On se voit demain.

Leurs yeux se rencontrèrent.

— Oui.

Elle se leva pour le reconduire à l'intérieur de la maison. Ils avaient fait quelques pas quand il s'arrêta.

— Attendez, il y a une chose que je n'ai pas eu l'occasion de vous demander.

— Quoi ?

— Pourquoi les avez-vous pris ?

Il fit une pause.

— Les documents. Selon moi, vous n'auriez dû penser qu'à vous enfuir... et pourtant, vous avez préféré différer votre fuite pour aller attraper ces feuillets.

En réalité, elle ne savait pas trop elle-même ce qui avait pu lui passer par la tête.

— Je l'ignore, souffla-t-elle simplement. Ils étaient posés là.

— Je sais, mais... enfin, je suis surpris. J'aurais imaginé que votre unique pensée était de vous enfuir de cet enfer aussi vite que possible.

Tess devina où il voulait en venir.

— Allez-vous être capable de laisser tomber toute cette affaire ? continua-t-il. Ou vais-je devoir vous enfermer pour votre propre sécurité ?

Il était on ne peut plus sérieux.

— Quelle importance ça a pour vous, Tess ?

— Cette affaire, c'est... c'est une chose exceptionnelle, on dirait. Ce manuscrit, toute son histoire... Au plus profond de moi, je sens que j'ai besoin d'être là. J'ai besoin de découvrir ce dont il s'agit. Il faut comprendre une chose, ajouta-t-elle. L'archéologie... ce n'est pas la carrière qui rétribue le mieux les efforts. Tout le monde ne trouve pas Troie ou Toutankhamon. Pendant quatorze ans, je suis allée sur le terrain, fouillant, creusant dans les coins de la planète les plus infestés de moustiques et les plus oubliés de Dieu. Tout ce temps, j'ai continué d'espérer dénicher quelque chose comme ça, pas simplement d'obscurs fragments de poterie ou de mosaïque partiellement conservés, mais quelque chose d'important. C'est le rêve de tout archéologue. Le jackpot, une découverte pour les livres d'histoire. Une chose pour laquelle je serais susceptible d'emmener Kim au Met un jour en lui désignant fièrement une vitrine et en disant : « Tu vois, j'ai découvert celui-là. »

Elle marqua une pause en tentant d'interpréter sa réaction.

— Même pour vous, ce doit être plus qu'une simple affaire de routine, n'est-ce pas ?

Il médita ce qu'elle venait de dire avant de se dérider.

— Non, on a des fous à cheval qui dévastent des musées toutes les semaines. C'est pour ça que je déteste ce travail. La routine, c'est mortel.

Puis son visage redevint sérieux.

— Tess, ce n'est pas simplement un défi universitaire. Il ne s'agit pas seulement du manuscrit et de ce qu'il signifie... C'est une enquête pour meurtre, une affaire dans laquelle beaucoup de gens sont déjà morts.

— Je sais.

— Mettons déjà tous les coupables derrière les barreaux. Ensuite, vous pourrez essayer de découvrir ce qu'ils cherchaient. Venez demain. Indiquez-nous ce que vous savez, montrez-nous la route à suivre... et ensuite, laissez-nous l'emprunter et nous débrouiller. Si nous avons besoin d'aide, vous serez la première informée. Et, si vous voulez une sorte d'exclusivité au cas où quelque chose...

— Non, ce n'est pas comme ça que ça fonctionne. C'est simplement...

Elle réalisa que rien de ce qu'elle pourrait dire ne le ferait changer d'avis.

— Je vous assure, Tess, vous allez devoir laisser tomber tout ça. S'il vous plaît. J'ai besoin que vous vous éloigniez de cette affaire.

Elle fut ébranlée par la façon dont il s'était exprimé.

— Ce n'est pas un jeu que j'ai envie de vous voir jouer en ce moment, continua-t-il.

— Je vais essayer, acquiesça-t-elle.

Ils savaient tous les deux qu'elle n'avait pas le choix.

Elle était de toute façon impliquée.

42

Assis inconfortablement dans l'austère salle de conférence de Federal Plaza, De Angelis étudiait Tess Chaykin. Une femme vive, belle et très intelligente, estima-t-il. Mais ce qui le préoccupait davantage, c'était qu'apparemment elle était aussi courageuse. En somme, cette femme représentait une combinaison singulière, potentiellement dangereuse. Toutefois, manipulée correctement, elle pouvait se révéler très utile. Elle semblait savoir quelles questions poser et quels fils suivre.

Tout en laissant son regard courir sur les autres personnes présentes autour de la table, l'ecclésiastique l'écoutait raconter son enlèvement et son évasion. Discrètement, il massait l'endroit où la balle de Vance avait éraflé sa jambe. Elle le picotait avec, par intermittence, des élancements brûlants, surtout quand il marchait. Les calmants qu'il prenait atténuaient la sensation jusqu'à un certain point. Il voulait surtout qu'on ne puisse pas remarquer une éventuelle claudication.

Le récit de Mme Chaykin lui remettait en mémoire sa confrontation avec Vance dans l'église sombre. Il sentit une colère sourdre en lui contre lui-même. Comment n'avait-il pas été capable d'empêcher Vance de s'échapper ? Un vulgaire petit prof d'histoire torturé. Inexcusable. Il ne laisserait pas une telle chose se reproduire. En y repensant, il lui vint à l'esprit que s'il avait réussi à neutraliser Vance, il aurait dû s'occuper d'elle aussi, ce qui n'était pas la partie la plus plaisante de son travail. Il n'avait rien contre elle, du moins pas encore. Pas tant que ses motifs à elle ne se révélaient pas opposés à sa propre mission.

Il avait besoin de la comprendre mieux. « Pourquoi fait-elle ça ? Que cherche-t-elle vraiment ? » se demandait-il. Il allait devoir fouiller dans son environnement et son passé, et étudier ses positions concernant certains sujets d'importance primordiale.

Alors qu'elle finissait son récit, De Angelis remarqua un détail curieux. C'était la façon qu'avait Reilly de la regarder. Il y avait là matière à creuser, songea-t-il. Intéressant. Il était clair que l'agent spécial ne la voyait pas simplement comme une aide à son enquête. De la part de Reilly, cela n'avait rien d'étonnant. Mais était-ce réciproque ?

Il lui faudrait garder un œil attentif sur cette femme.

Quand Tess eut fini, Reilly reprit la parole. Il fit apparaître une image des ruines de l'église sur son ordinateur portable, qu'il projeta sur le grand écran face à la table de conférence.

— C'est là qu'il vous a retenue, lui dit-il. L'église de l'Ascension.

— Elle a brûlé ?

— Oui. On recherche encore des fonds pour la reconstruire.

— L'odeur, l'humidité...

Elle paraissait déconcertée.

— Alors il vivait dans la crypte d'une église en ruine.

Elle marqua une pause, essayant de relier l'image qu'elle avait devant les yeux à ses souvenirs de Vance et de ce qu'il avait dit. Puis elle regarda Reilly.

— Mais il détestait l'Eglise.

— Ce n'était pas n'importe quelle église. Elle a brûlé il y a cinq ans. Les enquêteurs qui cherchaient des traces d'incendie criminel n'ont rien trouvé de suspect à l'époque, même si le curé de la paroisse est mort dans les flammes.

Elle se concentra et se remémora le nom du prêtre que Vance avait mentionné.

— Le père McKay ?

— Oui.

Reilly la fixa en ouvrant de grands yeux. Ils venaient d'aboutir à la même conclusion.

— Le prêtre que Vance a rendu responsable de la mort de sa femme, souligna-t-elle.

Le cerveau de Tess s'emballait et les images qu'il faisait naître étaient effroyables.

— Les dates correspondent. L'incendie est survenu trois semaines après qu'il a enterré son épouse.

Reilly se tourna vers Jansson.

— Nous allons rouvrir ce dossier.

Son chef approuva de la tête. Reilly revint alors vers la jeune archéologue, qui semblait perdue dans ses pensées.

— Qu'y a-t-il ?

— Je ne sais pas, dit-elle comme si elle émergeait du brouillard. J'ai simplement beaucoup de mal à penser à lui en termes si contradictoires. C'est un professeur érudit et charmant d'un côté, et, de l'autre, un individu capable d'une telle violence…

Aparo intervint.

— Malheureusement, ce n'est pas rare. C'est comme le voisin tranquille et amical qui garde des morceaux de corps humains dans son frigo. Ces gens-là sont généralement beaucoup plus dangereux que les types qui jouent des poings dans les bars tous les soirs.

Reilly reprit la parole.

— Nous avons besoin de comprendre ce qu'il cherche ou ce qu'il croit chercher. Tess, vous avez été la première à faire le lien entre Vance et les Templiers. Si vous pouviez nous expliquer tout ce que vous avez trouvé jusqu'à maintenant, cela nous permettrait peut-être de savoir quel sera son prochain mouvement.

— Par quoi voulez-vous que je commence ?

Reilly haussa les épaules.

— Par le commencement.

— C'est une longue histoire.

— Eh bien, racontez-la-nous… dans les grandes lignes. Et si quelque chose semble intéressant, nous creuserons davantage.

Elle rassembla ses pensées avant de commencer.

Tess leur parla d'abord de l'origine des Templiers. Elle leur raconta l'histoire des neuf chevaliers arrivant à Jérusalem, de leurs neuf années d'enfermement à l'intérieur du Temple, des théories concernant les fouilles qu'ils auraient entreprises pendant ce temps. Elle évoqua ensuite leur rapide ascension, quelque peu inexplicable, leurs victoires au combat et leur défaite finale à Acre. Elle leur narra le retour des Templiers en Europe, mentionna leur puissance qui avait fini par irriter le roi de France et le pape qui était à sa botte. Et elle acheva son exposé historique par le récit de la chute de l'Ordre.

— Avec le soutien de son valet, le pape Clément V, le roi a lancé une grande vague de persécutions. Il a arrêté les Templiers et les a accusés d'hérésie. En quelques années, ils ont été balayés. La plupart ont connu une mort horrible.

Aparo avait l'air déconcerté.

— Attendez ! Et l'accusation d'hérésie ? Comment ont-ils pu la justifier ? Vous aviez l'air de nous dire que ces types étaient les défenseurs de la Croix, les élus du pape ?

— Les temps dont nous sommes en train de parler étaient profondément religieux, précisa l'archéologue. Le diable était très vivant dans l'esprit des gens.

Autour de la table, le silence attentif l'incita à poursuivre.

— On a prétendu, par exemple, que lors de la cérémonie d'initiation des chevaliers, on leur demandait de cracher et même d'uriner sur la Croix et de renier Jésus-Christ. Leurs ennemis ne se sont pas contentés de les accuser de cela. On a aussi raconté qu'ils adoraient une sorte d'étrange démon appelé Baphomet et qu'ils pratiquaient la sodomie. Fondamentalement, ces accusations de pratiques occultes n'avaient rien d'exceptionnel : c'étaient celles qu'utilisait le Vatican quand il voulait se débarrasser d'un concurrent sur le grand terrain de la religion.

Elle risqua un regard vers De Angelis. Il arborait un air d'intérêt bienveillant, mais se taisait.

— Au cours de ces années d'emprisonnement, poursuivit Tess, ils ont confirmé nombre de ces accusations, mais leurs confessions tiennent autant debout que celles qui ont été enregistrées au moment de l'Inquisition espagnole. La menace d'introduire des pointes chauffées au fer rouge dans votre corps suffit à vous faire admettre n'importe quoi. Surtout quand vous savez qu'elle a déjà été mise à exécution sur vos amis.

De Angelis ôta ses lunettes et les essuya sur la manche de sa veste. Puis il les replaça sur son nez et adressa un morne signe de tête à la jeune femme.

Tess remit les papiers dans le dossier.

— Des centaines de templiers ont été arrêtés dans toute la France et précipités dans cette mascarade. Comme il n'y a pas eu de représailles, des dizaines d'évêques et d'abbés ont suivi le mouvement et, bientôt, tous les Templiers ont dû fuir. Leur trésor n'a jamais été retrouvé.

Elle leur parla alors des histoires de coffres d'or et de joyaux cachés dans des grottes et des lacs de toute l'Europe, ainsi que des navires templiers qui auraient quitté le port de La Rochelle la veille de ce funeste vendredi 13.

— Est-ce de cela qu'il s'agit ici ? demanda Jansson en brandissant sa copie du manuscrit codé. D'un trésor caché ?

— Content de voir le bon vieil appât du gain faire son retour dans cette affaire, plaisanta Aparo. Cela nous change des cinglés en mal d'inspiration que nous poursuivons généralement.

De Angelis se pencha en avant en s'éclaircissant la gorge.

— Leur trésor n'a jamais été retrouvé, indiqua-t-il à Jansson, voilà ce qui est généralement admis.

Le directeur tapota les feuilles de son index.

— Donc ce manuscrit pourrait être une sorte de carte au trésor que Vance serait capable de lire.

— Cela n'a aucun sens, s'interposa Tess.

Alors que tous les regards se tournaient vers elle, la jeune femme se sentit presque gênée d'avoir laissé échapper cette remarque. Mais elle interpréta l'expression de Reilly comme un encouragement et décida de poursuivre sur sa lancée.

— Si Vance en avait après l'argent, il aurait pris d'autres choses au Met.

— Exact, répondit Aparo, mais les objets présentés sont quasiment impossibles à vendre. Et d'après ce que vous nous avez dit, le trésor des Templiers doit représenter une valeur bien supérieure. En outre, on peut le vendre librement sans crainte de poursuites dès lors qu'il n'a pas été volé, mais simplement trouvé.

Tous les agents présents approuvèrent l'observation de leur collègue, mais De Angelis remarqua que Tess semblait dubitative, bien qu'elle parût soucieuse de ne pas trahir ses pensées.

— Vous n'avez pas l'air convaincue, madame Chaykin.

Elle grimaça, mal à l'aise.

— Vance avait besoin de l'encodeur pour lire le manuscrit qu'il avait découvert.

— La clé du trésor ? interrogea Jansson.

— Probablement, dit-elle en se tournant vers lui. Mais... tout dépend comment vous définissez le mot « trésor ».

— De l'or, de l'argent, des objets précieux. De quoi d'autre pourrait-il s'agir ? intervint l'ecclésiastique.

Il voulait voir si elle avait glané quelques indications auprès de Vance.

Elle secoua la tête.

— Je n'en sais rien.

De Angelis espérait qu'elle disait la vérité.

Mais elle fracassa cet espoir.

— Vance semblait chercher autre chose que de l'argent. C'était comme s'il était possédé. On aurait dit un homme en mission.

Elle les entraîna dans les théories les plus ésotériques relatives au trésor des Templiers, y compris l'idée qu'ils aient pu faire partie de quelque groupe secret protégeant la lignée de Jésus. En exposant ce dernier point, elle regarda l'ecclésiastique. Il la fixait d'un regard vide, inexpressif.

Dès qu'elle eut fini, il se lança.

— Bien, si vous me permettez de laisser de côté toutes ces conjectures, commença-t-il en lui décochant un sourire condescendant, vous dites que c'est un homme qui cherche à se venger, un homme qui mène une sorte de croisade.

— Oui.

— Eh bien, continua De Angelis d'un ton lénifiant, l'argent – surtout quand il s'agit de beaucoup d'argent – peut représenter un outil phénoménal. Les croisades, qu'elles se déroulent au XIIe siècle ou aujourd'hui, coûtent très cher, n'est-ce pas ?

Tess ne répondit pas.

La question resta brièvement en suspens, puis Reilly reprit la parole.

— C'est ce que je ne comprends pas. Nous savons que Vance reproche au prêtre de sa paroisse, et par contrecoup à l'Eglise, la mort de sa femme.

— De sa femme et de sa fille, corrigea Tess.

— Exact. Et il se retrouve en possession de ce manuscrit qui, selon lui, serait suffisamment effrayant pour faire blanchir en quelques minutes les cheveux d'un prêtre à qui on vient d'en révéler le contenu. Nous semblons tous être d'accord pour penser que ce manuscrit, qui est rédigé en code, est un document templier. Je me trompe ?

— Où veux-tu en venir ? intervint Jansson.

— Je pensais que les Templiers et l'Eglise étaient du même côté. Enfin, d'après ce que j'ai compris, ces types étaient des défenseurs de l'Eglise. Ils ont combattu vaillamment dans des guerres sanglantes au nom du Vatican pendant plus de deux cents ans. Je peux concevoir que certains de leurs successeurs en veuillent à l'Eglise pour ce qui leur est arrivé. Mais les théories dont vous parlez, continua-t-il en fixant Tess, concernent une chose ou un trésor qu'ils seraient censés avoir découvert dès leur origine, deux siècles avant leur persécution. Pourquoi auraient-ils eu quelque chose en leur possession, dès le premier jour, qui aurait pu inquiéter l'Eglise et pourquoi l'auraient-ils servie quand même pendant si longtemps ?

— Peut-être que c'est ce qui explique pourquoi ils ont été brûlés sur le bûcher, proposa Amelia Gaines.

— Deux cents ans plus tard ? Et il y a autre chose, continua Reilly en s'adressant encore une fois à Tess. Ces types seraient passés d'une attitude de défense de la Croix à sa profanation. Pourquoi ? Leurs cérémonies d'initiation n'ont aucun sens.

— C'est seulement ce dont on les a accusés, souligna Tess. Cela ne veut pas dire qu'ils l'ont réellement fait. Je vous rappelle que c'était une accusation habituelle à l'époque. Le roi Philippe IV l'a utilisée quelques années plus tôt pour se débarrasser du pape Boniface VIII.

— D'accord, mais je persiste à dire que cela n'a aucun sens, poursuivit Reilly. Pourquoi auraient-ils passé tout ce temps à combattre pour l'Eglise si, simultanément, ils dissimulaient quelque secret que le Vatican ne voulait pas voir exposé ?

De Angelis finit par se joindre au débat, de son habituel ton suave.

— Si je peux me permettre... Je pense que si vous voulez à toute force aborder ce genre d'hypothèses romantico-fantaisistes, il serait bon que vous considériez une autre possibilité qui n'a pas encore été discutée.

Les regards se tournèrent vers lui. En habile rhétoricien, il fit une pause.

— Les conjectures concernant la lignée de Notre-Seigneur, continua-t-il, reviennent régulièrement d'année en année, et ne manquent jamais de susciter de l'intérêt, que ce soit dans le champ de la fiction ou sous des voûtes plus universitaires.

Le Saint Calice, le Saint-Graal, le Sang royal ou le Sang réal, appelez-le comme vous voulez. Mais, comme Mme Chaykin l'a parfaitement expliqué, une bonne partie de ce qui est arrivé aux Templiers peut s'expliquer par l'un des traits humains les plus répandus, l'appât du gain.

Cette fois, il regarda Aparo.

— Non seulement ils étaient devenus trop puissants, mais puisqu'ils ne pouvaient plus s'occuper de la défense de la Terre sainte, celle-ci étant perdue, ils étaient de retour en Europe, principalement en France. Ils étaient armés, puissants et riches. Très, très riches. Le roi de France se sentit menacé. A juste titre. Etant quasiment en situation de banqueroute et se retrouvant endetté à leur profit, il se mit à convoiter leurs richesses. Selon tous les chroniqueurs, Philippe IV était un homme détestable. Je serais enclin à suivre Mme Chaykin en ce qui concerne leur arrestation. Je n'accorderais pas trop de crédit aux accusations formulées contre eux. Jusqu'à leur mort, ils ont été de vrais croyants, des soldats du Christ et, indubitablement, ils étaient innocents des charges portées contre eux. Celles-ci ont simplement fourni au roi un prétexte pour se débarrasser d'eux et faire d'une pierre deux coups. Il éliminait ses rivaux et mettait la main sur leur trésor. Ou au moins, c'est ce qu'il espérait, puisqu'il ne fut jamais trouvé.

— C'est bien d'un trésor physique que nous parlons, pas d'une sorte de « connaissance » ésotérique ? demanda Jansson.

— Eh bien, je me plais à le croire. Je n'ai jamais trop eu le sens de l'imagination et de la fantaisie, bien que je comprenne l'attrait de toutes ces théories pittoresques. Mais le réel et l'ésotérique pourraient être reliés d'une autre manière. Une grande partie de l'intérêt pour les Templiers vient du fait que personne ne peut expliquer comment ils sont devenus si riches et si puissants en si peu de temps. A mon humble avis, c'est simplement le résultat de l'abondance des dons qu'ils ont reçus dès que leur mission a été largement connue. Mais qui sait ? Peut-être qu'ils ont effectivement découvert quelque secret enfoui qui les a rendus incroyablement riches en un temps record. Mais quel était ce secret ? Etait-il lié aux descendants chimériques du Christ, à la preuve selon laquelle

Notre-Seigneur aurait enfanté un ou deux enfants mille ans plus tôt… ?

Il toussota.

— Ou s'agissait-il de quelque chose de beaucoup moins controversé, mais de potentiellement beaucoup plus lucratif ?

Il s'interrompit pour s'assurer que tous suivaient encore le fil de sa pensée.

— Je veux parler des secrets de l'alchimie, annonça-t-il, de la formule de la transmutation des métaux ordinaires en or.

43

Autour de la table, les visages figés, murés dans le silence, écoutaient De Angelis leur brosser une histoire de la science hermétique.

Les données historiques venaient soutenir ce qu'il avançait. L'alchimie avait été introduite en Europe au moment des croisades. Les plus anciens ouvrages alchimiques provenaient du Moyen-Orient et avaient été rédigés en arabe, bien avant leur traduction en latin.

— Les expériences des alchimistes étaient fondées sur la théorie d'Aristote sur la terre, l'air, le feu et l'eau. Ils croyaient que tout était constitué par une combinaison de ces éléments. Ils pensaient aussi qu'avec le bon dosage et la bonne méthode, chacun de ces éléments pouvait être transmuté en l'autre. L'eau pouvait facilement être transformée en air en étant portée à ébullition et ainsi de suite. Et dès lors que l'on croyait que tout sur la planète était formé par une combinaison de terre, d'eau, d'air et de feu, en théorie au moins, on estimait possible de transmuter toute matière première en une autre. Et au sommet de la liste des matières enviables figurait naturellement l'or.

L'ecclésiastique expliqua ensuite que l'alchimie fonctionnait aussi sur un plan physiologique. Les quatre éléments d'Aristote se manifestaient également dans le corps humain sous la forme des quatre humeurs : le flegme, le sang, la bile jaune et la bile noire. Chez un humain en bonne santé, on pensait que les humeurs étaient en équilibre. Corrélativement, on considérait que la maladie était la conséquence d'une déficience ou d'un excès de l'une de ces humeurs. L'alchimie n'était donc pas simplement la recherche de la recette de la transmutation du plomb en or. Elle promettait d'élucider les mystères des transformations physiologiques, de la maladie à la santé, ou du grand âge à la jeunesse. En outre, de nombreux alchimistes avaient utilisé la quête de cette formule comme métaphore de la recherche de la perfection morale, en estimant que ce qui pouvait être accompli dans la nature pouvait aussi l'être dans le cœur et l'esprit.

Sous ce masque spirituel, la pierre philosophale qu'ils cherchaient était censée provoquer une conversion aussi bien spirituelle que physique. En somme, l'alchimie promettait, à ceux qui auraient été capables d'élucider les grands secrets, la richesse, la longévité et même l'immortalité.

Au XIIe siècle, cependant, l'alchimie apparaissait mystérieuse et effrayante à tous ceux qui ne l'avaient jamais approchée. Les alchimistes utilisaient des instruments étranges et des incantations mystiques : ils avaient recours à des symboles cryptés et à des couleurs allégoriques. Les théories d'Aristote furent finalement interdites. A l'époque, toute science – car l'alchimie était alors considérée comme telle – était perçue comme un défi à l'autorité de l'Eglise. Et une science qui promettait la purification spirituelle la menaçait directement.

— Ce qui pourrait encore expliquer, continua De Angelis, pourquoi le Vatican a laissé la persécution s'exercer contre les Templiers sans s'y opposer. Le moment, le lieu, l'origine de l'affaire… tout concorde.

L'ecclésiastique fixa ses interlocuteurs l'un après l'autre.

— Maintenant, comprenez-moi bien, dit-il en affichant un large sourire. Je ne suis pas en train d'affirmer qu'une telle formule existe, même si cette théorie ne me semble pas plus difficile à croire que toutes les fantaisies relatives au grand secret des Templiers évoquées autour de cette table ou ailleurs. Ce que je dis simplement, c'est qu'un homme qui a perdu le contact avec la réalité peut aisément croire qu'une telle formule existe.

Tess regarda Reilly et hésita avant de refaire face à De Angelis.

— Pourquoi Vance voudrait-il de l'or ?

— Vous oubliez que l'homme n'a pas l'esprit très clair. Vous l'avez dit vous-même, madame Chaykin. Il suffit de voir ce qui s'est passé au Met pour le comprendre. Ce n'était pas un plan conçu par un esprit sain. Donc, dès lors que vous savez que ce n'est pas un homme qui se comporte rationnellement, tout est possible. Il peut s'agir pour lui d'un moyen d'atteindre son objectif, le financement qui lui permettra de réaliser ses desseins déments. Cet homme a basculé dans la folie. Il s'est embarqué dans une chasse au trésor délirante, j'en suis certain. Quel que soit l'objet de sa quête, tôt ou tard il va réaliser qu'il poursuit une chimère. Et je n'ose imaginer ses réactions quand ce moment arrivera.

— Quel que soit l'objet de sa quête, en tout cas, souligna Jansson en reprenant les mots de De Angelis, il ne semble pas se soucier du nombre de cadavres qu'il va laisser derrière lui pour l'atteindre. Nous devons l'arrêter. La seule chose que nous ayons sous la main à l'heure actuelle, ce sont ces maudits papiers.

Il brandissait la copie du manuscrit.

— Si nous pouvions déchiffrer ce texte, il pourrait peut-être nous indiquer quelle sera sa prochaine action.

Il se tourna vers Reilly.

— Que dit la NSA[1] ?

— Rien d'encourageant. J'ai parlé à Terry Kendricks avant de venir ici. Il n'est pas optimiste.

— Pourquoi ?

— Ils savent que le système utilisé est un code de substitution basique polyalphabétique. Rien de sophistiqué. Les militaires emploient ce genre de cryptage depuis des décennies. Mais il est fondé sur des fréquences d'occurrences suivant des schémas spécifiques. En gros, vous repérez des mots qui se répètent, vous déduisez ce qu'ils sont, et vous travaillez dessus jusqu'à ce que vous découvriez la clé. Ensuite, il suffit de revenir en arrière. Seulement ici, ils n'ont pas assez de matière pour travailler. Si le document était plus long, ou s'ils disposaient d'autres textes utilisant le même code, ils pourraient déduire la clé assez facilement. Mais six pages, c'est trop peu pour avancer.

Le visage de Jansson s'assombrit.

— Incroyable. On leur alloue chaque année un budget de plusieurs milliards de dollars et ils ne sont même pas capables de briser un code élaboré par une poignée de moines il y a sept cents ans ?

---

1. National Security Agency, l'Agence de sécurité nationale, notamment responsable de la collecte et de l'analyse de toute forme de communication. (*N.d.T.*)

Il haussa les épaules et sifflota.

— Bon. Oublions donc ce manuscrit et concentrons-nous sur autre chose. Il faut repasser en revue tout ce que nous avons et trouver une nouvelle piste à suivre.

De Angelis observait Tess. Elle ne disait rien. Puis, sentant peut-être les yeux de l'homme sur elle, elle leva les siens vers lui. Quelque chose dans son regard indiqua à l'ecclésiastique qu'il n'était pas parvenu à la convaincre et qu'elle devinait que cette affaire n'était pas seulement une question de financement ou de vendetta personnelle.

Oui, songea De Angelis, cette femme était incontestablement dangereuse. Mais pour le moment, son utilité potentielle contrebalançait le danger qu'elle représentait.

Restait à savoir jusqu'à quand.

44

— C'est quelle radio ?

Reilly avait proposé à Tess de la déposer chez elle et elle avait accepté. Assise dans la voiture près de lui, avec de la musique agréable et, pour toile de fond, le soleil couchant disparaissant derrière un gros nuage gris qui peignait l'horizon en rose sombre, elle était heureuse d'avoir accepté la proposition de l'agent fédéral.

Elle se sentait en sécurité. Plus encore : elle aimait sa compagnie. Cela avait probablement trait à sa force de caractère, à sa détermination incisive, à son honnêteté. Elle savait qu'elle pouvait lui faire confiance, ce qu'elle n'aurait pu dire de la plupart des hommes qu'elle avait croisés, son ex-mari étant un spécimen particulièrement représentatif.

Kim et Eileen s'étant envolées pour l'Arizona, elle n'aspirait qu'à un long bain chaud et à un verre de vin rouge dans sa maison vide. Un cachet serait aussi le bienvenu pour lui garantir une bonne nuit de sommeil.

— C'est un CD, répondit le conducteur. Le dernier morceau, c'était *Caliente* de Willie et Lobo. Et maintenant, c'est Pat Metheny. C'est une de mes compils.

Il pencha furtivement la tête.

— Mais c'est quelque chose qu'un homme ne devrait jamais avouer.

— Pourquoi ?

Il sourit.

— Vous vous moquez de moi ? Un type qui se fait ses compils ? Allons. C'est une preuve manifeste que l'on a trop de temps libre.

— Oh, je ne sais pas. Ça peut aussi être la marque de quelqu'un qui sait exactement ce qu'il aime.

— Cette interprétation me plaît.

— J'avais la sensation que ce serait le cas.

Elle sourit et regarda droit devant elle. Tout en contemplant le ciel, elle s'imprégnait de la subtile combinaison de la guitare électrique et des orchestrations caractéristiques du groupe.

— C'est beau.

— Oui.

— Vraiment apaisant. En plus, cela fait dix minutes qu'on l'écoute et mes oreilles ne sont pas encore insensibles, ce qui me change agréablement du carnage que Kim leur inflige d'ordinaire.

— A ce point ?

— Oh, ne me lancez pas sur le sujet. Et les paroles... Mon Dieu... Je pensais être une mère dans le coup, mais certaines de ces... « chansons », si on peut les appeler comme ça...

Reilly sourit.

— Où va le monde ? s'amusa-t-il.

— Ah, vous n'êtes pas non plus franchement le roi du hiphop.

— Est-ce que Steely Dan[1] compte ?

— Je ne pense pas.

Il affecta un air dépité.

— Tant pis.

Tess montra du doigt l'horizon barré par les immeubles dans la nuée rosâtre.

— Je vous dis que c'est une *nouvelle frontière*, lança-t-elle en épiant Reilly du coin de l'œil.

Elle attendit, puis sourit quand elle vit que sa remarque faussement anodine avait atteint sa cible et qu'elle marquait un point dans l'estime de l'agent du FBI. D'abord pris au dépourvu, il avait été ravi de constater qu'elle connaissait le titre de Donald Fagen[2]. Il lui adressa un hochement de tête impressionné et leurs yeux se rencontrèrent. Tess sentit son visage s'empourprer. Et c'est ce moment que choisit son téléphone portable pour revenir à la vie.

---

1. Groupe de rock américain qui a surtout connu la notoriété dans les années 1970 et dont Donald Fagen était l'un des leaders. (*N.d.T.*)

2. *New Frontier.* (*N.d.T*).

Ennuyée par l'intrusion, elle le récupéra au fond de son sac. L'écran n'affichait pas le numéro du correspondant. Elle décida quand même de répondre et le regretta immédiatement.

— Salut ! C'est moi. Doug.

Si déjà, en temps normal, elle n'aimait pas lui parler, cette fois, il tombait particulièrement mal. Evitant les yeux de Reilly, elle baissa la voix.

— Que veux-tu ? s'enquit-elle sèchement.

— Je sais que tu étais au Met cette nuit-là et je voudrais savoir s'il y avait...

On y était. Il n'y avait de toute façon qu'une seule chose qui intéressait Doug. Elle l'interrompit tout de suite.

— Je ne peux pas en parler, mentit-elle. Le FBI m'a demandé de ne pas communiquer avec la presse.

— On te l'a demandé ? C'est génial.

Génial ? En quoi était-ce génial ?

— On ne l'a demandé à personne d'autre, s'enthousiasma-t-il. Alors pourquoi cette exigence, hein ? Qu'est-ce que tu sais de plus que les autres ?

Et voilà : elle était prise à son propre mensonge.

— Oublie ça, Doug.

— Pour qui tu te prends ?

— Bon, je raccroche maintenant.

— Allons, chérie...

Elle rabattit le clapet du téléphone et le jeta dans son sac avec un peu plus de force que nécessaire. Puis, les yeux fixés sur la route, elle lâcha un long soupir.

Après deux minutes de silence, elle s'efforça de détendre son cou et les muscles de ses épaules. Puis, sans regarder Reilly, elle s'excusa :

— Désolée ! Mon ex-mari.

— J'avais deviné. Un petit quelque chose que j'ai gardé de Quantico[1].

— Rien ne vous échappe, n'est-ce pas ? rit-elle.

— Généralement pas. Sauf s'il s'agit de Templiers, auquel cas j'ai sous la main cette archéologue franchement agaçante qui paraît toujours avoir quelques longueurs d'avance sur nous autres, les pauvres profanes.

---

1. Le centre de formation du FBI, en Virginie. (*N.d.T.*)

— Ne me donnez pas trop d'importance.

Il se tourna vers elle et, tout en conduisant, il soutint son regard.

Lui aussi était heureux qu'elle ait accepté son offre de la raccompagner chez elle.

Les lampadaires étaient allumés quand ils arrivèrent dans sa rue. La vue de sa maison suffit à ramener à la surface toutes les peurs et les angoisses des deux derniers jours.

Ils passèrent devant la voiture de police garée à proximité. Reilly adressa un signe de la main au policier assis à l'intérieur. Celui-ci lui répondit de la même façon en reconnaissant Tess, qu'il avait vue lors du briefing.

En arrivant devant la maison, Reilly s'engagea dans l'allée et coupa le moteur. La jeune femme regarda son pavillon et se sentit mal à l'aise. Elle se demanda si elle allait ou non lui demander d'entrer un moment, mais les mots jaillirent tout seuls de sa bouche avant même qu'elle ait tranché.

— Vous voulez entrer ?

Il hésita avant de répondre.

— Bien sûr.

Il n'y avait rien d'équivoque dans sa voix.

— Il vaut mieux que je jette un coup d'œil.

A la porte d'entrée, il tendit la main pour prendre lui-même la clé et pénétra le premier.

L'intérieur était silencieux. Tess le suivit dans le séjour et alluma toutes les lumières, puis la télévision, dont elle baissa le son. Elle était branchée sur WB, la chaîne favorite de Kim.

— Je fais ça quand je suis seule, expliqua-t-elle. Ça crée une illusion de compagnie.

— Vous allez être tranquille.

Son ton était réconfortant.

— Je vais vérifier les chambres. Vous êtes d'accord ?

— Bien sûr.

Alors qu'il quittait la pièce, Tess se laissa tomber sur le canapé. Attrapant son téléphone, elle composa le numéro de sa tante à Prescott. Hazel décrocha au bout de trois sonneries.

Elle venait tout juste de rentrer chez elle après être allée chercher Kim et Eileen à l'aéroport de Phoenix et les avoir emmenées dîner dehors. Toutes les deux allaient bien, lui rapporta la sœur de sa mère. Tess parla brièvement à cette dernière pendant que sa tante allait chercher Kim. La petite avait déjà filé à l'écurie pour voir les chevaux. A sa voix, Eileen semblait beaucoup moins inquiète qu'elle ne l'avait été. Tess supposa que ce changement était dû à une combinaison de facteurs : le caractère calme, affable et accommodant de sa sœur et la distance que la journée de voyage avait mise entre elle et New York. Quand Kim arriva, elle manifesta bruyamment sa joie d'aller monter à cheval dès le lendemain. Apparemment, sa mère ne lui manquait pas.

Reilly revint dans la pièce au moment où Tess disait bonne nuit et raccrochait. Il semblait aussi fatigué qu'elle.

— Tout va bien. Je pense que vous n'avez pas à vous inquiéter. Il n'arrivera rien.

— Je suis certaine que vous avez raison. Merci en tout cas d'avoir effectué ce contrôle.

— C'était tout naturel.

Il jeta un dernier coup d'œil et lui adressa un signe de tête pour prendre congé. Pendant un infime instant, il parut hésiter. Tess sauta sur l'occasion.

— Je suis sûre qu'un verre nous serait salutaire à tous les deux, dit-elle.

Elle se levait déjà pour le conduire vers la cuisine.

— Que pensez-vous d'une bière… ou d'un verre de vin, peut-être ?

— Non, sourit-il. Merci quand même.

— Oh, j'oubliais. Vous êtes en service, c'est ça ? Du café alors ?

— Non, ce n'est pas ça. C'est simplement…

Il s'interrompit comme si une gêne l'empêchait de poursuivre.

— Quoi ?

Il attendit encore un instant avant de répondre.

— C'est le carême.

— Le carême ? Vraiment ?

— Eh oui.

— Et je devine que si vous le suivez, ce n'est pas seulement un prétexte pour perdre du poids, n'est-ce pas ?

Il se contenta de secouer la tête.

— Quarante jours sans picoler. Ouah !

Elle rougit.

— D'accord, ce n'est pas drôle. Je ne veux pas que vous vous fassiez une fausse idée. Je n'ai pas envie que vous me croyiez mûre pour les Alcooliques anonymes.

— Trop tard. L'image est gravée.

— Super.

Elle se dirigea vers le réfrigérateur et se servit un verre de vin blanc.

— C'est étrange. Je n'imaginais pas qu'on l'observait encore. Surtout dans cette ville.

— En réalité, c'est au contraire un endroit parfait pour vivre une vie spirituelle.

— Vous plaisantez ? New York ?

— Non. C'est l'endroit parfait pour ça. Réfléchissez. Vous ne croyez pas qu'il y a quantité de défis moraux ou éthiques à relever ici ? Les différences entre le juste et le mauvais, entre le bien et le mal, sont définies dans cette ville. On est forcé de faire un choix.

— Mais à quel point êtes-vous croyant ? Si ma question ne vous gêne pas.

— Non, ça va.

— Vous ne partez quand même pas dans une prairie perdue au milieu de nulle part parce que quelqu'un pense y avoir vu la Vierge apparaître dans les nuages ou ailleurs ?

— Non. Pas récemment, en tout cas.

Il se tut avant de continuer :

— Je devine que vous n'êtes pas une personne particulièrement croyante.

— Eh bien… Disons que, pour arriver à me faire crapahuter dans la campagne pour un motif pareil, j'aurais besoin de quelque chose d'un peu plus probant.

— Quelque chose d'un peu plus probant… Vous êtes en train de dire que vous auriez besoin d'un signe. Un miracle irréfutable et prouvé ?

— Quelque chose comme ça.

Il ne répondit rien, se contentant de sourire.

— Quoi ?

— Vous savez, le problème avec les miracles, c'est que… si vous avez la foi, vous n'en avez pas besoin. Et si vous doutez, si vous êtes sceptique, vous n'avez jamais assez de preuves.

— Oh, il y a bien quelques petites choses qui parviendraient à me convaincre.

— Peut-être qu'elles sont là, sous vos yeux, mais que vous ne les voyez pas.

Sa réponse acheva de la déconcerter.

— Stop. Vous êtes un agent du FBI et vous êtes en train de me dire que vous croyez aux miracles ?

— Vous êtes sur le point de traverser une rue. Soudain, sans raison particulière, alors que vous allez descendre du trottoir, vous vous arrêtez. Et, à la seconde même où vous vous immobilisez, un bus ou un camion passe devant vous à toute vitesse, à quelques centimètres de votre visage, exactement à l'endroit où vous vous seriez trouvée si vous ne vous étiez pas arrêtée. Vous ne savez pas quoi, mais quelque chose vous a incitée à vous immobiliser. Quelque chose vous a sauvé la vie. Vous direz probablement ensuite : « C'est un miracle. Je suis encore en vie. » Eh bien pour moi, c'est exactement ce que c'est : un miracle.

— Vous appelez ça un miracle ? J'appelle ça le hasard ou la chance.

— Il est facile d'avoir la foi quand on voit un miracle. Le vrai test de la foi, c'est quand il n'y a aucun signe.

Elle était encore plus perplexe : elle ne s'attendait pas à cet aspect de sa personnalité. Que devait-elle en penser ? A dire vrai, elle n'en savait rien, bien qu'elle fût certaine de ne pas être une grande adepte de cette façon de voir les choses.

— Vous êtes sérieux ?

— Absolument.

— Bon. Mais expliquez-moi une chose. Comment la foi – je veux dire la vraie foi, une foi sincère comme la vôtre – s'accorde-t-elle avec la profession d'enquêteur ?

— Que voulez-vous dire ?

— Un enquêteur ne peut croire quelqu'un sur parole. Vous ne pouvez pas considérer d'emblée quelque chose comme certain. Il vous faut des faits, des preuves.

— Oui.

Il ne semblait pas troublé par la question.

— Donc comment conciliez-vous ça avec votre foi ?

— Ma foi est en Dieu, pas en les hommes.

— Ça ne peut être aussi simple.

— Au contraire, dit-il avec un calme déconcertant, ça l'est.

— Vous savez, j'aime penser que je sais assez bien cerner les gens. Mais avec vous je me suis trompée. Je n'ai jamais imaginé que vous puissiez être un... un croyant. Est-ce comme ça que vous avez été élevé ?

— Non, mes parents n'étaient pas particulièrement croyants. C'est arrivé plus tard.

Elle attendit qu'il développe, mais il n'ajouta rien. Et soudain, elle se sentit très embarrassée.

— Désolée. C'est quelque chose d'éminemment personnel et je suis en train de vous bombarder de questions sans la moindre délicatesse.

— Ce n'est pas un problème. Ne vous inquiétez pas. C'est simplement que... eh bien, mon père est mort quand j'étais encore jeune et j'ai connu des temps difficiles. La seule personne qui a été là pour moi a été le prêtre de ma paroisse. Il m'a aidé à trouver ma voie pour traverser ces épreuves et après ça m'est resté. C'est tout.

Elle sentit qu'il ne voulait pas entrer davantage dans les détails, ce qu'elle comprenait fort bien.

— D'accord.

— Et vous ? Je parie que vous n'avez pas eu une éducation religieuse ?

— Pas vraiment. L'atmosphère à la maison était universitaire, archéologique, scientifique. De ce fait, j'ai toujours eu du mal à concilier ce que je voyais autour de moi avec le concept de divinité. Et puis j'ai découvert qu'Einstein ne croyait en rien et j'en ai déduit que si ce n'était pas assez bien pour le type le plus intelligent de la planète...

— Ne vous justifiez pas, coupa-t-il. Certains de mes amis sont athées.

Elle lui jeta un coup d'œil et s'aperçut qu'il riait.

— C'est bon à savoir, sourit-elle.

En réalité, elle se dit qu'elle était plutôt agnostique qu'athée.

— J'ai l'impression que pour la plupart des gens que je connais, être athée, c'est être moralement vide... ou en faillite.

Elle l'entraîna vers le salon. En entrant dans la pièce, Reilly entrevit quelques images de la télé. Elles montraient un épisode de *Smallville*, la série racontant les dures années d'adolescence de Superman. Paradoxalement, le feuilleton le ramena à ses préoccupations plus immédiates et il changea de sujet.

— Il faut que je vous demande quelque chose. A propos de Vance.

— Bien sûr. Quoi ?

— Vous savez, tout le temps que vous parliez de ce qui vous était arrivé avec lui, dans le cimetière, dans la crypte, tout ça... Je n'étais pas vraiment certain de ce que vous ressentiez à son endroit.

Un voile passa sur le visage de Tess.

— Quand je l'ai connu, il y a des années, c'était un type bien. Et puis ce qui est arrivé à sa femme et à sa fille, c'est effroyable.

— Vous éprouvez de la compassion pour lui.

Elle se rappela avoir ressenti cette étrange sympathie pour l'universitaire.

— D'une certaine manière, oui.

— Même après le hold-up, la décapitation, les fusillades... toutes ces choses qui ont fait courir un danger à Kim et à votre mère ?

Tess eut la désagréable impression d'être mise à nu. Il la confrontait à des émotions contradictoires qu'elle ne comprenait pas bien elle-même.

— Je sais que ça a l'air fou, mais c'est comme si, à un certain niveau, j'éprouvais effectivement une forme de sympathie pour lui. Sa manière de parler, ses humeurs changeantes... Il a besoin d'être soigné, pas traqué. Il a besoin d'aide.

— Il faut d'abord l'attraper. Allons, Tess, ai-je besoin de vous rappeler qu'indépendamment des épreuves qu'il a traversées, l'homme est dangereux ?

La jeune femme se souvint de l'air paisible de Vance quand il était assis à discuter avec sa mère. Quelque chose dans sa façon de le percevoir était en train de changer.

— C'est bizarre, mais j'ai l'impression au fond de moi qu'il ne s'agissait peut-être que de fausses menaces, sans objet, des menaces qu'il n'aurait jamais mises à exécution.

— Faites-moi confiance sur ce point. Il y a des éléments que vous ignorez.

Elle pencha la tête en affectant un air interrogateur. Elle pensait avoir quelques longueurs d'avance sur tout le monde. Il l'avait dit lui-même.

— Quels éléments ?

— D'autres morts. L'homme est dangereux, c'est tout. D'accord ?

Son ton ne laissait guère de place au doute, ce qui ne manqua pas de la troubler.

— Que voulez-vous dire par « d'autres morts » ? Qui ?

Il ne répondit pas. Non parce qu'il ne le voulait pas, mais quelque chose avait détourné son attention. Il paraissait légèrement hébété, hypnotisé, comme s'il regardait au-delà d'elle. Tess comprit soudain qu'il ne faisait plus attention à elle. Elle suivit son regard et constata qu'il était fixé sur le téléviseur. Le jeune Clark Kent était encore une fois en train de sauver la planète.

La jeune femme sourit.

— Eh bien quoi ? Vous avez manqué cet épisode ?

Il se dirigeait déjà vers la porte.

— Il faut que j'y aille.

— Où ?

— Je dois m'en aller.

En quelques secondes, il disparut. La porte d'entrée se referma en claquant derrière lui. Elle resta là à fixer l'adolescent qui pouvait voir à travers des murs et sauter d'un bond par-dessus les immeubles.

Ce qui n'expliquait rien.

45

La circulation du soir était encore dense. Sur la voie express Van Wyck, la Pontiac de Reilly se frayait un chemin vers le sud. De gros avions de ligne passaient en vrombissant au-dessus de sa tête. Il en atterrissait quasiment sans interruption. L'aéroport n'était plus qu'à un kilomètre.

Sur le siège passager, Aparo se frottait les yeux. L'air vif se précipitait vers lui par la fenêtre ouverte du véhicule.

— Répète-moi le nom.

Reilly était occupé à déchiffrer les panneaux indicateurs qui surgissaient de partout. Il repéra enfin celui qu'il cherchait et tendit le doigt.

— C'est ça.

Son équipier le vit aussi. Un panneau vert sur leur droite indiquait la route du terminal de fret numéro 7. Sous le panneau principal, perdu parmi les logos des compagnies, figurait celui qui intéressait Reilly.

Alitalia Cargo Services, le service de fret d'une compagnie italienne.

Peu après les attaques terroristes du 11 Septembre, le Congrès avait promulgué une loi sur la sécurité de l'aviation et des transports. Dans le cadre de cette loi, la responsabilité du contrôle des personnes et des biens transportés par les compagnies aériennes avait été transférée à une nouvelle agence, l'Administration pour la sécurité des transports. Toute personne ou matière pénétrant sur le territoire des Etats-Unis devait subir des contrôles rigoureux.

On avait installé dans tout le pays des machines de tomographie informatisée qui détectaient des explosifs dans les bagages à main ou voyageant en soute. Pendant un temps, on avait même passé les voyageurs aux rayons X, mais un concert de protestations avait mis un terme à cette pratique. Les opposants ne condamnaient pas l'exposition à des radiations malsaines, mais plutôt le fait que rien, pas même les détails les plus intimes, n'échappait aux scanners des appareils de contrôle : ils montraient tout.

L'agence de sécurité s'intéressait plus particulièrement au secteur du fret international, qui représentait une menace très importante pour la sûreté intérieure, bien qu'elle fût moins médiatisée.

Des dizaines de milliers de containers, de palettes et de caisses arrivaient quotidiennement sur le sol nord-américain en provenance de tous les coins du monde. A l'heure de ces nouvelles mesures de sécurité, les directives de contrôle et de scannérisation ne se limitaient plus aux bagages des voyageurs. Elles visaient aussi le fret pénétrant dans le pays par voie de terre, d'air ou de mer. On avait ainsi installé dans quasiment tous les ports maritimes et aériens des systèmes de rayons X pour vérifier les cargaisons, y compris les plus gros volumes.

A cet instant précis, assis dans la salle des opérations du terminal de fret de la compagnie nationale italienne, Reilly était heureux que ces mesures aient été mises en place.

Un technicien-analyste examinait les images sur son moniteur.

— Vous feriez bien de vous installer confortablement, les gars. C'est d'un chargement plutôt important que nous parlons.

L'agent fédéral se cala dans un fauteuil usé.

— La boîte qui nous intéresse devrait être repérable. Vous n'avez qu'à les faire défiler rapidement et je vous indiquerai les cibles potentielles.

— C'est parti.

L'homme commença à faire défiler sa base de données.

Les clichés se succédèrent sur l'écran : des vues aux rayons X, de haut et de côté, des caisses de différentes tailles.

A l'intérieur de celles-ci, on reconnaissait les silhouettes radiographiées des objets que les conservateurs du Vatican avaient expédiés pour l'exposition du Met : des crucifix, des statuettes, des tableaux et autres merveilles aux formes complexes.

Toujours furieux contre lui-même de n'y avoir pas pensé plus tôt, Reilly concentrait toute son attention sur l'écran, à l'instar d'Aparo. Ses battements cardiaques s'accélérèrent au rythme du défilement des objets. La résolution était étonnamment bonne, bien meilleure qu'il ne l'avait imaginé : il pouvait même repérer de petits détails comme des joyaux incrustés ou d'infimes moulures.

Puis, au milieu de ce déluge d'images étourdissantes, l'objet apparut enfin.

— Stop.

Un frisson d'exaltation parcourut l'agent fédéral.

Là, avec une précision à haute résolution, sa coque devenue transparente, l'encodeur révélait ses entrailles.

46

Tess se figea à la seconde où elle mit le pied dans la salle de réunion.

Elle avait été soulagée d'entendre la voix de Reilly. Son silence avait duré trois jours. Trois jours de frustration, trois jours au cours desquels il avait été de plus en plus difficile d'esquiver les appels incessants de sa mère lui demandant de les rejoindre en Arizona. Contrainte et forcée de rester à l'écart de l'enquête pendant tout ce temps, elle commençait à ne plus pouvoir tenir en place. Elle comprenait que l'affaire conditionnait sa vie et que, indépendamment des conseils de Reilly, elle ne pouvait s'en détourner.

Désormais, après avoir vu ce qui trônait sur la table de conférence, il n'était plus question de se détacher de l'enquête ou d'en être tenue éloignée.

Là, reconstituée dans une matière plastique transparente, se trouvait une réplique exacte de l'encodeur à rotors.

La jeune femme put tout juste prononcer un mot.

— Comment... ?

Au comble de la stupéfaction, elle leva les yeux vers Reilly. Il l'avait sciemment maintenue dans l'ignorance : quand il l'avait appelée pour lui demander de venir à Federal Plaza, il n'avait prétexté qu'un vague besoin de « revoir une ou deux choses avec vous ».

Sortant de son hébétude, elle prit soudain conscience de tous les visages tournés vers elle : Jansson, Aparo, Gaines, quelques autres qu'elle ne reconnaissait pas... et l'ecclésiastique. Reilly esquissa un bref sourire.

— J'ai pensé que vous aimeriez être là pour voir ça.

Il tendit le doigt vers un homme qu'elle n'avait encore

jamais rencontré et qui était en train de distribuer des documents agrafés.

— Voici Terry Kendricks. C'est lui qui l'a construit.

— Mon équipe et moi, précisa l'intéressé, qui adressa à Tess un large sourire en lui remettant une liasse de feuillets. Heureux de faire votre connaissance.

La jeune femme avait beaucoup de mal à détourner les yeux de la machine. Elle prit connaissance des documents, qui confirmèrent ses espoirs. Elle leva les yeux vers Kendricks.

— Elle fonctionne ?

— Oh oui. Tout s'articule parfaitement. En latin, naturellement. Du moins, c'est ce que m'a dit l'équipe de linguistes qui a traduit le texte.

Tess ne comprenait toujours pas comment l'appareil avait pu atterrir sur cette table. Elle se tourna vers l'agent spécial avec une mine implorante.

— Mais... comment... ?

— Tout ce qui passe à la douane est soumis aux rayons X, expliqua-t-il. Même quand c'est prêté par le Saint-Siège.

La jeune archéologue dut s'asseoir. Elle avait l'impression que ses genoux allaient se dérober sous elle. Les mains tremblantes, elle regarda le document qu'on lui avait remis. Avidement, elle se jeta sur le texte imprimé.

C'était une lettre, datée de mai 1291.

— L'époque de la chute d'Acre ! s'exclama-t-elle. La dernière cité aux mains des croisés.

Elle commença à lire, excitée à l'idée de se connecter directement, par-delà les siècles, avec des hommes dont les exploits étaient devenus légendaires.

C'est avec une grande tristesse que je vous informe qu'Acre n'est plus sous notre protection. Nous avons quitté la cité alors que les ténèbres tombaient. Nos cœurs étaient lourds de la voir brûler...

47

Méditerranée orientale, mai 1291

Ils avaient fait voile au nord en suivant la côte toute la nuit. A l'aube, la galère avait mis le cap vers l'ouest et Chypre, où ils se réfugieraient dans leur commanderie.

Après l'épreuve des dernières heures passées à Acre, Martin était descendu pour essayer de se reposer mais les mouvements du navire l'empêchaient de trouver un sommeil réparateur. Les images du grand maître mourant et de la fuite au milieu des combats restaient gravées dans son esprit.

Quand il remonta sur le pont, aux premières lueurs de l'aube, il fut bouleversé par ce qu'il découvrit.

Devant eux, de gigantesques éclairs zébraient un ciel noir. Une tempête approchait à grande vitesse. Les grondements encore assourdis du tonnerre pouvaient déjà s'entendre malgré le vent qui s'engouffrait dans les gréements. Derrière eux, à l'est, une bande de nuages menaçants dissimulait le soleil levant, qui dardait ses rayons vers la nuée dans une vaine tentative d'embrasement du ciel sinistre.

« Comment est-ce possible ? songea Martin. Deux tempêtes simultanées, l'une devant nous et l'autre nous poursuivant. » Un bref échange avec Hugues, le capitaine du navire, lui confirma que même le marin n'avait encore jamais rien vu de tel.

Ils étaient coincés au milieu.

Le vent forcit, amenant des bourrasques de pluie froide. La voile battait violemment contre sa vergue. Les hommes d'équipage luttaient pour maîtriser les armatures. Le mât grinçait, comme s'il lançait des grondements de protestation. Dans la cale, les chevaux hennissaient et ruaient sans répit contre les parois. Martin regardait le capitaine consulter ses cartes. Il marqua leur position avant d'ordonner au maître de la chiourme d'accélérer le rythme des esclaves et d'indiquer au timonier un nouveau cap pour tenter d'échapper aux tempêtes.

Martin rejoignit Aimard sur le gaillard d'avant. Celui-ci observait aussi le ciel avec une inquiétude croissante.

— C'est comme si Dieu voulait que la mer nous engloutisse, dit-il à Martin.

Sous peu, l'ouragan allait se déchaîner autour d'eux avec une sauvagerie impitoyable. Le ciel vira au noir, changeant le jour en nuit, et le vent se mua en rafales. Autour du navire, les vagues se métamorphosèrent en brisants qui se précipitaient sur eux, battant la poupe sur tribord. Les éclairs claquaient conjointement à des explosions de tonnerre assourdissantes. Une pluie dense s'abattit sur le navire comme un rideau coupant ses occupants du reste du monde.

Hugues cria à un matelot de scruter l'horizon en quête d'une hypothétique terre et d'un mouillage protecteur. Martin regarda l'homme braver à son corps défendant la pluie torrentielle et grimper jusqu'à la hune. Le navire fendait des vagues de plus en plus grandes qui se fracassaient contre lui. Certaines passaient par-dessus la poupe avant de s'écraser sur le pont par paquets.

Les rames semblaient animées d'une vie propre. Quelques-unes cognaient contre la coque. D'autres heurtaient les esclaves enchaînés, qui luttaient avec l'énergie du désespoir pour les manœuvrer. Il y eut tant de blessés qu'Hugues se vit contraint d'ordonner que l'on rentre les rames.

Depuis des heures, le bateau était secoué sans répit quand, par-dessus les grondements assourdissants, Martin entendit un craquement sinistre : le panneau d'écoutille de la poupe venait de lâcher et des masses d'eau sombre s'engouffraient dans les cales. Presque aussitôt, le navire se mit à pencher. Venant d'en haut, un bruit déchirant retentit : le mât avait cédé. Martin leva les yeux à temps pour voir l'énorme masse s'écraser sur trois marins tout en précipitant la vigie dans la mer en furie.

Sans voile ni rames, la galère à la dérive était maintenant à la merci de la tempête et des courants, brinquebalée, poussée, entraînée par une mer déchaînée. Pendant trois jours et trois nuits, la tempête ne faiblit pas.

Le *Faucon-du-Temple* se pliait à son gré dévastateur, en tâchant tout juste de rester à flot en un seul morceau. Puis, le quatrième jour, alors que les vents ne diminuaient toujours pas, une voix cria :

— Terre ! Terre !

Martin regarda dans la direction qu'indiquait le guetteur, mais il ne put rien apercevoir d'autre que la mer démontée. Enfin il la vit : une masse sombre et distante à peine discernable sur l'horizon.

C'est à ce moment-là que le drame se produisit.

Alors qu'il était en vue de la terre, le navire commença à se disloquer. Les planches des bordés, trop longtemps frappées, cédaient. Aux grondements toujours assourdissants répondirent de terrifiantes explosions : toute la coque se fendait. La panique se propagea parmi les rameurs enchaînés, tandis que les chevaux ruaient au-dessous.

— Les esclaves ! rugit Hugues. Détachez-les avant qu'ils se noient !

Les marins se précipitèrent pour les dégager de leurs chaînes, mais leur liberté fut de courte durée. Les paquets d'eau qui s'engouffraient dans la coque les emportèrent.

Le capitaine ne pouvait plus différer l'inévitable.

— Lancez la chaloupe à la mer, beugla-t-il, et abandonnons le navire !

Martin courut pour aider à mettre à l'eau leur unique chance de survie. Au même instant, il vit Aimard sortir du château arrière. Il portait un gros sac de cuir et se dirigeait vers le gaillard d'avant.

Martin cria en vain pour l'avertir au moment où une vague gigantesque arrivait sur lui. Aimard fut projeté, impuissant, à travers tout le pont. Son flanc alla heurter un coin de la table des cartes. Le chevalier hurla de douleur mais, serrant les dents, il réussit tant bien que mal à se relever, une main plaquée sur les côtes. Martin se porta à son secours ; Aimard repoussa son aide. Le vieux templier ne voulut pas lâcher son sac, alors que son volume et son poids ajoutaient à son inconfort.

Ils parvinrent avec les plus grandes peines à monter dans la longue barque, au même niveau que le pont de la galère qui s'enfonçait. La dernière vision que Martin de Carmaux eut du *Faucon-du-Temple* fut son engloutissement dans la mer enragée. La puissance de la tempête brisa l'énorme masse de bois prolongée par la figure de proue sculptée. Le navire sombra sans bruit. Les cris démoniaques du vent et les hennissements des chevaux qui se noyaient couvraient les sons. Ils étaient neuf dans la chaloupe. Dans le regard désolé de ses compagnons, Martin lut le reflet de son propre effroi pendant qu'ils contemplaient leur navire qui disparaissait, morceau par morceau.

Les vagues, autant que le vent, les poussaient. La barque était ballottée comme une coque de noix. Six des neuf survivants purent bientôt se mettre à ramer, atténuant par là les secousses les plus violentes. Ils avaient été chassés de la Terre sainte et à présent le *Faucon-du-Temple* était perdu. Martin se demanda combien de temps ils allaient survivre s'ils atteignaient la terre. Où qu'ils soient, ils se trouvaient loin de chez eux, probablement en territoire ennemi.

Le canot continua de dériver pendant des heures, puis la hauteur des vagues commença à décroître. Enfin, ils virent la terre que le guetteur avait repérée avant le naufrage. Peu après, ils tiraient la longue barque à travers le ressac, et enfin sur le sable d'une plage. La tempête hurlait encore et la pluie froide les transperçait, mais au moins ils avaient un sol ferme sous les pieds.

Après avoir taillé en pièces le fond de la chaloupe avec leurs épées, ils la repoussèrent dans la mer toujours agitée. Si quelqu'un venait à longer le rivage, il ne devait pas soupçonner leur passage. Hugues leur expliqua qu'ils avaient déjà mis le cap au nord quand la tempête les avait frappés. Selon lui, le *Faucon-du-Temple* avait été rejoint par l'ouragan aux abords de l'île de Chypre, puis déporté vers le septentrion. En s'appuyant sur l'expertise du marin, Aimard prit la décision d'éviter le rivage et de marcher plus à l'intérieur des terres avant de se diriger vers l'ouest pour chercher un port.

Les basses collines leur fournirent bientôt un abri contre le vent et, plus important encore, contre les regards des autochtones. A dire vrai, ce dernier point ne représentait pas un danger pour l'instant : ils n'avaient vu personne, ni rien entendu en dehors des hurlements de la tempête. Même la vie sauvage semblait absente. Les animaux devaient se terrer à cause du mauvais temps.

Ils entamèrent une longue marche épuisante. Martin constatait que l'état d'Aimard ne cessait d'empirer. Le coup qu'il avait reçu à la poitrine avait été extrêmement violent. La blessure commençait à faire ressentir ses effets. Donnant l'impression d'être insensible à la douleur qui l'étreignait, Aimard avançait avec courage. Jamais il ne se séparait du volumineux sac dont il s'était chargé.

Quand ils arrivèrent en vue d'une ville, ils craignirent d'avoir à se battre. Non seulement ils étaient blessés et épuisés, mais ils n'avaient que quelques armes à se partager. Cette crainte était tempérée par l'espoir de trouver de la nourriture. Mais tant leur peur que leur espoir se révélèrent infondés. La ville était déserte, les maisons vides. En son centre, ils tombèrent sur les ruines d'une église. Ses murs étaient quasiment intacts, mais son toit n'était plus qu'une carcasse de poutres brûlées qui tenaient encore au sommet de hautes colonnes de pierre. Il était difficile de dire à quand remontait ce sinistre : plusieurs mois, peut-être même des années.

De l'autre côté de l'église, un vieux saule monumental penchait ses branches au-dessus d'un puits.

Prudemment, les survivants se laissèrent tomber sur le sol et se reposèrent. De tout leur petit groupe, Aimard de Villiers était le plus mal en point. Martin puisait de l'eau pour lui quand il entendit un tintement de clochettes. Les hommes se relevèrent pour se précipiter à couvert. Bientôt, ils virent un troupeau de chèvres remonter la rue étroite. Les bêtes se regroupèrent autour du puits, fouillèrent le sol en quête de nourriture. Certaines tiraient sur les branches du saule en les mordillant. Les chevriers apparurent. Ils étaient deux : un vieillard voûté, accompagné d'un jeune homme.

Tournant les yeux vers Aimard, qui lui adressa un bref hochement de tête, Martin prit le commandement. Avec des signes de la main, il ordonna à sa petite bande de se déployer en éventail pour surveiller ce qui allait se passer, tandis qu'Hugues et lui s'approchaient du vieil homme. Celui-ci tomba à genoux en les implorant de ne pas le tuer et d'épargner son petit-fils. Comme certains de leurs frères, Martin et Aimard parlaient un peu l'arabe. Malgré cela, il fallut un certain temps pour que le vieillard s'apaise et comprenne que sa vie n'était pas en danger. Il en fallut encore davantage pour le convaincre qu'ils voulaient lui acheter une chèvre et non pas la lui voler. Seulement ils n'avaient pas d'argent, ni rien de précieux ou de négociable. Cependant, à eux tous, ils rassemblèrent quelques hardes qui, si elles n'atteignaient pas la valeur de la chèvre, permettaient au moins de procéder à un semblant de discussion commerciale. Tandis que le chevrier et son aide tiraient de l'eau du puits pour leurs bêtes, les chevaliers abattirent leur chèvre. Avec une pierre, ils allumèrent un feu et rôtirent la carcasse. Puis ils invitèrent le vieil homme et son petit-fils à partager leur repas.

Cet acte de bonté leur sauva probablement la vie.

Le chevrier leur apprit le nom de la ville : Fonsalis. Il leur était reconnaissant d'être en vie. Plus tard au cours de ce même après-midi, l'homme reprit sa marche avec son troupeau et son aide. Repus et ayant recouvré une partie de leurs forces, les chevaliers et les marins décidèrent de se reposer encore un peu. Ils pouvaient fort bien, se dirent-ils, ne repartir que le lendemain matin.

Leur repos fut de courte durée.

Le chevalier qui montait la garde fut le premier à percevoir un bruit. Quelqu'un approchait en courant. C'était le petit-fils du chevrier. Hors d'haleine, effrayé, il les informa qu'une troupe de mamelouks se dirigeait droit sur eux. Le vieil homme les avait déjà rencontrés et ils l'avaient volé. Il savait qu'ils allaient venir ici pour trouver de l'eau.

Les chrétiens n'avaient pas d'autre choix que de les affronter.

Avec le concours d'Aimard, Martin élabora un plan d'embuscade. Bien espacés, ses hommes allaient se placer en V, l'ouverture vers l'ennemi et la pointe vers le puits.

Ils récupérèrent des morceaux de fer rouillé dans l'église en ruine pour compléter leur maigre armement et détachèrent la corde du puits. Hugues et l'un de ses marins l'emportèrent jusqu'à leur position à l'ouverture du V. Ils dispersèrent de la terre et de la poussière sur la longueur de corde qui reposait en travers de la route des cavaliers. Puis les croisés prirent place. Une fois certain qu'ils n'avaient rien oublié, Martin se glissa derrière le puits. Il se coucha et attendit.

Ils n'eurent pas longtemps à patienter. Ils entendirent les mamelouks longtemps avant de les voir. Leurs rires retentissaient dans l'air tranquille, comme si leurs forfaits dans cette région leur conféraient un sentiment d'invulnérabilité. On les craignait à juste titre. Quelque cinquante ans plus tôt, des milliers de jeunes gens de ces contrées avaient été vendus pour devenir esclaves du sultan d'Egypte. Sans imaginer ce qui allait en sortir, le souverain avait fait former ces jeunes hommes et constitué avec eux sa garde nationale. Il les avait baptisés *mameluks*, mot arabe signifiant « esclaves ». Quelques années plus tard, les mamelouks avaient fomenté une révolution et n'avaient pas tardé à prendre le contrôle de l'Egypte. Ils devinrent même plus redoutés que les hommes qui les avaient réduits en captivité.

Paré de culottes et d'une armure de cuir et de fer, chaque cavalier portait une longue épée dans son fourreau et une dague à sa ceinture. En travers du pommeau de leurs selles reposait un grand bouclier de métal rond. Les oriflammes colorées qui pendaient au bout de leurs lances voletaient dans l'air poussiéreux.

Martin compta les assaillants. Ils étaient vingt et un. Le templier savait que chacun d'eux devait mourir. Si un seul s'échappait, beaucoup d'autres viendraient.

Quand le dernier mamelouk eut dépassé la position occupée par Hugues et son compagnon, Martin entendit le chef de la bande atteindre le puits et mettre pied à terre. Le templier jaillit de sa cachette et il sabra deux des hommes avec sa grande épée. D'autres adversaires descendaient déjà de cheval quand les chrétiens sortirent de leur cachette, hurlant des cris de guerre et taillant en pièces les cavaliers. La surprise fut complète et son effet dévastateur.

Les hommes qui n'étaient pas encore descendus de leur monture firent faire volte-face à leurs chevaux et les lancèrent au galop pour reprendre le chemin qu'ils venaient d'emprunter. Quand ils arrivèrent au niveau d'Hugues, le capitaine souleva la corde et la tendit. Les cavaliers ne la virent pas. Les premiers chevaux tombèrent, les autres se précipitèrent sur eux et basculèrent, envoyant leurs cavaliers voler dans les airs. Déjà, les chevaliers se précipitaient sur les mamelouks et, bientôt, il ne resta aucun d'entre eux vivant sur le champ de bataille.

Mais la victoire était amère : dans l'enchevêtrement de corps poussiéreux gisaient ceux de deux marins et de deux chevaliers. Il ne restait que cinq hommes vivants, y compris Aimard, qui était blessé.

Toutefois, ils avaient à présent des chevaux et des armes.

Cette nuit-là, après avoir enterré leurs morts, les survivants dormirent près des murs de l'église en ruine, alternant les tours de garde. Martin ne put trouver le sommeil.

Soudain, il perçut un frémissement vers l'intérieur de l'église, du côté où l'on avait couché Aimard pour qu'il se repose. Il savait que le vieil homme souffrait. Régulièrement, il l'entendait tousser et cracher du sang. Il se leva et franchit le portail carbonisé de l'église. Aimard n'était plus là où il l'avait laissé. Martin scruta les ténèbres et repéra le vieux chevalier assis. Les flammes d'un petit feu tremblotaient. Des volutes de fumée s'enroulaient pour disparaître par le toit détruit. En s'approchant, Martin constata qu'Aimard était occupé à écrire. C'était une lettre. A côté de lui, il remarqua un étrange appareil à engrenages qu'il n'avait jamais vu auparavant.

Son mentor leva la tête et ses yeux étincelèrent à la lueur du feu.

— J'ai besoin de ton aide, dit-il d'une voix rauque.

Martin de Carmaux s'approcha avec hésitation. Il sentit ses muscles se raidir.

— Que puis-je faire ?

— Mes forces m'ont abandonné, toussa Aimard. Viens.

Il parvint quand même à se relever et, soulevant le sac au prix d'une grande souffrance, il précéda son ami jusqu'à un endroit où le sol était constitué de pierres pavées. Certaines portaient des noms et des dates. Des pierres tombales.

— Celle-ci, dit Aimard en s'arrêtant au-dessus d'une tombe où s'inscrivait le mot « Romiti ».

Martin le regarda avec un air interrogateur.

— Ouvre-la.

Sans avoir besoin d'explication, son jeune compagnon tira son épée et s'en servit pour soulever la stèle.

— Tiens-la-moi bien ouverte, s'il te plaît, lui enjoignit Aimard en se mettant à genoux.

Il glissa le sac de cuir dans le trou sombre.

Ensuite, il fit un signe de tête à son cadet.

— Cela fera l'affaire.

Martin rabaissa la dalle. L'aîné l'examina pour s'assurer que leur intrusion n'était pas repérable. Puis il se releva et revint d'un pas traînant jusqu'à son petit bivouac. Là, il se laissa tomber sur le sol.

Le jeune chevalier scruta les ténèbres. Sa tête n'était qu'un tourbillon de pensées confuses. Quand Aimard de Villiers l'avait encouragé à rejoindre l'Ordre, il s'était senti honoré. Pendant les trois premières années, cet honneur s'était révélé justifié : les Templiers constituaient un groupe d'hommes courageux, dévoués à Dieu, à l'humanité et à l'Eglise. Mais à présent que la Terre sainte était perdue, qu'allait-il advenir d'eux ?

D'autres éléments troublants remontaient à la surface. Au cours des années, il avait pris conscience des inquiétudes qui n'étaient pas exprimées ouvertement au sein de l'Ordre. Il savait, grâce à des bribes de conversations, qu'il existait des frictions entre l'Ordre et l'Eglise. Là où, pensait-il, aurait dû régner la confiance, il n'y avait que dissensions et suspicions. A tel point que l'Eglise n'avait pas participé aux récentes campagnes de recrutement. Par son refus, elle avait scellé le sort de la garnison d'Acre. L'Eglise avait-elle délibérément mis le Temple en danger ?

Il y avait eu aussi ces réunions secrètes auxquelles Guillaume de Beaujeu ne conviait que quelques membres supérieurs de l'Ordre, lesquels en ressortaient avec des mines sinistres. Des hommes comme Aimard de Villiers, dont l'ouverture d'esprit et l'honnêteté comptaient au nombre des qualités pour lesquelles Martin l'avait tant admiré. Ensuite, il y avait eu ce coffret ouvragé et les mots sibyllins échangés entre Aimard et le grand maître juste avant d'embarquer sur le *Faucon-du-Temple*. Et maintenant, ceci.

— Martin.

Surpris, ce dernier se tourna vers son protecteur, dont le visage se tordait de douleur. Sa voix n'était plus qu'un grommellement sourd.

— Je sais ce que tu dois penser. Mais crois-moi quand je te dis… Il y a des choses que tu dois savoir, des choses que tu as besoin de savoir… si notre Ordre doit survivre. Guillaume m'a fait confiance en partageant son savoir et en me donnant cette mission, mais...

Il s'interrompit pour tousser. Puis il s'essuya la bouche avant de poursuivre :

— ... mon voyage s'achève ici. Nous le savons tous les deux.

Il leva la main pour couper court aux protestations de Martin.

— Je dois moi-même te confier ces secrets. Il te faut terminer la tâche que j'ai à peine commencée.

Pendant quelques instants, le blessé retint sa respiration, puis il reprit :

— Pendant de nombreuses années, un secret n'a été connu que de quelques initiés au sein de notre Ordre. Dès son apparition, seuls neuf hommes l'ont partagé. Jamais un plus grand nombre de chevaliers n'y a eu accès. Il repose au cœur de notre Ordre et, pour l'Eglise, il est source de peur et d'envie.

Aimard parla toute la nuit. D'abord, Martin l'écouta, incrédule, puis il éprouva une vague de sentiments mêlés, contrastés, de stupéfaction, d'indignation. Mais, dans la mesure où ces révélations lui étaient transmises par Aimard lui-même, il savait intuitivement que cette histoire ne pouvait être une invention.

Plus Aimard poursuivait son récit, de sa voix frêle et tremblante, plus une prise de conscience se faisait jour dans l'esprit de son auditeur. La colère de celui-ci se transforma en un respect teinté de crainte. Progressivement, mais sûrement, la légitimité de ce grand dessein s'immisçait en lui, s'incrustait dans son esprit.

Ils conversaient encore quand le soleil se leva. Lorsque Aimard de Villiers eut fini, le jeune homme demeura silencieux. Puis il demanda :

— Que veux-tu de moi ?

— J'ai écrit une lettre. Une lettre qui doit être portée au maître du Temple de Paris. Nul autre ne doit la voir.

Il tendit la missive à Martin qui, lui-même, ne put la lire. Aimard désigna l'étrange machine à engrenages à côté de lui.

— Elle est codée... au cas où elle tomberait dans des mains malintentionnées... Nous sommes en territoire ennemi et vous n'êtes plus que quatre. Restez ensemble le temps nécessaire, puis séparez-vous en deux groupes. Empruntez des routes différentes pour gagner Paris. J'ai fait une copie de la lettre. Un exemplaire pour chacune des deux équipes. Convaincs les autres de l'importance de votre mission, mais, je t'en implore, ne leur révèle pas la vérité que je t'ai confiée, à moins d'être certain que ta mort est imminente.

— Qu'arriverait-il si nous devions tous mourir en chemin ? Qu'adviendrait-il de notre Ordre ?

— Il y a d'autres détenteurs du secret. Certains à Paris. Certains ailleurs. La vérité ne sera jamais perdue.

Il marqua une nouvelle pause pour reprendre sa respiration.

— Une partie de ce que j'ai mis dans cette lettre n'est connue que de moi, même si je pense qu'Hugues a dû la deviner. Mais il ne posera pas de questions. Ce n'est peut-être pas un frère de notre Ordre, mais c'est un homme d'une loyauté inébranlable. Tu peux placer toute ta confiance en lui, comme je place la mienne en toi.

Fouillant dans une poche de sa tunique, Aimard en sortit deux paquets, chacun enveloppé dans une peau huilée.

— Prends-les. Et confie l'un des deux à l'autre groupe.

— A Hugues ?

— Non, il n'est pas membre de notre Ordre et il arrivera un moment où le maître du Temple de Paris n'écoutera qu'un frère. En fait, je pense qu'Hugues doit être l'homme qui va t'accompagner.

Martin acquiesça.

— Et toi ?

Aimard toussa et essuya sa main dans sa barbe. Son compagnon vit des traces de sang.

— Jusqu'ici, nous avons eu de la chance. Mais d'autres dangers vont se dresser sur votre route, sans aucun doute. Votre progression ne peut pas être ralentie par un blessé. Ni plus tard ni maintenant. Comme je te l'ai dit, je suis parvenu au terme de mon voyage.

— On ne peut pas te laisser ici.

Grimaçant de douleur, Aimard pressa sa paume contre ses côtes.

— Après l'accident sur le bateau, j'ai eu la chance d'arriver jusqu'ici. Prends les lettres et pars. D'une manière ou d'une autre, tu dois atteindre Paris. Une grande partie de l'avenir repose sur tes épaules.

Martin de Carmaux tendit les bras et étreignit son vieux compagnon. Ensuite, il s'éloigna pour rejoindre les autres, qui attendaient près des montures.

Il leur parla brièvement. Alors tous se tournèrent vers Aimard de Villiers. Celui-ci soutint leur regard avant de se remettre laborieusement sur ses pieds et de se diriger vers le puits, l'appareil à engrenages dans la main. Martin le suivit des yeux dans un silence profond. Il le vit pulvériser l'appareil contre le mur de pierre puis, morceau par morceau, jeter les fragments dans le trou.

— Que Dieu soit avec toi, murmura Martin. Et avec nous tous.

Saisissant la bride de l'un des chevaux, il se hissa sur la selle. Bientôt, la colonne des quatre cavaliers se glissa entre les ruines du village. Leurs montures de secours suivaient. Ils prirent la direction du nord-ouest, incertains du sort qui les attendait, ignorant les dangers qu'ils allaient rencontrer au cours du long périple qui devait les ramener en France.

48

L'esprit de Tess vagabondait encore dans les territoires mamelouks quand la voix de Jansson interrompit sa promenade dans le passé et la ramena au XXIe siècle.

— Nous devons supposer que Vance a lui aussi traduit cela maintenant, grommela-t-il.

Reilly acquiesça sans hésitation.

— Absolument.

Reprenant ses esprits, l'archéologue étudia les visages autour d'elle. Ils ne paraissaient pas aussi captivés qu'elle par la sublimité de l'instant. Cette irruption mentale dans les vies, les actions, les pensées et les morts de ces hommes légendaires la touchait. Tout son corps trépignait d'impatience. Cette affaire pouvait être sa Troie, son Toutankhamon. Elle se demanda si une seule des personnes présentes était aussi galvanisée qu'elle par le contenu, la signification et les implications du texte qu'ils avaient dans les mains ou s'il ne les intéressait que dans la mesure où il pouvait les aider à résoudre un problème particulièrement épineux.

— Nous ne savons donc toujours pas de quoi nous sommes en train de parler, continua Jansson, en dehors du fait que l'objet en question était assez petit pour tenir dans un sac porté sur l'épaule. Mais au moins, nous savons où Vance va se rendre. A Fonsalis.

Le directeur lança à Kendricks un regard interrogateur.

— Désolé, répondit ce dernier. Je ne peux pas vous aider sur ce point. J'ai un tas de gars qui travaillent dessus. Mais jusqu'à maintenant, ils se heurtent à un mur. Nous n'avons pas trouvé la moindre trace d'un Fonsalis où que ce soit.

— Rien ?

— Non. En tout cas, pour l'instant. On est en train de parler de l'Europe du XIIIe siècle. La cartographie était un exercice balbutiant, primitif. Et de toute façon, très peu de cartes de l'époque ont survécu, sans parler des textes. On fait ce qu'on peut avec les documents dont nous disposons depuis cette période : des lettres, des journaux. Ça va prendre du temps.

Tess regarda Jansson se renfoncer dans son fauteuil en se passant une main sur le crâne. Son visage s'était assombri.

— Alors Vance n'est peut-être pas parvenu non plus à identifier ce Fonsalis pour le moment, suggéra Aparo.

Tess hésita avant d'intervenir.

— Je ne compte pas trop là-dessus. C'est sa spécialité. Des références à de tels endroits peuvent très bien ne pas apparaître dans des textes de grande diffusion comme ceux que l'on trouve dans vos bases de données. Il y a plus de chances, en revanche, pour qu'on les rencontre dans d'obscurs manuscrits de l'époque, le type même de livres rares que quelqu'un comme Vance sait dénicher.

Le chef du Bureau parut retourner le problème dans sa tête. Assis à côté de lui, De Angelis fixait la jeune femme.

— Nous devons localiser cet endroit si nous voulons attraper ce type, marmonna Jansson.

Il se tourna vers l'ecclésiastique.

— Mon père, vos équipes peuvent nous être d'une grande aide dans ce domaine.

— En effet. Je vais faire en sorte que nos meilleurs érudits se mettent au travail. Nous avons une immense bibliothèque. Ce n'est qu'une question de temps. J'en suis sûr.

— Du temps ! Nous n'en avons peut-être pas.

Le directeur s'adressa à Reilly.

— L'homme va incontestablement se déplacer, s'il n'a pas déjà quitté le pays.

— Je vais m'assurer que le bureau des Douanes et de la Protection des frontières accorde à cette question la priorité maximum.

— Quelle que soit la localisation exacte de Fonsalis, ça doit se trouver quelque part en Méditerranée orientale, non ? suggéra l'agent fédéral en se tournant vers Tess. Est-ce qu'on ne pourrait pas essayer de resserrer le champ de la zone ?

— Honnêtement, ça peut être n'importe où. Les chevaliers ont été déportés de leur route si radicalement... Vous avez une carte du secteur ?

— Bien sûr.

Kendricks se pencha, tira vers lui son clavier et tapa sur quelques touches. Un planisphère apparut bientôt sur l'immense écran plasma. Il pianota encore sur son pupitre et l'écran se modifia. L'agent zooma plusieurs fois sur la carte jusqu'à ce qu'elle soit focalisée sur la Méditerranée orientale.

La jeune femme se dirigea vers l'écran.

— D'après sa lettre, ils ont quitté Acre, qui se trouve juste ici, dans ce qui est aujourd'hui Israël, au nord de Haïfa. Puis ils ont fait voile vers Chypre. Ils auraient d'abord mis le cap au nord avant de virer vers l'ouest. Et la tempête les a frappés.

Tess considéra la carte et ne put s'empêcher de laisser son esprit dériver un peu et matérialiser des images de leur périlleux périple.

— Tout dépend dans quel sens la tempête les a emportés. S'ils ont été poussés à l'est de l'île, ils ont pu atterrir n'importe où le long de la côte syrienne, ou au sud-est de la côte turque, de ce côté-là...

Tout en parlant, elle traçait la route du bout du doigt.

— A moins qu'ils ne soient passés à l'ouest de Chypre, auquel cas nous parlons de ce secteur-ci, la côte sud-ouest de la Turquie, du golfe d'Antalya à Rhodes.

— C'est une zone assez grande, nota Jansson, contrarié.

— Les paysages le long de cette ligne de côtes se ressemblent tous, indiqua l'archéologue. Il n'y a rien dans la lettre qui permette de désigner un endroit plutôt qu'un autre. Mais s'ils sont parvenus à la repérer au milieu d'une énorme tempête, juste avant le naufrage, je pense qu'ils n'étaient pas trop éloignés de la côte.

Reilly étudia la carte.

— On peut commencer par alerter nos équipes en Syrie et en Turquie.

En proie à un trouble manifeste, Jansson plissa le front.

— Mais qu'est-ce qu'il croit, ce Vance ? Que ce qu'ils ont pu enterrer est encore là à l'attendre ? La lettre est bien arrivée en France, non ? Comment sait-il que les Templiers n'ont pas envoyé quelqu'un pour récupérer l'objet ?

Tess repensa à l'histoire de Vance. On racontait que l'homme n'avait plus jamais souri.

— La datation précise est la clé. Rappelez-vous : Vance a dit que le vieil homme qui a montré le manuscrit au moine – celui dont les cheveux sont devenus blancs d'un coup – *était l'un des derniers Templiers survivants.* Molay et les autres ont été brûlés sur le bûcher en 1314. L'histoire du vieux templier mourant est forcément intervenue après ça. A mon avis, Vance espère que, si les Templiers n'ont pas été capables de récupérer le trésor avant leur chute et la disparition de ce vieil homme, il ne s'est trouvé personne ensuite pour le faire.

Kendricks – qui, avec l'ecclésiastique, était probablement le plus proche d'elle pour apprécier la valeur historique de leurs recherches – reprit la parole.

— Nous allons faire des simulations de la route du navire. En intégrant des facteurs tels que les vents saisonniers, les courants. Il faut examiner si les rares détails du texte peuvent être rapprochés de la géographie d'un endroit et trouver le lieu précis où tout cela s'est passé.

— Ce serait peut-être une bonne idée de confronter nos données avec toutes les épaves qui ont été découvertes dans le secteur. Qui sait, l'une d'elles est peut-être notre *Faucon-du-Temple* ? dit Tess.

Les mouvements impatients de Jansson indiquaient que la réunion était terminée. Il s'adressa à De Angelis :

— Vous nous tenez au courant ?

— Dès que j'apprends quelque chose.

L'ecclésiastique paraissait aussi impassible que d'habitude.

Reilly raccompagna Tess jusqu'à l'ascenseur. Elle était sur le point d'appuyer sur le bouton pour descendre quand elle se tourna vers lui avec une curieuse expression sur le visage.

— J'ai été un peu surprise que vous me demandiez de venir, après votre grand discours de l'autre jour sur le thème « Laissez tomber cette affaire ».

Reilly grimaça en se massant le front. L'après-midi avait été long.

— Oui. Et je vais m'en vouloir de vous y avoir ramenée.

Son visage redevint plus sérieux.

— Mais pour être franc, j'avais deux approches différentes de cette question.

— Eh bien, je suis enchantée que la plus plaisante l'ait emporté.

A cet instant, il comprit qu'il aimait ce sourire malicieux. Au bout du compte, il se trouvait séduit par tout ce qui la concernait. Il repensa à la joie extrême qu'il avait pu lire sur son visage quand elle avait découvert la réplique de l'encodeur dans la salle de conférence. Son exaltation était contagieuse. Cette femme éprouvait des plaisirs intenses, authentiques, faculté dont la plupart de ses contemporains semblaient privés.

— Vous comprenez, Tess, je sais à quel point tout cela est important pour vous, mais...

Elle sauta sur sa brève hésitation.

— Et vous ? Qu'est-ce que cela représente pour vous ?

Il tressaillit. Il n'avait pas l'habitude d'être interrogé sur ses motivations. Surtout quand il travaillait sur une affaire.

— Je me demande si l'arrestation de Vance est la seule chose que vous vouliez, acheva-t-elle.

La réponse était simple, pensa-t-il.

— Pour le moment, je ne peux pas me permettre de voir au-delà.

— Je n'y crois pas une seconde. Allons, Sean, insista-t-elle, vous ne pouvez pas me dire que vous n'êtes pas intrigué par tout ça ! Ces hommes ont écrit un message codé à propos de quelque chose dont leur avenir dépendait. Ils ont été brûlés sur le bûcher pour ça, balayés, éradiqués. N'êtes-vous pas d'une manière ou d'une autre curieux de savoir ce qui est enfoui dans cette tombe ?

Reilly eut du mal à résister à l'enthousiasme rayonnant de Tess.

— Attrapons-le d'abord. Trop de gens sont déjà morts pour ça.

— Plus que vous ne pensez, si on inclut tous les templiers qui ont été éliminés à l'époque.

Les remarques de la jeune femme firent poindre un nouvel aspect de l'affaire. Pour la première fois, l'importance de ce à quoi ils s'attaquaient commençait à lui apparaître. Mais il savait que ce n'était pas le moment de s'occuper du puzzle dans son intégralité. Sa priorité était de refermer le dossier Metraid.

— C'était exactement pour ça que je ne voulais pas que vous soyez impliquée davantage. Cette affaire a trop d'emprise sur vous et ça m'inquiète.

— Et pourtant, vous m'avez appelée.

Encore ce sourire espiègle, songea Reilly.

— Oui, eh bien… on va dire que votre aide peut nous être utile. Avec un peu de chance, on le coincera peut-être à une frontière. Mais en attendant, ce serait bien qu'on ait aussi du monde pour l'attendre à Fonsalis. Et pour ça, il faut trouver l'endroit.

Tess appuya sur le bouton de l'ascenseur.

— Je vais réfléchir.

Il la regarda. Elle était là, devant lui, ses yeux verts pétillant malicieusement.

— Je n'avais pas remarqué que vous arrêtiez parfois.

— Oh, certains savent pourtant que cela arrive.

Elle le fixa avec un petit air timide.

— En de rares occasions.

Deux tintements discrets retentirent, signalant l'arrivée de l'ascenseur. La cabine était vide. Il la regarda pénétrer à l'intérieur.

— Vous allez être prudente ?

Elle retint la fermeture des portes.

— Non, je compte être totalement, inconsidérément et inexcusablement imprudente.

Il n'eut pas le temps de lui répondre. Les portes de l'ascenseur s'étaient refermées. Il resta là un moment, immobile, le visage de la jeune femme encore gravé dans son esprit, jusqu'à ce que le tintement familier d'une autre cabine qui arrivait le ramène à sa triste réalité.

Quand elle sortit du bâtiment, Tess avait encore son petit sourire au coin des lèvres. Elle savait que quelque chose se passait entre Reilly et elle, et elle aimait ce qu'elle ressentait. Les premiers temps de la séduction, tout comme un nouveau poste de travail, avaient toujours été excitants pour elle. Mais elle réalisa que, comme pour l'archéologie, l'exaltation, l'impatience, le mystère, l'optimisme et l'espoir ressentis au début d'une relation ne tenaient jamais totalement leurs promesses.

En marchant dans l'air printanier, elle repensait à la suggestion de l'homme d'Eglise : le secret caché aurait eu un rapport avec l'alchimie. Elle n'arrivait pas à s'en convaincre. Plus elle considérait cette idée, moins elle lui paraissait crédible. Pourtant, l'envoyé du Vatican semblait sûr de cette théorie. Une formule pour transmuter le plomb en or ! Si quelqu'un l'avait trouvée, nul doute qu'il se serait donné le plus grand mal pour la soustraire à la vue d'autrui. Mais quelque chose là-dedans n'était pas logique.

Et il y avait encore plus bizarre. Aimard de Villiers avait considéré que la tempête était une manifestation de la volonté de Dieu, que celui-ci voulait que la mer engloutisse tout ce qu'ils transportaient pour l'enfouir à jamais. Pourquoi ? Sans oublier la question de la taille de l'objet enfoui. Pouvait-il s'agir d'un reliquaire, d'un coffret ? Que pouvait-il contenir pour que des hommes meurent ou tuent pour lui ?

Fonsalis.

Si elle voulait rester dans la partie, elle devait trouver cet endroit.

Quelques nuits blanches l'attendaient... et il lui faudrait aussi s'assurer que son passeport était encore valide.

Plus ennuyeux : elle allait également devoir affronter un échange téléphonique difficile avec sa mère, pour lui expliquer qu'il s'écoulerait encore quelques jours avant qu'elle les rejoigne dans l'Arizona.

De Angelis était repassé dans sa chambre au foyer. Préoccupé par les problèmes en cours, il s'assit sur le bord de son lit dur et appela Rome. Il parla à un collègue assez éloigné du cercle du cardinal Brugnone. Ce n'était pas le moment d'être confronté à des questions trop insistantes.

L'avantage qu'il possédait quand il remontait la piste des quatre cavaliers avait maintenant disparu. En outre, il se rendait compte qu'être proche de l'enquête qui pataugeait ne lui servait plus à grand-chose. Bientôt, il allait devoir suivre sa propre route. Il donna des ordres pour s'assurer que tout était en place afin qu'il puisse se déplacer dès qu'il en aurait besoin.

Cela accompli, il sortit une série de photographies de son porte-documents, les étala sur le lit et les examina une à une. Tess entrant et sortant de Federal Plaza. Tess arrivant chez elle ou quittant sa maison à Mamaroneck. Son bureau à l'institut Manoukian. Des plans larges, des plans moyens et des gros plans. Même en deux dimensions granuleuses, elle respirait la confiance et la détermination. Cette femme s'était révélée vive et exaltée, pleine de ressources, d'idées et d'esprit. A la différence du FBI, elle avait vite écarté l'hypothèse d'un simple vol.

Ses connaissances et sa formation, sa relation antérieure avec Vance, tout contribuait à faire d'elle une alliée utile... et une adversaire dangereuse.

Il toucha l'une des photos, tapotant de son doigt le front de Tess. Une fille intelligente. Vraiment, vraiment intelligente. Si quelqu'un devait localiser la « chose », ce serait elle. Mais le prélat savait aussi qu'elle ne serait pas du genre à partager sa découverte.

Il allait falloir la lui arracher.

49

Tess avait perdu toute notion du temps. Au vu de l'accumulation des gobelets sales et de la quantité de caféine qui circulait dans ses veines, elle devinait que cela faisait des heures et des heures qu'elle s'était plantée devant son ordinateur à l'institut Manoukian.

Le bureau était vide. Dehors, les pigeons et les moineaux s'étaient envolés depuis longtemps. Le jardin baignait dans les ténèbres. Une autre longue nuit s'annonçait.

Les deux derniers jours se noyaient dans un brouillard. Elle avait passé du temps dans la bibliothèque Butler à l'université Columbia avant qu'on la jette quasiment dehors à onze heures du soir. Elle était rentrée chez elle peu après minuit avec nombre d'ouvrages sous le bras et s'était mise à les étudier. Finalement, elle avait succombé au sommeil au moment où les premiers rayons de soleil pointaient à travers la fenêtre de sa chambre. Moins de quatre-vingt-dix minutes plus tard, son radio-réveil la ramenait dans le monde réel.

Maintenant, de retour à son bureau, elle continuait de parcourir une montagne de livres. Elle en avait apporté quelques-uns avec elle, mais la majorité provenait de l'importante collection de l'institut. De temps en temps, quelque chose retenait son attention. Alors, tout excitée, elle lançait Internet pour poursuivre sa recherche, bénissant Google pour les heures qu'il lui faisait gagner et maudissant ce moteur de recherche dès qu'il ne parvenait pas à lui fournir de réponse.

Jusque-là, il fallait bien le dire, les imprécations l'emportaient haut la main.

Elle tourna la tête pour regarder par la fenêtre en frottant ses yeux fatigués. Les ombres du jardin se fondaient les unes dans les autres. Elle constata que ses yeux ne lui obéissaient plus. Mais ce n'était pas grave. Elle allait s'octroyer une pause. Quand pour la dernière fois avait-elle lu autant en si peu de temps ? Elle était incapable de s'en souvenir. Malgré son épuisement, un mot restait gravé sur sa rétine : Fonsalis.

Fixant la nuit, ses yeux furent attirés par le grand saule du jardin. Ses ramures vaporeuses dans la brise du soir se détachaient sur le mur de brique éclairé par les reflets des lumières de la rue.

Elle regarda le banc vide sous l'arbre, si tranquille, si idyllique. Il semblait tellement déplacé, ici, au cœur de la mégapole. Elle aurait voulu sortir, s'y blottir et y dormir pendant des jours.

C'est alors qu'une image jaillit dans son esprit.

Une image troublante.

Elle pensa à la plaque de cuivre fixée sur un poteau près de la base du saule. Une plaque qu'elle avait lue une bonne centaine de fois.

L'arbre avait été importé, plus de cinquante ans plus tôt, par le bienfaiteur arménien de l'institut. Il l'avait acheminé par bateau depuis son village, berceau de ses ancêtres, en mémoire de son père. En même temps que deux cents autres intellectuels arméniens, celui-ci avait été assassiné dans les premiers jours du génocide de 1915. A l'époque, le ministre de l'Intérieur turc avait claironné qu'il allait administrer au peuple arménien « un tel coup de massue qu'il ne serait pas capable de se relever avant au moins cinquante ans ». Ses paroles s'étaient révélées tragiquement prophétiques. Pour la nation arménienne, les tragédies s'étaient alors succédé.

L'arbre avait été choisi pour son rapport symbolique avec ce drame. De l'Europe à la Chine, on trouvait communément des saules pleureurs dans les cimetières. L'association datait, disait-on, de l'Ancien Testament, où l'on voit les rameaux de l'arbre ployer sous le poids des harpes qu'y avait attachées le peuple d'Israël en exil. Beaucoup plus tard, les conteurs arabes racontaient qu'après le mariage de David et de Bethsabée, deux anges seraient apparus devant le roi et l'auraient convaincu de son péché. Alors, il se serait jeté à terre et, pendant quarante jours et quarante nuits, étendu là, il aurait versé d'amères larmes de pénitence. Au cours de ces quarante jours, il aurait pleuré autant de larmes que toute l'espèce humaine aurait pu en verser pour ses propres péchés jusqu'au Jugement dernier.

Les deux filets de larmes auraient formé deux rus dans le jardin et deux arbres auraient poussé : le boswellia – l'arbre à encens –, distillant des larmes de souffrance, et le saule pleureur, dont les branches pendaient de douleur.

L'esprit de Tess s'envola vers l'inscription de la plaque de cuivre. Elle la visualisait parfaitement. Le texte indiquait que l'arbre appartenait à la famille des *Vitisalix*.

Tess se rappelait que la plaque mentionnait aussi la classification du saule pleureur.

Salix Babylonia.

Soudain, l'évidence lui sauta aux yeux.

50

Le lendemain matin, Reilly et Aparo étaient suspendus au téléphone dans leurs bureaux de Federal Plaza. Le premier était tenu au courant par Kendricks. Les nouvelles n'étaient pas bonnes. Les cerveaux de la NSA séchaient toujours sur la référence à Fonsalis. Pire : Kendricks avertit que les progrès allaient être beaucoup plus lents à partir de maintenant. Les appels téléphoniques à des experts du monde entier n'avaient pas permis de les éclairer et les recherches électroniques dans des bases de données avaient depuis longtemps échoué. Les analystes épluchaient des tonnes d'ouvrages, « à l'ancienne », en les lisant pour dénicher la moindre référence à la localisation de la tombe.

Reilly ne comptait pas trop là-dessus.

De l'autre côté de son bureau, Aparo lui adressa un hochement de tête avant d'achever sa propre conversation. A sa mine, Reilly devina que les mauvaises nouvelles que son collègue venait d'apprendre revêtaient un caractère d'urgence. Aparo le confirma bientôt. L'appel émanait de Buchinski. Le corps d'un homme venait d'être découvert, le matin même, dans une ruelle derrière un immeuble du Queens. Détail intéressant : le sang du mort portait des traces de lidocaïne. La victime avait aussi des marques de piqûres au cou. Elle s'appelait Mitch Adeson.

L'affaire leur glissait entre les doigts, se dit Reilly.

— Comment est-il mort ?

— Il est tombé du toit. Tombé ou poussé : fais ton choix.

L'agent fédéral s'adossa à son fauteuil en se frottant les yeux de lassitude.

— Trois sur quatre. Il n'en reste qu'un. La question est : va-t-on le retrouver avec une marque de piqûre dans le cou… ou est-il déjà en route pour l'Europe ?

Il vit De Angelis émerger de la double porte conduisant aux ascenseurs.

— Mes collègues de Rome n'ont encore rien trouvé, annonça l'ecclésiastique. Ils continuent de chercher.

— Ici aussi on fait chou blanc, mon père.

— Bon.

De Angelis parvint à esquisser un sourire optimiste.

— Si aucun de nos érudits ou de nos spécialistes n'a été capable jusque-là de découvrir quelque chose... peut-être que lui aussi rencontre les mêmes difficultés.

Au fond de lui-même, Reilly se dit que c'était prendre ses désirs pour des réalités. Des photos de Vance avaient été montrées dans toutes les principales bibliothèques, de Washington à Boston. Jusque-là, personne n'avait signalé l'avoir vu. Donc, soit Vance savait déjà où il se rendait, soit il avait sa propre documentation, à laquelle le FBI n'avait pas accès. Dans l'un et l'autre cas, cela augurait mal de l'avenir.

L'ecclésiastique resta silencieux un moment, avant de lancer :

— Mme Chaykin semble... pleine de ressources.

Reilly ne put réprimer un petit rictus.

— Oh, je suis certain qu'elle est en train de se creuser la cervelle sur ce problème à cet instant même.

Cette remarque semblait confirmer les soupçons de De Angelis.

— Avez-vous eu de ses nouvelles ?

— Pas encore.

L'agent du FBI voyait bien que quelque chose troublait son interlocuteur.

— Qu'y a-t-il, mon père ?

— Je suis un peu inquiet, c'est tout.

— A propos de quoi ?

— Etes-vous certain qu'elle va appeler si elle trouve quelque chose ?

Venant de De Angelis, cette question étonna Reilly. L'ecclésiastique ne faisait pas confiance à Tess ? L'agent du FBI se pencha en avant.

— Qu'est-ce qui vous fait dire ça ?

— Eh bien, elle paraît obsédée par cette question. Après tout, c'est son domaine. Et une découverte comme celle-là... Des carrières se sont bâties sur beaucoup moins. Si j'étais à sa place, je me demande quelles seraient mes priorités. Attraper Vance ou découvrir une chose pour laquelle n'importe quel archéologue donnerait son bras droit ? Est-ce que j'informerais les autorités au risque de perdre le crédit et la gloire de cette trouvaille ou est-ce que j'irais la chercher moi-même ?

Il avait adopté une voix très basse mais pleine d'assurance.

— Elle me semble être une femme très ambitieuse, et l'ambition peut souvent conduire à choisir le chemin le moins... généreux.

Ces paroles retentissaient dans la tête de Reilly encore longtemps après son départ.

Allait-elle appeler ? Jamais l'idée qu'elle puisse ne pas le faire ne lui avait effleuré l'esprit. Mais si l'envoyé du Vatican avait raison ?

Si elle découvrait la localisation et la fournissait au FBI, des agents allaient se déployer pour tenter d'intercepter Vance, les polices locales allaient être envoyées sur place et la situation leur échapperait. Il n'y aurait pas beaucoup de place ou de considération pour sa quête à elle. En ce qui concernait les autorités, la priorité était l'arrestation d'un fugitif. La découverte archéologique avait peu d'importance.

Mais, non, elle ne serait pas si inconsciente. A moins que... ?

Reilly attrapa son téléphone et composa le numéro de Tess. Pas de réponse. Il laissa sonner jusqu'à ce que le répondeur se mette en marche, mais il raccrocha sans laisser de message. Ensuite, il essaya le téléphone portable. Après cinq sonneries, il tomba sur la messagerie.

Avec un malaise croissant, Reilly raccrocha et appela l'opérateur interne du FBI. En quelques secondes, il fut mis en relation avec l'agent en faction devant chez Tess.

— Vous l'avez vue aujourd'hui ?

— Non. Elle est rentrée tard cette nuit. Depuis, je ne l'ai pas revue.

— Je souhaiterais que vous alliez à sa porte pour vous assurer qu'elle va bien. Je reste en ligne.

Au bruit, l'agent était apparemment déjà en train de sortir de son véhicule.

— Compris.

Reilly attendit avec anxiété. Les secondes s'égrenaient. Il imagina l'agent traversant la route, remontant l'allée le long de la pelouse de façade, gravissant les trois marches de pierre et sonnant à la porte. Il faudrait encore à Tess quelques secondes pour descendre si elle était à l'étage. A peu près à cet instant, elle devait être en train d'ouvrir la porte.

Rien.

Son trouble s'aggravait à mesure que les secondes passaient. Puis la voix de l'agent retentit dans son combiné.

— Elle ne répond pas. J'ai regardé derrière et il n'y a rien d'anormal. Aucun signe d'entrée par effraction. Mais elle ne semble pas être dans le coin.

— Ecoutez-moi, répliqua-t-il avec un geste vers Aparo, j'ai besoin que vous entriez à l'intérieur pour me confirmer que la maison est vide. Forcez la porte s'il le faut.

Nick se leva de son siège.

— Qu'est-ce qui se passe ?

Sean attrapait déjà un autre téléphone.

— J'appelle les Douanes.

Le téléphone dans le creux de sa main, il regarda son équipier avec des yeux pleins de colère.

— Tess est peut-être en train de commettre une bêtise.

51

Dans la file du bureau d'enregistrement de Turkish Airlines à l'aéroport JFK, Tess interrogea l'écran de son téléphone portable. Comme il n'indiquait pas qui était l'émetteur, elle décida de ne pas répondre. L'appel devait émaner d'un standard, et aucun des interlocuteurs possibles n'était bienvenu à cet instant. Ni Leo de l'institut ; Lizzie avait maintenant dû faire passer son explication énigmatique concernant son absence. Ni Doug, qui appelait de Los Angeles… aucun scrupule à son égard. Mais Reilly… vis-à-vis de lui, elle ne se sentait pas à l'aise. Elle détestait l'idée de lui faire ça. C'était sans doute l'une des décisions les plus dures qu'elle ait jamais eu à prendre. Cependant, maintenant qu'elle l'avait prise et qu'elle était partie, elle ne pouvait pas se permettre de lui parler. Pas encore.

Pas tant qu'elle n'aurait pas quitté le pays.

Remettant le téléphone dans la poche de sa veste, elle atteignit le comptoir et entama la fastidieuse procédure d'enregistrement. Une fois cette étape franchie, elle suivit les panneaux jusqu'au salon des départs, en quête d'un café. En passant devant un kiosque, elle acheta deux livres de poche qu'elle s'était promis de lire dès qu'elle en aurait le temps. Dans les circonstances présentes, qu'elle puisse brider ses réflexions pour se concentrer sur une fiction – fût-elle légère – était une autre affaire.

Elle franchit le contrôle des passagers et gagna le salon des départs, où elle s'effondra sur un fauteuil en fermant les yeux.

Elle avait du mal à croire qu'elle était réellement là. Alors qu'elle était assise sans rien d'autre à faire qu'attendre, son esprit avait enfin une occasion de se détendre, de prendre du recul et de reconsidérer les événements récents. Ce qui n'était pas nécessairement une bonne chose.

« A quoi penses-tu ? Partir toute seule pour l'arrière-pays turc ! Que se passera-t-il si tu tombes sur Vance là-bas ? Ou sur toute autre crapule que tu pourrais rencontrer ? Ce n'est pas le pays le plus sûr du monde. »

Cette vague de panique laissa bientôt place à une pensée beaucoup plus perturbante.

Reilly.

Elle lui avait menti. Encore une fois ! Un mensonge par omission, certes, mais un mensonge assez sérieux quand même. Cette fois, elle ne s'enfuyait pas avec un manuscrit sans l'avertir que Vance l'attendait chez elle. C'était beaucoup plus grave. Elle savait que quelque chose se passait entre eux, quelque chose qu'elle aimait et voulait entretenir, même si elle devinait qu'une raison qu'elle n'identifiait pas le retenait.

« A quel point cette relation compte-t-elle pour toi, Tess ? »

Elle écarta cette rêverie en sentant que la lueur des néons fluorescents venait d'être obstruée et que quelqu'un se tenait là. Elle ouvrit les yeux.

Reilly ! C'était lui. Il était là, debout, la dominant de toute sa hauteur... Et il n'avait pas l'air transporté de joie.

Il rompit le silence.

— Que croyez-vous être en train de faire ?

Elle ne savait pas trop comment répondre. Mais, au même instant, une voix nasillarde tomba des haut-parleurs au-dessus de leurs têtes et annonça l'ouverture des portes pour l'embarquement. Tout autour d'eux, des passagers se levèrent puis se rangèrent en deux lignes irrégulières convergeant vers les comptoirs. Ce mouvement lui octroya un répit bienvenu.

Reilly faisait un effort sur lui-même pour se contrôler. Puis il se laissa tomber sur le fauteuil près d'elle.

— Quand comptiez-vous m'informer ?

— Dès que je serais arrivée là-bas, répondit-elle, un peu penaude.

— Comment ? Vous comptiez m'envoyer une carte postale ? Bon sang, Tess ! Est-ce que rien de ce que je vous ai dit n'a de sens pour vous ?

— Ecoutez, je suis...

— Je sais : vous êtes désolée, c'est une grosse affaire pour vous, une chose qui n'arrive qu'une fois dans une vie, un moment clé dans une carrière… On en a déjà parlé, Tess. Mais vous semblez déterminée à vous faire tuer.

— Je ne peux pas rester les bras croisés et laisser passer cette chance.

— Les trois autres cavaliers de cette fameuse nuit… ils ont tous été tués. Et ce n'était pas joli joli. Ils ne sont pas franchement morts dans leur sommeil.

Tess risqua une hypothèse.

— Vous croyez que c'est Vance qui les a éliminés ?

— C'est soit lui, soit un type lié à lui. Dans les deux cas, il court toujours dans la nature et tuer ne semble pas du tout le gêner.

— Et s'il n'a pas encore découvert l'endroit ?

— Je pense que vous auriez eu droit à une nouvelle visite s'il ne l'avait pas trouvé. A mon humble avis, il sait où aller.

— Alors que faisons-nous maintenant ?

Reilly l'étudia. Il se posait la même question.

— Vous êtes sûre d'avoir identifié l'endroit exact ?

— Oui.

— Mais vous n'allez pas me dire où il se trouve ?

— Je préférerais éviter.

Au-dessus de leurs têtes, la voix nasillarde fit une nouvelle annonce invitant les derniers passagers à se présenter pour l'embarquement immédiat. Tess se tourna vers Reilly.

— C'est mon vol.

— Vous êtes sûre de vouloir y aller ?

— Sûre.

— Bon, réglons ça tout de suite. Vous aurez tout le mérite des découvertes qui seront faites, je m'en assurerai. Mais laissez-nous d'abord le neutraliser.

— Ce n'est pas seulement une question de mérite ou de crédit. C'est… c'est mon travail.

— Ce que vous proposez risque d'être hors de votre portée. Dans les affaires de découvertes internationales, des questions de territorialité très complexes peuvent se poser.

Elle risqua un vague sourire.

— Alors, je peux y aller maintenant, ou voulez-vous m'arrêter ?

Reilly serra les dents.

— J'y pense précisément.

Rien dans son expression ne pouvait laisser croire qu'il plaisantait. Bien au contraire.

— Sous quel chef d'accusation ?

— Je ne sais pas. Je trouverai quelque chose. Peut-être pour la possession d'un ou deux sachets de coke.

Il fit mine de palper ses poches.

— Je sais que j'en ai quelque part.

Le visage de Tess se détendit, mais l'expression de l'agent redevint sérieuse.

— Qu'est-ce que je peux dire pour vous faire changer d'avis ?

Elle se leva.

— Tout va bien se passer pour moi. Il ne m'arrivera rien.

Mais elle n'en était pas certaine.

Il se leva également et, pendant un moment, ils restèrent immobiles, l'un près de l'autre. Elle attendit qu'il dise quelque chose. Mais il n'en fit rien. Une petite partie d'elle-même allait jusqu'à espérer qu'il la prendrait dans ses bras et l'empêcherait de partir. Ce qu'il ne fit pas non plus. Elle regarda vers la porte, puis se retourna vers lui.

— A bientôt.

Il ne répondit pas.

Tess s'éloigna et s'approcha de la femme qui s'occupait de scanner les cartes d'embarquement. Elle sortit son passeport. En le tendant à l'hôtesse, elle se retourna encore une fois vers l'endroit où elle avait laissé Reilly. Il était toujours là à la regarder partir. Elle esquissa un demi-sourire gêné avant de se détourner et de s'engager dans le sas blanc pour gagner l'avion.

Les quatre turboréacteurs gémissaient. Dans les allées, l'équipage procédait aux ultimes préparatifs du décollage. On avait attribué à Tess un siège près du hublot. Le vol allait durer dix heures et elle fut soulagée de constater que le fauteuil à côté d'elle était vide. En regardant par la fenêtre, elle vit l'équipe au sol éloigner de l'Airbus le dernier appareil d'entretien. Au fond d'elle-même, elle ressentait un mélange d'exaltation et de mauvais pressentiments. Elle ne pouvait s'empêcher d'être excitée par le voyage qui l'attendait, mais ce que Reilly lui avait révélé à propos des cavaliers assassinés la préoccupait.

Tendant la main vers le magazine de la compagnie aérienne, elle remarqua soudain une certaine agitation à l'avant de l'avion. Tout son corps se raidit quand elle en comprit la cause : Reilly ! Celui-ci était en train de remonter l'allée vers elle.

« Quelle poisse ! Il a changé d'avis. Il vient me chercher pour me faire descendre de l'avion. »

En le fixant avec stupeur, elle ne put s'empêcher de sentir naître en elle un accès de colère. Lorsqu'il atteignit la rangée de Tess, celle-ci se colla contre le hublot.

— Ne faites pas ça, d'accord ? Ne me faites pas descendre de cet avion. Vous n'en avez pas le droit. Il ne m'arrivera rien.

Le visage de Reilly était impassible.

— Je sais.

Sur ce, il se laissa tomber dans le fauteuil voisin du sien.

Tess le scruta, étonnée. Sa bouche avait du mal à prononcer la moindre parole cohérente.

L'air de rien, il lui prit le magazine en bouclant sa ceinture.

— Alors, dit-il enfin, est-ce qu'ils ont de bons films ?

52

L'homme assis cinq rangs derrière Tess ne se sentait pas à l'aise. Il détestait prendre l'avion. Cela n'avait rien à voir avec une quelconque peur de voler, et ce n'était en aucun cas de la claustrophobie. Il ne supportait pas de rester confiné pendant des heures dans une boîte en fer où l'on n'avait pas le droit de fumer. Dix heures. Et encore, sans tenir compte du temps passé dans le terminal de l'aéroport, où il était également interdit de fumer.

Mais il avait eu de la chance. Ayant pour mission de garder en permanence un œil sur Tess, il avait été contraint de se trouver un poste de guet assez éloigné de son domicile à cause des policiers qui montaient la garde devant. Et c'était ce qui avait joué en sa faveur. S'il avait été plus proche, il l'aurait sans doute manquée quand elle s'était glissée à l'arrière de sa maison, qu'elle avait traversé les jardins de deux maisons voisines avant de revenir dans la rue pour prendre le taxi qui l'attendait à quelques mètres de l'endroit où lui-même était garé.

Il avait aussitôt alerté De Angelis et l'avait suivie jusqu'à l'aéroport. De son siège dans le salon des départs, il avait pu à loisir observer Tess et Reilly sans risque d'être repéré. Aucun des deux ne connaissait son existence. Deux fois, il avait appelé De Angelis depuis son portable. La première fois pour lui faire savoir que Tess avait finalement été autorisée à prendre l'avion. La seconde, peu après, dans l'appareil, pour l'informer de l'apparition de Reilly. Cette dernière conversation avait été abrégée par un steward qui lui avait fait éteindre son téléphone.

En se penchant dans l'allée, il étudia ses deux cibles tout en faisant tourner entre ses doigts un disque pas plus gros qu'une pièce de vingt-cinq cents. Il avait noté que Reilly n'avait pas de bagage à main. Cela n'avait pas grande importance. Tess avait un sac de voyage rangé dans le compartiment au-dessus de sa tête, et elle restait sa proie principale. Au demeurant, il savait qu'il n'avait pas besoin de précipiter les choses. Le vol allait être long et la plupart des passagers, y compris ses cibles et l'équipage de cabine, dormiraient à un moment ou un autre. Il devait être patient et attendre l'occasion pour fixer son traqueur, le minuscule mouchard émetteur qui permettrait de savoir en permanence où se trouvait la fille. Au moins, songea-t-il, cette activité lui fournirait un peu de distraction au cours de ce voyage qui, sans cela, promettait d'être pénible.

Il se tortillait sur son siège. Le steward remontait l'allée pour s'assurer que tout le monde avait bien attaché sa ceinture. Plunkett détestait la rigidité de ces procédures. Il avait l'impression de retourner à l'école primaire. Ne fumez pas, ne téléphonez pas. Et quoi encore ?

Quand le type passa près de lui, il grimaça, puis regarda par le hublot et fourra deux Nicorette dans sa bouche.

De Angelis arrivait à l'aéroport de Teterboro, dans le New Jersey, quand Plunkett l'avait appelé. Cet aéroport était discret et efficace pour un voyage organisé à la hâte. A une dizaine de kilomètres de Manhattan, c'était un endroit où les célébrités et les hommes d'affaires avaient leurs jets privés.

Assis à l'arrière de la Lincoln Town Car, l'ecclésiastique était presque méconnaissable. Il avait troqué son habit contre le beau costume Zegna noir auquel il était habitué. Et bien qu'il eût quelque scrupule à enlever son col romain, il l'avait volontiers fait, optant pour une chemise bleue. Il s'était aussi débarrassé des lunettes démodées qu'il avait portées pendant son séjour à New York, pour remettre sa paire sans monture coutumière. Même son porte-documents de cuir loqueteux avait disparu. Une petite mallette en aluminium l'avait remplacé, couchée sur la banquette de la limousine sombre qui s'apprêtait à le déposer à la porte de l'avion.

En grimpant à bord du Gulfstream IV, il jeta un coup d'œil sur sa montre et fit un rapide calcul. Les choses ne se présentaient pas mal. Il allait atterrir à Rome un peu avant que Tess et Reilly n'atteignent Istanbul. Le G-IV n'était pas seulement l'un des rares jets privés ayant un rayon d'action suffisant pour gagner Rome sans se ravitailler en carburant ; il était en outre plus rapide que le gros Airbus à quadriréacteurs. Cette vélocité allait lui donner le temps de récupérer l'équipement dont il avait besoin pour réaliser sa mission, après quoi il serait encore en mesure de les retrouver, où qu'ils aillent.

Prenant place dans l'avion, il réfléchit de nouveau au problème que posait Tess Chaykin. Tout ce qui importait au FBI, c'était de boucler Vance pour le hold-up du Met. En revanche, elle, elle cherchait autre chose. Même après l'emprisonnement de l'universitaire, elle continuerait de chercher, de retourner des pierres et de courir après l'objet de sa quête. C'était dans sa nature.

Il n'avait aucun doute à ce propos. A un moment donné, quand elle serait devenue inutile, il devrait s'occuper de ce problème. Un problème qui venait d'être exacerbé par Reilly, avec sa décision de l'accompagner.

Il ferma les yeux et s'adossa à l'appuie-tête de son luxueux fauteuil pivotant. Il n'avait nullement peur. C'était juste une malheureuse complication qu'il aurait à traiter en son temps.

53

Ils avaient atteint une altitude de croisière quand Tess se mit à expliquer ses découvertes à Reilly.

— Nous cherchions un endroit qui n'existe pas, c'est tout.

Ils avaient entrevu la silhouette de Manhattan, scintillant dans les nuances bleu et or du soleil couchant. Les Twin Towers du World Trade Center se remarquaient maintenant par leur absence. Depuis le ciel, l'ampleur de la catastrophe était encore plus effroyable. Puis l'avion à la queue rouge s'était incliné sur l'aile et élancé dans les airs en traversant une mince couverture nuageuse. Sans effort, il s'était hissé dans l'azur jusqu'à trente-sept mille pieds. L'Airbus se précipitait vers l'obscurité approchant à l'horizon. La nuit allait venir vite.

— Aimard de Villiers était malin. Et il savait que l'homme à qui il écrivait sa lettre, le maître du Temple de Paris, l'était autant que lui.

Tess était tout excitée par sa découverte.

— Il n'y a pas de « Fonsalis ». Il n'y en a jamais eu. Mais en latin, *fons* est le mot qui signifie « puits ». Quant à *salis,* cela veut dire « saule ».

— Le puits du saule ?

— Exactement, acquiesça Tess. Et alors, je me suis souvenue qu'ils se trouvaient en territoire ennemi quand Aimard a écrit sa lettre. Le village avait été occupé par les musulmans. Je me suis donc posé la question : pourquoi Aimard utilisait-il un nom latin pour le village ? Comment pouvait-il le connaître ? Il était plus probable qu'il ait appris par les chevriers son nom arabe, le nom que les conquérants utilisaient. Mais Aimard tenait quand même à dissimuler le nom exact, au cas où la lettre tomberait en de mauvaises mains et serait décodée.

— Donc le village s'appelait le « Puits du saule » ?

— Oui. C'était la pratique courante de baptiser un endroit d'après l'une de ses caractéristiques topographiques.

— Mais pour comprendre ce que le nom arabe voulait dire, il devait connaître leur langue.

— Il la connaissait certainement. Et si ce n'est lui, au moins l'un de ceux qui l'accompagnaient. A la fin des croisades, beaucoup de ces chevaliers étaient nés en Terre sainte. On les appelait les *poulains*[1]. Et les Templiers avaient une étrange affinité avec certains musulmans. J'ai lu qu'ils échangeaient des connaissances scientifiques et même mystiques. On va jusqu'à dire qu'en quelques occasions, ils ont engagé des *has-hashins* – les assassins, ces combattants extrêmement efficaces qui fumaient du haschisch, d'où leur nom.

Reilly écarquilla les yeux.

— Ils ont fait appel aux assassins, leurs ennemis ? Je croyais qu'ils étaient partis là-bas pour les combattre ?

— Quand on passe deux cents ans chez quelqu'un, tôt ou tard on finit par devenir amis.

— Alors, qu'est-ce que ça donne en arabe ?

— *Beer el-Sifsaaf.*

— Ce que vous avez trouvé comment ?

Tess ne put contenir un sourire d'autosatisfaction.

— Les journaux d'al-Idrisi. C'était un célèbre voyageur arabe, l'un des grands cartographes de l'époque[2]. Il a laissé d'importants comptes rendus de ses voyages en Afrique et dans le monde musulman, dont bon nombre ont survécu jusqu'à aujourd'hui.

— En anglais ?

— Non, en français. Mais ce n'est pas un problème.

Tess attrapa son fourre-tout, et en sortit une carte et quelques photocopies.

— Il mentionne la ville et son église pillée dans l'un de ses journaux.

Elle ouvrit une carte recouverte de notes griffonnées et de marques.

---

1. En français dans le texte. (*N.d.T.*)

2. Le chérif Abu Abd Allah al-Idrisi, né à Ceuta vers 1099 et mort en Sicile après 1165. Les cartes de ce célèbre géographe arabe, appartenant à la cour de Roger II de Sicile, ont servi de base à celles qui sont venues par la suite. Ses *Récréations géographiques* datent de 1153. (*N.d.T.*)

— Il l'a traversée lors de son voyage d'Antalya à Izmir, via Myra. La zone côtière de cette région possède une abondance de sites historiques : byzantins, lyciens... Dans tous les cas, son journal est fort détaillé. Tout ce dont nous avons besoin, c'est de suivre sa route et de longer comme lui la côte. Ainsi nous tomberons sur la ville... et l'église.

Reilly regarda la carte.

— Maintenant que vous avez compris, à votre avis combien y a-t-il de chances que Vance en ait fait autant ?

— Je serais étonnée qu'il ne soit pas déjà en route.

— Il faut que j'utilise la radio.

Il se leva et se dirigea vers le poste de pilotage.

Quand Reilly revint, Tess s'était bien installée et sirotait les dernières gouttes d'un jus de tomate épicé. Elle en avait aussi pris un pour lui. Tout en le regardant boire, elle ressentit un léger frisson à l'idée d'être assise juste à côté de lui, en route vers un pays lointain et exotique. En route pour l'aventure.

Elle sourit intérieurement. Il le remarqua.

— Qu'y a-t-il ?

— Rien. Je suis juste... Je suis encore étonnée que vous soyez là.

— Pas autant que mon chef, j'en suis certain.

Elle resta bouche bée.

— Vous ne vous êtes quand même pas absenté sans permission ?

— On peut le dire comme ça. Je viens de l'avoir. Il n'est pas franchement transporté de joie. Mais dès lors que vous ne savez pas exactement où se trouve la ville que l'on cherche et que la seule façon de la découvrir est d'aller là-bas...

— Vous ne le saviez pas avant d'être monté dans l'avion.

Il lui décocha un petit sourire.

— Etes-vous toujours aussi pointilleuse sur les détails ?

En l'observant du coin de l'œil, elle prit conscience qu'elle ne connaissait pas grand-chose de l'homme qui se retranchait derrière son badge d'agent du FBI. L'autre soir, quand il l'avait ramenée à la maison, elle en avait eu quelques aperçus très fugitifs. Ses goûts musicaux, son sens de l'humour. Elle voulait en apprendre davantage. Dix heures allaient lui en fournir l'occasion... si elle parvenait à rester éveillée. Elle commençait à avoir l'impression que ses paupières pesaient une tonne. L'épuisement des derniers jours se rappelait soudain à son souvenir. Elle se recroquevilla contre le hublot.

— Alors expliquez-moi comment vous pouvez sauter dans un avion sans crier gare, comme ça, en une minute ? Il n'y a pas quelqu'un chez vous à propos de qui je pourrais vous harceler comme vous l'avez fait à propos de Kim ?

Reilly comprenait exactement ce à quoi elle faisait allusion.

— Désolé, rit-il. Je ne suis pas marié.

— Divorcé ?

— Même pas.

Le regard de Tess lui fit sentir qu'il devait développer.

— Un travail comme le mien peut être dur pour un conjoint.

— C'est sûr. S'il vous permet de sauter dans le premier avion pour rejoindre une fille que vous connaissez à peine... Je n'aimerais pas que mon mari fasse ça tous les jours.

Il fut heureux de saisir la perche qu'elle lui tendait et de modifier le tour de la conversation.

— Justement, en parlant de mari, qu'en est-il de vous ? Qu'est-ce qui s'est passé avec Doug ?

Les traits de la jeune femme se durcirent.

— Une erreur. J'étais jeune. Trop jeune. Je travaillais avec mon père à cette époque. Ce n'était pas la plus excitante des carrières. L'archéologie est assez limitée. Et quand j'ai rencontré Doug, c'était un de ces types du show-biz exubérants et sûrs d'eux. Je me suis laissé séduire. Mon père était connu et admiré dans son domaine, mais c'était un homme sérieux. Un peu sinistre, vous voyez ce que je veux dire ? Et directif. J'ai ressenti le besoin d'échapper à son autorité. Doug a représenté la voie de sortie. Ce m'as-tu-vu prétentieux et violent, maugréa-t-elle.

— N'avez-vous pas vous-même un léger penchant pour la prétention ?

— Non. Si, enfin peut-être. Un peu. Quoi qu'il en soit, quand on a commencé à se fréquenter, ça lui plaisait que j'aie un métier. Il m'encourageait beaucoup et semblait intéressé par ce que je faisais. Puis, quand nous nous sommes mariés, il a changé du jour au lendemain. Il est devenu encore plus autoritaire que mon père. C'était comme si je lui appartenais, comme si j'étais un objet de collection qu'il voulait voir sur une de ses étagères. Et une fois qu'il m'a eue, je me suis retrouvée enceinte de Kim avant de comprendre mon erreur. A contrecœur, j'ai accepté l'offre de mon père de l'accompagner pour une campagne de fouilles en Turquie...

— C'est au cours de ce voyage que vous avez fait la connaissance de Vance ?

— Oui. Je pensais que le temps que j'allais passer au loin serait une bonne occasion de réfléchir à l'avenir. Quand je suis revenue, j'ai découvert que Doug avait eu une aventure avec... le cliché par excellence.

— La présentatrice de la météo ?

— Presque. Sa productrice. Enfin, toujours est-il que c'était ce qu'il me fallait. J'étais tirée d'affaire.

— Et vous avez récupéré votre nom de jeune fille.

— Ce n'était pas une mauvaise chose dans mon milieu professionnel. Et surtout, je n'avais pas envie d'associer plus longtemps le nom de cet individu au mien.

Loin de lui nuire, le nom de Chaykin l'avait largement aidée à obtenir son poste à l'institut Manoukian. Et c'était pour cela aussi qu'une découverte de cette envergure, découverte qui ne devrait rien à Oliver Chaykin ni au fait d'être sa fille, pouvait être le coup décisif qui lèverait tout doute dans son esprit comme dans celui des autres, et les convaincrait qu'elle avait bien un nom... et un prénom.

A condition, bien sûr, qu'elle soit la seule à réussir.

Ses paupières battirent. Elle était épuisée et avait besoin de dormir. Tous deux en avaient besoin.

Après un moment de silence, elle dit simplement :

— Merci.

— Pour quoi ?

— Pour tout.

Elle se pencha et l'embrassa sur la joue avant de se rabattre contre son hublot. Dehors, les étoiles semblaient si proches qu'on aurait pu les toucher. Elles glissaient dans le ciel de plus en plus sombre. Tess descendit le store. Puis, fermant les yeux, elle se sentit partir.

54

On était déjà au milieu de l'après-midi quand Tess et Reilly descendirent les marches de métal pour poser le pied sur le tarmac de l'aéroport de Dalaman. Ils se sentaient tous deux éreintés. Les quelques heures de sommeil qu'ils avaient réussi à s'octroyer au cours du vol transatlantique leur avaient fait du bien, mais ils auraient volontiers dormi un peu plus, dans un vrai lit, avant de poursuivre leur voyage. Seulement ils n'en avaient pas le temps. Pire, les trois heures de transit à l'aéroport d'Istanbul avaient encore aggravé leur fatigue. Ils avaient dû attendre le court vol de correspondance vers Dalaman, sur la côte sud, d'où ils comptaient entamer leur long voyage à l'intérieur des terres.

Reilly avait passé une partie de son temps à Istanbul suspendu à son portable. Il avait d'abord mis Aparo au courant avant d'avoir une conversation animée avec Jansson. Celui-ci n'était toujours pas convaincu par la décision intempestive de son collaborateur, qui avait préféré accompagner Tess au lieu de la traîner de force à Federal Plaza. Le reste de son temps, il l'avait passé avec l'agent de liaison officiel local du Bureau, un homme répondant au nom de Vedat Ertugrul.

Celui-ci s'était déplacé pour les rencontrer et faciliter l'entrée sur le territoire de Reilly, qui n'avait pas son passeport. Quelques jours plus tôt, Ertugrul s'était vu notifier l'arrivée potentielle de Vance dans cette partie du monde. Il avait confirmé à Reilly que, jusque-là, aucun des points d'entrée possibles en Turquie n'avait signalé quoi que ce soit. Puis il avait abordé la logistique et la mise en place des soutiens dont ils auraient besoin. Le FBI n'avait aucun agent permanent en poste en Turquie. Les plus proches se trouvaient à Athènes, où ils aidaient la police locale dans son enquête sur une récente affaire d'attentat à la voiture piégée. Les relations avec le gouvernement turc étaient tendues, à cause des problèmes suscités par l'intervention en Irak qui traînait en longueur. Ertugrul avait assuré à Reilly que, au besoin, il pouvait s'arranger pour qu'une escorte de la police les rejoigne à Dalaman. Reilly avait décliné l'offre, préférant ne pas avoir à gérer des problèmes de barrière linguistique et de bureaucratie locale. Il avait simplement demandé à Ertugrul de s'assurer que la police soit bien informée de leur présence dans le secteur. Il resterait en contact étroit et demanderait des renforts si nécessaire, tout en soupçonnant qu'il aurait à se débrouiller seul.

Reilly avait aussi utilisé l'escale pour se procurer des vêtements plus appropriés et un petit sac à dos. Dans ce dernier, il avait rangé la tenue qu'il avait sur lui en partant et les papiers qu'Ertugrul lui avait obtenus en lieu et place de son passeport. Le Turc lui avait aussi confié un téléphone satellite Iridium, qui, via la station EMSS du Département de la Défense à Hawaii, permettrait à Reilly de rester en liaison avec le monde depuis quasiment n'importe quel point de la planète.

Dans le sac, il y avait aussi son browning Hi-Power, pour lequel Ertugrul avait aussi gracieusement fourni des cartouches et des chargeurs supplémentaires.

Tess avait profité de l'attente pour appeler la maison de sa tante et parler à Kim et à Eileen. Encore une fois, ce n'était pas un appel facile. Kim lui manquait et elle s'en rendit compte en entendant sa voix au téléphone. Elle se consola en constatant que sa fille s'amusait bien. Mais le pire, c'était d'expliquer à sa mère qu'elle n'allait toujours pas pouvoir venir. Tess fit tout ce qu'elle put pour la rassurer. En désespoir de cause, elle lui avoua que Reilly était avec elle. Erreur fatale : ce détail ne fit qu'inquiéter davantage sa mère. Pourquoi un agent du FBI l'accompagnait-il si elle n'était pas en danger ? Tess avait tenté d'imaginer une explication tournant autour de l'idée qu'on avait fait appel à elle comme spécialiste extérieure. Enfin, elle profita d'une annonce d'embarquement pour couper court à la conversation.

Tess n'avait pas prêté attention à l'homme au faciès cireux qui l'avait bousculée alors qu'elle se frayait un chemin dans le terminal bondé pour gagner les toilettes. Il avait heurté le sac de voyage qu'elle tirait derrière elle et qu'elle avait lâché. Courtoisement, il l'avait ramassé et il s'était assuré qu'elle allait bien avant de s'éloigner.

La jeune femme n'avait noté qu'un détail : l'homme empestait le tabac froid. Mais la majorité des Turcs fumaient. En revanche, elle n'avait pas remarqué la minuscule plaque noire, de la taille d'une pièce de monnaie, qu'il avait réussi à coller près d'une roulette de son sac.

Tess et Reilly traversèrent le terminal de Dalaman pour rejoindre le comptoir des locations de voiture. Ertugrul était parvenu à leur procurer à la hâte un minimum d'équipement, dont un carton de bouteilles d'eau, deux sacs de couchage et deux tentes en Nylon. Peu de temps après, ils s'installèrent dans un 4 × 4 Mitsubishi Pajero quelque peu loqueteux et partirent sur les traces, vieilles de plusieurs siècles, d'une poignée de chevaliers rescapés d'un naufrage.

Reilly conduisait tandis que Tess assumait le rôle de navigatrice. Elle utilisait un ensemble de cartes et de notes pour essayer de retracer la route qu'al-Idrisi mentionnait dans son journal tout en la confrontant aux éléments glanés dans la lettre d'Aimard.

Le rivage s'éloigna derrière eux. Les maisons construites les unes contre les autres et les immeubles bas laissèrent place à un paysage plus tranquille. D'immenses portions du littoral lycien avaient été classées en zones protégées avant la construction de l'aéroport de Dalaman, épargnant à la région l'impact du tourisme de masse.

Reilly et Tess se retrouvèrent vite au milieu d'un décor de vieilles propriétés pastorales, ceintes de murets de pierre ou de clôtures rouillées et ombragées par des pins. Des deux côtés de la route, la terre apparaissait riche et fertile. On voyait de nombreux arbustes et des bouquets d'arbres ici et là. Sur les hauteurs, à leur droite, la végétation devenait plus dense.

Il leur fallut moins d'une heure pour atteindre Köycegiz, une petite ville nichée au bord d'un grand lac qui formait jadis un havre naturel. Telle une dentelle de roche entrelacée, les tombes troglodytes cariennes les surplombaient. Taillées dans les collines rocheuses bordant le lac et bien préservées, elles étaient comme un rappel de l'une des nombreuses civilisations qui s'étaient établies dans cette région.

Environ trois kilomètres après la ville, Tess indiqua à Reilly qu'il devait quitter la voie principale. L'asphalte était plein de nids-de-poule. A partir de là, la route allait être encore plus mauvaise, mais pour le moment les suspensions robustes du 4 × 4 résistaient.

Ils dépassèrent des oliveraies et des plantations de citronniers, des champs de maïs et des alignements de tomates près de chemins bordés de boswellias. Les couleurs vives et les parfums aidaient à tenir éveillés leurs sens engourdis par la fatigue et le décalage horaire. Puis ils se remirent à monter, traversant des collines abondamment boisées, parsemées de rares villages endormis.

Autour d'eux, ils apercevaient les vestiges pittoresques d'un mode de vie vieux de plus d'un millier d'années, une histoire vivante depuis longtemps disparue en Occident. Des spectacles aussi fabuleux qu'inattendus surgissaient sans prévenir au gré de leur progression : une jeune fille filant la laine tout en gardant son mouton ; un bûcheron chargé de bois, ployant sous son haut et lourd fardeau ; une paire de bœufs tirant une charrue archaïque dans le soleil couchant...

De temps en temps, Tess se laissait emporter par son excitation quand elle constatait que les extraits du journal d'al-Idrisi correspondaient à la route qu'ils suivaient.

La lumière commençait à décliner et les phares du 4 × 4 aidaient à repérer la route. Celle-ci n'était plus qu'un étroit chemin parsemé de roches.

— Je pense que nous devrions nous arrêter pour aujourd'hui, annonça Reilly.

Tess consulta sa carte.

— On ne peut pas être loin. Je dirais que nous sommes à trente ou quarante kilomètres.

— Peut-être. Mais il fait de plus en plus sombre et je ne voudrais pas heurter un rocher et casser un essieu.

Elle était impatiente d'atteindre leur destination, mais, alors qu'il garait le 4 × 4 sur une portion de sol relativement plate, elle dut admettre qu'il avait raison. Même un simple pneu crevé serait une catastrophe.

Ils sortirent de la voiture et regardèrent le paysage qui se déroulait au-dessous d'eux. Les ultimes feux du couchant s'évanouissaient derrière des volutes de nuages rose-gris. Au-dessus de leur tête, le croissant de la lune semblait presque proche. Les montagnes étaient tranquilles et désertes, enveloppées dans un silence déconcertant auquel l'agent du FBI n'était pas accoutumé.

— Il n'y a pas de ville à proximité que nous pourrions gagner ?

Elle consulta de nouveau sa carte.

— Rien de proche. La dernière se trouve à environ dix kilomètres derrière nous.

Reilly fit une rapide évaluation visuelle des points faibles du secteur et décida qu'il était aussi bon qu'un autre pour un bivouac. Il se dirigea vers la portière arrière du tout-terrain.

— Voyons ce que notre ami d'Istanbul nous a déniché.

Pendant que Reilly s'occupait d'assembler les piquets d'aluminium des deux tentes et de les installer, Tess s'était chargée d'allumer un feu. Ils purent bientôt se jeter, affamés, sur les provisions qu'Ertugrul leur avait procurées. Ils se délectèrent de saucisses *basterma* et de *boreks* au *kasseri* arrosés d'eau minérale.

L'Américain vit les yeux de Tess rayonner de plaisir en ouvrant un petit carton dont elle sortit une boulette de *lokma*. Les doigts dégoulinants de sirop, elle n'en fit qu'une bouchée.

— Votre ami local est un don du ciel, parvint-elle à dire avant d'en enfourner une autre. Goûtez-les, elles sont délicieuses. Je n'ai pas pu en manger autant que j'aurais voulu la dernière fois que je suis venue. Ma grossesse ne facilitait pas les choses à l'époque. Je n'avais pas besoin de kilos supplémentaires.

— Et qu'est-ce qui a amené Vance ici ? demanda-t-il en se servant.

— Mon père travaillait sur un chantier de fouilles pas très éloigné de l'« anomalie de l'Ararat ». Vance brûlait d'y jeter un coup d'œil et mon père l'a invité.

Tess expliqua comment, en 1949, un avion espion U2 de retour d'un vol de reconnaissance sur l'Union soviétique avait survolé la Turquie et pris des photos qui laisseraient perplexes les analystes photographiques de la CIA pendant des années. L'information avait fini par filtrer et, à la fin des années

1990, les photos avaient été diffusées, faisant sensation. Sur le flanc d'une montagne, non loin du sommet, on distinguait quelque chose qui ressemblait à un navire. Les gros plans avaient révélé ce qui était apparu comme trois immenses poutres de bois courbes, évoquant une partie de la coque d'un grand vaisseau.

— L'arche de Noé, dit Reilly en se remémorant vaguement les gros titres de la presse.

— Beaucoup ont été fascinés par cette découverte, mon père compris. Le problème, c'était que, malgré le dégel de la guerre froide, la zone restait très sensible. La montagne était à moins de vingt kilomètres de la frontière russe, moins de trente de l'Iran. Quelques personnes ont reçu une autorisation et tenté de grimper pour voir ce que c'était. James Irwin, l'astronaute, était l'un d'eux. Il a marché sur la Lune et, plus tard, il s'est converti au christianisme, dont il est devenu un fervent adepte. Il a essayé de monter pour voir de plus près cette fameuse anomalie.

— Qu'est-ce que vous en pensez ? Que c'est l'arche de Noé ?

— L'opinion générale considère que ce n'est pas le cas et que ce n'est qu'une étrange formation rocheuse.

— Mais vous, qu'en pensez-vous ?

— Je n'en sais rien. Personne ne l'a atteinte ou touchée. Tout ce que nous savons, c'est que l'histoire d'un déluge et d'un homme avec un bateau chargé d'animaux se retrouve dans de nombreux écrits jusqu'en Mésopotamie. Des écrits antérieurs à la Bible de plusieurs milliers d'années. Cela m'incite à croire qu'un événement de ce type s'est peut-être produit. Non pas que le monde entier ait été réellement englouti par un déluge, mais une grande zone quelque part, dans cette partie du monde, certainement. Un homme y aurait survécu et son histoire serait passée dans la légende.

Il y avait quelque chose dans sa façon de s'exprimer qui semblait affirmatif, définitif. Reilly ne croyait pas nécessairement en l'arche de Noé, mais…

— C'est drôle, dit-il.

— Quoi ?

— J'aurais imaginé que les archéologues étaient attirés par les mystères du passé avec un esprit plus ouvert que les autres et un sens du merveilleux qui leur permettait d'aborder ce qui a pu survenir à une époque si lointaine et si opposée à tout ce que nous vivons aujourd'hui... Pourtant, votre approche est rationnelle et analytique. Est-ce que ça ne vous éloigne pas, je ne sais pas... de la magie de tout cela ?

— Je suis une scientifique, Sean. Je suis comme vous. Je travaille sur des faits, des éléments tangibles. Quand je pars fouiller, je cherche des preuves sur la vie et la mort des hommes du passé, leur art de la guerre et de la construction. Les mythes et les légendes, je les laisse à d'autres.

— Donc, si ça ne peut être scientifiquement expliqué... ?

— Alors cela n'est probablement jamais arrivé.

Elle reposa la boîte de *lokmas* et s'essuya la bouche avec un mouchoir avant de s'étirer et de se retourner vers lui.

— J'ai besoin de vous demander quelque chose.

— Allez-y !

— A l'aéroport...

— Oui...

— Comment se fait-il que vous ne m'ayez pas fait descendre de l'avion ? Vous auriez pu m'arrêter, n'est-ce pas ? Alors pourquoi ?

Au soupçon de sourire qui effleurait les lèvres de la jeune femme et au pétillement de ses yeux, Reilly sut où elle voulait en venir. Elle était en train de prendre l'initiative, ce qui était aussi bien étant donné sa propre hésitation à aller dans cette direction. Pour le moment, il choisit quand même de botter en touche avec un peu compromettant :

— Je ne sais pas.

Puis il s'empressa d'ajouter :

— Je savais que vous auriez été insupportable et que vous auriez hurlé à en faire exploser l'avion si je vous avais emmenée.

Elle se rapprocha davantage de lui.

— Et comment !

Il ressentit une palpitation dans la poitrine et changea de position. Insensiblement, il se laissa glisser vers elle en lui faisant face.

— En outre, je me suis dit : « Allons vérifier si elle est aussi intelligente qu'elle le pense. »

Elle se pencha un peu plus encore. Son visage n'était maintenant qu'à quelques centimètres. Le fameux petit sourire mutin s'épanouit.

— Comme c'est magnanime de votre part !

Le ciel, la forêt, le feu de camp... tout était parfait. Il sentait la chaleur qui se dégageait des lèvres de Tess, attirant les siennes comme un aimant, et, pendant un bref moment, il eut l'impression que tout avait disparu autour d'eux. Le reste du monde avait cessé d'exister.

— Que puis-je vous dire ? Je suis un homme magnanime. Particulièrement quand quelqu'un se met en route pour accomplir son propre... pèlerinage.

Tess ne s'éloigna pas.

— Donc, puisque vous êtes ici pour me protéger, murmura-t-elle, je pense que cela fait de vous mon chevalier personnel ?

— Quelque chose comme ça.

— Vous savez, réfléchit-elle en le regardant d'un air espiègle, d'après le manuel officiel des Templiers, vous êtes censé monter la garde toute la nuit pendant que les pèlerins dorment.

— Vous êtes sûre de ça ?

— Chapitre six, section quatre. Allez vérifier.

Ils avaient l'impression d'être dans un rêve.

— Vous pensez pouvoir supporter ça ? demanda-t-elle.

— Pas de problème. C'est ce que nous, les Templiers, faisons.

Elle sourit. Sur ce, il se pencha et l'embrassa.

Il se rapprocha et le baiser se fit plus langoureux. Ils se fondirent l'un dans l'autre, perdus dans l'instant, l'esprit libre de toute pensée, consumés par une vague de sentiments, de parfums et de sensations. Et soudain, quelque chose s'immisça entre eux, un malaise intérieur familier qui torturait Reilly, entraînant son esprit vers un endroit plus sombre, vers le visage de sa mère décomposé et vers un homme dans un fauteuil, les bras pendant sans vie, un pistolet gisant sur le tapis, une immense éclaboussure sanglante maculant le mur derrière lui.

Il se rejeta en arrière.

— Quoi ? demanda Tess, sortant d'un rêve.

Il se raidit, les yeux perdus dans le vague, vitreux, distants, obsédés.

— Ce... ce n'est pas une bonne idée.

Elle se redressa et passa une main dans les cheveux de l'agent fédéral en approchant à nouveau sa bouche de la sienne.

— Oh, permettez-moi d'être d'un autre avis. Je crois au contraire que c'est une excellente idée.

Mais au moment où leurs lèvres se touchaient, il s'écarta.

— Sérieusement.

Abasourdie, Tess s'appuya sur un coude. De son côté, Sean, l'air abattu, se contentait de la fixer tristement.

— Ce ne serait pas une histoire de vœu de chasteté pendant le carême ?

— Pas vraiment.

— Alors qu'est-ce qu'il y a ? Vous n'êtes pas marié. Je suis presque certaine que vous n'êtes pas homo, même si…

Elle esquissa un geste voulant dire « peut-être ».

— Et la dernière fois que j'ai vérifié, j'ai pensé que j'avais toutes mes chances. Alors qu'est-ce qu'il y a ?

Il luttait de toutes ses forces pour mettre en mots ce qu'il avait en tête. Ce n'était pas la première fois qu'il éprouvait de tels sentiments, mais cela faisait un moment que ça ne lui était pas arrivé. Pour tout dire, il n'avait pas ressenti cela pour quelqu'un depuis fort longtemps.

— C'est difficile à expliquer.

— Essayez.

— Je sais qu'on se connaît à peine, et peut-être que je m'emballe. Mais… je vous apprécie réellement et… il y a des choses me concernant que, à mon sens, vous devez savoir, même si…

Il laissa la fin de sa phrase en suspens, mais le sous-entendu était clair.

Même si je dois vous perdre à cause de ça.

— C'est à propos de mon père.

— Qu'est-ce que cela a à voir avec nous ? Vous avez dit que vous étiez jeune quand il est mort et que cela vous a durement touché.

Elle vit Reilly se crisper. Se remémorant la première fois qu'il avait mentionné cette histoire, le soir, chez elle, Tess sut qu'elle s'aventurait sur un terrain délicat. Mais elle avait besoin de savoir.

— Qu'est-il arrivé ?

— Il s'est tiré une balle dans la tête. Sans raison.

Au plus profond d'elle-même, la jeune femme sentit un nœud se défaire. Son imagination débordante l'avait déjà entraînée vers des lieux beaucoup plus sombres.

— Que voulez-vous dire par « sans raison » ? Il y a toujours une raison.

— C'est bien le problème. Il n'y en avait pas. Je veux dire, aucune qui ait un sens. Il ne semblait jamais maussade ou amer. Mais nous avons découvert qu'il était malade, qu'il souffrait de dépression. Seulement, il n'y avait aucun motif. Il avait un travail qu'il aimait. Nous étions à l'aise. Il avait une épouse aimante. A tous points de vue, il avait une vie formidable. Mais cela ne l'a pas empêché de se faire sauter la cervelle.

— C'est une maladie, Sean. Une pathologie, un déséquilibre chimique, quel que soit le nom. Comme vous l'avez dit vous-même, il était malade.

— Je sais. Le problème, c'est que c'est aussi génétique. Il y a une chance sur quatre pour que j'en sois atteint.

— Et trois sur quatre pour que vous ne le soyez pas.

Elle lui sourit de manière encourageante, mais il ne parut pas convaincu.

— Est-ce qu'il était traité contre ça ?

— Non. C'était avant que le Prozac remplace l'aspirine.

Songeuse, Tess resta un instant silencieuse.

— Vous vous êtes déjà fait examiner ?

— Nous avons des examens psychologiques de routine au travail.

— Et… ?

— Ils n'ont rien révélé d'anormal.

— Bien. Moi, je ne vois plus rien non plus.

— Où ?

La voix de Tess s'adoucit.

— Dans vos yeux. Jusque-là, je pouvais voir quelque chose, une sorte de distance, comme si vous vous réfugiiez derrière un mur, toujours dans la retenue pour quelque raison inconnue. D'abord j'ai pensé que ça pouvait être votre façon d'être, vous savez, le porteur d'insigne fort, discret et taciturne.

Sa force de conviction était rayonnante et contagieuse.

— Il n'y a aucune raison pour que cela vous arrive, insista-t-elle.

— Et si cela arrive quand même ? J'ai déjà vécu ça. J'ai vu ce que cela a fait à ma mère. Je ne voudrais pas que vous – ou qui que ce soit qui ait de l'importance pour moi – puissiez à votre tour y être exposée.

— Donc vous allez vous couper du reste du monde ? Allons, Sean. C'est comme si vous me disiez que nous ne pouvons pas être ensemble parce que, je ne sais pas, votre père serait mort d'un cancer. Qui sait vraiment ce qui va arriver à n'importe lequel d'entre nous ? Tout ce qu'il faut, c'est vivre et espérer le meilleur dans notre brève existence.

— Tout le monde ne se réveille pas un matin en décidant de se tirer une balle dans la tête pour quitter ce monde. Et je reconnais une partie de lui en moi. Il était plus jeune que je le suis aujourd'hui quand il a fait ça. Parfois, je me regarde dans le miroir et je le vois. Je vois son regard, son allure, sa posture, et ça m'effraie.

— Vous avez dit qu'un prêtre vous avait aidé à traverser cette épreuve.

— Mon père n'était pas croyant. Il avait chassé la foi de sa vie. Quant à ma mère, elle était plutôt du genre à suivre. Donc elle n'était pas non plus particulièrement croyante. Après la mort de mon père, je me suis renfermé. Je ne parvenais pas à comprendre pourquoi il avait fait ça, pourquoi nous n'avions rien vu venir, pourquoi nous n'avions pas pu l'empêcher. Ma mère était devenue une épave. Elle a fini par passer de plus en plus de temps avec notre curé, qui, à son tour, a commencé à me parler du drame. Il m'a aidé à comprendre pourquoi aucun de nous ne devait se sentir coupable de ce qui s'était passé et il m'a montré une autre facette de la vie. L'Eglise est devenue mon sanctuaire, mon refuge, et je ne l'ai jamais oublié.

Remise de son choc, Tess avait enfin retrouvé la pleine possession de ses moyens. Et c'est avec une détermination renouvelée qu'elle revint à la charge.

— J'apprécie votre inquiétude à mon endroit et votre mise en garde. Je trouve que c'est très honnête de votre part. Mais cela ne m'effraie pas. Vous aviez besoin que je sois au courant et maintenant c'est le cas. Mais je ne pense pas que vous puissiez rester sur cette position. Vous ne pouvez laisser une chose qui n'arrivera peut-être jamais ruiner votre vie. Vous ne faites que contribuer à transformer cette éventualité en une prophétie. Vous n'êtes pas votre père ! Vous devez passer à autre chose, vivre la vie que vous vous choisissez et, si ça ne marche pas, eh bien c'est que, peut-être, quelque chose ne va pas dans votre manière de vivre. Vous êtes seul, ce qui n'est pas un départ formidable pour une nouvelle existence, et Dieu sait que vous n'avez pas choisi un travail particulièrement gai et lumineux.

— C'est le mien.

— Peut-être que vous avez besoin de faire autre chose…

Le sourire mutin de Tess fit une réapparition bienvenue.

— … Vous taire et m'embrasser.

Les yeux de Reilly détaillèrent le visage de l'archéologue. Elle était en train de donner un sens à sa vie, d'ancrer un optimisme sincère en lui, et pourtant il la connaissait à peine. Il ressentait quelque chose de familier au fond de lui-même, quelque chose qu'il commençait à reconnaître et qui ne survenait que lorsqu'elle était près de lui : en un mot, la vie.

Il se pencha vers elle, l'attira vers lui et l'étreignit tendrement.

Quand les deux silhouettes sur l'écran se rapprochèrent, leurs signatures thermiques bleu-gris se fondirent en une seule masse informe. Leurs voix sourdes s'étaient tues, remplacées par le son étouffé des vêtements que l'on enlève et des corps qui se rapprochent.

De Angelis réchauffa ses mains autour de la tasse de café brûlante en regardant l'écran d'un air plus distrait. Ils s'étaient garés sur une crête surplombant la dépression où Tess et Reilly avaient installé leur bivouac. Le hayon arrière du Landcruiser beige était ouvert, révélant deux écrans qui rayonnaient dans l'obscurité. Le premier était celui d'un ordinateur portable, à partir duquel un câble électrique serpentait jusqu'à une caméra de surveillance thermique infrarouge Raytheon. Installée sur un trépied, celle-ci avait une vue plongeante sur le paysage devant elle. Un microphone directionnel parabolique était posé sur un second trépied. L'autre écran était celui d'un petit PDA. Le clignotement indiquait la position du traqueur GPS collé sous le sac de voyage de Tess.

L'ecclésiastique se tourna et regarda la vallée sombre qui s'étendait au-dessous de lui. Il se sentait serein. Les choses restaient sous contrôle et c'était ainsi qu'il aimait que cela se passe. Ils étaient tout proches et, avec un peu de chance, ils allaient même battre Vance et arriver sur place avant lui. Il ne savait toujours pas exactement vers où ils se dirigeaient.

De Angelis aurait préféré disposer d'un capteur audio à l'intérieur de leur voiture, mais l'occasion d'installer un micro ne s'était pas présentée. Enfin, cela n'avait guère d'importance. Où qu'ils aillent, quoi qu'ils trouvent, il serait juste derrière eux, attendant de bondir et de récupérer la chose.

C'était la partie facile de la mission. La question de savoir ce qu'il allait faire d'eux après avoir atteint son but était beaucoup plus délicate.

De Angelis regarda une dernière fois l'écran quelques instants avant de jeter le reste de son café dans les broussailles. Dans tous les cas, cela ne l'empêcherait pas de dormir.

55

Quand Tess se réveilla, la lumière du jour filtrait de l'extérieur. Encore à moitié endormie, elle tendit la main, mais elle ne rencontra que le vide. Elle était seule dans les sacs de couchage qui avaient été attachés ensemble à l'aide de leurs fermetures à glissière. En se redressant, elle se rappela qu'elle était nue et chercha ses vêtements.

Dehors, le soleil était plus haut qu'elle ne s'y attendait et, en consultant sa montre, elle comprit pourquoi. Il était presque neuf heures et l'astre était déjà à mi-chemin de sa course vers son zénith dans un ciel très clair. Elle cligna des yeux pour regarder autour d'elle et aperçut enfin Reilly. Debout près du 4 × 4, torse nu, il se rasait en utilisant de l'eau chauffée à l'aide d'une résistance électrique branchée sur l'allume-cigare.

Alors qu'elle se dirigeait vers lui, il se retourna.

— Le café est prêt.

— J'adore ton ami Ertugrul, s'extasia-t-elle en apercevant un thermos fumant.

Le riche parfum d'un café noir velouté réveilla ses sens.

— Tu pensais que l'argent de tes impôts était gaspillé ?

Il essuya sa mousse à raser et embrassa sa compagne. Celle-ci revit le petit crucifix d'argent discret pendant au bout d'une chaîne fine qu'elle avait remarqué pendant la nuit. La petite croix avait un charme désuet qui l'étonna elle-même. Elle n'aurait jamais imaginé pouvoir trouver un tel objet attirant, pourtant, sur lui, c'était différent. Cette croix semblait faire corps avec lui.

Quelques minutes après, ils avaient repris la route et s'aventuraient à l'intérieur des terres. Le Pajero absorbait les bosses et nids-de-poule du revêtement crevassé. Ils dépassèrent quelques maisons désertes et une ferme avant de quitter la route étroite pour emprunter une piste forestière encore moins large.

Ils traversèrent un taillis d'aliboufiers. Un jeune villageois était en train d'entailler les troncs pour récupérer le storax odorant. Droit devant eux, un ensemble de hautes collines se découpa. Une vague d'exaltation envahit Tess.

— Tu vois ça, là-bas ?

Son pouls s'accélérait alors qu'elle montrait du doigt un promontoire à la forme singulière. Son sommet avait un profil remarquablement symétrique.

— C'est ça, exulta-t-elle. C'est la double bosse de la chaîne du Kenjik.

Ses yeux parcoururent les notes et la carte qu'elle tenait. Elle essayait de les concilier avec le paysage qu'elle avait sous les yeux.

— Voilà, nous sommes ici. Le village devrait être dans la vallée, juste de l'autre côté de cette montagne.

La piste coupait à travers un épais bouquet de pins. Lorsqu'ils ressortirent à la lumière, ils contournèrent une colline. Le 4 × 4 utilisait toute la puissance de ses quatre roues motrices. Ils continuèrent de monter jusqu'à atteindre la crête.

Quand ils arrivèrent en haut, Tess eut l'impression de recevoir un gigantesque coup de massue en plein visage. La vue ne correspondait pas à ce qu'elle s'attendait à trouver.

Entre deux chaînes de montagnes couvertes de pins, un immense lac déroulait son miroir scintillant.

56

Tess se figea. Hébétée, elle contemplait le spectacle – somptueux, au demeurant – qui s'offrait à elle. Ses doigts agrippèrent la poignée de la portière et elle se jeta hors du véhicule avant même son arrêt complet. Au comble de la stupeur, elle se précipita jusqu'au bord de la crête. Le grand lac sombre s'étendait là, paisible, immobile, d'une extrémité de la vallée à l'autre.

— Je ne comprends pas, s'affligea-t-elle. Ce devrait être ici.

Reilly avait lui aussi quitté le 4 × 4 pour la rejoindre.

— On a dû prendre une mauvaise direction quelque part, suggéra-t-il.

— Impossible. Tout concordait parfaitement jusqu'à présent. Nous avons suivi le trajet d'al-Idrisi à la lettre. Ce devrait être ici. Ce devrait être *exactement* ici.

Refusant encore d'accepter son erreur flagrante, elle dévala la pente boisée, puis atteignit une partie plus dégagée pour disposer d'une meilleure vue. Son compagnon lui emboîta le pas.

Le lac s'étendait jusqu'au bout de la vallée, sur leur droite. Et, de l'autre côté, son extrémité était dissimulée par la forêt.

Incrédule, Tess contempla la surface de l'eau placide.

— Je ne comprends pas.

Reilly balayait également les alentours du regard.

— Ecoute, nous n'aurions sans doute pas dû aller aussi loin. Ce doit être quelque part dans le coin. Nous avons dû nous tromper pendant la montée.

— Oui, mais où ? répondit-elle sur un ton irrité. Nous avons suivi ce qu'il avait écrit jusqu'à la double crête. Ce devrait être juste ici.

Elle étudia la carte qu'elle tenait toujours.

— Pas le moindre lac n'est indiqué.

Tess leva des yeux éplorés vers lui et lâcha un soupir découragé.

L'agent spécial passa son bras autour de la jeune femme.

— Allez, on est tout près. J'en suis sûr. Nous avons roulé pendant des heures. Trouvons une ville, un endroit pour manger. Et comme ça, on pourra reprendre tranquillement tes notes en déjeunant.

Le village était petit et l'unique *lokanta* minuscule. L'établissement n'accueillait qu'une clientèle locale. Un vieil homme au visage ridé et aux yeux sombres prit leur commande, qui consista en fait à acquiescer à tout ce qu'il proposait. Deux bouteilles de bière Efes et une assiette de feuilles de vigne atterrirent sur leur table.

Tess était plongée dans ses notes. Les quelques kilomètres parcourus lui avaient permis de se calmer, mais elle restait inquiète.

— Mange, lui dit-il. Tu bouderas mieux.

— Je ne boude pas, murmura-t-elle en relevant des yeux ennuyés vers lui.

— Laisse-moi regarder.

— Quoi ?

Elle lui lançait un regard ardent.

— Tes notes. Revoyons-les ensemble, pas à pas.

Elle les repoussa vers lui et s'adossa à sa chaise en serrant les poings.

— Nous sommes si près ! Je le sens.

Le vieil homme revint avec deux assiettes de *dolmas*[1] de choux et de brochettes d'agneau grillé. Reilly le regarda les déposer sur la table, puis il hocha la tête en signe de remerciement avant de se tourner vers Tess.

— On devrait peut-être lui demander ?

— Tu plaisantes, Sean ? Cela fait des centaines d'années que Beer el-Sifsaaf n'est pas apparu sur la moindre carte, grommela-t-elle. Il est âgé, mais pas à ce point.

---

1. Petites tourtes au fromage *kasseri.* (*N.d.T.*)

Reilly ne l'écoutait plus. Il regardait le vieil homme assis un peu plus loin qui lui renvoya un sourire édenté et inclina la tête. Finalement, l'agent du FBI n'y tint plus.

— Beer el-Sifsaaf ? demanda-t-il au vieillard avec quelque hésitation quant à la prononciation.

Puis il ajouta plus lentement :

— Savez-vous où ça se trouve ?

L'homme sourit en acquiesçant avec vigueur.

— *Beer el-Sifsaaf,* répondit-il. *Evet.*

Tess redressa la tête, les yeux animés d'une nouvelle flamme. Elle quitta sa chaise pour s'approcher de l'autochtone.

— Quoi ?

L'homme hocha de nouveau la tête.

— Où ? le pressa-t-elle tout excitée. Où est-ce ?

L'homme continuait d'acquiescer, mais il avait l'air un peu déconcerté. Elle fronça les sourcils, puis réessaya.

— *Nerede ?*

Le vieil homme pointa l'index vers la colline qu'ils venaient de descendre. L'archéologue suivit des yeux son doigt tendu. De la main, il indiquait le nord. Sans attendre, Tess se précipitait déjà vers la voiture.

Quelques minutes plus tard, le 4 × 4 remontait le flanc de la colline. A la place avant, le vieil homme s'agrippait à la poignée au-dessus de sa vitre. Terrorisé et en sueur, il regardait les montagnes défiler. Ils fonçaient en laissant derrière eux un nuage de poussière. Les cris de l'aubergiste – *« Yavas, yavas ! »* – contrastaient avec le détachement du conducteur. A l'arrière, Tess scrutait le paysage en quête du moindre indice.

Juste avant d'atteindre la crête d'où ils avaient aperçu le lac, le vieil homme tendit le doigt :

— *Göl, göl.*

Reilly tourna le volant pour les entraîner sur un sentier très étroit qu'ils n'avaient pas repéré auparavant. Les branches des arbres fouettaient les flancs du Pajero, qui progressait sans faiblir. Au bout d'environ un kilomètre, les arbres s'éclaircirent et ils gravirent une nouvelle crête.

Le Turc, tout excité, se mit à sourire en désignant la cuvette entre les deux rangées de montagnes.

— *Orada, orada ! Shte !*

Ils approchaient.

Alors que la vallée s'offrait à leurs regards, Tess ne put en croire ses yeux.

C'était le lac.

Encore le lac.

Elle regarda le vieil homme avec une expression d'abattement sur le visage. Reilly immobilisa le véhicule et tous trois en sortirent. Ils se dirigèrent vers le bord de la clairière. L'aubergiste continuait de sourire béatement. Tess l'observa et secoua la tête avant de se tourner vers Reilly.

— Il fallait qu'on tombe sur le sénile du village.

Elle implora le vieillard :

— *Beer el-Sifsaaf ? Nerede ?*

En proie à une évidente confusion, le vieil homme plissa le front.

— *Orada*, insista-t-il en montrant du doigt l'immense étendue d'eau.

Reilly remonta de quelques pas et examina un peu plus attentivement le lac. Du point de vue où il se trouvait, il pouvait l'embrasser dans toute son ampleur. Il voyait même son extrémité occidentale qui était dissimulée par la forêt la première fois.

Il se retourna vers Tess.

— O femme de peu de foi !

— Qu'est-ce que je dois comprendre ?

De la main, il l'invita à le rejoindre. Elle regarda le vieillard, qui hocha la tête pour signifier son total agrément. Circonspecte, elle gravit les quelques mètres la séparant de Reilly. Et alors, elle le vit elle aussi.

Sous ce nouvel angle, à un peu moins de deux kilomètres, Tess apercevait, plantée en travers de l'extrémité du lac, une chaussée de béton qui s'étirait d'une colline à l'autre. Le sommet d'un barrage.

— Oh, mon Dieu ! s'exclama-t-elle.

Reilly avait sorti un carnet de sa poche et dessinait maintenant une vue en coupe des collines avec une ligne allant de l'une à l'autre représentant la surface du lac. Puis il traça les vagues contours de quelques maisons au fond du lac et montra le schéma au vieil homme. Celui-ci prit le stylo et traça un gros X au fond du lac en disant :

— *Köy suyun altinda. Beer el-Sifsaaf.*

Tess fixait Reilly, qui revint vers elle. Il lui montra son dessin grossier.

— C'est juste là en bas, lui confirma-t-il. Sous l'eau. Ce barrage a noyé toute la vallée, et les ruines du village avec. C'est au fond du lac.

57

Le vieux Turc était cette fois assis plus confortablement dans le véhicule. Reilly guidait le 4 × 4 avec prudence sur la piste cahoteuse et semée de rochers. Ils finirent par atteindre le bord du lac.

Il était immense. Sa surface était aussi lisse que du verre. Sur le rivage opposé, on apercevait des poteaux. Pour l'électricité et le téléphone, supposa-t-il. Il y avait probablement aussi une route. Du barrage lui-même partait une ligne de pylônes électriques. Enjambant une série de collines, elle s'étirait vers le nord et la civilisation. Le barrage et son lac artificiel mis à part, cette dernière n'avait pas du tout affecté l'endroit. Selon Reilly, les bois avoisinants et, au-dessus, les mornes sommets des montagnes – qui n'avaient rien d'hospitalier – devaient avoir quasiment la même apparence que lorsque les Templiers les avaient contemplés, sept siècles plus tôt.

Ils poursuivirent jusqu'au barrage. Soulagé d'avoir quitté la piste sommaire et aussi impatient que Tess d'arriver à destination, Reilly accéléra sur la route cimentée, qui épousait le sommet de l'énorme structure de béton. Sur leur droite, le lac ; sur leur gauche, une chute vertigineuse d'au moins soixante-dix mètres et devant eux, à l'autre extrémité, un petit poste de maintenance. C'était vers lui que le vieil homme les guidait.

Tout en conduisant, Reilly suivait des yeux les rives du lac et le décor. Aucun signe de vie. La forêt était dense. Les ombres pouvaient fournir une excellente couverture à quiconque ne voudrait pas être vu. Dès qu'ils avaient abordé les dernières étapes de leur itinéraire, il avait bien veillé à garder un œil attentif au moindre détail susceptible de trahir la présence de Vance.

Car il était là. Quelque part.

L'agent du FBI avait profité de la descente pour demander au vieil homme si quelqu'un d'autre l'avait interrogé au sujet du village récemment. Quelques hasardeuses acrobaties linguistiques plus tard, il avait compris que personne n'avait posé de questions à ce propos, pour autant qu'il le sache.

Reilly continuait de guetter toute anomalie. Puis il dirigea le 4 × 4 vers ce qui ressemblait à un bureau de maintenance, devant lequel il s'arrêta.

Une Fiat blanche rouillée était garée devant. De là où il se trouvait, Reilly pouvait voir qu'une route arrivait par l'autre côté. Elle paraissait lisse et assez récente.

— Si c'est ce que je pense, dit-il à Tess, nous aurions pu avoir une route confortable pour venir en moitié moins de temps.

— Eh bien, quand on en aura terminé ici, sourit-elle, peut-être que nous pourrons avoir un trajet de retour agréable.

En quelques minutes, l'humeur de la jeune femme avait changé. Elle lui adressa un large sourire avant de sauter de la voiture pour suivre le vieillard. Celui-ci était en train de saluer un homme plus jeune qui venait de sortir du refuge.

Reilly attendit un moment avant de quitter son siège. Il regardait sa compagne rejoindre les deux autochtones à grandes enjambées. Elle était incorrigible. Il lui avait suggéré de transmettre immédiatement à New York ce qu'ils venaient d'apprendre. Ensuite, ils auraient pu attendre l'arrivée d'une équipe de spécialistes qui se seraient occupés de l'affaire. Il avait assuré à Tess qu'il ferait tout son possible pour que la découverte lui soit bien attribuée. Elle l'avait laissé formuler sa proposition sans sourciller, avant de l'implorer de remettre à plus tard. Il avait encore une fois fléchi devant la force de son enthousiasme. Tess avait affirmé qu'elle voulait d'abord essayer d'avancer autant que possible. Elle alla même jusqu'à lui demander avec insistance de ne pas toucher pour l'instant au téléphone satellite, au moins jusqu'à ce qu'elle ait une chance de voir par elle-même ce qu'il en était.

Tess était déjà en grande conversation avec le jeune homme, un ingénieur qui s'appelait Okan. Il était petit et mince avec d'épais cheveux noirs et une moustache fournie. Au sourire ornant le visage du jeune Turc, Reilly pouvait voir que le charme de Tess opérait et elle était déjà en train de surmonter ses réticences. L'ingénieur parlait un peu anglais, ce qui aidait aussi. Reilly écoutait avec curiosité Tess exposer qu'ils étaient archéologues et qu'ils s'intéressaient aux vieilles églises, surtout à celle qui gisait sous la surface du lac. Okan expliqua que la vallée avait été noyée en 1973 – autrement dit deux ans après que la carte en possession de Tess eut été dressée. Le complexe fournissait maintenant l'essentiel de la puissance électrique de la prospère région côtière qui s'étendait au sud.

La question suivante de Tess laissa Reilly abasourdi.

— Vous devez avoir un équipement de plongée ici, non ? Pour aller vérifier le barrage ?

Okan parut aussi surpris que l'agent du FBI.

— Oui, c'est exact, bredouilla-t-il. Pourquoi ?

— Nous voudrions vous l'emprunter.

— Vous voulez plonger pour aller à la recherche de cette église ?

Un voile de perplexité tomba sur les traits du jeune homme.

— Oui, répondit son interlocutrice. C'est un jour parfait pour ça, non ?

L'ingénieur regarda alternativement Reilly puis le vieil aubergiste.

— Nous avons des équipements de plongée, oui, mais on ne les utilise qu'une ou deux fois par an, indiqua-t-il avec hésitation. Il faudrait les vérifier. Je ne sais pas si…

Elle sauta sur l'occasion.

— Mon collègue et moi pouvons le faire. Nous avons l'habitude. On vous suit ?

Reilly la fixa d'un air un peu inquiet. Sentant son regard, Tess se retourna vers lui et sourit. Son expression prouvait sa confiance totale. L'agent réfléchit à l'affirmation de son amie, qui venait de laisser entendre qu'ils étaient deux plongeurs confirmés. Il ne savait pas ce qu'il en était en ce qui la concernait, mais pour sa part il n'avait guère plus que des rudiments de formation sous-marine. Toutefois, il ne comptait pas saboter la manœuvre de Tess – pas ici, devant ces deux étrangers. Il était curieux de voir jusqu'où sa détermination allait la conduire.

La requête mettait Okan dans une position inconfortable.

— Je ne suis pas sûr... Je ne suis pas autorisé à faire quoi que ce soit de ce genre.

— Oh, tout va bien se passer.

Son sourire désarmant rayonnait encore.

— Nous allons vous signer une décharge, naturellement, lui assura-t-elle. Tout sera entièrement sous notre responsabilité. Et, bien évidemment, nous serons très heureux de régler quelque chose à... la compagnie pour l'utilisation de cet équipement.

La pause qu'elle avait observée avant de dire la « compagnie » était bien calculée. Si elle avait été plus courte, Okan ne l'aurait sans doute pas remarquée. Plus longue, il aurait pu se sentir insulté par cette corruption éhontée.

Le petit homme étudia un moment l'Américaine. Puis sa moustache frétilla.

— Venez avec moi. Je vais vous montrer ce que nous avons.

Du bureau, un étroit escalier permettait de gagner un sous-sol poussiéreux vaguement éclairé par une lampe fluorescente qui vacillait en bourdonnant. Dans ce dépôt s'empilaient au petit bonheur tout un tas d'équipements.

Dans la lueur bleue, Reilly put distinguer un poste de soudure à l'arc, des bouteilles de gaz butane, un chalumeau oxyacétylénique et, dans le coin opposé, une série de vêtements de plongée.

Il laissa à Tess le soin de les trier. En la regardant soulever chaque pièce d'équipement, il lui sembla qu'elle savait ce qu'elle faisait.

— On ne peut pas dire que ce soit le dernier cri de la technologie, mais ça fera l'affaire, estima-t-elle.

Elle n'avait pas trouvé d'ordinateur de plongée : ils allaient devoir s'en passer. Apercevant une carte sur le mur, elle s'enquit auprès d'Okan de la profondeur du lac. Il lui répondit qu'à son avis, cela devait représenter une centaine de pieds, peut-être cent vingt[1]. Elle étudia le graphique.

— Nous n'allons pas pouvoir passer beaucoup de temps au fond. Il va falloir plonger juste au-dessus du village.

Se tournant encore une fois vers le Turc, elle lui demanda s'il connaissait un moyen de le localiser très précisément.

---

1. Environ 30 à 36 mètres. (*N.d.T.*)

Le front du petit homme se plissa.

— Il faudrait que vous parliez à Rüstem, conseilla-t-il enfin. Il vivait dans le village avant son engloutissement et il n'a jamais quitté le coin. Si quelqu'un peut savoir où se trouve l'église, c'est lui.

Reilly attendit qu'Okan sorte de la pièce un moment pour se rapprocher de Tess.

— C'est de la folie. Nous devrions recourir à des professionnels.

— Tu oublies juste une chose. Je suis une professionnelle. J'ai fait ça une centaine de fois.

— Oui, mais pas de cette façon. En outre, ça ne m'enthousiasme pas trop qu'on soit tous les deux là-dessous sans personne pour garder un œil sur ce qui se passe à la surface.

— Nous devons aller y jeter un coup d'œil. Allez, Sean, tu as toi-même dit qu'il n'y avait personne dans les parages. Nous avons pris Vance de vitesse.

Elle se pencha vers son compagnon. L'impatience se lisait sur son visage.

— On ne peut pas s'arrêter maintenant. Pas si près du but.

— Une seule plongée alors, dit-il. Et ensuite nous appelons de l'aide.

Elle se dirigeait déjà vers la porte.

— Faisons en sorte que ça marche.

Ils remontèrent le matériel par l'escalier et l'empilèrent à l'arrière du Pajero. Okan invita Tess dans sa Fiat blanche rouillée, en demandant à Reilly de le suivre avec le vieil homme. L'agent fédéral regarda sa compagne lui adresser un clin d'œil complice avant de rentrer ses jambes dans la petite voiture pour le plus grand plaisir de l'ingénieur.

Le 4 × 4 suivit Okan sur la route de service asphaltée. Le trajet dura à peine un kilomètre. Puis l'ingénieur pénétra à l'intérieur d'un grand terrain clôturé de chaînes et se rangea près de l'entrée. Partout s'empilaient des blocs de béton, des parpaings, des tuyaux de drainage et des dizaines de fûts d'essence vides. En somme, l'habituelle pagaille après un chantier.

Dans l'enclos s'affairait un vieux Turc en coiffe et vêtements traditionnels. Reilly devina qu'une partie au moins de cette petite entreprise était privée et il ne fut pas surpris quand Okan lui présenta le recycleur, le nommé Rüstem, comme son oncle.

Celui-ci leur adressa un sourire édenté. Puis il écouta son neveu lui poser quelques questions avant de répondre avec force mouvements de bras et hochements de tête enthousiastes.

Okan se tourna vers Tess et Reilly.

— Mon oncle se souvient très bien des vestiges du village. Pendant des années, il y a mené paître ses chèvres. Il dit que seules quelques parties de l'église étaient encore debout.

Il haussa les épaules en ajoutant :

— En tout cas, c'était comme ça avant que la vallée soit submergée. Il y avait un puits près de l'église et il se souvient d'un...

Okan fronça les sourcils en cherchant ses mots.

— ... de la racine morte d'un très grand arbre.

— Une souche d'arbre, précisa Tess.

— Une souche, oui, c'est ça. La souche d'un saule.

Tess leva les yeux vers Reilly. Encore une fois, ils brûlaient d'impatience et d'excitation.

— Alors, qu'en penses-tu ? Tu crois que ça mérite un coup d'œil ? demanda-t-il, pince-sans-rire.

— Si tu insistes, sourit-elle.

Ils remercièrent Okan et le vieil aubergiste. Au moment de se séparer, l'ingénieur lança un dernier regard vers Tess.

Puis celle-ci et Reilly enfilèrent leur combinaison de plongée et apportèrent leur équipement au bord de l'eau, là où Rüstem gardait deux petites barques. Ils montèrent dans l'une d'elles et le Turc poussa l'embarcation dans l'eau. Dès qu'elle se fut un peu éloignée du rivage, il sauta dedans. Attrapant les avirons, il commença à ramer avec l'aisance d'un homme qui a fait cela toute sa vie.

Tess profita du trajet pour rappeler à Reilly les procédures de routine sous l'eau. Il se souvenait plus ou moins de son unique expérience de plongée et des quelques techniques qu'on lui avait enseignées dans les îles Caïmans, où il avait passé ses vacances quatre ans plus tôt. Rüstem cessa de ramer à peu près à mi-chemin entre les rives occidentale et orientale, à un peu plus d'un kilomètre du barrage. Le vieil homme plissa les yeux en marmonnant. Il regarda un premier sommet proche, puis un autre, et encore un autre. Il attrapa l'une des rames, qu'il utilisa comme pagaie afin de se repositionner au terme d'une succession de mouvements. Reilly se pencha pardessus bord et agita les deux masques dans l'eau.

— A ton avis, qu'est-ce qu'il y a en dessous ?

— Je n'en sais rien.

Tess observait l'eau.

— Pour l'instant, la seule chose que j'espère, c'est que c'est bien là.

Ils se regardèrent en silence, puis s'aperçurent que le vieil homme s'était arrêté et souriait en exhibant ses gencives édentées. Il tendit le doigt vers le bas.

— *Kilise suyun altinda*, déclara-t-il.

Les mots avaient l'air semblables à ceux que son compatriote du restaurant avait utilisés.

— *Sükran*, répondit Tess.

— Qu'a-t-il dit ?

— Je n'en sais rien, répondit-elle en se dressant au bord de la barque. Mais je suis presque certaine que *kilise* signifie « église ». Donc je pense qu'on y est.

Elle fit un signe de tête à Reilly.

— Alors, tu viens ou quoi ?

Avant qu'il ait pu répondre, elle baissa son masque et se laissa basculer en arrière, entrant dans l'eau pratiquement sans une éclaboussure. Après un dernier regard à Rüstem, qui leva son pouce en un geste résolument moderne, Reilly suivit, beaucoup moins gracieusement, la jeune femme dans l'eau sombre.

58

Alors qu'ils s'enfonçaient dans les ténèbres froides du lac, Tess fut envahie par une sensation familière, une sensation qu'elle aimait. Il y avait quelque chose de presque mystique dans l'idée de – peut-être – bientôt contempler des objets qu'aucun humain n'avait vus depuis des siècles. C'était grisant, sur la terre ferme, d'approcher les vestiges de civilisations disparues depuis longtemps qui reposaient sous des siècles de sable et de dépôts. Mais quand le site était immergé sous une montagne d'eau, l'exaltation était encore plus intense.

Ils étaient déjà à vingt pieds sous la surface et descendaient lentement. Entre le froid et l'impatience, les moindres pores du corps de Tess semblaient s'être réveillés. Elle leva les yeux vers le ciel. La lumière solaire tachetait la surface du lac. L'eau clapotait contre la barque, qui paraissait suspendue au-dessus d'eux. La clarté de l'eau était bonne si l'on considérait qu'ils se trouvaient dans une rivière morte, bloquée. Mais les ténèbres se refermaient autour d'eux.

Il n'y avait encore aucun signe du fond du lac. Tess alluma sa torche. Celle-ci mit quelques secondes à atteindre sa pleine puissance et à éclairer la noirceur inquiétante devant eux. De petites particules dansaient dans l'eau et dérivaient dans le courant en direction du barrage. Tess regarda Reilly qui s'enfonçait à côté d'elle. Un banc de truites se faufila avant de disparaître dans l'obscurité.

La jeune femme vit son compagnon faire un geste vers le bas. Le fond du lac apparaissait. Dans un premier temps, le spectacle fut déconcertant : malgré le dépôt limoneux qui s'était accumulé depuis la construction du barrage, il ne ressemblait pas aux lits sous-marins auxquels elle était habituée.

En fait, il correspondait à ce qu'il était : une vallée submergée, parsemée de rochers et de troncs nus d'arbres morts. Des algues sombres en recouvraient la majeure partie.

Scrutant le fond, tous deux descendaient côte à côte, en spirale. Les yeux exercés de Tess furent les premiers à les repérer. Le vieil homme avait dit vrai : là, à peine visibles dans cet environnement irréel, gisaient les ruines de la ville.

D'abord, tout ce qu'elle put distinguer, ce furent des murs de pierre érodés, puis elle commença à prendre conscience de formes, de motifs cohérents. Elle put voir que les pierres constituaient des structures linéaires, uniformes. Tess entraîna Reilly un peu plus bas. Maintenant, elle reconnaissait une rue, des maisons. Ils descendirent encore, les yeux rivés aux vestiges du village. Ils planaient au-dessus de lui dans une obscurité impénétrable comme des explorateurs flottant au-dessus d'une terre étrangère. Les branches des arbres morts se balançaient dans le faible courant.

Un mouvement soudain attira l'attention de Tess vers la gauche. Un banc de poissons qui se sustentaient de mottes d'algues se dispersa dans l'ombre. En se retournant, elle remarqua que les maisons laissaient place à un espace plus dégagé. Poussant dans cette direction, elle reconnut la souche noire d'un arbre énorme, les restes grêles de ses branches pourries ondulant à peine. Ils avaient trouvé le saule !

Ses yeux scrutèrent les alentours. Elle savait que ce qu'ils cherchaient devait être tout près. Au moment précis où Reilly la rejoignait, elle repéra enfin, à quelques mètres de la souche en amont, les restes effondrés de ce qui avait dû être le puits. Elle avança vers lui. Le rayon de sa torche pénétra le mur de ténèbres au-delà de la petite maçonnerie circulaire délabrée. Juste derrière, se dressant avec une sorte de grandeur mélancolique, se découpaient les murs de l'église.

Tess jeta un coup d'œil vers Reilly. Il flottait à côté d'elle, comprenant lui aussi ce dont il s'agissait. Il était aussi impressionné qu'elle par l'endroit. D'un coup de palmes, la jeune femme poussa en avant, piquant sur la structure qui surgissait. La vase s'était déposée sur ses flancs, étayant ses murs. Le toit était gravement endommagé. En balayant les pierres avec le faisceau de sa torche, elle constata que l'église était dans un état bien pire que sept siècles plus tôt, quand les Templiers y étaient passés.

Reilly sur ses talons, Tess s'élança vers le lieu saint. Comme un oiseau se glissant dans une grange, elle franchit le porche du sanctuaire en nageant. Une porte massive pendait de guingois. A l'intérieur, planant à quinze pieds au-dessus du sol de l'église, ils se déplacèrent le long d'une galerie de colonnes immergées. Certaines étaient effondrées. Les murs avaient empêché l'amoncellement d'une trop grande quantité de vase, ce qui était de bon augure pour la recherche de la pierre tombale. Le couple progressait en formation étroite. Dans les profonds recoins, sur leurs flancs, la lumière de la torche créait un kaléidoscope d'ombres.

Tess enregistrait les moindres formes tout en essayant de maîtriser son cœur battant. Derrière eux, l'obscurité avait déjà englouti le porche. L'archéologue adressa un signe à son compagnon et plongea vers le fond. L'agent du FBI suivit. Une énorme plaque de pierre brisée gisait là. On pouvait deviner qu'il s'agissait d'un morceau de l'autel, enseveli sous les algues. De minuscules écrevisses se dissimulaient dans les herbes. Tess vérifia l'heure et montra à Reilly ses dix doigts en guise de signal : ils devraient entamer leur remontée dans autant de minutes. Il n'y avait pas assez d'air dans les bouteilles pour permettre un long palier de décompression.

Tess savait qu'ils étaient maintenant tout près. Elle ne se déplaçait plus qu'à quelques centimètres au-dessus du sol de l'église, brossant doucement la vase qui le recouvrait en évitant de produire un nuage trop important. Il n'y avait aucun signe de dalles. On ne voyait que de petits débris et encore de la vase, au travers desquels se faufilaient des anguilles. Puis Reilly lui donna un coup de coude. Il dit quelque chose, mais sa voix n'était qu'un son métallique déformé au milieu des bulles qui s'échappaient de son embout.

Elle le regarda se glisser un peu plus loin et enlever d'un geste rapide la vase et les pierres d'une petite alcôve. Le sol révéla quelques lettres gravées à demi effacées. Une pierre tombale. Sa respiration s'était accélérée. En suivant le lettrage du bout des doigts, elle reconnut le nom : Caio. Les yeux brillants, Tess regarda l'agent fédéral. Le plissement de ses paupières lui indiqua qu'il souriait également. Ils dégagèrent du sable d'autres pierres. Désormais, les battements de leur cœur assourdissaient leurs oreilles. Lettre par lettre, de nouveaux noms apparaissaient. Puis, à travers le limon : *Romiti.*

La lettre d'Aimard disait la vérité. L'encodeur construit par le FBI s'était révélé précis, et le plus gratifiant de tout, c'était que ses propres déductions, à elle, étaient exactes.

Ils l'avaient trouvée.

59

Œuvrant rapidement, ils se mirent à dégager les débris et le sable qui recouvraient la pierre tombale.

Reilly essaya d'introduire ses doigts dans la fissure et de la forcer. Mais, suspendu dans l'eau sans le moindre appui et avec une prise trop faible, il fut incapable d'appliquer assez de puissance pour faire levier. Tess consulta sa montre : plus que cinq minutes. Regardant autour d'elle, en quête de quelque chose qui puisse servir d'outil, elle repéra deux morceaux de métal tordus s'échappant de l'une des colonnes. Remontant le long du pilier, elle tira sur les tiges protubérantes jusqu'à ce qu'elles cèdent, dans un nuage de minuscules particules de pierre. Elle redescendit vers Reilly aussi vite que possible. Celui-ci récupéra les barres et les glissa dans la fissure autour de la pierre. Ensemble, ils en poussèrent l'extrémité vers le bas.

Soudain, ils perçurent un bruit de craquement. Pas au-dessous d'eux, mais au-dessus. Levant les yeux, Tess vit de petits débris tombant de l'endroit où elle avait arraché le morceau de métal. S'agissait-il d'un mouvement de l'eau ? Ou la partie supérieure de la colonne était-elle en train de s'affaisser ? Elle regarda Reilly. Il pointa son doigt vers la barre, signalant qu'il fallait se hâter de faire une nouvelle tentative pour soulever la pierre. Elle hocha la tête et attrapa la tige. De nouveau, ils appliquèrent toute leur force pour faire levier. Cette fois, la stèle bougea. Certes très légèrement, mais elle avait bel et bien bougé. Seulement ce n'était pas suffisant pour glisser une main en dessous. Encore une fois, ils appuyèrent sur la barre de fer. Et encore une fois, la dalle bougea, puis s'inclina vers le haut en laissant s'échapper une énorme bulle d'air. Celle-ci passa tout près d'eux avant de disparaître par un trou du plafond calciné.

Du dessus, précisément, vint un autre craquement.

Relevant les yeux, Tess constata que la partie supérieure de la colonne penchée se déplaçait doucement, mais incontestablement. Le fait d'avoir délogé la barre de fer avait d'une manière ou d'une autre perturbé le pilier et libéré la structure précaire. Au-dessus d'elle, des nuages de poussière se diffusaient dans l'eau comme de petites explosions silencieuses. Elle se retourna vers Reilly, qui bataillait ferme avec la pierre tombale. D'un signe du doigt, il lui montra le bas. Elle vit qu'il y avait assez d'espace pour que sa main se faufile à l'intérieur.

Elle tendit le bras avec un tressaillement en repensant soudain à un vieux film dans lequel la main d'un plongeur était attrapée par la gueule d'une anguille. Essayant de toutes ses forces de se sortir cette image de la tête, elle introduisit la main à l'intérieur de la tombe. Fermant ses oreilles et son esprit aux craquements retentissants et à la fragilité des murs qui les entouraient, elle tâtonna. Puis ses doigts sentirent quelque chose. Cela avait l'air volumineux. Ses yeux implorèrent Reilly, le pressant de soulever un peu plus la stèle pour avoir davantage de latitude. Il glissa sa main sur la barre pour avoir une meilleure prise et laissa échapper de son embout un gros bouillonnement de bulles en poussant de toutes ses forces pour élargir l'ouverture. Tirant sur l'objet, Tess essaya de le faire sortir sans l'endommager.

Reilly appliqua une ultime pression et la pierre se souleva assez pour permettre à l'objet de sortir. Cela ressemblait à un sac de cuir avec une longue lanière. A l'intérieur, il y avait quelque chose qui paraissait lourd, dur et massif. A peine Tess l'avait-elle extrait du trou que la barre de fer cassa net. La pierre tombale rebascula. Frôlant le sac, elle cogna la cavité avec un écho sourd dans un gros nuage de vase. Du dessus, un autre craquement fut suivi par un bruit de frottement de pierres. Le sommet de la colonne glissait sur sa base en entraînant le pan de toit situé juste au-dessus. Tess et Reilly échangèrent des regards pressants et se hâtèrent de repartir vers le porche. Mais quelque chose retint la jeune femme en arrière. Le sac était coincé. Sa sangle était restée sous la pierre tombale.

Tandis qu'elle tirait sur la lanière, Reilly fouillait des yeux le sol de l'église afin de trouver autre chose pour faire levier.

Mais il ne vit rien. Les débris pleuvaient de plus en plus sur eux. Ils atterrissaient dans un nuage de vase qui s'épaississait de seconde en seconde. Tess tira encore sur la sangle. Les yeux effrayés de Reilly croisèrent ceux de sa compagne et elle secoua la tête. C'était inutile. L'église allait s'effondrer autour d'eux. Ils devaient sortir au plus vite, ce qui signifiait qu'il allait leur falloir abandonner le sac. Les doigts de l'archéologue étreignaient encore le cuir usé. Elle ne voulait pas renoncer.

Reilly revint en hâte. Il plongea et passa ses doigts le long du bord de la dalle. Puis il plaça ses jambes de chaque côté et tira dessus dans une ultime tentative. Le rocher bougea imperceptiblement, mais ce fut suffisant pour libérer la lanière. Reilly laissa retomber la pierre, montra le porche du doigt et ils filèrent dans sa direction à grands coups de palmes. Des morceaux de toit s'abattaient autour d'eux. Pour les éviter, ils zigzaguèrent entre les piliers et les pierres qui dégringolaient. Enfin, ils franchirent le porche et se retrouvèrent dans l'eau plus claire.

Pendant quelques instants, ils restèrent à flotter sans bouger et à regarder l'église s'écrouler sur elle-même. D'énormes portions de maçonnerie s'écrasaient dans une rafale tourbillonnante d'eau trouble. Consciente que leurs réserves d'air étaient limitées et qu'une longue ascension les attendait, Tess se concentra afin de ralentir sa respiration. Baissant les yeux sur le sac, elle se demanda ce qu'il contenait et si c'était encore intact après toutes ces années. Elle espéra que l'exposition à l'eau ne l'avait pas détruit. En jetant un regard d'adieu au puits, elle laissa son esprit s'envoler vers Aimard et cette nuit fatale.

Reilly fixait la jeune femme. Leurs regards se croisèrent. Même à travers son masque, l'euphorie de l'archéologue était manifeste. Elle consulta sa montre. Leurs bouteilles allaient bientôt être vides. Elle pointa son doigt vers le haut. Alors ils entamèrent leur lente remontée en prenant garde de ne pas aller plus vite que les bulles s'échappant de leurs détendeurs.

L'eau devenait plus claire à mesure que les nuages de poussière virevoltants s'éloignaient derrière eux. La remontée semblait ne jamais vouloir finir quand, enfin, la lumière commença à percer à travers l'eau. Comme elle levait les yeux vers la surface par où filtrait la lueur du soleil, le sang de Tess disparut de son visage. Elle venait de se rendre compte que quelque chose clochait. Tendant sa main libre, elle attrapa le bras de Reilly. Mais, à la tension des muscles de son compagnon, elle comprit qu'il avait vu, lui aussi.

Au-dessus d'eux, au lieu de l'ombre d'une barque, il y en avait à présent deux.

Quelqu'un d'autre était là. Mais ils n'avaient guère le choix, car leurs réserves d'air arrivaient à leur terme. Ils devaient impérativement faire surface. Les yeux de Tess se durcirent. Elle savait qui les attendait là-haut. Quand ils réapparurent à l'air libre, elle en eut la confirmation.

Rüstem était toujours là, tel qu'ils l'avaient quitté. Seulement maintenant, son visage arborait une expression effrayée. Assis dans le second bateau, un homme les contemplait avec un air de ravissement béat – presque comme un professeur saluant le succès d'un élève brillant, pensa Tess. William Vance.

Il tenait un fusil.

60

Tout en aidant Tess à se hisser sur le bateau de Rüstem, Reilly jeta un coup d'œil vers le rivage. Un pick-up Toyota marron était garé près de leur 4 × 4. Deux hommes se tenaient au bord du lac et aucun des deux n'était l'ingénieur. Le premier était beaucoup plus grand et plus gros que le petit Turc et le second, bien qu'aussi filiforme et pas plus grand qu'Okan, n'avait pas ses épais cheveux noirs. Reilly ne manqua pas de remarquer un autre détail : les deux hommes tenaient des armes. A cette distance, elles avaient l'air de fusils de chasse, mais il n'en était pas certain. Il supposa que Vance avait engagé quelques petites frappes locales en chemin. Avaient-ils pensé à fouiller le 4 × 4, se demanda-t-il, et avaient-ils découvert le browning caché sous le siège ?

Reilly détailla Vance. C'était la première fois qu'il le voyait en chair et en os.

Repensant aux cavaliers assassinés à New York, il essaya de concilier l'image de l'homme qu'il avait devant lui avec les événements qui les avaient entraînés jusqu'à ce trou perdu et de jauger l'état d'esprit du professeur. Ce dernier ne fut pas le moins du monde déconcerté quand il apprit que Reilly était un agent du FBI. Observant le calme et le contrôle de Vance, l'agent fédéral se demanda comment cet homme raffiné, cet universitaire respecté, avait pu devenir le fugitif assis en face de lui, un fusil à la main.

Quelque chose ne collait pas.

Il remarqua que Vance avait les yeux fixés sur le sac que tenait Tess.

— Attention, dit Vance à la jeune femme qui mettait le pied dans la barque. Il ne faudrait pas l'endommager. Pas après tout ça.

Son ton avait l'air étrangement détaché. Il tendit la main.

— S'il te plaît.

Ne sachant quelle conduite adopter, Tess regarda Reilly. L'agent se tourna vers le professeur, qui pointa lentement son arme sur eux. L'expression de son visage semblait exprimer le regret mais ses yeux demeuraient inflexibles. La jeune femme se leva, tendit le bras et lui remit le sac.

Vance se contenta de le déposer à ses pieds et indiqua le rivage du bout de son arme.

— Retournons sur la terre ferme, voulez-vous ?

Lorsqu'ils arrivèrent près du rivage et qu'ils descendirent des barques, Reilly vérifia que les hommes de Vance brandissaient bien des fusils de chasse. Le plus grand, un homme à l'air fruste avec un cou épais et un regard d'acier, pointa son arme vers eux et les obligea à s'écarter des embarcations. Le fusil n'avait pas l'air récent. A dire vrai, estima l'agent du FBI, c'était un curieux type d'arme pour un tueur à gages. Il supposa que, dans un délai aussi court, Vance avait dû se contenter des recrues qu'il pouvait trouver. Cela pouvait jouer en leur faveur, pensa-t-il, surtout si le browning était encore dans le 4 × 4. Mais pour le moment, debout dans leur combinaison de plongée dégoulinante, ils étaient trop exposés.

Vance trouva une vieille table bancale dans la cour de Rüstem et posa son fusil contre elle. Il fixa Tess, le visage rayonnant.

— Je devine que je ne suis pas le seul admirateur d'al-Idrisi. Je voulais être le premier à le trouver, comme tu peux l'imaginer, mais...

Il s'interrompit en déposant le gros sac sur la table et le contempla. Un moment, son esprit parut à des centaines de kilomètres – ou d'années – de là.

— Mais, ajouta-t-il, je suis content que tu sois venue. Je ne suis pas sûr que des plongeurs locaux seraient parvenus à le remonter aussi efficacement que toi.

Il tendit les doigts et les posa sur le sac. Délicatement, il le caressa comme s'il essayait de deviner quels secrets il contenait. Puis il commença à soulever son rabat avant de se tourner vers Tess. Une réflexion venait de lui traverser l'esprit.

— Tu devrais venir près de moi. Par bien des aspects, c'est autant ta découverte que la mienne.

En proie à des sentiments contradictoires, la jeune femme consulta Reilly du regard. Celui-ci lui indiqua d'un hochement de tête qu'elle devait y aller. Elle fit un pas hésitant en avant, mais l'homme filiforme leva son fusil. Vance prononça quelques mots rapides en turc, et l'homme de main, se radoucissant, recula pour la laisser avancer. Elle rejoignit l'historien près de la table.

— Espérons qu'on n'a pas fait tout ça pour rien, dit-il en ouvrant le sac.

Lentement, à deux mains, il en sortit une peau huilée. Il la posa sur la table. Son front se plissa. La forme de l'objet enveloppé le surprenait. Avec des doigts hésitants, il défit la peau, révélant un anneau de cuivre gravé d'environ vingt-cinq centimètres de diamètre.

Ses bords étaient gradués de minuscules encoches régulièrement espacées. En son centre trônait un bras rotatif à deux pointes doté d'une petite paire d'aiguilles.

Les yeux de Reilly allaient de l'objet au grand Turc, qui, lui-même, tout en essayant de ne pas perdre de vue l'agent du FBI et Rüstem, ne pouvait s'empêcher de jeter des regards vers la table. L'agent fédéral crut discerner là une occasion et tous ses muscles se raidirent, mais le gros homme s'en rendit compte et fit un pas en arrière, levant son fusil de manière menaçante. L'Américain renonça et vit que Rüstem, comprenant ce qu'il avait voulu faire, transpirait à grosses gouttes.

Près de la table, les yeux de Tess étaient rivés sur l'objet.

— Qu'est-ce que c'est ?

Vance était occupé à l'examiner.

— C'est un astrolabe de marin, dit-il tout en paraissant surpris lui-même par ce constat.

Il releva la tête et remarqua l'air perdu de la jeune femme.

— Un instrument de navigation, une sorte de sextant primitif, précisa-t-il. Les hommes ne connaissaient alors pas les longitudes, évidemment, mais…

Connu comme la « règle à calcul des cieux » – ou le « preneur d'étoiles », pour retenir son étymologie grecque –, l'astrolabe, le plus ancien de tous les instruments scientifiques, serait apparu vers 150 avant notre ère. Originellement, il aurait été élaboré par les savants d'Alexandrie. Son usage se répandit en Europe avec la conquête musulmane de l'Espagne. Largement utilisé par les astronomes arabes pour les aider à lire l'heure en mesurant l'altitude du soleil, l'astrolabe se développa pour devenir un instrument de navigation éminemment prisé au XVe siècle. Les marins portugais s'en servaient pour mesurer leur latitude. Si le fils du roi Jean Ier de Portugal, Henri, mérita son surnom de « Navigateur », il le devait à l'astrolabe de marine. Pendant de nombreuses années, sa flotte continua d'exploiter ce secret jalousement gardé et fut la seule capable de naviguer en haute mer. L'astrolabe se révéla un instrument inestimable durant la Renaissance.

Ce n'était pas une coïncidence si le prince Henri le Navigateur fut, de 1420 à sa mort en 1460, le grand maître de l'Ordre du Christ, un ordre militaire portugais qui faisait remonter son origine aux Templiers.

Vance examinait l'astrolabe. Il le tournait et le retournait pour en étudier les graduations.

— C'est remarquable. Si cet objet est réellement templier, il est antérieur de plus de cent ans à tous ceux que j'ai vus.

Il s'interrompit. Ses doigts venaient d'effleurer une autre forme dans le sac : une enveloppe de cuir.

Il la déroula et trouva à l'intérieur un petit morceau de parchemin.

Reilly reconnut aussitôt l'écriture : elle était identique à celle du manuscrit codé qui les avait conduits ici. Seulement, là, il y avait des espaces pour séparer les mots.

Cette lettre n'était pas codée.

Tess remarqua, elle aussi, la similitude d'écriture.

— C'est d'Aimard ! s'exclama-t-elle.

Vance n'écoutait plus. Il avait l'esprit ailleurs, absorbé par le parchemin. Des secondes s'écoulèrent. L'universitaire s'était mis à l'écart pour lire en silence. Quand il revint finalement, un air de résignation voilait ses traits.

— Il me semble, dit-il, que nous n'avons pas encore terminé.

Tess réprima une nausée qui remontait dans sa gorge. Elle savait que la réponse ne lui plairait pas, mais elle posa quand même la question :

— Que dit-elle ?

61

Méditerranée orientale, mai 1291

— Mettez la chaloupe à la mer !

En dépit de l'ouragan, le cri du capitaine retentit de manière assourdissante dans la tête d'Aimard. Alors qu'un autre mur d'eau s'abattait sur la galère, ses pensées étaient tournées vers le reliquaire. Il se précipita vers la dunette du navire.

Je dois le sauver.

Il revit la première nuit de leur voyage quand, après s'être assurés que l'équipage et le reste des frères dormaient, Hugh et lui s'étaient glissés vers la proue. Lui serrait le coffret que Guillaume de Beaujeu lui avait confié. Les Templiers avaient des ennemis partout et, avec leur défaite d'Acre, ils étaient vulnérables. Le coffret devait être bien caché. Aimard avait partagé son inquiétude avec Hugues peu après avoir quitté Acre. Tant lui-même que Beaujeu faisaient confiance au capitaine du navire. Il ne s'était pas attendu que celui-ci lui propose une solution aussi parfaite.

Il se rappelait comment, quand ils avaient gagné l'étrave, Hugues avait levé sa torche pour éclairer une cavité profonde, à peine plus grande que le coffret, qui avait été taillée à l'arrière de la tête d'oiseau. Le vieux marin avait grimpé et s'était assis à califourchon sur la figure de proue. Aimard avait accordé un ultime regard au coffret avant de le soulever et de le tendre au capitaine, qui, avec précaution, l'avait glissé dans l'ouverture. Tout près, un brasier brûlait sous un petit caquelon de résine fondue. La surface de celle-ci se balançait au rythme des mouvements de la mer de plus en plus houleuse sur laquelle filait le *Faucon-du-Temple*. Une fois le coffret logé dans la cachette préparée pour lui, Aimard avait pris un petit pot métallique à longue poignée pour puiser de la résine brûlante qu'il avait tendue à Hugues.

Celui-ci avait versé le liquide onctueux dans les espaces entre le coffret et les côtés de la cavité. Après un certain laps de temps, il avait projeté un seau d'eau sur la résine chaude, produisant un nuage de vapeur grésillant. Le capitaine avait adressé un signe de tête à Aimard, qui lui avait alors donné le dernier élément du dispositif : un gros morceau de bois, taillé à la forme de la courbure de la figure de proue, avait été plaqué sur l'ouverture. Hugues l'avait fixé à l'aide de chevilles de bois, un peu plus épaisses que le pouce d'un homme. Puis tout cela avait encore été scellé avec de la résine fondue, rapidement durcie par l'eau. La tâche était achevée. Aimard était resté encore un moment à contempler l'endroit de la cachette désormais invisible, tandis que le capitaine était redescendu de la figure de proue pour revenir sur le pont.

Regardant autour de lui, Aimard avait vérifié que personne n'avait surpris leur manège. Il avait pensé à Martin de Carmaux, qui se reposait en bas. Il n'y avait pour l'instant pas de nécessité de lui révéler ce qu'il venait d'effectuer. Plus tard, quand ils atteindraient le port, il le faudrait. Mais jusque-là, seuls Hugues et lui connaîtraient l'emplacement du reliquaire. Il en allait de même du contenu du coffret : le jeune Martin n'était pas encore prêt à en apprendre le secret.

Un éclair ramena Aimard à la réalité. Il se hâtait au milieu des rafales de pluie quand une autre vague gigantesque, une montagne d'eau, s'écrasa sur le *Faucon-du-Temple*. Sa force brutale le souleva et l'envoya voler contre le coin de la table des cartes. Martin accourut auprès de lui et, malgré les récriminations d'Aimard, le jeune chevalier l'aida à se relever et le tira en arrière jusqu'à la chaloupe.

Le vieux templier s'effondra dans la barque et, en dépit de la douleur cuisante de son flanc, parvint à se redresser à temps pour voir Hugues enjamber le bord et les rejoindre. Le capitaine tenait un étrange appareil circulaire, un instrument de navigation qu'Aimard l'avait vu utiliser, et s'occupait de le mettre en position. Rageusement, le chevalier tapa du poing sur le côté du bateau et contempla, impuissant, la figure de proue qui se dressait, résistant aux assauts de la mer déchaînée, avant de se briser comme une brindille et de disparaître dans une eau écumante.

62

Au bord de la suffocation, Tess sentit son cœur se serrer.

— Alors c'est ça ? Après tous ces efforts, c'est au fond de la mer ? souffla-t-elle, incrédule.

Elle ressentit une soudaine montée de colère.

— Mais pourquoi tout ce mystère ? gronda-t-elle. Pourquoi la lettre codée ? Pourquoi ne pas avoir simplement fait savoir aux Templiers de Paris qu'ils l'avaient perdu irrémédiablement ?

— Pour entretenir la légende, suggéra Vance. Pour laisser croire qu'ils avaient encore cet atout en main. Tant qu'il restait en leur possession, au moins théoriquement, leur cause continuait d'exister. Et ils étaient en sécurité.

— Jusqu'à ce qu'ils soient contraints de mettre cartes sur table ?

— Exactement. Rappelle-toi que cette chose était d'une importance primordiale pour les Templiers. Tu ne peux pas imaginer qu'Aimard aurait pu se dispenser d'en transmettre la localisation, indépendamment du fait qu'ils puissent ou non la récupérer de leur vivant.

Tess se frotta les yeux. Des images se bousculaient dans sa tête, des visions vieilles de plusieurs siècles d'hommes embarqués dans un périple désespéré, et d'autres tirés vers des bûchers. Elle rouvrit les yeux et son regard tomba sur l'astrolabe. Tout ce chemin, tous ces risques... pour ça.

— Ils étaient si près du but !

Perdu dans ses pensées, Vance continuait d'examiner l'instrument avec le plus grand soin.

— Si le *Faucon-du-Temple* avait tenu quelques heures de plus, ils auraient pu le consolider. Et en longeant la côte, ils auraient été en mesure de rejoindre à la rame l'une des îles grecques proches, qui étaient entre des mains amies. Là, ils auraient réparé le mât et remonté la voile. Sans crainte désormais d'être attaqués, ils auraient pu gagner soit Chypre, soit, plus probablement, la France.

Il marqua une pause, puis ajouta, presque pour lui-même :

— Et nous vivrions dans un monde très différent...

Assis sur un tas de parpaings, Reilly ne put se contenir plus longtemps. La frustration était devenue insupportable. Quelques instants plus tôt, il avait vu qu'il tenait une bonne chance d'échapper aux Turcs et à Vance s'il agissait vite. Mais il n'avait pas voulu mettre en danger Tess ou Rüstem. Seulement, il y avait plus ici en jeu qu'un simple orgueil meurtri. Quelque part, la poursuite s'était transformée, passant d'une simple chasse à l'homme à quelque chose de beaucoup plus insidieux : il se sentait menacé, mais ce n'était pas physique.

— Un monde différent ? railla-t-il. Tout ça à cause de quoi ? D'une formule magique pour fabriquer de l'or ?

Vance laissa échapper un rire méprisant.

— S'il vous plaît, agent Reilly. Ne souillez pas le grand héritage des Templiers avec de vulgaires mythes alchimiques. C'est un fait attesté qu'ils ont acquis leur richesse grâce aux dons des nobles de toute l'Europe, avec l'entière bénédiction du Vatican. On a fait pleuvoir sur eux domaines et argent parce que les chevaliers du Temple étaient les vaillants défenseurs des pèlerins... mais pas seulement pour cela. Vous voyez, leur mission était considérée comme sacrée. Leurs partisans et leurs soutiens croyaient que les Templiers cherchaient quelque chose qui apporterait un bienfait incommensurable à l'humanité.

Un soupçon de sourire se glissa sur ses traits sévères.

— Ce qu'ils ignoraient, c'est que, si les Templiers avaient réussi, cette découverte aurait bénéficié à *toute* l'humanité, et pas seulement aux « élus », comme les chrétiens d'Europe avaient l'arrogance de se considérer.

— De quoi parlez-vous ? grommela Reilly.

— Parmi les accusations qui ont entraîné la chute des Templiers, il y a l'affirmation selon laquelle ils se seraient rapprochés des autres habitants de la Terre sainte, les musulmans et les juifs. On a prétendu que nos chers chevaliers avaient été séduits par leurs contacts avec eux, qu'ils auraient eu des échanges mystiques. Sur ce point, je dois dire que les accusations étaient fondées, bien qu'elles aient été rapidement laissées de côté au profit des charges plus pittoresques que vous savez. De manière très compréhensible, plutôt que d'utiliser cet argument pour abattre l'Ordre, le pape et le roi de France – qui, après tout, avait été oint par Dieu et voulait prouver qu'il était le plus chrétien des souverains – ont préféré oublier que leurs champions avaient pu fraterniser avec les païens. Ils disposaient d'assez de munitions contre eux. Mais, en réalité, les Templiers ne s'étaient pas contentés d'échanges de vues mystiques. C'était beaucoup plus pragmatique. Ils avaient planifié quelque chose d'incroyablement osé, et d'une très grande portée. Un acte fou peut-être, mais qui était aussi une démonstration de bravoure et de clairvoyance.

Vance marqua une pause, ému par l'idée même qu'il venait d'évoquer.

— Ils prévoyaient, annonça-t-il, d'unifier les trois grandes religions.

Il regarda les montagnes qui les cernaient et leva les mains.

— L'unification des trois. Représentez-vous ça. Les chrétiens, les juifs et les musulmans. Tous unis dans une seule foi. Et pourquoi pas ? Nous adorons tous le même Dieu, après tout. Nous sommes tous les enfants d'Abraham, non ? se moqua-t-il.

Son expression se durcit.

— Réfléchissez-y. Imaginez dans quel monde nous vivrions si c'était le cas. Un monde infiniment meilleur... Pensez à toutes les peines et à toutes les effusions de sang que nous aurions évitées au cours des siècles. Et aujourd'hui plus que jamais. Des millions de gens auraient été épargnés et ne seraient pas morts de façon absurde. Pas d'Inquisition, pas de Shoah, pas de guerre dans les Balkans ou au Proche-Orient, pas d'avions s'écrasant sur des gratte-ciel...

Une expression de malice fugitive se peignit sur ses traits.

— Vous n'auriez plus de travail, agent Reilly.

L'esprit de celui-ci bouillonnait. L'agent fédéral essayait de donner du sens à ces révélations. Etait-ce possible... ? Il repensa à ses conversations avec Tess à propos des neuf années que les Templiers avaient passées reclus dans le Temple, de leur rapide ascension, de leur pouvoir et de leur richesse, de la citation latine dont lui avait parlé la jeune femme.

Veritas vos liberabit.

La vérité vous rendra libres.

Il leva les yeux vers Vance.

— Vous pensez qu'ils faisaient chanter l'Eglise ? Vous pensez que le Vatican a laissé les Templiers se développer à ses dépens ?

— Il avait une peur bleue des chevaliers. Il n'avait pas le choix.

— Mais… à cause de quoi ?

Vance fit un pas en avant, tendit la main et posa le doigt sur le crucifix qui pendait au cou de Reilly, dans le V formé par la fermeture à glissière ouverte de la combinaison de plongée. Soudain, le professeur arracha la croix. Il fixa avec des yeux méprisants le petit objet qu'il tenait dans sa main. Puis son regard devint glacial.

— A cause de la vérité qu'ils avaient découverte sur cette fable.

63

Les mots tranchants de Vance restèrent suspendus au-dessus d'eux.

Ses pupilles semblaient animées d'une vie propre. Il toisait rageusement le petit crucifix brillant qu'il tenait au creux de sa paume.

— Stupéfiant, n'est-ce pas ? Nous sommes ici, deux mille ans plus tard, avec tout ce que nous avons accompli, tout ce que nous savons, et pourtant ce petit talisman continue de gouverner la vie de milliards d'individus... et leur mort.

Assis dans sa combinaison mouillée, Reilly se sentit mal à l'aise. Il risqua un coup d'œil vers Tess. Elle regardait Vance avec une expression concentrée qu'il ne put déchiffrer.

— Comment savez-vous cela ? demanda-t-elle, hésitante.

Vance quitta la croix de Reilly des yeux pour se tourner vers elle.

— Grâce à Hugues de Payens, le fondateur des Templiers. Quand j'étais dans le sud de la France, j'ai découvert un détail sur son compte qui m'a étonné.

Tess se rappela soudain les commentaires ironiques de l'historien français.

— Qu'il venait du Languedoc... et qu'il était cathare ?

Les sourcils de Vance se soulevèrent et il inclina la tête, impressionné.

— Tu as fort bien fait ton travail. Je n'en doutais pas.

— Mais cela n'a pas de sens, rétorqua-t-elle. A l'origine, les Templiers sont venus en Terre sainte pour escorter les pèlerins chrétiens.

Vance ne se départit pas de son sourire, mais son ton se fit plus tranchant.

— Ils sont venus là en mission pour récupérer quelque chose qui avait été perdu depuis mille ans, quelque chose que les grands prêtres avaient caché pour le soustraire aux légions de Titus. Quelle meilleure couverture pour eux – quelle meilleure façon d'avoir accès au site qui les intéressait – que de prétendre être des partisans purs et durs du pape et de sa croisade ? Il faut que tu comprennes qu'ils n'entendaient pas affronter l'Eglise aveuglément. En tout cas, pas avant d'avoir amassé assez de pouvoir et de richesses pour survivre à toutes les épreuves. Le Vatican avait déjà derrière lui une longue histoire de répression contre quiconque voulait remettre en cause la « seule vraie foi » : des villages entiers, des femmes et des enfants massacrés par les armées du pape pour avoir osé suivre leurs propres croyances. Alors les Templiers élaborèrent un plan. Pour abattre l'Eglise, ils devaient se procurer les armes – et l'influence. Et ils y parvinrent presque. Ils retrouvèrent ce qu'ils cherchaient. En tant que chevaliers du Temple, ils devinrent très puissants militairement et influents politiquement. Ces hommes furent bien près d'accomplir leur objectif spirituel. Ce qu'ils n'avaient pas prévu, c'est qu'ils seraient chassés de la Terre sainte – non seulement eux, mais toutes les armées chrétiennes – avant d'avoir eu la possibilité de lancer leur attaque contre l'Eglise. Malheureusement, quand cela arriva, en 1291, avec la chute d'Acre, ils ne perdirent pas seulement la base de leur puissance – leurs châteaux, leur armée, leur position dominante outre-mer –, mais également, avec le naufrage du *Faucon-du-Temple*, l'arme grâce à laquelle ils avaient fait chanter le Vatican pendant deux cents ans, ce secret qu'ils avaient redécouvert et qui devait leur permettre d'accomplir leur destin. A partir de là, leur destruction ne fut plus qu'une question de temps.

Vance hocha la tête avant de leur adresser un regard ardent.

— Seulement maintenant, avec un peu de chance, nous pouvons peut-être achever leur œuvre.

Soudain, le silence fut brisé par une détonation. La tête de l'un des hommes de Vance explosa, tandis que la puissance de l'impact projetait son corps à terre.

64

Aussitôt, Reilly bondit vers Tess, mais Vance l'avait déjà attrapée par la taille et la poussait pour la mettre à l'abri derrière son pick-up. D'autres balles volèrent et explosèrent autour de l'agent spécial qui plongeait pour se mettre à couvert derrière le 4 × 4. Il essaya de se concentrer pour isoler l'écho des détonations et repérer l'endroit où se trouvait le tireur. Trois tirs s'écrasèrent sur le Pajero, traversant le capot et le bloc-moteur, déchiquetant le pneu avant droit. Les impacts lui permirent de se faire une vague idée de l'angle de tir et donc de la position de l'homme embusqué : quelque part au sud, dans les arbres... mais hélas hors de portée de pistolet.

Un silence inquiétant tomba sur la forêt. Après un moment de répit et d'extrême tension, Reilly se pencha pour évaluer les dommages. Le 4 × 4 n'irait plus nulle part. Il regarda vers la table renversée autour de laquelle ils étaient assis quelques instants plus tôt. Terrifié, le Turc filiforme était blotti derrière. L'agent américain remarqua un mouvement sur son flanc gauche. Rüstem émergeait du cabanon avec un fusil, une arme de petit calibre qu'il utilisait probablement pour chasser le lapin. Perplexe, le vieil homme scrutait les arbres, à la recherche du tireur. Reilly lui adressa de grands gestes frénétiques en criant. Mais, avant que l'homme ait pu réagir, deux autres coups de feu retentirent : l'une des balles ricocha sur les tuyaux de béton entassés sur le sol et l'autre s'enfonça dans la poitrine de Rüstem. Telle une poupée de chiffon, le vieux Turc fut projeté en arrière contre la cabane.

De sa planque derrière le hayon du Pajero, Reilly vit Vance lever la main pour ouvrir la portière avant gauche du pick-up d'un coup sec. Le professeur poussa Tess devant lui avant de se hisser derrière elle pour se mettre au volant. Il démarra et embraya. Le Turc grêle parvint à grimper sur le plateau de la Toyota au moment où elle tournait et se dirigeait vers la porte de l'enclos.

Reilly n'avait pas le choix, ni même le temps de récupérer son browning. Regardant le flanc de la montagne, il décida de prendre le risque. Bondissant de son abri, il se précipita derrière le pick-up qui s'éloignait.

Deux autres balles trouèrent l'aile de la Toyota au moment où, près de la sortie de l'enceinte, l'agent spécial agrippait son hayon arrière. Le pick-up emboutit l'un des poteaux de la porte avant de s'engager sur la piste rocailleuse. Les jambes traînant sur le sol rude, Reilly était suspendu à l'arrière du véhicule. Ses doigts lui faisaient déjà mal. Soudain, sa jambe gauche heurta une roche protubérante. La douleur remonta dans toute sa colonne vertébrale comme une aiguille chauffée à blanc. Chaque muscle de son corps était en feu. Il sentit qu'il allait lâcher.

Mais il ne le pouvait pas.

Tess était dans le véhicule. Il ne pouvait pas la perdre. Pas ici, pas maintenant.

Malgré la douleur, serrant les dents, il trouva la force de redresser la tête. Il aperçut une poignée sur la face intérieure de la paroi latérale du plateau. Dans un extraordinaire effort de volonté, il fit appel aux dernières parcelles d'énergie qui lui restaient pour appliquer une poussée sur le sol de ses jambes pendantes, tout en plongeant pour attraper la poignée avec sa main gauche. Ses doigts lâchèrent le hayon. Il agrippa la poignée, tira dessus et parvint à se hisser puis retomba sur la plate-forme.

Le Turc était presque couché le long de la paroi latérale, étreignant son fusil et regardant anxieusement par-dessus le flanc du pick-up. Il se tourna et vit Reilly monter à bord. Paniqué, l'homme fit pivoter son arme vers lui, mais l'Américain attrapa le canon et le détourna vers le haut. Une détonation partit et il sentit le recul de l'arme entre ses doigts. Lançant sa jambe droite, il décocha un violent coup de pied dans les parties génitales de son adversaire avant de se jeter sur lui. Tout en luttant, Reilly remarqua un détail du coin de l'œil et se dressa à demi pour regarder par-dessus la cabine du véhicule. A moins de cent mètres, un Landcruiser beige était arrêté en travers du sentier poussiéreux et leur barrait le passage. Le Turc le vit aussi. Mais le moteur de la Toyota ne ralentissait pas. Vance n'entendait pas faire marche arrière. A travers la vitre de la cabine, les yeux de Reilly croisèrent ceux de la jeune femme. Elle semblait terrorisée. Tendant les bras en avant, elle se cramponna au tableau de bord.

De leur côté, sans se concerter, les deux lutteurs observèrent une trêve pour s'accrocher au sommet de la cabine, sans lâcher le fusil. Le véhicule s'écarta de la piste. Cahotant sur le sol rocheux, il se faufila de justesse entre le flanc de la montagne et le Landcruiser arrêté, qu'il heurta violemment à l'avant dans une explosion de verre et de plastique. La Toyota était passée et poursuivait sa course.

Reilly regarda derrière lui. Le 4 × 4 paraissait trop endommagé pour être encore d'une quelconque utilité au tireur embusqué. Puis le Turc chauve se remit à tirer sur son fusil pour le reprendre à l'Américain. Tandis qu'ils luttaient, le véhicule atteignit le bord du barrage et s'engagea dessus sans ralentir.

Il fonçait sur la chaussée de béton pour se précipiter vers l'autre extrémité de l'ouvrage. Debout, Reilly frappait son adversaire sans interruption. Il réussit à lui arracher le fusil, mais l'homme en profita pour se jeter sur lui et l'étreindre entre ses bras. Il était d'une force étonnante pour sa carrure et le secouait violemment. Comme ils étaient trop proches pour qu'il puisse utiliser ses genoux, Reilly lui décocha un coup de pied dans la cheville droite. L'étreinte de l'homme se desserra et l'agent fédéral parvint à le repousser. Ils étaient maintenant tous les deux debout contre la cabine.

Sean eut le temps d'entrevoir Tess qui luttait avec Vance pour le forcer à s'arrêter. Elle mit la main sur le volant et le pick-up fit une embardée. Il heurta le mur de soutènement. Sous l'effet du choc, Reilly lâcha le fusil, qui glissa sur le plateau et alla s'écraser sur la chaussée. L'agent du FBI surprit le regard effrayé du Turc, désormais privé de son arme. Affolé, l'homme de main se jeta sur lui sans réfléchir. Réagissant à l'instinct, l'Américain se laissa rouler sous son adversaire en pleine course. Il lui souleva les pieds au moment où le véhicule lancé à toute vitesse cognait à nouveau le muret dans un grand fracas. L'homme fut éjecté du pick-up et bascula par-dessus le mur du barrage, côté à-pic. Son long cri d'horreur se perdit dans le rugissement du moteur.

Ils atteignirent la fin du barrage et Vance reprit l'entière maîtrise du volant pour lancer le pick-up à l'assaut de la piste que Reilly et Tess avaient suivie quelques heures plus tôt. L'agent fédéral savait qu'ils étaient maintenant protégés du sommet où le tireur était embusqué. Etant donné l'état de la route défoncée, le conducteur fut bientôt contraint de ralentir, mais Sean songea qu'il n'y avait pour le moment aucune raison de l'obliger à s'arrêter totalement.

Il le laissa poursuivre sur quelques kilomètres avant de frapper sur le toit de la cabine. A travers la vitre arrière, il vit le professeur hocher la tête, puis immobiliser le 4 × 4.

65

Après avoir passé son bras à l'intérieur et enlevé les clés de contact, Reilly fit le tour du véhicule pour examiner les dégâts. De son côté, hormis quelques meurtrissures et une douleur lancinante dans la jambe gauche, il ne souffrait que d'écorchures. Et si le pick-up était cabossé et troué de balles, l'agent du FBI était impressionné de voir à quel point il avait bien résisté.

La porte de Vance s'ouvrit en grinçant. Aussitôt, le professeur et Tess sortirent de la camionnette. Reilly vit tout de suite qu'ils étaient sérieusement secoués. Il s'était douté que Tess le serait, mais pas Vance.

Il étudia les yeux de l'homme et lut dans ceux-ci la même incompréhension que celle qui le rongeait.

Cela confirmait que quelque chose ne collait pas dans le puzzle. Il l'avait senti depuis qu'il avait posé les yeux sur l'universitaire, au milieu du lac. Le premier coup de feu, celui qui avait abattu le gros nervi turc, avait aussi allumé un signal dans l'esprit de Reilly.

Vance n'avait pas tué ses complices du Metraid. Quelqu'un d'autre était sur la piste.

Cette prise de conscience le contrariait. Il se serait bien passé de cette complication. Si l'hypothèse d'un « superviseur » avait été envisagée quand les cavaliers avaient commencé à se faire descendre, elle avait été écartée depuis longtemps. Tout semblait aller dans le sens d'une élimination systématique des trois autres cavaliers par Vance, qui paraissait être le seul instigateur de toute cette affaire. Mais les tirs sur le lac mettaient cette théorie en pièces. Quelqu'un d'autre était sur le coup. Mais qui ? Qui d'autre savait que Vance était impliqué et, surtout, qui était prêt à assassiner plusieurs personnes pour s'approprier le mystérieux objet ?

L'universitaire se tourna vers Tess.

— L'astrolabe... ?

La jeune femme hocha la tête comme si elle sortait d'un brouillard.

— Il n'a rien, le rassura-t-elle.

Elle tendit la main à l'intérieur de la cabine et en ressortit l'instrument. Vance le regarda et acquiesça. Puis il tourna son regard vers la crête qu'ils venaient de descendre. Reilly l'observa tandis qu'il scrutait les montagnes désertes les environnant. Il crut surprendre une lueur de résignation dans les yeux du professeur. Mais il vit aussitôt l'insolence et une détermination inébranlable revenir les habiter.

— Qu'est-ce qui s'est passé là-bas ? demanda Tess à son compagnon en le rejoignant.

L'homme du FBI se détourna de l'universitaire.

— Tu vas bien ? s'inquiéta-t-il en examinant une écorchure sur le front de son amie.

— Ça va, grimaça-t-elle avant de lever elle aussi la tête vers la rangée d'arbres les cernant comme une gigantesque muraille.

Les montagnes étaient plongées dans un silence inquiétant, surtout après la folie qui les avait submergés quelques minutes plus tôt.

— Mais bon sang, qu'est-ce qui s'est passé ? A ton avis, qui est là ?

Reilly observa les arbres. Aucun signe de vie.

— Je n'en sais rien.

— Oh, je peux aisément imaginer que beaucoup n'ont pas très envie qu'une telle chose ressorte au grand jour, intervint Vance, le dos tourné.

Il pivota pour leur faire face, un sourire satisfait aux lèvres.

— Il est évident qu'ils deviennent nerveux, continua-t-il. Ce qui signifie que nous devons être tout près.

— Je me sentirai quand même mieux quand nous aurons mis plusieurs kilomètres entre eux et nous, considéra Sean. Allons-y, ajouta-t-il avec un geste vers le véhicule.

Une fois Tess coincée entre les deux hommes, Reilly mit le contact et la Toyota meurtrie redescendit la pente. Ses occupants étaient perdus dans une méditation silencieuse sur ce qui les attendait.

A la seconde même où il vit le pick-up sortir en force de l'enclos et s'élancer sur la piste poussiéreuse, De Angelis regretta d'avoir mis le Landcruiser en travers de la route pour empêcher une éventuelle fuite. Le vacarme que produisit la Toyota en le heurtant n'était pas de bon augure. La vision de l'aile droite et de la calandre pulvérisées confirma ses pires craintes.

Il n'avait pas besoin du constat de Plunkett pour savoir que leur véhicule n'irait plus nulle part. Il ouvrit la portière arrière et fouilla dans leurs affaires. Il y récupéra le GPS et l'alluma rageusement. Le curseur clignota sans indiquer le moindre mouvement. Au comble de la fureur, De Angelis réalisa que l'écran indiquait les coordonnées de la cabane de Rüstem. Le mouchard devait toujours être sur le sac de Tess, abandonné dans le Pajero. Il allait devoir trouver un autre moyen de les localiser, ce qui ne serait pas facile dans ce secteur forestier et montagneux.

L'ecclésiastique reposa le moniteur portatif et se tourna vers le lac, fulminant contre le tour que venaient de prendre les événements. Il savait qu'il n'avait pas à rendre Plunkett responsable de leur fâcheuse situation. La véritable cause était ailleurs, en lui.

Elle s'appelait l'orgueil.

Il avait été trop confiant.

Le péché d'orgueil. Encore matière à confession.

— Leur 4 × 4 est dans la cour. S'il marche, on peut l'utiliser.

Plunkett tenait le gros fusil à lunette. Il commença à s'éloigner du Landcruiser, impatient de filer.

De Angelis n'avait pas bougé un muscle. Il se tenait simplement là, calmement, fixant la surface lisse et miroitante du lac.

— Faisons les choses dans l'ordre. Passe-moi la radio.

66

Reilly fixa derrière lui la piste que le pick-up venait de parcourir et tendit l'oreille. Il n'y avait aucun autre bruit que le chant des oiseaux qui, dans les circonstances présentes, semblait étrangement déconcertant. Ils avaient franchi une quinzaine de kilomètres avant que l'obscurité croissante ne les force à faire des projets pour la nuit. L'agent spécial avait décidé de s'écarter de la route poussiéreuse et de suivre une piste latérale qui les avait menés jusqu'à une petite clairière près d'un torrent. Ils allaient devoir bivouaquer tant bien que mal jusqu'à l'aube, avant de poursuivre vers la côte.

L'agent du FBI était certain que le gros Landcruiser avait été mis hors d'usage par la charge intrépide de Vance. Quels que soient leurs agresseurs, il leur faudrait des heures pour les rejoindre à pied. Et, s'ils utilisaient un véhicule, on pourrait au moins les entendre approcher. En contemplant les derniers rayons de soleil s'évanouissant derrière les montagnes, Reilly espéra que les ténèbres allaient leur procurer une couverture suffisante. Il n'y aurait pas de feu de camp ce soir.

Il avait laissé Vance attaché au pick-up, les mains liées dans le dos. Une fouille de la Toyota n'avait pas révélé la moindre arme cachée, mais elle avait fourni un confort minimum, sous la forme d'un réchaud à gaz et de boîtes de nourriture. Hélas, ils ne trouvèrent aucun vêtement pour se changer. Tess et lui allaient devoir rester dans leurs combinaisons de plongée.

Il rejoignit la jeune femme au bord de l'eau. Assoiffé, il s'agenouilla pour se désaltérer avant d'aller s'installer sur un gros rocher près d'elle.

Il ne lui restait plus qu'à ramener Vance aux Etats-Unis pour le traduire en justice. Mais ce n'était pas si simple. Il y avait peu de chances pour qu'on le laisse sortir discrètement son prisonnier de Turquie. Des crimes avaient été commis ici. Des gens avaient été tués. Reilly réfléchit au problème. La perspective d'une procédure d'extradition compliquée avec les autorités turques ne lui souriait pas. Mais pour l'instant, ils devaient surtout quitter la montagne et rejoindre la côte sains et saufs. Ceux qui leur avaient tiré dessus semblaient avoir une philosophie claire : tuer d'abord, poser les questions ensuite. Alors qu'eux n'avaient pas d'arme, pas de radio et se trouvaient hors de portée de tout réseau de téléphonie cellulaire.

A l'expression confuse qu'il surprit sur le visage de Tess, il comprit qu'elle était aux prises avec les mêmes interrogations.

— Je me suis toujours demandé ce qu'Howard Carter avait ressenti en découvrant la tombe du pharaon Toutankhamon, dit-elle avec une mine sombre.

— Je pense que les choses se sont mieux passées pour lui que pour nous.

— Pas sûr. Il a dû faire face à une malédiction, souviens-toi.

Un sourire passa sur les traits de l'archéologue qui parvenait enfin à se détendre un peu. Reilly sentit son humeur s'améliorer, mais il avait toujours ce poids au creux de l'estomac qui ne paraissait pas près de s'en aller. Il ne pouvait pas l'ignorer davantage ; il lui fallait comprendre dans quoi ils s'étaient fourrés.

S'armant de courage, il se dirigea vers Vance. Tess lui emboîta le pas. L'agent fédéral s'agenouilla près de l'homme attaché et vérifia la corde autour de ses poignets. Le professeur se contentait de le fixer. Malgré sa situation, il semblait en paix. Reilly maugréa intérieurement. Il se demandait encore s'il devait se lancer ou non. Il conclut qu'il lui était impossible d'éluder le sujet.

— Je dois savoir quelque chose, commença-t-il. Quand vous avez parlé de la « vérité qu'ils avaient découverte sur cette *fable* », à quoi faisiez-vous allusion ? Selon vous, qu'ont-ils caché sur le *Faucon-du-Temple* ?

Vance leva la tête. Ses yeux gris, d'une clarté fulgurante, le transperçaient.

— Je n'en suis pas sûr. Mais je pressens que c'est quelque chose que vous pourriez avoir du mal à accepter.

— Laissez-moi me débrouiller avec ça, rétorqua Reilly.

— Le problème, c'est que, comme la plupart des croyants, vous n'avez jamais pris le temps de réfléchir à la différence entre la foi et les faits, entre le Jésus-Christ de la religion et le vrai Jésus de l'histoire, entre la vérité… et la fiction.

— Je ne pense pas en avoir eu besoin.

— Et, naturellement, vous êtes heureux de croire tout ce qui se trouve dans la Bible, n'est-ce pas ? Je veux dire que vous croyez en tout ça, je me trompe ? Les miracles, le fait qu'il ait marché sur l'eau, qu'il ait guéri un aveugle… qu'il soit revenu d'entre les morts ?

— Bien sûr que je crois en tout ça.

— D'accord. Alors laissez-moi vous poser une question : que connaissez-vous de l'origine de ce que vous lisez ? Savez-vous qui a réellement écrit la Bible, et notamment la partie qui doit vous être la plus familière, le Nouveau Testament ?

Reilly était loin d'être certain de la réponse.

— Vous voulez parler des Evangiles de Matthieu, Marc, Luc et Jean ?

— Oui. Comment sont-ils nés ? Commençons par le plus simple. Quand ont-ils été écrits, par exemple ?

Reilly sentit un poids invisible s'abattre sur lui.

— Je… je ne sais pas… leurs auteurs étaient ses disciples, donc je pense qu'ils les ont écrits peu après sa mort.

Vance jeta un regard vers Tess et laissa échapper un ricanement méprisant. Ses yeux perçants se reposèrent sur Reilly, qui se sentit mal à l'aise.

— Je ne devrais pas être surpris, continua le prisonnier, mais c'est quand même fascinant, non ? Plus d'un milliard d'individus vénèrent ces écrits, acceptent le moindre mot de ces textes comme la sagesse de Dieu, sont capables de s'entretuer à cause d'eux, et tout cela sans avoir la plus vague notion de leur origine ni de leur histoire. D'où viennent-ils ? Quand ont-ils été rédigés ?

Reilly sentit la colère sourdre en lui. Le ton hautain de Vance ne contribuait pas à l'apaiser.

— C'est la Bible, s'offusqua-t-il. Elle existe depuis assez longtemps…

Le professeur plissa les lèvres et secoua doucement la tête pour exprimer son désaccord.

— Et je suppose que ça la rend vraie ?

Il appuya son dos contre le pick-up tout en laissant ses yeux se perdre au loin.

— J'étais comme vous, jadis. Je ne remettais pas les choses en cause. Je les considérais comme des questions de… foi. Je peux pourtant vous dire… que dès que vous commencez à creuser pour trouver la vérité…

Son regard se posa de nouveau sur Reilly, dont le visage s'était assombri.

— ... l'image n'est pas belle.

67

— Ce que vous devez comprendre, continua Vance, c'est que, scientifiquement parlant, les premiers jours du christianisme ne sont qu'un grand trou noir dès lors qu'il s'agit de trouver des faits vérifiables. Mais si on ne peut pas dire avec certitude ce qui s'est passé en Terre sainte il y a près de deux mille ans, nous savons au moins une chose : aucun des quatre Evangiles qui constituent le Nouveau Testament n'a été écrit par des contemporains de Jésus. Ce qui ne manque jamais de prendre les chrétiens au dépourvu.

« On pense que le plus ancien des quatre, précisa-t-il, l'Evangile de Marc – ou plutôt, celui que nous appelons ainsi, bien que nous ne sachions pas qui en est l'auteur, car il était courant à l'époque d'attribuer des écrits à des gens célèbres –, a été rédigé au moins quarante ans après la mort de Jésus. Donc, au mieux, nous parlons ici d'histoires transmises de bouche à oreille, pendant quarante ans, sans le moindre écrit. Alors dites-moi, agent Reilly, si vous deviez mener une enquête, quelle confiance accorderiez-vous à de telles preuves, quelle précision leur attribueriez-vous après quarante années de transmission autour de feux de camp par des hommes primitifs, sans éducation et bourrés de superstitions ?

Reilly n'eut pas le temps de répondre, car l'universitaire continuait.

— Il y a beaucoup plus troublant encore, si vous me posez la question. C'est la manière dont ces quatre Evangiles ont été intégrés dans le Nouveau Testament. Vous voyez, au cours des deux cents ans qui ont suivi la rédaction de l'Evangile de Marc, nous savons que nombre d'autres Evangiles ont été écrits, évoquant toutes sortes d'histoires à propos de la vie de Jésus. A mesure que le mouvement primitif devenait de plus en plus populaire et se répandait dans les communautés dispersées, les récits de la vie de Jésus prenaient des couleurs locales influencées par les circonstances particulières de chaque communauté. Des dizaines d'Evangiles différents circulaient et se contredisaient souvent les uns les autres. Nous savons cela grâce à un fait précis : en décembre 1945, des paysans arabes étaient en train de retourner leurs terres dans les montagnes de Jabal al-Tarif, en haute Egypte. Ils se trouvaient près de la ville de Nag Hammadi quand ils ont découvert une jarre en terre cuite de près de deux mètres de haut. D'abord, ils ont hésité à la briser. Ils avaient peur qu'un djinn – un mauvais esprit – soit emprisonné à l'intérieur. Mais ils ont fini par se lancer, espérant plutôt trouver de l'or. Et cela a conduit à l'une des plus étonnantes découvertes archéologiques de tous les temps : dans la jarre, il y avait treize livres en papyrus, reliés en cuir de gazelle repoussé. Malheureusement, les paysans n'ont pas compris tout de suite la valeur de ce qu'ils avaient trouvé, et certains des livres et des feuilles de papyrus volantes ont brûlé dans les flammes de leurs foyers. D'autres pages ont été perdues quand les documents sont partis pour le Musée copte du Caire. Bref, ce qui a survécu, soit cinquante-cinq textes, est encore l'objet de controverses parmi les spécialistes de la Bible, car ces documents – que l'on appelle généralement les Evangiles gnostiques – évoquent des paroles et des enseignements de Jésus qui ne concordent pas avec ceux du Nouveau Testament.

— Gnostiques ? demanda Reilly. Comme les cathares ?

— Précisément. Parmi les textes trouvés à Nag Hammadi, il y a l'Evangile de Thomas, qui se présente lui-même comme un Evangile secret, et commence par ces lignes : « Voici les paroles secrètes prononcées par Jésus de son vivant et que son jumeau, Judas Thomas, a mises par écrit. » Son jumeau. Et il n'y a pas que cela. Dans le même volume figurait aussi l'Evangile de Philippe, qui, explicitement, décrit la relation de Jésus et de Marie Madeleine comme une relation d'amants. Marie Madeleine a son propre Evangile, dans lequel elle est considérée comme une disciple et le chef d'un groupe chrétien. Et il existe encore l'Evangile de Pierre, l'Evangile des Egyptiens, le livre secret de Jean… On recense même un

Evangile de Vérité aux connotations bouddhistes. La liste est longue.

« Hormis le fait d'attribuer à Jésus des actes et des paroles différents de ceux du Nouveau Testament, continua-t-il, tous ces Evangiles ont en commun de considérer les croyances chrétiennes, telles que la virginité de la mère de Jésus et la Résurrection, comme de naïves illusions. Pire encore, ces écrits étaient aussi gnostiques, parce que s'ils font référence à Jésus et à ses disciples, le message qu'ils véhiculent, c'est que se connaître soi-même, au niveau le plus profond, est aussi connaître Dieu. C'est-à-dire qu'en cherchant au fond de soi-même pour trouver les sources de la joie, de la peine, de l'amour et de la haine, on trouvera Dieu.

Vance poursuivit en expliquant comment le mouvement chrétien primitif avait été déclaré illégal et comment, pour cette raison, il avait dû se doter d'une sorte de structure théologique pour pouvoir survivre.

— Seulement, la prolifération des Evangiles contradictoires risquait de conduire le mouvement à une fragmentation fatale. Il avait besoin d'une autorité unique, impossible à obtenir si chaque communauté avait ses propres croyances et son propre Evangile. Avant la fin du IIe siècle, une structure de pouvoir a commencé à prendre forme. Au sein de différentes communautés, une hiérarchie à trois niveaux – évêques, prêtres et diacres – a émergé. Ils prétendaient parler au nom de la majorité et croyaient eux-mêmes être les gardiens de la seule vraie foi. Maintenant, je ne dis pas que ces hommes étaient des monstres avides de pouvoir. Ils se montraient même plutôt courageux dans leur entreprise et ils avaient sans doute peur que, sans un ensemble de règles et de rituels stricts et largement acceptés, tout le mouvement se désintègre.

Le professeur raconta à Reilly qu'à une époque où être chrétien exposait à la persécution et même à la mort, la survie même de l'Eglise dépendait de l'établissement d'une forme d'ordre. Cette idée s'était développée jusque vers l'an 180. A cette période, sous la direction d'Irénée, évêque de Lyon, une conception unificatrice s'était finalement imposée. Il ne pouvait y avoir qu'une seule Eglise avec un seul ensemble de croyances et de rituels. Les autres points de vue ont été rejetés comme hérétiques. La doctrine était simple : hors de l'Eglise, point de salut. Quant à l'Eglise elle-même, elle devait être catholique, ce qui signifie « universelle ». Autrement dit, la production « artisanale » d'Evangiles devait cesser. Irénée avait décidé qu'il y aurait quatre Evangiles, utilisant pour ce faire un curieux argument : comme il y avait quatre coins de l'univers et quatre vents principaux, il devait aussi y avoir quatre Evangiles. Il avait rédigé cinq volumes intitulés *Contre les hérésies*, dans lesquels il dénonçait la plupart des œuvres existantes comme blasphématoires et imposait les quatre Evangiles que nous connaissons aujourd'hui comme le texte définitif de la parole de Dieu – inhérente, infaillible et plus que suffisante pour les besoins ordinaires des fidèles.

— A part l'Evangile de Pierre, aucun des Evangiles gnostiques ne contient de récit de la Passion, indiqua Vance, mais les quatre Evangiles qu'Irénée a retenus en possèdent un. Ils parlent de la mort de Jésus sur la croix et de sa résurrection. Et ils relient cette histoire, que la hiérarchie chrétienne entendait promouvoir, au rituel fondamental de la Cène, l'Eucharistie. Le plus drôle, c'est qu'ils n'en parlaient même pas à l'origine. Dans sa version primitive, le premier à être inclus, l'Evangile de Marc, n'évoque pas une naissance virginale, et il ne mentionne aucune résurrection. Il s'achève avec la tombe vide de Jésus, près de laquelle un mystérieux jeune homme, semblable à un ange, annonce à un groupe de femmes qui se rendent au sépulcre que Jésus les attend en Galilée. Or cette révélation terrifie ces femmes. Elles s'enfuient et n'en parlent à personne – ce qui nous permet de nous demander comment Marc, ou tout au moins celui qui a rédigé son Evangile, l'a su. Toujours est-il que c'est ainsi que s'achevait originellement l'Evangile de Marc. Ce n'est qu'avec celui de Matthieu, cinquante ans plus tard, puis de Luc, encore dix ans après, que des récits détaillés de la résurrection et de ce qui s'est passé ensuite ont été ajoutés à la fin originelle de Marc, qui a donc été récrite.

« Il a encore fallu attendre deux cents ans – l'année 367, pour être précis – pour que la liste des vingt-sept textes qui constituent ce que nous appelons le Nouveau Testament soit entérinée. Avant la fin de ce siècle-là, le christianisme est devenu la religion officielle, et la possession de tout texte jugé comme hérétique a été considérée comme un crime. Tous les exemplaires connus des Evangiles apocryphes ont été brûlés ou détruits. Tous… à l'exception de ceux qui ont été cachés dans les grottes de Nag Hammadi, et qui montrent que Jésus n'avait en aucune manière de caractère surnaturel.

Tout en parlant, Vance gardait les yeux rivés sur Reilly.

— Ils ont été proscrits parce que le Jésus de ces textes n'était qu'un sage, prêchant une vie d'errance, sans possessions propres, tournée vers une acceptation inconditionnelle de tous les êtres humains. Il n'était pas venu pour nous sauver du péché ni de la damnation éternelle. Il était là pour nous guider vers une sorte de compréhension spirituelle. Et dès qu'un disciple atteignait l'illumination – cette notion a dû infliger bien des nuits blanches à Irénée et à ses amis –, il n'avait plus besoin de son maître. L'élève devenait l'égal de ce dernier. Les quatre Evangiles canoniques, ceux qui figurent dans le Nouveau Testament, voient Jésus comme notre Sauveur, le Messie, le Fils de Dieu. Les chrétiens – et les juifs orthodoxes, sur ce point – insistent sur le fait qu'un gouffre infranchissable sépare l'homme de son Créateur. Or les Evangiles trouvés à Nag Hammadi contredisent cela : pour eux, se connaître soi-même, c'est connaître Dieu. Le Soi et le Divin sont une seule et même chose. Pire encore, en décrivant Jésus comme un maître, un instructeur, un sage éclairé, ils le considèrent comme un homme, quelqu'un que vous ou moi pouvons imiter. Naturellement, cela ne convenait pas à Irénée et aux siens. Leur Jésus ne pouvait être un homme. Il devait être beaucoup plus que cela. Il devait être le Christ, le Fils de Dieu. Il devait être *unique*, parce qu'en étant unique, il rendait son Eglise unique et en faisait l'unique chemin vers le salut. En le dépeignant sous ce jour-là, l'Eglise primitive a pu prétendre que, si on n'était pas avec elle, à suivre ses règles, à vivre selon ses préceptes, on était contre elle et voué à la damnation.

Vance marqua une pause. Il étudia un instant le visage de Reilly avant de se pencher en avant et de reprendre de sa voix calme :

— Ce que je vous dis, agent Reilly, c'est que tout ce en quoi les chrétiens croient aujourd'hui, tout ce qu'ils ont cru depuis le IVe siècle, tous les rituels qu'ils observent, l'Eucharistie, les jours saints, rien de tout cela ne faisait partie des croyances des disciples de Jésus. Tout a été fabriqué et ajouté beaucoup plus tard. De la Résurrection à Noël, les rituels ont souvent été empruntés à d'autres religions. Mais les fondateurs de l'Eglise, ses Pères, ont accompli un travail formidable. Cela fait près de deux mille ans que la Bible est un immense best-seller, mais... mais je pense que les Templiers avaient raison. Même à leur époque, les choses avaient commencé à ne plus être maîtrisées par l'Eglise et des gens se faisaient déjà massacrer s'ils choisissaient de croire en quelque chose de différent. Et vu l'état du monde aujourd'hui, je dirais qu'elle a allègrement dépassé sa date de péremption.

68

— Vous pensez que c'est ce qu'ils transportaient à bord du *Faucon-du-Temple* ? demanda Reilly d'un ton sarcastique. Une preuve que les Evangiles sont, comme vous le prétendez, des ouvrages de fiction ? Une preuve que Jésus n'était pas un être divin ? Même si c'était possible, je pourrais comprendre que ça mine les fondements du christianisme, mais je ne vois pas en quoi ça aurait aidé les Templiers à réunifier les trois religions, en supposant qu'ils aient bien eu ce projet en tête.

— Ils voulaient commencer avec celle qu'ils connaissaient, répliqua Vance avec assurance, la religion qui était à leur portée, celle dont ils avaient observé les excès. J'imagine qu'ils avaient déjà entrepris de forger des alliances avec des initiés chez les musulmans et les juifs, des partenaires qui pourraient travailler avec eux pour susciter, une fois le mythe démystifié, des questionnements similaires au sein de leur propre foi et paver la voie d'une nouvelle vision du monde unifiée.

— En sollicitant des foules désillusionnées ?

C'était plus une affirmation qu'une question qui avait échappé à l'agent américain.

Vance resta impassible.

— A terme, je pense que le monde aurait été un endroit meilleur. Pas vous ?

— J'en doute, répliqua Reilly. De toute façon, je ne m'attends pas à ce qu'un homme qui accorde si peu de valeur à la vie humaine puisse comprendre ça.

— Oh, épargnez-moi votre vertueuse indignation et revenez sur terre, s'il vous plaît. Tout cela est ridicule ! insista Vance. Nous sommes toujours dans le royaume du mensonge, ici et maintenant, au XXIe siècle. En réalité, nous ne sommes pas davantage avancés que les pauvres habitants de Troie. Toute la planète est engluée dans une illusion collective. Le christianisme, le judaïsme, l'islam... Les gens sont prêts à se battre jusqu'à la mort pour défendre les moindres mots qui se trouvent dans ces livres qu'ils considèrent comme sacrés. Mais sur quoi sont-ils réellement fondés ? Des légendes et des mythes vieux de milliers d'années ? Abraham, un homme qui, si vous en croyez l'Ancien Testament, aurait enfanté un fils à l'âge de cent ans et aurait vécu encore soixante-quinze années de plus ? Est-il raisonnable que la vie d'êtres humains soit encore gouvernée par un tel tissu d'âneries ? Des sondages confirment sans cesse que la plupart des chrétiens, des juifs et des musulmans d'aujourd'hui ignorent que leurs religions respectives partagent des racines communes par l'intermédiaire d'Abraham, le patriarche des trois religions et le fondateur du monothéisme. Selon la Genèse, Dieu a envoyé Abraham en mission pour guérir les divisions entre les hommes. La femme d'Abraham, Sarah, ne peut pas avoir d'enfants. Alors il prend une seconde épouse, sa servante Agar, qui lui donne un fils, Ismaël. Treize ans plus tard, Sarah parvient à enfanter un fils, Isaac. Quand Abraham meurt, Sarah bannit Ismaël et sa mère. C'est ainsi que les sémites se seraient retrouvés divisés entre les Arabes, issus d'Ismaël, et les Juifs, descendants d'Isaac.

Vance secoua la tête en riant tout seul.

— Ce qui est triste, c'est que les trois religions prétendent croire au même Dieu, le Dieu d'Abraham. Les choses se sont détériorées quand les individus ont commencé à se battre pour savoir quelles paroles représentaient la plus parfaite expression de la tradition de Dieu. La foi judaïque tient ses croyances de son prophète, Moïse, que les juifs font descendre d'Isaac. Quelques centaines d'années plus tard, Jésus, un prophète juif, est apparu avec un nouvel ensemble de croyances, sa propre version de la religion d'Abraham. Quelques centaines d'années encore après, un autre homme, Mahomet, s'est manifesté en affirmant que lui seul était le vrai messager de Dieu, et pas les deux charlatans qui l'avaient précédé. Il promettait un retour aux révélations fondatrices d'Abraham – cette fois, rattaché à cette branche par l'intermédiaire d'Ismaël – et l'islam est né. Il n'est pas étonnant que les chefs chrétiens de l'époque aient considéré l'islam comme une hérésie chrétienne et non comme une religion nouvelle. Quand Mahomet est mort, l'islam lui-même s'est divisé en deux grandes branches, les chiites et les sunnites, à cause d'une lutte de pouvoir visant à déterminer celui qui avait la plus grande légitimité pour lui succéder. Et ainsi de suite, encore et toujours. La folie humaine sous son pire aspect.

« Donc, pour résumer, nous avons des chrétiens considérant les juifs comme les fidèles d'une révélation primitive et incomplète de la volonté de Dieu ; des musulmans raillant les chrétiens de la même manière – bien qu'ils révèrent, eux aussi, Jésus, mais seulement comme un messager de Dieu dépassé, pas comme son fils. C'est pitoyable ! Savez-vous que les musulmans dévots bénissent dix-sept fois par jour le nom d'Abraham ? Quant au hadj, le pèlerinage à La Mecque qui est le devoir sacré de tout musulman, où des millions d'entre eux affrontent une chaleur écrasante, savez-vous de quoi il s'agit ? Tous ces gens viennent commémorer le fait que Dieu ait épargné Ismaël, le fils d'Abraham ! Il vous suffit d'aller à Hébron pour voir à quel point tout cela est devenu absurde. Des Arabes et des Juifs continuent de s'entre-tuer autour du coin de terre le plus farouchement disputé au monde, tout ça parce que cette ville est censée abriter le tombeau d'Abraham, une petite grotte dans laquelle on a aménagé des espaces spécifiques et isolés pour que chaque religion puisse vénérer séparément le prophète. S'il a jamais existé, Abraham doit se retourner dans sa tombe en pensant à ses descendants belliqueux.

Vance lâcha un triste soupir.

— Je sais qu'il est aisé d'attribuer tous les conflits de notre histoire à la politique et à la cupidité. Naturellement, celles-ci ont joué un rôle... Mais derrière tout cela, la religion a toujours été le combustible qui a entretenu les brasiers de l'intolérance et de la haine. Elle nous empêche d'aborder lucidement les choses et de les améliorer, d'accepter la vérité sur ce que nous sommes devenus, d'apprécier à sa juste valeur tout ce que la science nous a enseigné et continue de nous enseigner, d'être responsables de nos propres actions. Les hommes et les femmes des tribus primitives, vivant il y a des milliers d'années, avaient peur. Ils avaient besoin de la religion pour essayer de comprendre les mystères de la vie et de la mort, pour accepter les caprices des maux et des épidémies, du climat, des moissons imprévisibles et des désastres naturels.

Nous n'en avons plus besoin. Nous pouvons prendre notre téléphone et parler à quelqu'un à l'autre bout de la planète. Nous pouvons déposer un engin téléguidé à distance sur Mars. Nous pouvons créer la vie dans une éprouvette. Et nous pouvons faire beaucoup plus. Il est temps pour nous d'abandonner toutes nos superstitions et de faire face à ce que nous sommes vraiment. Nous sommes devenus ce qu'un Terrien vivant il y a un siècle à peine aurait considéré comme un dieu. Cela aussi, il est temps pour nous de l'accepter. Nous devons comprendre ce dont nous sommes capables et ne pas nous reposer sur quelque mystérieuse force supérieure qui descendrait du ciel pour faire les choses à notre place.

— Tout cela ressemble à une conception assez myope des choses, rétorqua Reilly avec colère. Que faites-vous de tout le bien que la religion a apporté et apporte encore ? Le code éthique, la structure morale qu'elle confère, le confort qu'elle donne, pour ne rien dire des œuvres charitables, des soins et de la nourriture qu'elle distribue aux pauvres et aux moins chanceux. La foi dans le Christ, c'est tout ce qui reste à beaucoup d'individus. Quantité d'hommes et de femmes s'appuient sur la religion pour trouver la force de vivre jour après jour. Mais vous ne voyez rien de tout ça, naturellement ! Vous êtes obsédé par un unique événement, certes tragique, celui qui a ruiné votre vie, celui qui, en brouillant votre conception du monde et de tout ce qui est bon sur notre planète, vous a rempli d'amertume.

L'expression de Vance devint distante.

— Tout ce que je vois, c'est la peine et la souffrance inutiles qu'elle a engendrées, pas seulement pour moi, mais pour des millions d'individus au cours des siècles.

Après un bref moment, son regard se posa de nouveau sur l'agent du FBI et son ton se durcit.

— A ses débuts, le christianisme a servi un grand dessein. Il a donné de l'espoir aux gens. Il a fourni un système d'assistance sociale. Il a aidé à abattre la tyrannie. Il a servi les besoins d'une communauté. Mais quels besoins sert-il encore aujourd'hui, à part bloquer la recherche médicale et justifier des guerres et des meurtres ? Nous rions quand nous voyons les dieux ridicules que les Incas ou les Egyptiens vénéraient. Le nôtre vaut-il mieux ? Que penseront nos descendants quand ils se pencheront sur nous dans mille ans ? Serons-nous l'objet d'autant d'ironie ? Nous continuons de danser au rythme de partitions écrites par des hommes qui pensaient qu'un orage était un signe de la colère de Dieu. Tout ça doit changer !

Reilly se tourna vers Tess. Elle n'avait pas prononcé un mot pendant toute la diatribe de Vance.

— Et toi ? Qu'en penses-tu ? Tu es d'accord avec tout ça ?

Le visage de la jeune femme s'assombrit. Elle évita son regard.

— Les faits historiques sont là, Sean. Nous sommes en train de parler de choses qui ont été très largement attestées et admises.

Elle hésita avant de continuer.

— Je crois effectivement que les Evangiles ont été initialement écrits pour transmettre un message spirituel, mais qu'ils se sont transformés. Ils ont endossé un objectif différent, un but politique. Jésus a vécu dans un pays occupé à une époque terrible. L'Empire romain était alors un monde d'inégalités flagrantes. Il régnait une grande pauvreté parmi le plus grand nombre et quelques élus seulement se partageaient d'immenses richesses. C'était une époque de famines, de maladies, d'épidémies. Dans ce monde injuste et violent, il est aisé d'imaginer comment le message du christianisme a pris. Son précepte de base – qu'un Dieu miséricordieux ait demandé aux humains d'être eux aussi miséricordieux les uns envers les autres, au-delà des limites de leur famille et même de leur communauté – était révolutionnaire. Indépendamment de leur lieu d'origine, il offrait à ses fidèles une culture cohérente, un sentiment d'égalité et d'appartenance, sans leur demander d'abandonner leurs liens ethniques. Il leur a donné la dignité et l'égalité entre les hommes, quel que soit leur statut. Les affamés savaient où ils allaient être nourris, les malades et les vieillards savaient où l'on prendrait soin d'eux. Il offrait à tout le monde un avenir libéré de toute pauvreté. Il apportait une nouvelle conception de l'humanité, un message d'amour, de miséricorde et de communauté dans un monde où sévissait la cruauté et qui était englué dans une culture de mort.

« Je ne suis pas une grande spécialiste dans ce domaine, mais Vance a raison. J'ai toujours eu un problème avec l'aspect surnaturel des choses, la divinité de Jésus, l'idée qu'il soit le fils de Dieu, né de la Vierge Marie. La réalité, c'est que rien de tout ça n'est apparu avant des dizaines et même des centaines d'années après la Crucifixion et que ce n'est devenu la politique officielle de l'Eglise qu'au concile de Nicée, en 325. C'était comme…

Elle esquissa un vague signe de la main.

— … comme si elle avait besoin de quelque chose de spécial, d'un grand hameçon pour attraper ses fidèles. A une époque où le surnaturel était admis par la plupart des individus, quelle meilleure idée que de suggérer que la religion que l'on est en train de vendre ne vient pas d'un humble charpentier, mais d'un être divin promettant l'immortalité ?

— Allons, Tess, s'indigna Reilly, tu en parles comme s'il ne s'agissait que d'une campagne de propagande. Est-ce que tu crois vraiment que le christianisme aurait eu autant de puissance ou duré aussi longtemps s'il n'était fondé que sur le mensonge ou la mystification ? De tous les prêcheurs et les sages qui écumaient le pays à l'époque, Jésus a été celui qui incitait les gens à risquer leur vie pour suivre son enseignement. Il a été celui qui inspirait le plus ceux qui étaient autour de lui. Il a touché les individus comme personne d'autre n'a pu le faire. Et ils ont écrit et parlé de ce qu'ils avaient vu.

— C'est justement ce que je souligne, s'interposa Vance. Il n'y a pas un récit originel unique, un récit de première main. Rien qui puisse le prouver.

— Ni l'infirmer, répliqua Reilly. Mais vous ne considérez pas les deux termes de l'équation, n'est-ce pas ?

— Eh bien, si le Vatican lui-même avait tellement peur que la découverte des Templiers ne sorte au grand jour, railla Vance, je crois pouvoir imaginer de quel côté sa conviction penche. Et, maintenant, si nous pouvions achever ce que les Templiers ont essayé de faire… continua-t-il en se tournant vers Tess.

Il irradiait une ferveur dangereusement contagieuse.

— … ce serait l'étape ultime de quelque chose qui a commencé de se préparer depuis les Lumières. Il n'y a pas si longtemps, les hommes et les femmes croyaient encore que la Terre était au centre de l'univers et que le Soleil tournait autour. Quand Galilée est apparu et a prouvé que c'était le contraire, l'Eglise a failli le brûler sur le bûcher. La même chose est arrivée à Darwin. Pensez-y. Qui détient la vérité « évangélique » aujourd'hui ?

Reilly resta silencieux, comme s'il soupesait cette dernière réflexion. Ce qui le gênait, c'était que ce qu'il venait d'entendre, même s'il faisait tout pour le repousser, semblait non seulement possible mais plausible. Après tout, plusieurs religions majeures revendiquaient des fidèles tout autour du globe. Chacune jurait détenir la vérité, et elles ne pouvaient toutes avoir raison ! Avec un certain sentiment de culpabilité, il dut bien s'avouer qu'il était disposé à rejeter les autres religions et à les considérer comme des délires collectifs.

— L'un après l'autre, poursuivit Vance, les yeux fixés sur Tess, ces mensonges, ces inventions des pères fondateurs de l'Eglise s'effondrent. Cette mystification-là sera simplement la dernière à tomber. Rien de plus.

69

Reilly s'était assis à l'écart, perché sur une paroi rocheuse en surplomb de la clairière où le pick-up était garé. Il avait regardé le ciel s'assombrir, dévoilant une lune et des étoiles innombrables, plus grosses et plus brillantes qu'il n'en avait jamais vu. Le spectacle aurait suffi à transporter l'âme de l'observateur le plus cynique. Mais à cet instant, il ne se trouvait pas dans la disposition d'esprit adéquate.

Le 4 × 4 était à peine visible dans la pénombre, avec la silhouette fantomatique de Vance à côté. L'agent du FBI ne pouvait s'empêcher de ressasser la longue tirade du professeur. Il cherchait la faille qui lui permettrait d'abattre d'un coup cet édifice sordide. Mais il n'en trouvait aucune.

Un éboulement de cailloux derrière lui le tira de sa rêverie. Il se tourna vers Tess, qui grimpait sur la crête pour le rejoindre.

Elle se dressa au bord de la colline, s'imprégnant quelques instants du calme des lieux avant de s'asseoir sur le rocher près de lui.

— Ecoute, je suis… je suis désolée. Je sais que ces discussions peuvent être désagréables.

— Décevantes, surtout.

Elle le regarda, perplexe.

— Tu es à côté de la plaque, continua-t-il. Tu prends quelque chose d'unique, d'incroyablement singulier, et tu le réduis à sa forme la plus grossière.

— Tu veux que j'ignore les preuves ?

— Non, mais les étudier sous cette lumière, décortiquer chaque détail, t'empêche de voir l'ensemble. Ce que tu ne comprends pas, c'est qu'il ne s'agit pas d'une question de preuves scientifiques. Il ne s'agit pas de faits, d'analyses ou de rationalisation. Il s'agit de ressenti. C'est une inspiration, un mode de vie, une fusion avec tout ceci, dit-il en ouvrant largement les bras.

Il la fixa intensément un moment avant de demander :

— N'y a-t-il rien en quoi tu croies ?

— Ce en quoi je crois n'a pas d'importance.

— Ça en a pour moi, insista-t-il vivement. Sérieusement, j'aimerais savoir. Tu ne crois en rien de tout cela ?

Elle détourna le regard vers le pick-up et vers Vance, qui, en dépit de l'obscurité impénétrable, semblait avoir les yeux rivés sur eux.

— Je pense que la réponse la plus facile pour moi est de dire que, sur ce sujet, je me trouve dans le camp de Jefferson.

— Jefferson ?

Tess hocha la tête.

— Thomas Jefferson avait aussi des problèmes pour croire ce que disait la Bible. Même s'il considérait que le système éthique de Jésus était le plus beau que le monde ait jamais vu, il a fini par être convaincu qu'en essayant de rendre ses enseignements plus séduisants pour les païens, on avait manipulé ses paroles et son histoire. Donc il a décidé d'examiner la Bible et d'en extraire tout ce qu'il considérait comme inexact, en vue de séparer les vraies paroles de Jésus de ce qu'il appelait les « stupidités dans lesquelles elles étaient enfouies ». L'homme apparaissant dans le livre qu'il a écrit, *Vie et Morale de Jésus de Nazareth*, n'avait rien de l'être divin du Nouveau Testament : dans la Bible de Jefferson, il n'y a ni naissance virginale, ni miracle, ni résurrection. Juste un homme.

Elle observa les yeux de Reilly, en quête d'un terrain commun où se retrouver.

— Ne te méprends pas sur ce que je dis, Sean. Je crois que Jésus était un grand homme, l'une des personnes les plus importantes qui aient jamais vécu, un homme inspirant et inspiré qui a dit beaucoup de grandes choses. Je pense que sa vision d'une société altruiste où chacun fait confiance à son prochain et l'aide est une idée merveilleuse. Elle a inspiré beaucoup de bonnes choses… et elle le fait encore. Même Gandhi, qui n'était pas chrétien, disait qu'il agissait dans l'esprit de Jésus-Christ. Jésus était un homme exceptionnel, cela ne fait aucun doute. Mais il en allait de même pour Socrate ou Confucius. Je suis d'accord avec toi : les enseignements de

Jésus sur l'amour et la fraternité devraient être la base des relations humaines. Mais était-il divin ? Peut-être a-t-il eu une sorte de vision divine ou d'illumination prophétique. Mais je ne crois pas au bric-à-brac miraculeux ni à ces contrôleurs de la pensée qui prétendent qu'ils sont les représentants exclusifs de Dieu sur terre. Je suis certaine que Jésus n'a jamais voulu que sa révolution devienne ce qu'elle est aujourd'hui. Et je ne peux pas imaginer qu'il aurait aimé cette foi dogmatique qui s'est développée en son nom. Pour moi, c'était un combattant de la liberté qui méprisait l'autorité.

— Le monde est vaste. L'Eglise d'aujourd'hui est ce que les hommes en ont fait au cours des siècles. C'est une grande organisation parce qu'elle doit l'être pour que ça fonctionne. Et les organisations ont besoin d'une structure de pouvoir. Comment, sinon, son message pourrait-il survivre et se répandre ?

— Mais c'est devenu si ridicule ! rétorqua-t-elle. Est-ce que tu as déjà regardé les télévangélistes ? Leur prêche est devenu un show de Las Vegas. Ils vous garantissent une place au paradis en échange d'un chèque. N'est-ce pas affligeant ? Le nombre des fidèles de l'Eglise est en chute libre. Pour trouver aide, réconfort et inspiration, les gens se tournent vers toutes sortes de choses, du yoga à la kabbale en passant par des livres et des groupes New Age, simplement parce que l'Eglise est totalement déconnectée de la vie moderne, de ce dont on a vraiment besoin aujourd'hui...

— Evidemment, coupa Reilly en se levant, mais c'est parce que nous allons trop vite. L'Eglise est restée efficace pendant près de deux mille ans. Cela ne fait que quelques décennies que les choses ont changé, parce que le monde évolue à un rythme vertigineux. C'est vrai, l'Eglise n'a pas su suivre cette évolution et c'est un gros problème. Mais ça ne veut pas dire qu'il faut qu'on jette l'ensemble pour passer à... à quoi exactement ?

Tess fit une grimace.

— Je ne sais pas. Mais peut-être que nous n'avons pas besoin de fausses promesses célestes ou d'être menacés de l'enfer ou de la damnation pour obtenir que les gens se comportent décemment. Il serait peut-être plus sain qu'ils commencent plutôt à croire en eux-mêmes.

— Tu penses vraiment ça ?

Elle le regarda droit dans les yeux. Ces derniers étaient graves, mais paisibles. La jeune femme se contenta de hausser les épaules.

— Ça n'a aucune importance, de toute façon. Pas jusqu'à ce qu'on trouve le vaisseau naufragé et qu'on voie ce qu'il y a dans la boîte.

— Ce n'est plus de notre ressort.

Elle prit un moment avant de répondre et quand elle s'y résolut, elle avait la voix de quelqu'un qui ne comprend pas... ou ne veut pas comprendre.

— Que veux-tu dire ?

— Je suis venu chercher Vance. Ce qu'il peut y avoir là-bas n'est pas mon problème.

Tout en parlant, il savait qu'il n'était pas entièrement honnête. Mais il refoula cette pensée.

— Alors tu vas t'en aller ? gronda-t-elle en se levant avec colère.

— Allons, Tess. Que crois-tu que je vais faire ? Mettre New York entre parenthèses pendant quelques semaines, le temps d'aller plonger avec toi à la recherche d'une épave ?

Les yeux verts indignés de la jeune femme le foudroyaient.

— Je ne peux pas croire que tu dises ça. Bon sang, Sean ! Tu sais ce qu'ils vont faire s'ils découvrent où c'est ?

— Qui ?

— Le Vatican ! s'exclama-t-elle. S'ils mettent la main sur l'astrolabe et localisent le lieu du naufrage, plus personne n'en entendra jamais parler. Ils feront disparaître la preuve pour de bon, et pas pour sept cents ans cette fois, mais pour toujours.

— C'est leur vocation.

Sa voix était distante.

— Parfois, il vaut mieux laisser certaines choses enfouies, ajouta-t-il.

— Tu ne peux pas faire ça, insista-t-elle.

— Que veux-tu que je fasse ? répliqua-t-il. T'aider à draguer le fond de l'océan afin de remonter fièrement une chose pour laquelle tout le monde s'égorgera ? Il n'a fait aucun mystère de ce qu'il cherche, dit-il en pointant un doigt rageur vers Vance. Il veut abattre l'Eglise. Tu crois que je vais t'aider à faire ça ?

— Non, évidemment. Mais un milliard d'hommes sont peut-être en train de vivre sous l'emprise d'un mensonge. Ça ne te gêne pas ? Tu ne leur dois pas la vérité ?

— On devrait peut-être d'abord leur poser la question, répondit-il.

— Alors, tu ne veux pas savoir ?

Il soutint son regard pendant un long moment, un moment pénible, avant de se détourner sans rien dire. Il avait besoin de temps pour réfléchir.

Tess hocha la tête, puis baissa les yeux vers la clairière où ils avaient laissé Vance. Après un nouveau silence pesant, elle dit :

— Je... j'ai besoin d'un peu d'eau.

Puis elle descendit la crête vers le torrent scintillant.

Il la regarda disparaître dans l'ombre.

Tandis qu'elle dévalait la pente pour rejoindre la clairière où ils avaient garé le pick-up, l'esprit de Tess était en proie à un maelström de pensées confuses.

Elle s'agenouilla près du torrent et mit ses mains tremblantes en coupe pour boire l'eau fraîche. Fermant les yeux en inspirant l'air vif, elle essaya de ralentir les battements de son cœur et de se calmer. En vain.

« Ce n'est plus de notre ressort. »

Les mots de Reilly l'avaient hantée tout le long de la descente de son promontoire rocheux. Et ils ne la lâchaient pas.

Maussade, elle leva les yeux vers la crête rocailleuse. On pouvait à peine en discerner la silhouette sur le ciel nocturne. Elle avait conscience de se trouver à la croisée des chemins. Fébrilement, elle passa en revue les choix qui s'offraient à elle, la perception qu'elle en avait. Au regard de ce qui était arrivé, de tout le sang répandu et des questions restant sans réponse, elle se doutait que ramener Vance à New York était la solution la plus raisonnable.

Mais elle n'était pas sûre de pouvoir l'accepter. Pas avec ce qui était en jeu.

Elle jeta un coup d'œil au professeur. Il était assis exactement comme ils l'avaient laissé, le dos contre le pick-up, les mains liées. Grâce à l'infime soupçon de lune se reflétant dans les yeux de l'homme, elle sut qu'il la regardait.

Et c'est alors que l'idée la frappa.

Une idée téméraire qui s'était immiscée dans le bouillonnement de son esprit.

Malgré tous ses efforts, elle ne put refouler cette pensée.

Reilly savait qu'elle avait raison. Elle avait mis le doigt sur le doute qui l'avait assailli en écoutant Vance. Bien sûr qu'il voulait savoir. Plus encore, il avait besoin de savoir. Mais, indépendamment de ses sentiments contradictoires et de ses conflits intérieurs, il devait suivre la procédure. Il avait toujours agi ainsi et, de toute façon, il n'avait pas vraiment le choix. Quand il avait dit qu'ils ne pouvaient pas aller eux-mêmes à la recherche de l'épave du *Faucon-du-Temple*, ce n'était pas une remarque en passant. Comment procéder ? Il était agent du FBI, pas plongeur professionnel. Sa priorité, c'était de ramener Vance – et l'astrolabe – à New York.

Mais il savait parfaitement quelle en serait la conséquence.

Sondant la nuit, il revit le visage de Tess et la déception qu'il avait lue dans ses yeux. Avec douleur, il réalisa qu'il était lui-même tout aussi désappointé. Il ne savait pas ce qui aurait pu se développer entre eux s'ils en avaient eu le temps. Mais, en cet instant, il lui sembla que leur relation venait de se fracasser sur le rocher de sa propre foi.

C'est alors qu'il entendit le bruit d'un moteur.

Pas à distance.

Tout près.

Stupéfait, il regarda en bas et vit le pick-up s'en aller.

Il était toujours dans sa combinaison de plongée. Il se revit glisser la clé du 4 × 4 sous le siège passager et il se rappela que Tess était alors à côté de lui.

Avec horreur, il comprit.

— Tess ! hurla-t-il.

Il dévala la pente, perdant l'équilibre, provoquant une avalanche de cailloux et trébuchant dans les ténèbres. Quand il atteignit la clairière, le nuage de poussière derrière le pick-up se dissipait déjà.

Tess et Vance étaient partis.

Furieux de n'avoir pas anticipé ce désastre, il balaya le terrain des yeux, en quête de quelque chose qui lui permettrait de renverser la situation. Il aperçut un morceau de papier dépassant d'un petit tas de provisions et d'équipement de camping laissé à son intention, juste à côté de l'endroit où le pick-up avait été garé.

Il le ramassa et reconnut l'écriture de Tess.

Sean,

Le monde mérite de connaître la vérité.
J'espère que tu peux le comprendre
et que tu me pardonneras...
Je t'envoie de l'aide dès que je peux.

T.

70

Reilly se réveilla dans une sorte de brouillard mental. Son cerveau était envahi d'émotions violentes. Il ne pouvait toujours pas croire que Tess s'était enfuie avec Vance. Plus il essayait de comprendre cette fuite, de lui trouver une explication, une excuse, plus elle le blessait. Elle faisait même plus que le blesser : elle rongeait la moindre de ses fibres. Furieux d'avoir été dupé et abandonné au milieu de nulle part, il était atterré par la décision de Tess de partir et, pire encore, de partir avec Vance. L'agent du FBI était abasourdi par sa témérité. Une fois de plus, elle se mettait en danger. En outre, même s'il essayait de s'en défendre, il devait bien admettre que sa fierté en avait pris un sacré coup.

En se levant, il constata que le pépiement des oiseaux et les lueurs aveuglantes du matin assaillaient ses sens. Trouver le sommeil dans le sac de couchage qu'elle lui avait laissé lui avait pris un temps infini ; ce n'est que tard dans la nuit que l'épuisement avait eu raison de sa colère. En clignant des yeux, il consulta sa montre et s'aperçut qu'elle était arrêtée depuis au moins quatre heures.

Cela n'avait pas d'importance. Il devait partir.

Il alla boire dans le torrent et ressentit l'effet bienfaisant de l'eau froide des montagnes. Un tiraillement à l'estomac lui rappela qu'il n'avait pas mangé depuis quasiment vingt-quatre heures. Il se dépêcha d'avaler un peu de pain et une orange : ils avaient au moins pensé à ça. Il sentit son corps revenir à la vie et, à mesure que sa tête s'éclaircissait, des pensées et des images rageuses se remirent à envahir sa conscience.

Il observa le paysage autour de lui. Pas le moindre souffle de vent. En dehors du chant des oiseaux qui s'était maintenant fait discret, tout était totalement silencieux. Il décida de remonter la piste jusqu'au barrage. Une bonne quinzaine de kilomètres. Du bureau d'Okan, il serait en mesure de contacter Federal Plaza, appel qui, au demeurant, ne l'enthousiasmait pas franchement.

Il avait à peine entamé sa longue randonnée quand il entendit un son dans le lointain. C'était un moteur. Son cœur sursauta en imaginant que ce pouvait être le pick-up. Il réalisa que ce n'était pas le bruit d'un véhicule terrestre, mais d'un hélicoptère. Le battement de ses pales se répercutait contre les collines et devenait de plus en plus audible de seconde en seconde.

Puis il le vit. Il reconnut la silhouette d'un Bell UH-1Y glissant au-dessus de la vallée. Frôlant les cimes du versant opposé, il s'inclina soudain et se dirigea droit sur lui. Reilly comprit qu'il avait été repéré. Mais qui pouvait se trouver à bord ? Il sentit ses muscles se raidir tandis qu'il passait en revue diverses possibilités à toute allure : soit Tess avait tenu sa promesse et prévenu les autorités de sa présence dans la montagne, soit les tireurs du lac l'avaient retrouvé ; il devina que cette dernière hypothèse était la plus probable. Il balaya des yeux l'environnement immédiat. Son cerveau cherchait les points les plus stratégiques. Mais il renonça à courir se mettre à couvert. C'était inutile. Ils étaient armés, pas lui. De toute façon, il n'avait pas ce qu'ils cherchaient. Et surtout, il était fatigué. Et furieux. Il n'avait aucune envie de courir.

Il regarda l'hélicoptère tournoyer au-dessus de sa tête et vit les marques sur sa queue : un insigne circulaire rouge et blanc, comme un cœur de cible. Reilly se détendit quelque peu en constatant que c'était un appareil de l'armée de l'air turque. L'hélico plongea vers la clairière en soulevant un nuage de sable. Se couvrant les yeux de la main, Reilly s'approcha avec hésitation. La porte s'ouvrit. Au travers d'un épais rideau de poussière, il vit une petite silhouette sauter à terre et venir vers lui. Progressivement, il put voir que l'homme portait un pantalon kaki, un coupe-vent sombre et des lunettes noires. Il était presque à portée de main quand Reilly reconnut De Angelis.

— Que faites-vous ici ?

Ses yeux allaient de l'homme à l'hélicoptère, essayant de comprendre ce que signifiait cette apparition. Une ultime volée du rotor mourant souleva le coupe-vent de l'ecclésiastique et Reilly eut le temps d'entrevoir un pistolet automatique Glock dans un holster. Très étonné, il tourna le regard vers la cabine. Alors que le nuage se dissipait, il repéra un fusil de sniper aux pieds d'un homme négligemment assis qui allumait une cigarette avec l'insouciance d'un guide touristique blasé. Deux soldats en treillis de l'armée turque étaient installés en face de lui.

Des pensées conflictuelles envahirent son esprit tandis qu'il fixait l'ecclésiastique. L'agent fédéral tendit le doigt vers l'hélicoptère.

— Qu'est-ce que c'est ? Allez-vous me dire ce qui se passe ?

De Angelis, impassible, demeurait silencieux. Quand il ôta ses lunettes de soleil, Reilly remarqua que ses yeux avaient quelque chose de changé. Il ne leur restait rien de l'humble bonté de l'homme qu'il avait connu à New York. Les lunettes démodées qu'il portait là-bas avaient d'une certaine manière camouflé la menace qui irradiait maintenant de sa personne.

— Calmez-vous.

— Ne me dites pas de me calmer ! Bon Dieu, vous avez presque réussi à nous faire tous tuer. Mais enfin, qui êtes-vous et d'où venez-vous pour vous croire le droit de nous tirer comme des canards ? Ces hommes, là-bas, sont morts…

— Peu importe. Je ne m'en soucie pas, tonna De Angelis. Vance doit être stoppé. A n'importe quel prix. Ces hommes étaient armés. Ils devaient être liquidés.

L'esprit en ébullition, Reilly n'en croyait pas ses oreilles.

— Et qu'avez-vous prévu pour lui ? demanda-t-il. Vous allez le brûler sur le bûcher ? Vous vous êtes égaré dans un trou noir temporel, ou quoi ? Le temps de l'Inquisition est terminé.

Il tendit le doigt vers le fusil à lunette aux pieds de Plunkett.

— C'est l'équipement standard au Vatican, aujourd'hui ?

De Angelis le fixait, imperturbable.

— Mes ordres ne viennent pas seulement du Vatican.

Reilly parcourut des yeux l'hélicoptère militaire, les soldats à l'intérieur et le civil assis avec le fusil à ses pieds. Il avait déjà vu ce genre de regard froid et insensible. Son esprit repassa à cent à l'heure les événements qui s'étaient succédé depuis l'attaque du Met. Soudain, toutes les pièces du puzzle se mirent en place.

— La CIA, lâcha-t-il. Vous êtes un barbouze, hein ? Toute cette affaire…

Il s'étrangla avant de reprendre avec plus d'assurance :

— Waldron, Petrovic… Les cavaliers à New York. Ce n'était pas Vance. C'était vous tout le temps, n'est-ce pas ?

Brusquement, il plongea en avant et agrippa De Angelis par le revers pour le pousser en arrière et le prit à la gorge.

— Vous avez été…

Il n'eut pas le temps de finir. L'ecclésiastique réagit avec des réflexes étonnants, déviant les mains de Reilly tout en lui attrapant le bras et en le tordant d'un mouvement fluide et suprêmement douloureux. L'agent du FBI fut contraint de s'agenouiller.

— Je n'ai pas le temps de m'amuser, gronda De Angelis en tenant un moment Reilly en respect avant de le jeter à terre.

Sean cracha la poussière qu'il venait de mordre. La douleur dans son bras l'élançait. Il vit les pieds de l'homme d'Eglise tourner autour de lui.

— Où sont-ils ? Qu'est-ce qui est arrivé ici ?

Reilly se remit debout. Du coin de l'œil, il entraperçut l'homme dans l'hélico qui le regardait, un sourire moqueur aux lèvres. Il sentit une fureur monter du plus profond de lui. S'il s'était demandé jusqu'à quel point l'ecclésiastique s'était impliqué dans les meurtres de New York, cette petite démonstration des prouesses physiques de l'homme effaça ses doutes. Il pouvait tuer à mains nues.

Il s'épousseta avant de fixer De Angelis.

— Qui êtes-vous exactement ? Un homme de Dieu avec une arme ou un tueur qui a rencontré Dieu ?

L'ecclésiastique continuait d'afficher le même calme impassible.

— Je ne vous savais pas cynique, dit-il.

— Et je ne vous savais pas assassin.

De Angelis soupira. Il méditait sa réponse. Quand il ouvrit enfin la bouche, sa voix était teintée d'indifférence.

— Vous devez vous calmer. Nous sommes du même côté.

— Ah oui ? Et c'était quoi, là-bas, sur le lac ? Un échange de pistolets à eau ?

De Angelis étudia Reilly avec des yeux froids.

— Dans ce combat, expliqua-t-il, tout le monde est susceptible d'être sacrifié.

Il marqua une pause comme s'il attendait que ses paroles pénètrent bien dans l'esprit de Reilly avant de continuer.

— Vous devez comprendre quelque chose. Nous menons une guerre. Une guerre qui dure depuis plus de mille ans. Toute cette théorie du « choc des civilisations », ce n'est pas simplement une idée abstraite sortie du cerveau d'obscurs penseurs ou statisticiens. C'est un combat très réel. Il se poursuit alors même que nous discutons. Et il se développe. Chaque jour, il devient plus dangereux, plus insidieux, plus menaçant. Et il n'est pas près de s'achever. Au cœur de cet affrontement, il y a la religion, parce que, que cela vous plaise ou non, la religion est une arme phénoménale, même aujourd'hui. Elle peut toucher le cœur des hommes et leur faire accomplir des choses inimaginables.

— Comme assassiner des suspects sur leur lit d'hôpital ?

De Angelis ne releva pas.

— Il y a vingt ans, le communisme se répandait comme un cancer. Comment pensez-vous que nous avons gagné la guerre froide ? A votre avis, qu'est-ce qui a permis d'y mettre un terme ? La « guerre des étoiles » de Reagan ? La stupéfiante incompétence du gouvernement soviétique ? Pour partie, certainement, oui. Mais savez-vous ce qui a vraiment permis la fin de la guerre froide ? Le pape. Un pape polonais au bras long, en relation étroite avec ses ouailles, obtenant d'eux qu'ils abattent les murs à mains nues. En Iran, Khomeyni a fait la même chose. Diffusant ses discours depuis Paris où il était en exil, il a embrasé une population affamée de spiritualité à des milliers de kilomètres de là, il l'a inspirée et poussée à se soulever pour renverser le shah. Quelle erreur ce fut de laisser survenir cette révolution iranienne... Regardez où nous en sommes aujourd'hui. Et maintenant, Ben Laden utilise aussi la religion... Les bonnes paroles peuvent déplacer des montagnes. Ou les raser. Dans notre arsenal, la religion est l'arme ultime, au-dessus de toutes les autres. Alors nous ne pouvons pas nous permettre de laisser qui que ce soit nous désarmer. Notre mode de vie, tout ce pour quoi vous combattez depuis que vous avez rejoint le Bureau tourne autour de ça... Tout ! Donc la question que je vous pose est simple : êtes-vous, comme votre président l'a un jour dit avec tant d'éloquence, avec nous... ou contre nous ?

Le visage de Reilly se durcit et il sentit sa poitrine se contracter. Le mur de doute qu'il avait érigé pour tenter de résister aux propos dérangeants de Vance venait d'être pulvérisé par la seule présence de De Angelis.

La personnalité même de l'homme et ce qu'il venait de dire étaient une détestable justification de tout ce que le professeur avait exposé.

— Donc tout est vrai ? demanda-t-il comme s'il émergeait d'un brouillard.

La réponse sèche et prompte de De Angelis jaillit.

— Est-ce que cela a la moindre importance ?

L'ecclésiastique scruta le sol nu autour d'eux.

— Je suppose que vous ne l'avez plus ?

— Quoi ?

— L'astrolabe.

— Comment savez-vous… ?

Il laissa la fin de sa question se perdre en comprenant que Tess et lui avaient dû être sous surveillance – au moins audio – constante. Il se tut et prit le temps de laisser sa colère s'apaiser. Puis, déprimé, il secoua la tête pour avouer :

— Ils l'ont.

— Vous savez où ils sont ?

A contrecœur et se méfiant encore de l'homme d'Eglise, Reilly le mit au courant de ce qui était arrivé la nuit précédente.

L'ecclésiastique réfléchit.

— Ils n'ont pas beaucoup d'avance et nous connaissons globalement le secteur vers lequel ils se dirigent. Nous les retrouverons.

Il se tourna, leva une main et traça un cercle vers le ciel pour indiquer au pilote de rallumer les turbines jumelles.

— Partons, ordonna-t-il à Reilly.

L'agent du FBI ne bougea pas et se contenta de secouer la tête.

— Non. Vous savez quoi ? Si tout ça n'est qu'un vaste mensonge, j'espère qu'il vous balaiera tous.

De Angelis le fixa, déconcerté. Un moment, Reilly soutint son regard.

— Vous pouvez aller en enfer, dit-il, vous et vos copains de la CIA. Je suis hors jeu.

Sur ce, il tourna les talons et s'éloigna.

— Nous avons besoin de vous, lui cria l'ecclésiastique. Vous pouvez nous aider à les trouver.

Reilly ne se retourna pas.

— Trouvez-les vous-même. J'en ai assez.

Il continua de marcher.

De Angelis hurlait derrière lui, s'époumonant pour surmonter le grondement croissant des moteurs de l'hélicoptère.

— Et Tess ? Vous allez la laisser avec lui ? Elle pourrait encore être utile. Et s'il y a bien quelqu'un qui puisse se faire entendre d'elle, c'est vous.

Reilly se retourna et revint en arrière de quelques pas. Au regard rusé de De Angelis, il comprit qu'il savait tout de sa relation avec la jeune femme. Il haussa simplement les épaules pour lâcher :

— Plus maintenant.

L'agent commença à repartir.

— Qu'allez-vous faire ? lui demanda l'ecclésiastique. Marcher jusqu'à New York ?

Reilly poursuivit sa route sans répondre.

Le religieux l'appela une dernière fois. Sa voix était maintenant pleine de colère et teintée de frustration.

— Reilly !

Celui-ci s'immobilisa. Il baissa un moment la tête avant de se décider à la tourner.

De Angelis fit quelques pas pour le rejoindre. Ses lèvres esquissaient un sourire, mais ses yeux demeuraient inexpressifs.

— Si je ne peux pas vous convaincre de travailler avec nous, je peux peut-être vous conduire jusqu'à quelqu'un qui le pourra.

71

Vatican ou CIA ? Quelle qu'ait été la structure qui avait organisé le voyage, elle avait bien fait les choses. L'hélicoptère avait filé jusqu'à une base aérienne militaire près de Karacasu, pas très loin au nord de l'endroit où Reilly avait été retrouvé. Là, De Angelis et lui avaient embarqué à bord d'un G-IV qui attendait. Il était arrivé de Dalaman pour les récupérer et leur permettre de rejoindre rapidement l'Italie. A l'aéroport de Rome, ils échappèrent aux contrôles des services de l'immigration et des douanes.

Moins de trois heures après l'apparition de l'homme d'Eglise au milieu d'un nuage de poussière dans les montagnes turques, Reilly et lui se retrouvaient tranquillement assis dans le confort cossu d'une Lexus à vitres noires et air conditionné, fonçant vers la Ville éternelle.

Reilly avait besoin d'une douche et de vêtements propres. Mais, comme De Angelis était pressé, il dut se contenter d'une toilette sommaire à bord du jet et d'effets militaires – pantalon de treillis et tee-shirt gris – sortis des stocks de la base turque. Il ne se plaignit pas. Après la combinaison de plongée mouillée, le treillis était le bienvenu. Et surtout, lui aussi était pressé.

La situation de Tess l'inquiétait de plus en plus. Il voulait la retrouver, même s'il essayait de ne pas trop réfléchir à ses motivations. Ignorant ce qui l'attendait quand ils seraient à destination, il était aussi très partagé quant au fait d'avoir accepté l'invitation de De Angelis. Plus tôt il serait reparti d'ici et de retour sur le sol turc, pensait-il, mieux ce serait. Mais il était trop tard pour se défiler. Il avait senti dans l'insistance de l'homme d'Eglise que cette visite n'était pas un caprice.

Depuis l'avion, il avait aperçu la basilique Saint-Pierre. Maintenant, alors que la Lexus se faufilait dans le trafic, il la voyait se découper sur le ciel. Son dôme colossal resplendissait au-dessus de la brume de chaleur et du chaos de la grande cité congestionnée.

Si la vue d'un édifice aussi prodigieux inspirait inévitablement des sentiments de respect, même chez le plus farouche des incroyants, Reilly ne ressentait que trahison et colère. A dire vrai, il ne savait pas grand-chose de la plus grande église du monde, en dehors du fait qu'elle abritait la chapelle Sixtine et qu'elle avait été construite sur l'emplacement de la sépulture de saint Pierre, le fondateur de l'Eglise, qui était mort là après avoir été crucifié, tête en bas, pour sa foi. En regardant la basilique, il pensa aux œuvres artistiques et architecturales sublimes que cette même foi avait inspirées, aux peintures, aux statues et aux lieux de culte qui avaient été créés dans le monde entier par les fidèles du Christ. Il songea aux innombrables enfants qui récitaient chaque soir leurs prières avant de se coucher, aux millions de pratiquants qui assistaient à l'office chaque dimanche, aux malades qui priaient pour obtenir la guérison et à tous ceux qui le faisaient pour l'âme des défunts. Avaient-ils tous été trompés, eux aussi ? Est-ce que tout cela n'était vraiment qu'une vaste supercherie ? Pis encore, le Vatican avait-il toujours connu la vérité, depuis l'origine ?

L'automobile remonta la via di Porta Angelica jusqu'à la porte Sainte-Anne. Un grand portail de fer fut ouvert par des gardes suisses au costume chamarré. Après un rapide signe de tête de l'homme d'Eglise, la Lexus fut invitée à entrer dans le plus petit Etat de la planète, précipitant Reilly dans le cœur de son univers spirituel ébranlé.

La voiture s'arrêta à l'extérieur d'un bâtiment de pierre à portiques et De Angelis sortit sans attendre. Reilly le suivit. Ils gravirent un escalier, puis dépassèrent un double vestibule plongé dans un silence solennel. Ils parcoururent à grandes enjambées de longs corridors pavés, traversèrent des pièces sombres à hauts plafonds et remontèrent de larges escaliers de marbre. Enfin, ils s'arrêtèrent devant une porte de bois gravée de motifs entrelacés. L'ecclésiastique enleva ses lunettes d'aviateur et les remplaça par sa vieille paire sale. Reilly vit son expression se métamorphoser, avec l'aisance d'un grand acteur sur le point de monter sur scène, passant de celle de l'agent clandestin à celle de l'homme qu'il avait connu à New

York. L'homme du FBI fut surpris de le voir inspirer profondément, comme pour rassembler son courage. Puis l'ecclésiastique frappa contre la porte avec son index.

La réponse jaillit sur un ton doux :

— *Avanti.*

De Angelis ouvrit la porte et précéda Reilly à l'intérieur.

Les murs de la pièce étaient couverts du sol au plafond de rayonnages qui croulaient sous les livres. Il n'y avait aucun tapis sur les chevrons du parquet de chêne. Dans un angle, près d'un âtre de pierre, un grand canapé était planté entre deux fauteuils assortis. Devant deux hautes portes-fenêtres se trouvait un bureau entouré d'une chaise capitonnée et de trois fauteuils à oreilles. Le seul occupant de la pièce, un personnage impérieux et robuste aux cheveux grisonnants, fit le tour du bureau pour venir accueillir De Angelis et son invité.

De Angelis présenta le cardinal Brugnone à l'hôte américain et les deux hommes se serrèrent la main. La poigne du prélat était ferme. Ses yeux parcoururent l'agent fédéral. Reilly sentit qu'il était étudié avec une acuité déstabilisante. Sans détacher son regard de son invité, Brugnone échangea avec l'ecclésiastique quelques mots en italien que Reilly ne put comprendre.

— Asseyez-vous, je vous en prie, agent Reilly, lui dit-il en lui désignant le canapé. J'espère que vous allez accepter l'expression de ma gratitude pour tout ce que vous avez fait et ferez dans cette malheureuse affaire. Et aussi pour avoir bien voulu venir ici aujourd'hui.

Dès que Reilly se fut assis – De Angelis ayant pris un fauteuil –, Brugnone montra qu'il n'était pas d'humeur à s'égarer dans de vaines digressions.

— On m'a transmis quelques informations sur vous.

Reilly se tourna vers De Angelis, qui ne le regardait pas.

— On m'a dit que vous êtes un homme de confiance, un homme intègre dont l'honnêteté ne souffre aucun compromis.

Le cardinal fit une pause. Ses yeux intenses étaient rivés sur Reilly. Ce dernier était ravi de pouvoir aller immédiatement au cœur du problème.

— Je veux simplement la vérité, répondit-il.

Ses grosses mains carrées jointes, Brugnone se pencha en avant.

— Je crains que la vérité ne soit celle que vous redoutez.

Après un instant de silence, il se leva de son fauteuil et fit quelques pas lourds vers les portes-fenêtres. Le prélat regarda dehors. Ses yeux clignèrent dans la vive lumière de midi.

— Neuf hommes... neuf démons. Ils se sont présentés à Jérusalem, et Baudouin leur a donné tout ce qu'ils voulaient, pensant qu'ils étaient de notre côté, croyant qu'ils allaient nous aider à répandre notre message.

Sa voix s'abaissa jusqu'à n'être plus qu'un grommellement guttural.

— Il a été fou de les croire.

— Qu'ont-ils trouvé ?

Brugnone inspira. Puis il se tourna vers son hôte.

— Un journal. Un journal intime et très détaillé. Une sorte d'Evangile. Les écrits d'un charpentier nommé Jeshua de Nazareth.

Il s'arrêta, fixant l'Américain d'un œil perçant avant d'ajouter :

— Les écrits... d'un *homme*.

Reilly sentit se vider ses poumons.

— Juste un homme ?

Brugnone hocha la tête. Ses épaules s'affaissèrent.

— D'après son propre Evangile, Jeshua de Nazareth – Jésus, si vous préférez – n'était pas le fils de Dieu.

Les mots ricochèrent dans l'esprit de Reilly pendant ce qui lui sembla une éternité avant de plonger à la verticale jusqu'au creux de son ventre, broyant ses entrailles. Il leva les mains, esquissant un vague geste englobant tout ce qui les entourait.

— Et tout ça... ?

— Tout ça, s'exclama Brugnone, est le meilleur qu'un homme, qu'un simple mortel, puisse faire. Tout fut créé avec la plus noble des intentions. Cela, vous devez le croire. Qu'auriez-vous fait ? Que voudriez-vous que nous fassions maintenant ? Depuis près de deux mille ans, on nous a confié ces croyances qui étaient si importantes pour les hommes qui ont fondé l'Eglise et auxquelles nous continuons d'être fidèles. Tout ce qui aurait pu saper ces enseignements, cette foi, devait être éradiqué. Il n'y avait pas d'autre choix, parce que, jadis, nous ne pouvions abandonner nos fidèles, et nous ne le pouvons pas davantage maintenant. Aujourd'hui, ce serait même encore plus catastrophique de leur dire que tout est...

Il cherchait les mots idoines, sans parvenir à finir sa phrase.

— ... une gigantesque supercherie ? conclut Reilly.

— Est-ce cela ? Qu'est-ce que la foi après tout, si ce n'est la croyance en quelque chose qui n'a pas besoin d'être prouvé, la croyance en un idéal ? Et ce que nous représentons a toujours été un idéal de grande valeur dans lequel le monde a pu croire. Nous avons besoin de croire en quelque chose. Nous avons tous besoin de foi.

La foi.

Reilly faisait tout son possible pour saisir les implications de ce que le cardinal Brugnone était en train de dire. Dans son propre cas, c'était la foi qui l'avait aidé, à un très jeune âge, à faire face à la perte dévastatrice de son père. C'était la foi qui l'avait guidé tout au long de sa vie d'adulte. Et ici, au cœur même de l'Eglise catholique, il entendait dire que tout cela n'était qu'une immense imposture.

— Nous avons aussi besoin d'honnêteté, tonna Reilly avec colère. Nous avons besoin de vérité.

— Mais par-dessus tout, l'homme a besoin de foi, aujourd'hui plus que jamais, insista Brugnone avec force, et ce que nous proposons est bien préférable à l'absence totale de foi.

— La foi en une résurrection qui n'a jamais existé ? La foi en un paradis qui n'existe pas ?

— Croyez-moi, agent Reilly, beaucoup d'hommes très honnêtes ont affronté cette question au cours du temps et tous en sont arrivés à la même conclusion : il faut que cela soit préservé. Le vide est trop horrible à contempler.

— Mais nous ne sommes pas en train de parler de ses paroles et de ses enseignements. Nous ne faisons que parler de ses miracles et de sa résurrection.

— Le christianisme n'a pas été bâti sur les prêches d'un sage, continua le cardinal sur un ton qui restait inflexible. Il l'a été sur quelque chose de beaucoup plus retentissant : les paroles du Fils de Dieu. La résurrection n'est pas simplement un miracle : c'est le fondement même de l'Eglise. Enlevez ça et tout s'effondre. Pensez à la phrase de saint Paul dans sa première épître aux Corinthiens : « Et si le Christ n'est pas ressuscité, notre message est vide et vide aussi notre foi. »

— Les fondateurs de l'Eglise... ce sont eux qui ont choisi ces mots, fulmina Reilly. Tout l'objet de la religion est de nous aider à essayer de comprendre ce que nous faisons ici, n'est-ce pas ? Alors comment pourrions-nous simplement commencer à comprendre, si nous partons sur une prémisse fausse ? Ce mensonge a altéré tous les aspects de nos vies.

Brugnone opina du chef.

— Peut-être, peut-être. Et peut-être que si tout avait commencé maintenant et pas il y a deux mille ans, les choses auraient pu être traitées différemment. Mais, hélas, ce n'est pas le cas. Tout existe déjà. Cet héritage nous a été transmis et nous devons le préserver. Agir autrement nous détruirait... et, je le crains, porterait un coup dévastateur à notre monde fragile.

Ses yeux n'étaient plus focalisés sur Reilly, mais sur quelque chose au loin, quelque chose qui semblait douloureux.

— Nous avons toujours été sur la défensive, depuis les commencements. Je suppose que c'est naturel, vu notre position, mais cela devient de plus en plus difficile... La science moderne et la philosophie n'encouragent pas vraiment la foi. Et nous sommes en partie à blâmer pour ça. Depuis que Constantin, avec sa perspicacité politique, s'est efficacement emparé de l'Eglise primitive, il y a eu trop de schismes et de disputes, trop de vaines querelles doctrinales pour des broutilles, trop de dégénérés évoluant autour de nous, voire dans nos propres rangs. Trop de cupidité aussi. Le message originel de Jésus a été perverti par l'égoïsme et la bigoterie. Il a été dévoyé par de minables rivalités internes et des fondamentalistes intransigeants. Et nous continuons de faire des erreurs qui ne servent pas notre cause. Par exemple, en éludant les sujets réels auxquels est confronté le monde, en tolérant de honteux abus, des actes horribles contre les plus innocents, et même en contribuant à les couvrir. Nous avons mis beaucoup de temps à nous faire à un monde changeant. Et maintenant, à un moment où nous sommes vulnérables, l'Eglise est de nouveau menacée, comme elle l'a été il y a neuf cents ans, quand les Templiers ont fait leur découverte. Seulement aujourd'hui, cet édifice que nous avons construit est devenu plus grand que tout ce que nos ancêtres auraient pu rêver, et sa chute serait catastrophique.

« Peut-être que si nous fondions l'Eglise aujourd'hui, avec la véritable histoire de Jeshua de Nazareth, peut-être que nous pourrions procéder autrement. Peut-être que nous pourrions éviter tout ce dogme confus et nous contenter de faire les choses simplement. Regardez l'islam. Il a su parfaitement se débrouiller, à peine sept siècles après la crucifixion. Un homme est venu et il a dit : "Il n'y a pas d'autre dieu que Dieu et je suis son prophète." On ne parle pas de Messie, ni de Fils de Dieu. Il n'y a pas plus de Père que de Saint-Esprit, ni de Trinité. Juste un messager de Dieu. C'était ça. Et c'était suffisant. La simplicité de son message s'est propagée comme une traînée de poudre. Ses fidèles se sont presque emparés du monde en moins de cent ans et cela m'afflige de penser qu'aujourd'hui même, à notre époque, l'islam est la religion en plus forte croissance dans le monde, même s'ils mettent encore plus de temps que nous à se faire aux réalités et aux nécessités des temps modernes. Et cela continuera à leur poser des problèmes en chemin. Mais nous avons été très lents. Et nous le payons, juste au moment où les nôtres ont le plus besoin de nous.

« Car ils ont besoin de nous. Ils ont besoin de quelque chose. Regardez l'anxiété, la colère, la cupidité qui nous entourent, la corruption qui infecte le monde au plus haut niveau. Regardez le vide moral, la soif de spiritualité, le manque de valeurs. Le monde est chaque jour plus fataliste, plus cynique, plus désenchanté. L'homme est devenu plus apathique, indifférent et égoïste que jamais. Nous volons et tuons à une échelle sans précédent. Les scandales économiques se jouent en milliards de dollars. On dispute des guerres sans raison. Des millions d'êtres sont tués dans des génocides impensables. La science nous permet peut-être de nous débarrasser de maladies comme la variole, mais elle a fait bien pire en dévastant notre planète et en nous transformant en créatures impatientes, isolées et violentes. Ceux d'entre nous qui ont de la chance pourront vivre plus longtemps, mais nos vies seront-elles mieux remplies ou plus paisibles pour autant ? Le monde est-il plus civilisé qu'il y a deux mille ans ?

« Il y a des siècles, nous étions davantage dans l'ignorance. Les hommes et les femmes savaient à peine lire et écrire. Aujourd'hui, à notre époque prétendument éclairée, quelle excuse avons-nous pour justifier de tels comportements ? L'esprit de l'homme, son intellect, peut avoir progressé. Mais je crains qu'il n'ait laissé son âme derrière et même, pourrais-je ajouter, je crains qu'il n'ait régressé. L'homme a démontré qu'au fond de lui il n'était qu'une bête sauvage. Et même si l'Eglise est toujours là pour dire que nous sommes tous comptables de nos actes devant une puissance supérieure, nous continuons à nous comporter atrocement. Imaginez ce que ce serait sans l'Eglise ! Mais il est évident que nous perdons notre capacité à inspirer les actes des humains. Nous ne sommes pas là pour les hommes. L'Eglise n'est tout simplement plus là pour eux. Pire même : on nous utilise comme excuse pour justifier les guerres et les effusions de sang. Nous sommes entraînés dans une spirale qui nous précipite vers une crise spirituelle terrifiante, agent Reilly. Cette découverte ne pouvait survenir à un pire moment.

Brugnone retomba dans le silence et fixa Reilly.

— C'est peut-être inévitable, suggéra ce dernier d'une voix résignée. C'est peut-être simplement une histoire qui suit son cours.

— Peut-être que l'Eglise s'éteint à petit feu, admit le cardinal. Toutes les religions déclinent et meurent à un moment donné. Et la nôtre a duré plus longtemps que la plupart. Mais une révélation comme celle-là...

Il soupira.

— En dépit de ses échecs, l'Eglise représente encore une force considérable dans la vie de nombreux hommes. Des millions d'individus s'appuient sur leur foi pour supporter leur morne existence quotidienne. Dans les moments de besoin, elle continue de leur procurer une consolation. Finalement, la foi nous fournit à tous quelque chose de crucial pour nos existences : elle nous aide à surmonter notre peur de la mort et la crainte de ce qui peut se trouver au-delà de la tombe. Sans leur foi en un Christ ressuscité, des millions d'âmes seraient à la dérive. Ne vous y trompez pas, agent Reilly : permettre à cette révélation d'être rendue publique plongerait le monde dans un état de désespoir et de désillusion sans égal.

Un silence oppressant s'abattit. Reilly se sentait écrasé. Il n'avait aucun moyen d'échapper aux pensées dérangeantes qui envahissaient son esprit. Il songea à l'endroit où toute cette aventure avait commencé pour lui. Il se revit sur les marches du Met avec Aparo, la nuit du saccage des cavaliers. Perdu dans le tourbillon confus de son esprit, il se demandait comment il avait atterri ici, à l'épicentre même de sa foi, engagé dans une conversation profondément perturbante.

— Depuis combien de temps savez-vous la vérité ? demanda-t-il au cardinal.

— Moi, personnellement ?

— Oui.

— Depuis que j'ai pris mon poste actuel. Il y a trente ans.

— Mais vous avez fait avec.

— Fait avec ?

— Vous avez accepté, précisa Reilly.

— Je ne ferai jamais avec, dans le sens que vous entendez. Mais j'ai appris à m'adapter. C'est le mieux que j'aie pu faire.

— Qui d'autre est au courant ?

Reilly percevait la condamnation qui transparaissait dans sa propre voix et il savait que le prélat l'avait notée aussi.

— Une poignée d'entre nous.

L'Américain se demanda ce que cela recouvrait. Et le pape ? Etait-il au courant ? Il ne pouvait imaginer que le saint-père ne sache pas. Mais il se retint de poser la question. A la place, une autre réflexion se manifesta. Son instinct d'enquêteur refaisait surface en se frayant un chemin dans le bourbier de son esprit torturé.

— Comment savez-vous que c'est vrai ?

Les yeux de Brugnone s'illuminèrent et la commissure de ses lèvres esquissa un sourire. Il parut encouragé par la préoccupation de l'agent américain. Mais le ton lugubre du prélat acheva d'étouffer les espoirs de Reilly.

— Le pape a envoyé ses plus éminents experts à Jérusalem quand les Templiers ont fait cette découverte. Ils ont confirmé qu'elle était authentique.

— Mais cela fait près de mille ans ! s'étonna Reilly. Ils auraient pu être abusés. Et si c'était un faux ? D'après ce que j'ai entendu, il était dans les aptitudes des Templiers de réaliser quelque chose de ce type. Et pourtant, vous êtes prêt à l'accepter comme un fait sans même l'avoir vu… ?

Tout en parlant, l'implication logique de ce qu'il disait lui sauta aux yeux :

— ... ce qui ne peut signifier qu'une chose : vous avez toujours douté de l'histoire racontée dans les Evangiles ?

Brugnone répondit à la consternation de Reilly par un sourire rayonnant.

— Il y a ceux qui pensent que l'histoire n'a jamais été conçue que pour être prise métaphoriquement ; autrement dit, comprendre le christianisme, c'est comprendre l'essence du message qui réside en son cœur. Cependant, la plupart des croyants considèrent que chaque mot de la Bible est, à défaut d'un meilleur terme, parole d'évangile. Je suppose que je me situe quelque part au milieu. Peut-être que nous nous situons tous sur une ligne médiane, entre la volonté de laisser notre imagination s'enthousiasmer pour les merveilles de l'histoire et celle de demander à notre esprit rationnel de douter de sa véracité. Si ce que les Templiers ont découvert était en réalité un faux, cela nous aiderait à passer plus de temps du côté le plus transcendant de cette ligne. Mais tant que nous n'avons pas mis la main sur ce qui se trouvait dans ce navire...

Il lança à Reilly un regard ardent.

— Allez-vous nous aider ?

Pendant un moment, l'agent spécial ne répondit pas. Il étudiait le visage ridé de l'homme qui se tenait devant lui. S'il sentait que le cardinal avait en lui un fond d'honnêteté profondément ancré, il ne se faisait aucune illusion quant aux motivations de De Angelis. Il savait qu'accepter de les aider signifiait qu'il aurait inévitablement à travailler avec lui, perspective qui ne l'enchantait guère. Rien de ce qu'il avait entendu n'avait en quoi que ce soit diminué sa méfiance envers lui, ni son mépris pour ses méthodes. Il savait que, à un moment donné, il allait devoir trouver le moyen de s'occuper de son cas. Mais il y avait des questions plus pressantes en jeu. Tess était quelque part là-bas, seule avec Vance. Et une découverte dévastatrice planait au-dessus de millions d'âmes qui ne se doutaient de rien.

Il se tourna vers Brugnone et lui donna sa réponse, qui tenait en un mot :

— Oui.

72

Un petit vent du sud-est ridait la surface des eaux autour du *Savarona.* La brise repoussait une brume salée que Tess pouvait presque sentir sur ses lèvres, tandis qu'elle se tenait à la poupe du chalutier reconverti. Elle savourait la fraîcheur des petits matins en mer, tout autant que la sérénité apaisante qui accompagnait chaque coucher de soleil. C'étaient les longues heures entre les deux qui se révélaient difficiles.

Ils avaient eu de la chance de dénicher le *Savarona* dans un si bref laps de temps. Des Caraïbes à la mer de Chine, la demande de navires pour des explorations sous-marines avait explosé au cours des dernières années, limitant la disponibilité tout en faisant monter les prix. En plus des biologistes marins, des océanographes, des compagnies pétrolières et des réalisateurs de films documentaires qui représentaient traditionnellement l'essentiel de cette demande, deux nouveaux groupes d'usagers envahissaient le marché : les plongeurs aventuriers, une catégorie croissante d'individus prêts à payer des dizaines de milliers de dollars pour avoir une chance de s'approcher du *Titanic* ou de se promener dans des failles à huit mille pieds sous la surface des océans près des Açores ; et les chasseurs de trésor ou, comme ils préféraient se présenter aujourd'hui, les « archéologues commerciaux ».

Internet avait joué un rôle crucial dans la localisation de navires perdus.

Quelques appels téléphoniques et un court vol plus tard, Vance et Tess étaient arrivés dans le port du Pirée, près d'Athènes, où mouillait le *Savarona.* Son capitaine était un aventurier grec répondant au nom de Georges Rassoulis. Il affichait un hâle tellement prononcé qu'on pouvait le croire bronzé jusqu'aux os. Dans un premier temps, il avait repoussé la proposition de Vance en raison d'une incompatibilité de planning. Il était en train de préparer une sortie dans le nord de la mer Egée avec un petit groupe d'historiens et une équipe de tournage qui recherchaient une flottille perdue de trirèmes perses. Rassoulis n'avait que trois semaines à offrir à Vance avant d'accompagner l'autre groupe dans le Nord. Et trois semaines, avait-il expliqué, ne suffiraient pas à l'emmener où que ce soit. En l'espèce, pour l'affaire des galères perses, son navire avait été réservé pour deux mois. C'était déjà en soi une plage relativement courte dans la mesure où la localisation d'une épave antique ressemblait à la recherche d'une aiguille dans une botte de foin. Seulement, la plupart des autres expéditions ne disposaient pas d'un élément que Vance avait en sa possession : l'astrolabe. Le professeur espérait que celui-ci lui permettrait de restreindre la zone de recherche à une quinzaine de kilomètres carrés.

Vance avait expliqué à Rassoulis qu'ils cherchaient un navire croisé, en laissant entendre qu'il avait peut-être transporté de l'or et d'autres valeurs hors de Terre sainte après la chute d'Acre. Intrigué, le Grec avait accepté de les emmener. L'enthousiasme et la force de conviction de Vance, sa confiance contagieuse en la capacité de l'antique instrument à localiser le *Faucon-du-Temple* dans ce laps de temps limité, mais aussi et surtout, il fallait bien le dire, une pointe de cupidité avaient fini d'emporter la décision du capitaine. Celui-ci fut plus qu'heureux d'accéder à l'exigence de discrétion totale que lui imposait l'universitaire. Il était habitué aux chasseurs de trésor et à leur désir d'éviter toute publicité. Et puisqu'il avait négocié une part de la valeur du butin pour son compte, il était aussi dans son intérêt de s'assurer qu'aucun tiers ne vienne s'immiscer. Le capitaine avait expliqué à Vance que le navire n'explorerait la zone de recherche que pendant quelques heures à chaque fois, en alternance avec le ratissage de sites leurres. Cette méthode plus longue mais plus sûre permettrait de détourner l'attention de leur véritable cible, tactique qui convenait fort bien à l'Américain.

Ce que Tess était en train de redécouvrir, c'était que les procédures de quadrillage requéraient beaucoup de patience. La dernière fois qu'elle y avait été confrontée, c'était au large d'Alexandrie, en Egypte, quand Clive Edmondson avait fait sa maladroite tentative de séduction. Seulement, en ce moment, la patience était une marchandise qu'elle n'avait pas en stock. Elle brûlait de savoir quels secrets dormaient sous la douce houle qui ondulait sous ses pieds. Ils étaient très proches. Elle le sentait, ce qui rendait les longues périodes d'inaction, appuyée au bastingage, encore plus dures à supporter.

A mesure que les heures s'écoulaient, elle se perdait dans ses pensées, les yeux inconsciemment rivés sur les deux câbles qui traînaient derrière le vieux navire et disparaissaient sous son sillage écumeux. L'un des deux tirait un sonar basse fréquence à balayage latéral, qui repérait et affichait toute protubérance au fond de l'eau ; le second remorquait un magnétomètre à résonance magnétique, qui détecterait toute trace de fer résiduelle dans le navire naufragé. Au cours des jours précédents, il y avait eu deux moments d'excitation. En chacune de ces occasions, le sonar avait décelé quelque chose et le ROV[1] du navire – affectueusement baptisé *Dori*, d'après le poisson amnésique du dessin animé *Nemo* – avait été descendu pour étudier ce qui se trouvait en dessous. Chaque fois, Tess et Vance s'étaient précipités dans la salle de contrôle du *Savarona*, le cœur battant et remplis d'espoir. Ils s'étaient assis là, les yeux collés sur les moniteurs, regardant les images neigeuses remontant de la caméra de *Dori*, l'imagination aiguisée par le surmenage. Mais dans les deux cas, leurs espoirs s'étaient rapidement envolés lorsqu'ils avaient constaté que le sonar n'avait pas trouvé ce qu'ils escomptaient : la première fois, il s'agissait d'un simple affleurement rocheux de la taille d'un navire, et la seconde, des vestiges d'un bateau de pêche du XXe siècle.

Le reste du temps se passait au bastingage, à attendre et à espérer. Pendant que les jours s'égrenaient, l'esprit de Tess repassait les récents événements de sa vie. Elle revivait constamment les moments qui l'avaient conduite ici, à soixante kilomètres au large des côtes de la Turquie, sur un navire de plongée, en compagnie d'un homme qui avait dirigé un hold-up au Metropolitan Museum au cours duquel des gens avaient été tués. Sa décision d'abandonner Reilly pour suivre Vance l'avait hantée les premiers jours. Elle avait enduré les

1. *Remotely Operated Vehicle*, engin guidé à distance. (*N.d.T.*)

affres de la culpabilité et du remords, et même des poussées de panique. Souvent, elle avait dû faire appel à toute sa volonté pour réprimer une folle envie de quitter le navire. Puis ses doutes et ses craintes s'étaient dissipés. De temps en temps, quand elle se demandait si elle avait eu raison de se lancer dans cette aventure, elle s'efforçait de rationaliser et de justifier ses décisions en repoussant ses pensées déstabilisantes. Elle était convaincue que ce qu'elle faisait était important. Pas seulement pour elle – même si, comme elle l'avait dit à Reilly, une telle découverte serait déterminante pour sa carrière et, par contrecoup, pour sa sécurité financière et celle de Kim –, mais pour des millions d'individus. Au bout du compte, elle savait qu'il était inutile d'essayer de se justifier : de toute façon, elle se sentait inexplicablement contrainte de faire ce qu'elle faisait.

Il y avait toutefois une pensée dont elle ne parvenait pas à se débarrasser : Reilly ! Elle s'inquiétait pour lui. Comment allait-il ? Où se trouvait-il ? Elle revoyait la manière dont elle l'avait abandonné pour s'enfuir comme une voleuse en pleine nuit. Et cela, elle avait beaucoup de mal à le justifier. Elle avait mal agi, effroyablement mal, et elle le savait. En outre, elle avait mis en danger la vie de Sean. Elle l'avait laissé là-bas, au milieu de nulle part, et avec un tueur en liberté. Comment avait-elle pu commettre un acte aussi irresponsable ? Elle aurait voulu savoir s'il allait bien, s'excuser auprès de lui, essayer de lui expliquer pourquoi elle avait fait ça. Et elle souffrait à l'idée qu'elle ne pourrait peut-être jamais vraiment réussir à se pardonner, et surtout à se faire pardonner cette fuite. Mais elle savait aussi que Vance avait raison quand il avait dit que Reilly confierait leur découverte à des gens qui l'enterreraient pour toujours, et il lui était impossible de se faire à cette idée. Leur relation, songeait-elle, avait été ironiquement condamnée par cela même qui les avait rapprochés.

A présent, une houle de deux mètres roulant paresseusement sous sa coque, le *Savarona* tournait pour entamer un autre ratissage. Le capitaine suivait scrupuleusement le quadrillage de recherche préétabli. Le regard de Tess errait des câbles jusqu'à l'horizon, où des grappes de nuages noirs se faufilaient dans un ciel clair. Elle sentit une oppression familière dans sa poitrine, une barre qui la tourmentait depuis son départ dans la nuit avec Vance. Cette sensation dérangeante était toujours là. Elle la rongeait de l'intérieur, ne la laissant jamais en paix ; plus les jours passaient, plus le secteur à explorer rétrécissait, plus il devenait difficile de l'ignorer : était-elle sur la bonne voie ? Avait-elle assez réfléchi ? N'y avait-il pas certains secrets qu'il valait mieux laisser enfouis ? La poursuite de la vérité, dans ce cas précis, était-elle une quête sage et noble ou allait-elle contribuer à libérer une calamité terrible sur un monde qui ne se doutait de rien ?

Ses doutes furent balayés par l'apparition de la haute silhouette de Vance. Il sortait du poste de navigation pour la rejoindre près du bastingage et semblait mécontent.

— Rien encore ? demanda-t-elle.

Il secoua la tête.

— Après cette série, nous allons devoir quitter l'endroit pour la journée.

Il fixait l'horizon, respirant de grandes bouffées d'air du large.

— Mais je ne suis pas inquiet. Encore trois jours et nous aurons couvert toute la zone de recherche.

Il se tourna vers Tess et lui sourit.

— Nous allons trouver. C'est ici, quelque part. C'est simplement un peu difficile à localiser, c'est tout.

Son attention fut distraite par un faible bourdonnement à distance. Ses yeux se plissèrent pour scruter l'horizon. Quand il repéra la source du bruit, son front se rida. La jeune femme suivit la direction de son regard et vit aussi le point minuscule : un hélicoptère rasait la surface de la mer à plusieurs kilomètres. Leurs yeux demeurèrent fixés sur lui. Il s'inclina pour virer de bord et s'éloigner. En quelques secondes, il disparut de l'horizon.

— C'était pour nous, n'est-ce pas ? demanda Tess. Ils nous cherchent.

— Ils ne peuvent pas faire grand-chose ici, répondit Vance. Nous sommes dans les eaux internationales. Il est vrai qu'ils n'ont pas respecté les règles jusque-là…

Il observa les mouvements des marins sur le pont. Un mécanicien pénétrait dans le poste de contrôle.

— Tu sais ce qui est drôle ?

— Non, je ne vois pas, répondit-elle sèchement.

— L'équipage. Ils sont sept. Avec nous deux, ça fait neuf. Neuf ! Exactement comme Hugues de Payens et son groupe.

Tess détourna le regard. Elle ne parvenait pas à trouver quoi que ce soit de poétique – même de loin – à ce qu'ils étaient en train de faire.

— Je me demande s'ils ont jamais eu les mêmes doutes, marmonna-t-elle.

Vance arqua son sourcil en inclinant la tête de côté pour mieux l'étudier.

— Tu as des doutes ?

— Et vous ?

Elle se rendit compte du tremblement dans sa voix et constata que Vance l'avait aussi remarqué.

— Ce que nous faisons ici, ce que nous pourrions trouver... est-ce que ça ne vous inquiète pas un peu ? insista-t-elle.

— M'inquiéter ?

— Vous savez ce que je veux dire. Est-ce que vous avez réfléchi au choc, au chaos que cela pourrait entraîner ?

Vance se moqua d'elle avec une pointe de dédain.

— L'homme est une créature misérable, Tess. Il passe son temps à chercher désespérément quelque chose ou quelqu'un à adorer. Et pas seulement à adorer tout seul. Non, il faut que ce soit adoré par tout le monde, partout, à n'importe quel prix. C'est le fléau de son existence depuis l'aube des temps. Et je devrais m'inquiéter à propos de ça ? Je cherche justement à libérer des millions d'individus d'un mensonge. Ce que nous sommes en train de faire, Tess, est une étape naturelle dans l'évolution spirituelle de l'homme. Cela va être le commencement d'un nouvel âge.

— Vous en parlez comme si cette révélation allait être saluée par des défilés et des feux d'artifice. Mais ce sera l'exact opposé, vous le savez bien. Cela s'est déjà produit par le passé. Des Sassanides aux Incas, l'histoire est pleine de civilisations qui se sont effondrées dès que leurs dieux ont été discrédités.

Vance demeura impassible.

— C'étaient des civilisations bâties sur des mensonges, sur du sable mouvant. Comme la nôtre. Mais tu t'inquiètes trop. Les temps ont changé. Le monde d'aujourd'hui est plus complexe que ça.

— C'étaient les civilisations les plus évoluées de leur époque !

— Accorde aux pauvres âmes de nos contemporains quelque crédit, Tess. Je ne suis pas en train de dire que ça ne va pas être douloureux, mais ils peuvent le supporter.

— Et si ce n'est pas le cas ?

Il écarta les paumes en un geste fataliste, mais il n'y avait rien d'impuissant ni d'ironique dans son ton. Il était sérieux.

— Ainsi soit-il.

Les yeux de la jeune femme demeurèrent braqués sur les siens pendant un moment. Puis elle se détourna pour regarder l'horizon. Des volutes de nuages gris semblaient surgir de nulle part. Dans le lointain, des moutons tachetaient une mer d'ordinaire uniforme.

Vance s'appuya contre le bastingage près d'elle.

— Tess, j'ai beaucoup réfléchi à ça et, tout bien pesé, je n'ai aucun doute : nous sommes en train de faire ce qui est juste. Au fond de toi, tu sais que j'ai raison.

Elle ne doutait effectivement pas qu'il avait beaucoup réfléchi à la question. Mais il l'avait toujours considérée d'un mauvais point de vue, à travers le prisme déformé de deux morts tragiques. Avait-il pensé aux conséquences que cela pourrait avoir sur quasiment toutes les âmes vivantes de cette planète ? S'était-il rendu compte que cette découverte pouvait remettre en cause non seulement la foi chrétienne, mais la notion de foi elle-même ? S'était-il demandé comment les ennemis de l'Eglise allaient s'en emparer ? Comment des millions de croyants allaient perdre le ferment spirituel qui soutenait leur vie ?

— Ils vont combattre cette découverte, vous le savez, déclara-t-elle, surprise par la pointe d'espoir qu'elle entendait dans sa propre voix. Ils sortiront des experts d'on ne sait où pour la discréditer. Ils utiliseront tout ce qui leur viendra à l'esprit pour prouver que c'est un mensonge. Et étant donné votre passé…

Elle se sentit soudain mal à l'aise pour aborder ce point.

Il hocha la tête.

— Je sais, admit-il. C'est pour ça que je préférerais de beaucoup que ce soit toi qui la présentes au monde.

Tess sentit le sang quitter son visage. Elle le regarda les yeux écarquillés, décontenancée par sa suggestion.

— Moi… ?

— Naturellement. Après tout, c'est autant ta découverte que la mienne et, comme tu l'as dit, puisque mon comportement récent n'a pas été exactement...

Il marqua une pause en cherchant le terme le plus approprié.

— ... digne d'éloges...

Avant d'avoir pu formuler une réponse, elle entendit le bruit des moteurs du gros navire diminuer progressivement. Il décrut jusqu'à un lent ralenti qui finit par se perdre dans la brise.

Tess vit Rassoulis émerger de la passerelle et, dans les brumes de son esprit, elle l'entendit les interpeller. Pendant un moment, Vance garda les yeux fixés sur elle, avant de se tourner vers le capitaine qui faisait de grands gestes pour leur demander de le rejoindre :

— On a quelque chose ! hurlait-il.

73

Posté à l'arrière de la passerelle, Reilly observait De Angelis et le commandant du *Karadeniz*, un homme trapu répondant au nom de Karakas, doté d'une épaisse chevelure noire et d'une moustache broussailleuse. Ils étaient penchés sur l'écran radar du patrouilleur et choisissaient leur prochaine cible.

Ils n'en manquaient pas. L'écran noir était constellé de dizaines de taches vertes. A certaines étaient accolés de petits codes alphanumériques, qui identifiaient un navire disposant d'un transpondeur moderne. Celles-là étaient faciles à éliminer de la liste des « clients » potentiels, en utilisant les bases de données de la navigation et des gardes-côtes. Mais elles étaient peu nombreuses. Dans leur grande majorité, les contacts sur l'écran n'étaient que des points anonymes provenant des centaines de bateaux de pêche et de voiliers qui hantaient cette bande côtière très populaire. Découvrir à bord duquel se trouvaient Vance et Tess ne serait pas facile, Reilly le savait.

C'était leur sixième jour de mer, ce qui, pour lui, était déjà énorme. Il était rapidement apparu qu'il n'avait rien d'un loup de mer, il s'en fallait même de beaucoup. Mais au moins, la mer s'était bien comportée depuis qu'ils avaient entamé leur traque et les nuits se passaient sur la terre ferme. Chaque matin, ils sortaient de Marmaris au point du jour puis allaient et venaient le long de la côte, du golfe d'Hisarönü au sud du Dodécanèse. Le *Karadeniz* était un patrouilleur de classe SAR-33, rapide et confortable, capable de couvrir un large secteur maritime au cours d'une journée. D'un blanc rayonnant, il se distinguait par la large bande rouge oblique sur sa coque près des mots *Sahil Güvenlik* en grosses lettres – le nom officiel des gardes-côtes turcs. D'autres bateaux basés à Fethiye et à Antalya fouillaient les eaux plus à l'est. Et côté air, des hélicoptères Agusta A-109 effectuaient des repérages visuels à basse altitude en alertant les vedettes rapides dès qu'ils apercevaient des cibles potentielles.

La coordination entre les différentes composantes aériennes, maritimes et terrestres de la traque était presque parfaite. Les gardes-côtes turcs avaient une grande expérience en matière de patrouille et de surveillance de ces eaux grouillantes. Les relations entre la Grèce et la Turquie étaient toujours aussi peu cordiales et la proximité du Dodécanèse, un archipel de douze îles appartenant aux Grecs, était une source permanente de conflits avec pour toile de fond et prétextes la pêche et le tourisme. En outre, l'étroit bras de mer séparant les deux pays était apprécié des passeurs d'immigrants. Ces désespérés tentaient de gagner la Grèce et le reste de l'Union européenne depuis la Turquie, qui n'appartenait pas encore à cette dernière. Malgré tout, cela faisait quand même un grand secteur maritime à couvrir et comme la majorité du trafic était constitué de bateaux de plaisance sans personne en veille radio, les contrôler en mer se révélait une entreprise laborieuse et éreintante.

Tandis que l'opérateur radar étudiait quelques cartes près de son écran et que le radio comparait ses notes avec l'équipage de l'un des hélicoptères, Reilly s'écarta des appareils pour regarder à travers la vitre du poste de contrôle. Il fut surpris d'apercevoir des signes de mauvais temps au sud. Un mur ondoyant de nuages sombres planait juste au-dessus de l'horizon. Une bande de lumière jaunâtre séparait la masse grise de l'eau. Le spectacle semblait irréel.

Il pouvait presque sentir la présence de Tess. Savoir qu'elle était là quelque part, à la fois à portée de main et désespérément hors d'atteinte, lui tapait sur les nerfs. Il se demandait où elle était et ce qu'elle faisait à cet instant même. Est-ce que Vance et elle avaient déjà trouvé le *Faucon-du-Temple* ? Etaient-ils déjà en route pour… pour où ? Qu'allaient-ils faire de leur « découverte », s'ils l'avaient déjà ? Comment allaient-ils annoncer leur trouvaille au monde ? Il avait beaucoup pensé à ce qu'il lui dirait quand il la retrouverait, mais, étonnamment, la colère initiale qu'il avait ressentie en se voyant abandonné s'était depuis longtemps estompée. Tess avait ses raisons. Il n'était pas d'accord avec elle, mais son ambition était une part intrinsèque de la jeune femme et contribuait à faire d'elle ce qu'elle était.

Il se tourna et regarda l'autre extrémité du bateau, à travers la vitre du poste de pilotage. Ce qu'il vit le troubla. Loin au nord de leur position, le ciel s'assombrissait aussi de manière inquiétante. La mer avait pris une allure de marbre gris et des moutons parsemaient la houle dans le lointain. Il remarqua que le barreur regardait un autre homme sur la passerelle. Reilly supposa qu'il s'agissait du second du bateau. D'un signe de tête, l'homme de barre désigna le phénomène. Ils semblaient pris entre deux fronts opposés de gros temps. Les tempêtes paraissaient se déplacer de concert et convergeaient l'une vers l'autre. De nouveau, Reilly observa le timonier, qui avait lui aussi l'air déconcerté. Même le second avait cru bon d'informer Karakas. Les deux hommes discutaient de la tempête.

Le commandant consulta le radar météo et le baromètre, puis il échangea quelques mots avec les deux officiers. Reilly jeta un coup d'œil vers De Angelis, qui écouta et traduisit :

— Je pense que nous allons devoir rentrer plus tôt que prévu aujourd'hui. Nous n'avons pas un seul, mais deux fronts de mauvais temps et tous les deux se dirigent vers nous.

Il regarda Reilly d'un air un peu équivoque, puis leva un sourcil.

— On dirait que ça ressemble à quelque chose de familier, non ?

Reilly avait déjà fait l'association : la situation s'apparentait désagréablement à ce qu'Aimard avait décrit dans sa lettre. L'homme du FBI remarqua que Plunkett, qui fumait une cigarette sur le pont, fixait les tempêtes avec inquiétude. En se tournant vers le poste de pilotage, il constata que les deux officiers qu'il avait observés étaient maintenant absorbés par un groupe de cadrans et de moniteurs. Leur fébrilité et les fréquents regards qu'ils jetaient vers les deux bancs de nuages sombres trahissaient leur inquiétude. Au même instant, l'opérateur radar appela le commandant et lui cria quelque chose en turc. Karakas se dirigea vers la console, à l'instar de De Angelis. L'agent fédéral lui-même se détourna du spectacle des fronts orageux pour les rejoindre.

D'après la traduction succincte du commandant, le technicien radar leur montrait une carte sur laquelle il avait repéré les mouvements de plusieurs bateaux dont il avait suivi la trajectoire. Il était surtout intéressé par l'un d'eux, qui adoptait un curieux schéma de navigation. Il avait passé un temps considérable à parcourir de long en large un étroit bras de mer. En soi, cela n'était pas inhabituel. Il pouvait s'agir d'un bateau de pêche ratissant une zone qu'appréciait son capitaine. Plusieurs autres points lumineux se comportaient exactement de la même manière. Mais au cours des deux derniers jours, l'opérateur radar avait déjà remarqué un contact dans cette même zone – qui pouvait fort bien être, pensait-il, ce même bateau. Le point s'était à chaque fois déplacé pendant une heure ou deux avant d'aller écumer un autre secteur. Mais cela faisait deux bonnes heures qu'il était immobile. En outre, des quatre bateaux alors présents dans la zone, trois s'éloignaient maintenant, sans doute parce qu'ils avaient repéré les tempêtes approchant. Le quatrième – le contact intéressant – restait stationnaire.

Reilly se pencha pour mieux regarder l'écran radar. Il constatait que, effectivement, trois taches vertes avaient modifié leur cap. Deux se dirigeaient vers la côte turque. La troisième partait vers Rhodes, la principale île du Dodécanèse.

Le front de De Angelis se plissa. Il réfléchissait à ce qu'on venait de lui apprendre.

— Ce sont eux, dit-il avec une froide assurance au moment où Plunkett pénétrait dans la cabine. Et s'ils ne bougent pas, c'est parce qu'ils ont trouvé ce qu'ils cherchent.

Il tourna vers Karakas son regard dur.

— A quelle distance sont-ils ?

Le commandant étudia l'écran avec des yeux experts.

— A environ quarante milles nautiques. Dans cette mer, je dirais à deux heures, deux heures et demie d'ici. Mais ça va empirer. Nous risquons d'avoir à rebrousser chemin. Le baromètre est en chute libre. Je n'ai jamais rien vu de tel.

De Angelis ne perdit pas un instant.

— Je m'en moque. Envoyez un hélico pour aller voir de plus près et amenez-nous là-bas aussi vite que possible.

74

La caméra se glissait dans des ténèbres sinistres, passant au milieu de galaxies de plancton qui scintillaient sur l'écran avant de s'éloigner rapidement du faisceau du projecteur.

Dans le poste de contrôle de *Savarona* – un espace exigu situé derrière la passerelle du bateau –, on retenait son souffle en regardant les images en provenance du robot téléguidé. Vance et Tess étaient debout, penchés au-dessus des épaules de Rassoulis et de deux techniciens assis devant une petite rangée de moniteurs. A gauche du moniteur montrant les images de la caméra du *Dori*, un écran GPS plus petit affichait la localisation actuelle du navire. Celui-ci formait des cercles et revenait régulièrement sur ses pas afin de conserver autant que possible sa position face à un courant étonnamment fort. Un écran encore plus petit, sur la droite, donnait la retranscription informatique du balayage du sonar : un grand cercle avec des bandes concentriques bleues, vertes et jaunes. Le quatrième moniteur était une boussole informatisée : elle indiquait un cap quasiment plein sud. Mais personne n'accordait à ces écrans plus qu'un regard occasionnel. Les yeux étaient rivés dans un silence absolu sur le moniteur central, celui qui restituait les images de la caméra robotisée. Le fond de la mer n'était plus loin. Un indicateur, dans le coin de l'écran, se rapprochait rapidement des 173 mètres, la profondeur donnée par le sondeur de bord.

A 168 mètres, les petites taches étoilées grossirent. A 171 mètres, des langoustes à la démarche saccadée détalèrent devant la lumière. Puis, à 173 mètres, l'écran fut soudainement envahi par un jaillissement silencieux de lumière jaune. Le ROV avait atterri.

Le responsable de *Dori*, un technicien corse du nom de Pierre Attal, était concentré. Pour manipuler son « bébé » cybernétique, il utilisait un joystick et un petit clavier. Il tendit la main vers un trackball au bord du clavier. Répondant aux ordres des doigts manipulant la petite boule directionnelle, la caméra tourna sur elle-même, effectuant un panoramique du fond de la mer. Comme les vues d'une sonde martienne, les images montraient un monde inquiétant et inviolé. Tout autour du « visiteur » robotisé, une étendue plate de sable disparaissait dans des ténèbres impénétrables.

Sous l'effet d'une euphorie mesurée, Tess sentit naître la chair de poule. Elle ne pouvait maîtriser cette excitation, même si elle savait qu'ils n'avaient pas nécessairement trouvé l'endroit. Il s'en fallait peut-être même de beaucoup. Le sonar basse fréquence ne fournissait qu'une forme grossière. Le robot devait donc être envoyé ; son sonar haute fréquence permettrait la localisation exacte de la cible et son examen visuel précis. Elle savait que le fond de l'océan sous le *Savarona* descendait par endroits jusqu'à 250 mètres et qu'il était recouvert de récifs de coraux éparpillés qui, pour certains, atteignaient la taille supposée du *Faucon-du-Temple*. Les balayages du sonar n'étaient pas suffisants pour différencier l'épave de ces monticules naturels. Et c'était là que les magnétomètres entreraient en scène. Leur lecture aiderait à détecter le fer résiduel du navire naufragé. Rassoulis et son équipe avaient calculé qu'après sept cents ans de corrosion dans l'eau salée, il devait rester au mieux une demi-tonne de fer dans les vestiges du *Faucon-du-Temple*. Et même si les magnétomètres étaient soigneusement calibrés, il y avait toujours un risque pour que de fausses alertes soient provoquées par des poches naturelles de géomagnétisme ou par des épaves plus récentes.

La jeune femme observait l'exécution des procédures qu'elle avait déjà suivies au cours des dernières journées. Grâce à d'infimes mouvements du joystick, Attal guidait avec confiance le ROV sur le sol de la mer. Chaque minute, il le posait au milieu d'un nouveau nuage de sable. Alors, il appuyait sur un bouton qui permettait à son minuteur d'initialiser un balayage à 360 degrés de son environnement immédiat. L'équipe étudiait les vues obtenues avant qu'Attal reprenne les commandes, rallume les propulseurs hydrauliques du petit robot téléguidé pour l'envoyer un peu plus loin poursuivre sa quête silencieuse.

Le Corse avait répété l'exercice plus d'une demi-douzaine de fois quand une tache naissante apparut dans le coin de l'écran. Manœuvrant le ROV vers ce point, il lança un autre scan du sonar. L'écran mit deux secondes à enregistrer les résultats. Tess vit la tache fusionner en une forme rosâtre oblongue se détachant au milieu de son environnement bleu.

Elle se tourna vers Vance qui soutint calmement son regard.

— Voyons ça d'un peu plus près, dit Rassoulis à Attal.

Guidé de main experte vers sa cible par le technicien, le robot se déplaça encore une fois, rasant le fond de la mer comme un hydroglisseur sous-marin. Au passage suivant, la forme rose grandit plus distinctement sur les bords de l'écran.

— Qu'en pensez-vous ? demanda Vance.

Rassoulis leva les yeux vers les deux Américains.

— Le relevé du magnétomètre est un peu élevé, mais...

Il tendit le doigt vers l'image renvoyée par *Dori*.

— Vous voyez l'angle droit que forme son extrémité, ici, et l'autre là, qui est plus en pointe ?

Il haussa un sourcil plein d'espoir.

— Selon moi, ça ne ressemble pas à un rocher.

Le poste de contrôle était plongé dans le silence. Le ROV poursuivit sa course. La caméra survolait un nuage de plantes sous-marines qui ondulaient dans les eaux désolées. Les yeux de Tess étaient rivés à l'écran. Le petit robot descendit. Il agita de nouveau un infime nuage de sable et l'archéologue sentit son pouls s'accélérer. A la limite du champ de la caméra, quelque chose apparaissait. Les bords étaient angulaires, les courbes régulières. Cela avait tout d'une création humaine.

En quelques secondes, les vestiges devinrent discernables. Le module vira au-dessus du site, révélant le squelette d'un navire. Ses côtes en bois étaient creusées par des vers tarets.

Tess crut repérer quelque chose. Tout excitée, elle tendit le doigt vers un angle de l'écran.

— Qu'est-ce que c'est ? Vous pouvez obtenir une meilleure vue de ça ?

Attal guida le robot dans la direction indiquée. La jeune femme se pencha pour mieux voir. Dans la vive lumière du projecteur, on distinguait quelque chose de rond, en forme de fût. On aurait dit que c'était en fer rouillé. Mais il était difficile d'estimer quelle était l'échelle des objets sur l'écran. Pendant un moment, elle se demanda si ce qu'elle voyait n'était pas un canon. Cette pensée fit naître un frémissement d'inquiétude en elle. Elle savait qu'un navire de la fin des croisades n'en aurait pas transporté. Mais quand le ROV se rapprocha, la forme métallique courbe se modifia et révéla une apparence différente. Elle était plus large et plus plate. Du coin de l'œil, Tess surprit une grimace chagrinée sur le visage de Rassoulis.

— C'est un blindage d'acier, dit-il.

Avant même qu'il précise, elle avait compris.

— Ce n'est pas le *Faucon*, maugréa le Grec.

Le ROV tourna autour de l'épave et la montra sous un autre angle. Attal hocha la tête tristement pour manifester son assentiment.

— Et regardez, là. De la peinture.

Plus le robot furetait autour de la coque du navire englouti, plus il devenait clair qu'ils avaient trouvé les vestiges d'un navire beaucoup plus récent.

— Milieu du XIXe siècle, confirma le capitaine grec. Désolé.

Il jeta un coup d'œil dehors. La mer devenait de plus en plus houleuse. De deux directions opposées, de gros nuages noirs roulaient vers eux à une vitesse alarmante.

— En tout cas, ajouta-t-il, on ferait mieux de rentrer. Ça n'a pas l'air bon.

Il se tourna vers Attal.

— Remonte *Dori*. On a fini.

Tess lâcha un soupir déprimé. Elle était sur le point de tourner les talons et de quitter la pièce quand un autre détail dans le coin de l'écran attira son œil. Involontairement, elle laissa un nouveau frisson d'excitation l'envahir tandis qu'elle se rapprochait, les yeux écarquillés.

— Qu'est-ce que c'est ? s'exclama-t-elle en tendant le doigt vers l'angle inférieur gauche du moniteur. Juste ici ? Vous voyez ça ?

Rassoulis tendit le cou. Il regarda fixement l'écran tandis qu'Attal manœuvrait le robot vers l'endroit désigné par Tess. Debout entre le Grec et Vance, la jeune femme fixait l'écran avec la même intensité qu'eux. Sous la frêle lumière du ROV, une saillie se matérialisait. Elle ressemblait à une souche d'arbre couchée, jaillissant d'un monticule. Alors que le robot se rapprochait, ils constatèrent qu'en fait de monticule il s'agissait d'espars. Certains accrochaient dans leur sillage de longs fils d'algues, mais l'imagination de Tess se plaisait à y voir des vestiges de gréements. Bon nombre des pièces étaient courbes, comme les côtes d'une ancienne carcasse. Des siècles de végétation marine les recouvraient.

Il devait s'agir d'un navire. Un autre, un vieux, en partie dissimulé par l'épave plus récente posée sur lui.

Le ROV se rapprocha, glissant sur la carcasse désintégrée et incrustée de coraux. Son faisceau de lumière inondait la protubérance de sa lueur blanchâtre.

Tess sentit soudain l'air se raréfier.

Là, nichée dans la clarté irréelle du projecteur et saillant du plancher de l'océan comme un défi sauvage, se dressait une figure de proue en forme de faucon.

75

Dans la timonerie enfiévrée, Rassoulis, Vance et Tess regardaient au-dehors avec une appréhension croissante. Les deux fronts de tempête approchaient. Le vent avait grimpé à trente nœuds. Tout autour du *Savarona*, la houle se transformait en brisants, l'eau déchaînée devenant aussi menaçante que les inquiétants nuages noirs.

Sous la passerelle, une petite grue reposait le ROV sur le pont principal. Attal et deux hommes d'équipage bravaient les éléments en attendant de l'attacher.

Tess repoussa de son visage ses cheveux battus par les vents.

— On ne devrait pas repartir ? demanda-t-elle à Rassoulis.

Vance l'interrompit sans une once d'hésitation.

— Absurde. Il ne fait pas si mauvais. Je suis sûr que nous avons le temps d'envoyer le ROV aller voir encore une fois ce qu'il y a en dessous, sourit-il avec autorité à Rassoulis. Vous n'êtes pas d'accord ?

Tess observa le capitaine qui étudiait les cieux déchirés plongeant vers eux. Au sud, des éclairs fendaient les nuages et, même à cette distance, on pouvait voir que d'épais voiles de pluie fouettaient la mer.

— Je n'aime pas ça. Avec un front, on peut se débrouiller, mais deux... On peut se faufiler entre, si nous partons maintenant.

Il se tourna vers Vance.

— Ne vous inquiétez pas. Dans le secteur, les tempêtes ne durent jamais très longtemps et notre positionneur GPS est précis au mètre près. Nous reviendrons ici dès que ce sera passé, probablement demain dans la matinée.

— J'aurais préféré ne pas partir d'ici sans quelque chose, dit le professeur d'un ton calme. Le faucon de la proue, par exemple. Nous avons sûrement le temps de le récupérer.

A la grimace inquiète de Rassoulis, il fut clair que l'idée ne l'enchantait pas vraiment.

— J'ai peur que la tempête ne dure plus que vous ne le dites, insista l'universitaire. Et alors, vous allez vous retrouver coincé par votre autre mission. Il pourrait s'écouler des mois avant que nous puissions revenir, et qui sait ce qui se passerait dans l'intervalle ?

Arborant une mine renfrognée, Rassoulis contemplait les fronts de mauvais temps qui convergeaient, se demandant si le *Savarona* était en mesure de tenir sur le site du naufrage.

— Je vous promets que le jeu en vaudra la chandelle pour vous, insista l'Américain. Remontez juste le faucon et j'en aurai fini ici. Vous aurez tout le reste, tout ce que vous pourrez trouver en bas.

Rassoulis leva un sourcil intrigué.

— C'est tout ce que vous voulez ? Le faucon ?

Tess les observa et eut soudain l'impression de contempler une partie de poker.

— Pourquoi ? demanda le Grec.

Vance haussa les épaules. Son expression devint distante.

— C'est personnel. Appelez ça une question de... boucle refermée.

Son regard se durcit en se reposant sur Rassoulis.

— Nous perdons du temps. Je suis certain que nous pouvons le faire si nous agissons vite. Ensuite, tout le reste sera à vous.

Le capitaine parut étudier les différentes possibilités pendant quelques secondes. Puis il hocha la tête et s'éloigna pour aller lancer des ordres à Attal et aux autres hommes d'équipage.

Vance se tourna vers Tess. Son visage tremblait nerveusement.

— Presque, murmura-t-il, la voix chevrotante. Nous y sommes presque.

— On est encore loin ? hurla De Angelis au capitaine.

Reilly sentait la passerelle du *Karadeniz* craquer lourdement, beaucoup plus en tout cas qu'auparavant. Depuis plus d'une heure, ils fendaient les vagues en diagonale. Les lames s'écrasaient sur leur tribord et battaient la coque du patrouilleur avec une sauvagerie croissante. Le vent hurlait. Les moteurs luttaient contre la houle. Les hommes devaient crier pour se faire entendre.

— A un peu moins de vingt milles, cria Karakas.

— Et l'hélico ?

Le commandant consulta son opérateur radar, puis répondit :

— Contact estimé dans un peu moins de cinq minutes.

Bouillant d'impatience, De Angelis souffla.

— Il n'y a pas moyen d'aller plus vite ?

— Pas avec cette mer, rétorqua laconiquement Karakas.

Reilly se rapprocha du commandant.

— Dans quel état sera la mer quand nous les atteindrons ?

Le Turc secoua la tête avec une expression lugubre. Il ne cria pas sa réponse, mais l'agent fédéral l'entendit quand même.

— Dieu seul le sait, marmonna-t-il en haussant les épaules.

Tess, hypnotisée, fixait l'écran. Téléguidé par les doigts habiles d'Attal, le bras articulé de *Dori* attachait le dernier harnais à la figure de proue en forme de faucon. En dépit des conditions difficiles, l'équipage avait travaillé vite et avec une précision militaire pour fournir au ROV l'équipement de récupération nécessaire avant de le renvoyer dans l'eau agitée. Déployant son art du joystick, le Corse avait presque par magie guidé le robot vers l'épave et positionné le filet avec une efficacité désarmante. Tout ce qui restait à faire, c'était tendre ce dernier, utiliser la commande à distance pour allumer le gonflage simultané des trois flotteurs et regarder la figure de proue s'élever doucement vers la surface.

Attal fit un signe de tête pour indiquer qu'il était prêt.

— On peut la remonter, mais…

Il haussa les épaules, les yeux tournés vers la vitre secouée par un vent hurlant. Rassoulis fronça les sourcils. Lui aussi observait l'ouragan qui se déchaînait autour d'eux.

— Je sais. On va avoir du mal à la hisser à bord quand elle fera surface.

Il se tourna vers Vance.

— On ne peut pas descendre un Zodiac dans cette mer et je ne veux pas non plus risquer d'y envoyer des plongeurs. Il sera déjà assez difficile de remonter le ROV. Mais lui au moins, il est attaché et mobile.

Il se tut pour examiner les conditions climatiques qui se détérioraient rapidement. Il ne lui fallut guère de temps pour conclure.

— Nous n'allons pas pouvoir le récupérer aujourd'hui. Nous laisserons les flotteurs en bas et nous reviendrons dès que la tempête se sera calmée.

Vance le toisa, incrédule.

— Nous devons le remonter maintenant, insista-t-il. Nous n'aurons peut-être pas d'autre occasion.

— Ne dites pas n'importe quoi ! répliqua Rassoulis. Personne ne va venir nous le voler par ce temps. Nous reviendrons dès que la météo le permettra.

— Non ! explosa l'autre. Nous devons le faire maintenant.

Surpris par le ton de l'universitaire, le Grec pencha la tête en arrière.

— Je ne vais pas risquer la vie de qui que ce soit pour ça. On repart, un point c'est tout.

Pendant une seconde, ses yeux se posèrent comme des lames de couteau sur Vance. Puis il se tourna vers Attal.

— Remonte *Dori* aussi vite que possible, gronda-t-il.

Mais, avant qu'il ait pu donner d'autres ordres, quelque chose attira son attention dans le rugissement de la tempête. Malgré le vacarme des éléments déchaînés, le bruit était parfaitement identifiable. C'était le vrombissement guttural de pales d'hélicoptère. Tess l'entendit aussi et, à la mine sombre de l'universitaire, il était manifeste qu'il en avait fait autant.

Ils attrapèrent des coupe-vent et sortirent sur l'étroit pont devant la passerelle. Le vent soufflait en rafales. Des bourrasques de pluie s'abattaient. Tess mit ses mains en visière pour scruter le ciel tourmenté. Elle repéra bientôt l'appareil.

— Là, hurla-t-elle en tendant le doigt.

Il rasait l'eau en fonçant droit dans leur direction. En quelques secondes, il fut sur eux. L'hélicoptère blanc avec sa bande rouge en diagonale passa bruyamment au-dessus de leurs têtes avant de s'incliner et de pivoter pour un autre passage. Il ralentit en se rapprochant du bateau, puis opéra un surplace malaisé le long du *Savarona*, en luttant contre le vent. Les remous provoqués par ses rotors soufflaient sur la mer et soulevaient des gerbes tourbillonnantes sur la crête des vagues. Identifiant les marquages des gardes-côtes turcs sur son fuselage, Tess vit que le pilote parlait dans son micro, tandis que les yeux de l'homme balayaient le navire.

Puis celui-ci montra du doigt son casque audio et, d'un geste vif, enjoignit aux occupants du navire d'aller écouter leur radio.

Sur la passerelle du *Karadeniz*, Reilly vit le visage de De Angelis s'éclairer. Le rapport de l'hélicoptère confirmait que le contact était un navire de plongée. En dépit de l'aggravation des conditions météo, il ne bougeait pas. Le pilote pouvait voir de l'activité sur le pont autour de la grue, indiquant la récupération imminente d'un submersible. Devant le poste de pilotage, il avait aussi repéré deux silhouettes pouvant correspondre aux cibles. Leur description ne laissa absolument aucun doute dans son esprit.

— Je lui ai demandé d'établir un contact radio, confia Karakas à De Angelis. Que voulez-vous qu'on leur dise ?

— Dites-leur qu'ils sont sur le point d'être frappés par un ouragan de proportions bibliques, répondit-il. Et qu'ils ont intérêt à s'en extraire au plus vite s'ils veulent survivre.

Reilly scruta le visage du barbouze de Dieu et son expression ne fit que confirmer la détermination qu'il avait cru déchiffrer dans la réponse. L'homme était résolu à ne pas les laisser s'échapper avec ce qu'ils étaient venus chercher, quel qu'en soit le prix. Il avait déjà montré son mépris pour la vie humaine quand il s'agissait de protéger le grand secret de l'Eglise. Tout le monde est susceptible d'être sacrifié, avait-il expliqué sans détour en Turquie.

Il fallait que Reilly intervienne.

— Notre priorité devrait être leur sécurité, rétorqua-t-il. Il y a toute une équipe de plongée là-bas.

— C'est exactement mon point de vue, répondit De Angelis.

— Ils n'ont pas beaucoup d'options, indiqua Karakas.

Il étudiait l'écran radar où les points lumineux sortaient les uns après les autres de la zone.

— Les tempêtes les bloquent au nord et au sud, ajouta-t-il. Ils peuvent aller soit vers l'est, où deux de nos patrouilleurs attendent de les cueillir, soit vers l'ouest, c'est-à-dire vers nous. Dans les deux cas, nous les prendrons. Je pense qu'ils n'ont quasiment aucune chance de nous échapper.

Son sourire ne trahissait ni humour ni bienveillance. Reilly se dit soudain que le commandant turc pouvait bien être en train de savourer l'idée d'une chasse à l'homme, ce qui, conjugué aux prédispositions sanguinaires de De Angelis, ne présageait rien de bon.

Regardant vers le canon automatique 23 mm placé à la proue, il sentit un malaise l'envahir. Il devait prévenir Tess et ceux qui étaient avec elle du pétrin dans lequel ils se trouvaient.

— Laissez-moi faire, gronda-t-il.

De Angelis le regarda, interloqué par sa requête.

— Vous vouliez que je vous aide, insista l'Américain. Ils ne savent pas que nous sommes ici. Et ils ne sont peut-être pas conscients de l'échelle exacte de la tempête qui est sur le point de les frapper. Laissez-moi leur parler et les convaincre de nous suivre jusqu'à la côte.

Karakas se tourna vers De Angelis pour avoir son avis.

Celui-ci soutint un instant le regard de Reilly de ses yeux froids et calculateurs, puis il acquiesça.

— Donnez-lui un micro, ordonna-t-il.

Le cœur de Tess lui remonta dans la gorge quand elle entendit la voix de Reilly à la radio du bord. Elle arracha le micro des mains de Rassoulis.

— Sean. C'est Tess.

Elle avait presque le souffle coupé. Son pouls cognait à ses tempes.

— Où es-tu ?

L'hélicoptère s'était depuis longtemps extrait de la zone du *Savarona* pour repartir et disparaître rapidement dans le ciel sombre battu par la pluie.

— Nous ne sommes pas loin, répondit la voix grésillante de Reilly. Je suis dans un bateau patrouilleur, à environ quinze milles à l'ouest de votre position. Nous avons deux autres bateaux à l'est. Ecoute-moi, Tess. Vous devez sortir de cet enfer. Les deux fronts de tempête sont sur le point de se rencontrer juste au-dessus de vous. Il faut que vous filiez vers l'ouest, en mettant le cap sur...

Il fit une pause, attendant que l'information exacte lui parvienne.

— ... deux sept zéro. Oui, deux sept zéro. Nous venons à votre rencontre, et nous vous escorterons jusqu'à Marmaris.

Tess remarqua que Rassoulis regardait Vance d'un air inquiet, tandis que l'universitaire bouillait visiblement. Avant qu'elle ait pu répondre à Reilly, le capitaine lui reprit le micro.

— C'est Georges Rassoulis, le capitaine du *Savarona*. A qui suis-je en train de parler ?

Quelques parasites suivirent, puis la voix de l'agent revint.

— Mon nom est Sean Reilly. J'appartiens au FBI.

Tess vit l'expression du Grec s'assombrir alors qu'il jetait un regard soupçonneux au professeur. Vance se contentait de rester immobile. Puis il se détourna et fit quelques pas vers l'arrière de la passerelle.

Sans détacher ses yeux de l'universitaire, le capitaine demanda :

— En quoi le FBI a-t-il besoin d'avertir une équipe de plongée grecque de l'arrivée d'une tempête en plein milieu de la Méditerranée ?

Le dos tourné, Vance lui répondit.

— Ils sont ici pour moi, indiqua-t-il avec une surprenante indifférence.

Quand il leur refit face, Tess vit qu'il pointait un pistolet sur Rassoulis.

— Je pense que nous en avons assez entendu de nos amis du FBI.

Sur ce, il tira deux balles dans la radio. Tess hurla tandis que des étincelles et des débris jaillissaient. Les parasites provenant du haut-parleur s'éteignirent instantanément.

— Maintenant, siffla le professeur, les yeux brûlant d'une rage à peine contenue, pouvons-nous retourner à nos affaires ?

76

Le corps de Tess se raidit. Ses jambes étaient clouées au sol du poste de pilotage. Elle restait immobile à regarder Vance faire quelques pas menaçants vers Rassoulis, à qui il ordonna de lancer la procédure de récupération de la figure de proue.

— C'est inutile, protesta le capitaine. Je vous dis que nous ne pourrons pas la remonter à bord. Pas dans ces conditions.

— Pressez ce maudit bouton, insista Vance, ou je le fais pour vous !

Il décocha un regard noir à Attal qui était toujours assis aux commandes du ROV, les doigts figés sur le joystick.

Le technicien lança un coup d'œil à son capitaine. Celui-ci s'inclina. Le Corse appuya sur la commande. Sur le moniteur, l'image de la caméra de *Dori* diminua alors que le ROV s'écartait. Puis, l'un après l'autre, les sacs ascensionnels se gonflèrent, atteignant leur plein volume en quelques secondes. D'abord, le faucon parut ne pas vouloir bouger, résistant à la poussée verticale des gros flotteurs. Puis, soudain, dans un jaillissement de sable, il s'éleva comme un tronc d'arbre déraciné, traînant derrière lui dans un nuage tourbillonnant les sédiments qui s'étaient déposés sur lui au cours des siècles. Attal guida le ROV pour le faire remonter parallèlement à la figure de proue et garder à l'écran l'image floue de l'oiseau de proie qui s'envolait.

Tess entendit la porte du poste de pilotage s'ouvrir. Un homme d'équipage arrivait. Elle vit Vance détacher ses yeux hallucinés de l'écran pour se tourner vers l'intrus. Exploitant cette seconde d'inattention, Rassoulis plongea sur l'Américain et commença à lutter avec lui pour attraper l'arme. La jeune femme fit un pas en arrière en hurlant :

— Non !

Attal et un autre technicien s'étaient levés pour porter secours à leur capitaine quand un coup de feu partit, assourdissant.

Pendant un moment, Vance et Rassoulis demeurèrent immobiles, enlacés. Puis le professeur se retira et le capitaine s'effondra sur le sol. Du sang coulait de sa bouche. Horrifiée, Tess regarda le corps du capitaine se convulser avant de devenir flasque. Elle lança un regard terrible à Vance.

— Qu'avez-vous fait ? hurla-t-elle en se jetant à genoux près de Rassoulis.

Elle écouta sa respiration, chercha son pouls. Mais elle ne sentit rien.

— Il est mort ! cria-t-elle. Vous l'avez tué !

Pétrifiés, Attal et les autres hommes d'équipage n'en croyaient pas leurs yeux. Puis l'homme de barre réagit instinctivement. Il se rua sur Vance pour lui arracher le revolver. Avec une vitesse surprenante, l'Américain lui décocha un coup de crosse au visage qui l'envoya à terre. Pendant un bref instant, le professeur parut flotter dans une sorte de brouillard, puis son expression se durcit.

— Apportez-moi le faucon et nous pourrons tous rentrer chez nous, ordonna-t-il. Exécution !

Hésitants, le second et Attal entamèrent les préparatifs de récupération en surface. Ils hurlèrent des ordres au reste de l'équipage. Les mots résonnaient aux oreilles de Tess dans un désordre indescriptible. Elle ne pouvait s'empêcher de regarder Vance. Ses yeux étaient comme animés d'une vie propre. Ils n'appartenaient plus au calme érudit qu'elle avait rencontré des années auparavant, ni même à l'homme brisé et monomaniaque avec lequel elle s'était embarquée dans cette aventure imprudente. Elle reconnaissait la dureté froide et détachée qu'elle voyait en eux. Ce regard, elle l'avait déjà vu : au Met, la nuit du hold-up. Il l'avait tétanisée alors et, maintenant, avec un mort étendu sur le sol près d'elle, il la terrifiait.

Alors qu'elle contemplait le cadavre de Rassoulis, une pensée horrible l'envahit soudain : elle pouvait fort bien mourir ici. A cet instant, elle songea à sa fille en se demandant si elle la reverrait un jour.

Reilly eut un brusque mouvement de recul quand la voix de Rassoulis s'évanouit et que le haut-parleur de la radio lâcha un puissant sifflement parasite. Une onde d'angoisse le parcourut. Il pensait avoir entendu un bruit qui ressemblait à un coup de feu, mais il n'en était pas sûr.

— Capitaine ? Tess ?

Il n'y eut pas de réponse.

Il se tourna vers le radio, qui s'activait déjà sur les commandes de sa console. Mais l'homme secoua sombrement la tête et informa son commandant en turc.

— Le signal a disparu, confirma Karakas. On dirait qu'ils en ont entendu assez à leur goût.

Bouleversé, Reilly regarda à travers la vitre de la cabine. Les essuie-glaces ne parvenaient plus à améliorer la visibilité. Le *Karadeniz* affrontait des vagues de plus en plus violentes. Toutes les conversations sur la passerelle se faisaient en turc, mais Reilly réussit à comprendre que l'équipage de la petite canonnière était plus préoccupé par la mer déchaînée que par l'autre navire, qui paraissait toujours stationnaire. Théoriquement, le *Savarona* était maintenant à portée de vue. Seulement la pluie battante et la grosse mer ne permettaient de l'apercevoir que de temps en temps, quand la houle faisait monter les deux bateaux simultanément au sommet d'une lame. Reilly essayait de l'apercevoir, mais tout ce qu'il pouvait distinguer par intermittence n'était qu'une forme lointaine, confuse. Il sentit une boule dans sa gorge à l'idée que Tess se trouvait dans le navire malmené.

L'agent du FBI vit Karakas et son second échanger quelques mots brefs. Puis le commandant se tourna vers De Angelis. De profondes rides d'inquiétude creusaient son front.

— Ça devient incontrôlable. Le vent atteint cinquante nœuds. Et dans ces conditions, nous ne pouvons pas faire grand-chose pour les forcer à nous suivre.

De Angelis ne parut pas impressionné.

— Tant qu'ils sont là, on continue.

Le commandant soupira. Ses yeux se posèrent sur Reilly, en quête d'informations sur l'état d'esprit de leur interlocuteur, mais il n'en obtint aucune.

— Je pense que nous ne devrions pas rester ici plus longtemps, déclara-t-il. Ce n'est plus du tout sûr.

De Angelis se tourna pour lui faire face.

— Quel est le problème ? s'indigna-t-il. Vous ne pouvez pas affronter quelques vagues ?

Il pointa un doigt rageur vers le *Savarona*.

— Je ne les vois pas manœuvrer pour s'enfuir. Ils n'ont pas peur d'être là, eux. Et vous ?

Reilly observa Karakas. Le sarcasme avait fait monter le pouls du Turc. Il lança un regard noir au prêtre avant de hurler des ordres à son second. De Angelis opina du chef, jeta un coup d'œil rapide à Plunkett et se tourna pour regarder droit devant lui. A son profil, Reilly voyait que l'homme était content.

Les yeux fixés sur l'eau à tribord, Tess se tenait à côté de Vance. Les gouttes s'écrasaient contre la vitre comme des salves de chevrotines alors que les rafales de pluie battaient le poste de pilotage. De grandes plaques d'écume volaient en épaisses stries blanches autour d'eux. Le pont du *Savarona* était inondé.

C'est alors qu'ils apparurent.

Trois flotteurs orange, jaillissant de l'eau comme des baleines faisant surface.

Tess plissa les yeux pour mieux percer les bourrasques de pluie. Puis elle vit enfin la grosse structure de bois sombre arrondie accrochée entre les flotteurs. En dépit de l'usure du temps, elle était incontestablement sculptée en forme d'oiseau de proie et témoignait de son ancienne gloire.

La jeune archéologue se tourna vers l'universitaire et remarqua que le visage de celui-ci s'était éclairé. Elle ressentit un soudain frémissement, une vague d'excitation qui effaça toute la peur et l'horreur qu'elle avait pu éprouver.

Mais elle retomba presque aussitôt dans le cauchemar du réel.

— Faites descendre les plongeurs ! hurla Vance au second qui s'occupait de la joue ensanglantée du timonier.

Lisant l'hésitation dans les yeux de l'homme, le professeur tendit le bras et brandit son pistolet devant le visage du Grec terrorisé.

— Vas-y. Nous ne partirons pas d'ici sans le faucon.

Au même instant, une énorme vague s'écrasa sur la poupe du bateau. Le *Savarona* gîta fortement. D'un bond, le barreur se remit sur ses pieds et reprit son poste à la place du marin qui l'avait remplacé. Il s'arc-bouta sur la barre pour empêcher le bateau de se retourner. L'homme parvint à le mettre hors de danger et manœuvra pour se rapprocher des flotteurs. Défiant les vagues d'une main experte, il réussit à stabiliser la position tandis que deux hommes d'équipage enfilaient leur équipement, attrapaient de lourds câbles de fixation et plongeaient à contrecœur.

Tess les suivit des yeux tandis qu'ils nageaient jusqu'aux flotteurs. Des minutes éprouvantes s'égrenèrent avant que la vision fugitive d'un pouce levé confirme leur succès. Le second du *Savarona* appuya alors sur un interrupteur et, sur le pont, le treuil se mit à s'animer en grinçant, luttant contre le roulis du navire et les chocs des vagues. Encore harnachée, la figure de proue s'éleva de la mer écumante et se balança en se dirigeant vers le pont du navire.

Vance fronça les sourcils. Son attention venait d'être attirée par quelque chose au-delà de la grue. Le visage d'Attal s'éclaira et le technicien du ROV attrapa le bras de Tess pour lui indiquer l'ouest d'un mouvement de menton. Elle distingua une silhouette fantomatique à distance. C'était le *Karadeniz*, affrontant les vagues et fonçant droit sur eux.

Furieux, Vance se tourna vers l'homme de barre.

— Sors-nous de là ! ordonna-t-il en agitant son pistolet.

Des filets de sueur se mêlaient au sang sur le visage du barreur qui faisait tout son possible pour empêcher le navire de se coucher sur les vagues.

— Nous devons d'abord récupérer les plongeurs, protesta-t-il.

— Laisse-les, rugit le professeur. Les hommes du patrouilleur les récupéreront. Ça aidera à les retarder.

Les yeux du timonier se tournèrent vers les relevés du radar météo. Il montra du doigt le *Karadeniz*.

— La seule issue pour se sortir de cette tempête, c'est d'aller de leur côté.

— Non ! On ne peut pas aller par là, cria Vance.

Tess regardait le bateau turc se rapprocher.

— S'il vous plaît, Bill. C'est fini. Ils nous ont cernés et, si on ne part pas d'ici tout de suite, la tempête va tous nous tuer.

Il la foudroya du regard. Ses yeux anxieux allaient de la vitre du poste à l'écran du radar météo. Ils devinrent de glace.

— Au sud, gronda-t-il au barreur. Emmène-nous au sud.

Les yeux de l'homme s'écarquillèrent.

— Au sud ? Mais c'est droit sur la tempête ! Vous êtes dingue ?

Vance tendit son arme devant son visage. Sans sommation, il pressa la détente en déplaçant légèrement le canon au moment où le coup partait. La balle frôla le barreur et s'écrasa dans une cloison derrière lui. L'Américain lança un regard menaçant aux autres personnes présentes sur la passerelle avant de ramener son pistolet devant le visage de l'homme en état de choc.

— Tu peux tenter ta chance avec les vagues… ou une balle. Tu choisis.

Le pilote le fixa un moment, risqua un rapide coup d'œil sur ses instruments, puis il tourna la barre et poussa la commande des gaz. Le bateau s'élança dans les vagues, laissant les hommes-grenouilles patauger dans son sillage, et plongea droit dans la fureur de l'ouragan.

Ce n'est qu'au moment où il détacha ses yeux du timonier que Vance s'aperçut que Tess n'était plus là.

77

Dans le poste de pilotage du *Karadeniz*, De Angelis regardait dans des jumelles de marine sans en croire ses yeux.

— Ils l'ont, dit-il quasiment sans desserrer les mâchoires. Je ne peux pas le croire. Ils ont réussi à le remonter.

Reilly aussi l'avait vu et un frémissement lui parcourut l'échine. Finalement, tout était vrai. C'était bien là, arraché des abîmes après des siècles d'oubli par la ténacité inébranlable d'un homme.

Tess. Qu'as-tu fait ?

Avec un sentiment d'horreur, il sut que plus rien n'arrêterait De Angelis.

Debout près d'eux, le second du bateau avait aussi les yeux fixés sur le *Savarona*, mais il avait d'autres motifs de préoccupation.

— Ils partent vers le sud. Ils abandonnent les plongeurs.

Dès qu'il entendit ça, Karakas commença à donner des ordres. Instantanément, une sirène retentit, suivie par des commandements rapides tombant des haut-parleurs du patrouilleur. Des hommes-grenouilles s'équipèrent, tandis que sur le pont des gardes-côtes préparaient en hâte l'une des vedettes gonflables.

Observant cette activité frénétique d'un air incrédule, De Angelis hurla en tendant le doigt vers le *Savarona* :

— Laissez tomber ces types ! Les autres s'enfuient. Il faut les arrêter.

— On ne peut pas les abandonner, rétorqua Karakas, dissimulant à peine son mépris. De toute façon, ce bateau ne pourra jamais traverser la tempête. Les vagues sont trop puissantes. Nous devons repartir dès que nous aurons récupéré les plongeurs.

— Non, répliqua De Angelis. Même s'il n'y a qu'une chance sur un million pour qu'ils s'en sortent en un seul morceau, nous ne pouvons courir ce risque.

Il darda un regard d'acier à travers la vitre, puis se retourna pour faire face au petit capitaine trapu, l'air menaçant.

— Coulez-les !

Reilly ne put demeurer passif plus longtemps. Il se précipita sur De Angelis, l'attrapa par l'épaule et l'obligea à pivoter brutalement pour lui faire face.

— Vous ne pouvez pas faire ça. Il n'y a aucune...

Il s'arrêta net.

L'ecclésiastique avait sorti un gros automatique dont il pointait le canon sous son nez.

— Restez en dehors de ça ! hurla-t-il en repoussant Reilly vers l'arrière du poste de pilotage.

Celui-ci loucha sur le fût d'acier froid brandi à quelques millimètres de lui. Son regard remonta le long du canon, puis, au-delà, jusqu'aux yeux du prêtre. Ils brûlaient d'une fureur meurtrière.

— Vous n'êtes plus d'aucune utilité ici, cracha De Angelis. Vous saisissez ?

Il y avait quelque chose de si implacable dans son expression que Reilly comprit qu'il presserait la détente sans la moindre hésitation. Il savait aussi que, s'il ébauchait un mouvement vers lui, il serait mort avant de l'avoir atteint.

Hochant la tête, il recula en vacillant à cause du roulis.

— Doucement, dit-il. Doucement.

De Angelis gardait les yeux rivés sur l'Américain.

— Utilisez le canon avant qu'ils soient hors de portée, ordonna-t-il au commandant.

Reilly constata que ce qui se passait sur son bateau mettait Karakas très mal à l'aise.

— Nous sommes dans des eaux internationales, objecta-t-il, et si ça ne vous suffit pas, c'est un bateau grec qui est là-bas. Nous avons déjà suffisamment de problèmes avec...

— Je m'en fous ! rugit l'ecclésiastique en brandissant rageusement son arme vers le Turc. Ce navire opère sous commandement de l'OTAN et, en tant que plus haut gradé à bord, je vous donne un ordre direct, capitaine...

Cette fois, ce fut Karakas qui l'interrompit.

— Non, répondit-il en toisant De Angelis. Je préfère me défendre devant un tribunal militaire.

Les deux hommes se défièrent pendant un moment de grande tension. L'ecclésiastique avait le bras droit tendu, le canon du revolver devant le visage du capitaine. Celui-ci ne faiblit pas, décidé à faire ce que l'honneur lui commandait. De Angelis finit par le repousser de côté avant de se tourner vers Plunkett pour lui ordonner de surveiller toutes les personnes présentes. Puis il se précipita sur la porte donnant vers l'extérieur.

— Allez au diable, ragea-t-il. Je vais le faire moi-même.

L'homme de main se mit en position. Il sortit son pistolet de son holster en même temps que son patron ouvrait la porte. Une violente rafale de vent s'engouffra dans le poste de pilotage. L'ecclésiastique vacilla un instant et s'engagea dans la tempête déchaînée.

A l'intérieur, Reilly jetait un regard incrédule à Karakas au moment précis où une immense vague s'écrasait sur le flanc du bateau. La passerelle de commandement fut ébranlée, ce qui obligea ses occupants à saisir une prise. L'agent spécial sauta sur l'occasion. Il se précipita sur Plunkett et fut sur lui à l'instant où l'homme de la CIA tentait d'agripper une console pour se retenir. Reilly parvint à bloquer la main tenant le pistolet contre le comptoir tandis qu'il décochait un uppercut foudroyant. Plunkett fut assez déstabilisé pour que son adversaire puisse lui arracher son arme. Revenant à la charge, le barbouze pivota avec fureur, mais Reilly para l'attaque. Sans hésiter, il lui asséna un sauvage coup de crosse en plein front. Le tueur s'effondra sur le sol.

L'agent fédéral glissa l'arme dans sa ceinture. Passant devant le capitaine, il attrapa un gilet de sauvetage et le boucla rapidement. Puis il partit à la poursuite de De Angelis.

A peine à l'extérieur, il fut malmené par un vent dantesque qui le plaqua contre la paroi de la salle de pilotage comme une poupée de chiffon. Il se rétablit et progressa en s'accrochant à la rambarde, une main après l'autre. Plus loin, il repéra une silhouette fouettée par les vents et la pluie. Elle progressait le long du bastingage.

Protégeant ses yeux, Reilly entrevit le *Savarona* au-delà de l'étrave. A deux cents mètres à peine du patrouilleur turc, il tanguait violemment. Mais une montagne d'eau les séparait.

Reilly s'immobilisa, tétanisé. Sur le pont, juste au-dessous du poste de pilotage, une petite silhouette se déplaçait, mise à mal par des torrents d'eau dégringolant sur elle et s'accrochant désespérément au gréement.

Il sentit le sang quitter son visage. Il était certain que c'était Tess.

La jeune femme se hâta de descendre l'escalier des cabines. Ses pensées se bousculaient dans une tempête mentale n'ayant rien à envier à celle qui faisait rage dehors. Les battements de son cœur retentissaient, assourdissants, à ses oreilles. Elle scruta les murs, tentant de se rappeler où elle avait vu la hache.

Elle finit par la repérer, fixée à une cloison juste à côté de la cuisine. En quelques secondes, elle trouva aussi un gilet de sauvetage, qu'elle enfila. Inspirant une longue bouffée d'air et rassemblant toute sa volonté, elle ouvrit d'un coup la porte étanche, resta un instant dans l'encadrement et se jeta dans la fureur déchaînée à l'extérieur.

Tess supposait que Vance n'allait pas risquer de sortir du poste de pilotage. Serrant la hache d'une main et assurant son équilibre de l'autre, elle s'avança sur le pont principal. Au passage, elle libérait les bouées de sauvetage qu'elle rencontrait et les jetait à l'eau en espérant qu'elles pourraient être d'une quelconque utilité aux plongeurs abandonnés.

Apercevant une énorme vague au-dessus de l'étrave, elle s'agrippa des deux bras autour d'une rambarde. Quand le mur d'eau la frappa de face et noya le pont, elle se cramponna. Soudain, elle sentit le sol s'effacer sous ses pieds. Le *Savarona* s'envolait au sommet de la vague. Il se dressa presque à la verticale avant de retomber dans la cuvette. Tess parvint enfin à se relever et, à travers les mèches de cheveux qui lui cinglaient le visage, elle avisa le faucon, oscillant à quelques pieds au-dessus du pont. Elle se hissa vers la base de la grue.

Dès qu'elle y fut, elle se tourna vers la vitre du poste de pilotage. A travers les rideaux de pluie, elle aperçut le visage affolé de Vance. Elle rassembla ses réserves d'énergie, leva sa hache et l'abattit de toutes ses forces sur le câble qui sortait du dévidoir. L'outil faillit lui échapper des mains quand il rebondit sur le filin tendu. Levant les yeux, elle vit Vance sortir précipitamment de la cabine du barreur et affronter les vents qui se déchaînaient autour de lui. Le professeur faisait de grands gestes et vociférait de toute la puissance de ses poumons ce qui ressemblait à un « Non ! » ininterrompu. Mais avec le hurlement du vent, Tess ne pouvait l'entendre. Sans se laisser décourager, elle frappa de nouveau, reprit des forces, et frappa encore. Un brin claqua, puis un autre, alors qu'elle abattait la hache sans discontinuer dans un déluge de coups frénétiques.

Elle ne voulait pas laisser Vance s'emparer du secret. Pas de cette façon. Pas à ce prix. Elle avait été folle de lui accorder le bénéfice du doute et il était temps pour elle de corriger ses erreurs.

Le dernier brin céda enfin. Alors que le *Savarona* penchait sur bâbord, le faucon tomba soudain et s'écrasa lourdement dans la mer.

Tess reprit sa progression le long du pont glissant. Elle s'était courbée pour éviter d'entrer dans le champ de vision de Vance. Risquant un coup d'œil derrière elle, elle entrevit les flotteurs qui émergeaient de la mer écumante. Son cœur s'arrêta de battre tandis qu'elle attendait de voir s'ils retenaient toujours le faucon. En apercevant la sombre forme arrondie surgir entre les ballons gonflés, elle laissa échapper un long soupir.

Sa joie d'avoir réussi fut de courte durée, car, à ce même instant, une saccade de petites explosions ébranla le *Savarona*. Plongeant pour se mettre à couvert, Tess regarda du côté du patrouilleur turc et fut stupéfaite de voir le canon à sa proue cracher un feu meurtrier.

Fouetté par la pluie et les vents, Reilly se précipitait sur les talons de De Angelis. Le *Karadeniz* bataillait pour rester le plus statique possible. A quelque distance, ses hommes-grenouilles hissaient l'un des plongeurs abandonnés à bord d'un Zodiac tandis que son collègue s'accrochait désespérément à une bouée en attendant de pouvoir être remonté à son tour.

L'ecclésiastique atteignit enfin la proue. En quelques secondes, il plaça ses épaules entre les montants semi-circulaires du canon. Déverrouillant l'arme redoutable et la faisant pivoter d'une main experte, il repéra le bateau de plongée et lâcha une première salve de balles incendiaires.

— Non ! s'époumona Reilly en grimpant sur la rampe, puis sur la plate-forme du canon.

Même avec le vent hurlant dans ses oreilles, le bruit de la pièce d'artillerie était assourdissant.

Il se rua sur De Angelis, détournant le fût du canon et éloignant du *Savarona* les balles traçantes, qui disparurent dans la mer. L'ecclésiastique dégagea une de ses épaules du montant de l'arme et attrapa la main de Reilly. Il tordit les doigts de l'agent avant de lui décocher un uppercut. Sean bascula en arrière sur le pont balayé par les trombes d'eau.

Incapable de se remettre sur pied, Reilly fut précipité loin de De Angelis. Il essaya en vain de saisir quelque chose pour arrêter sa glissade. Sa main attrapa un morceau de corde et il s'y agrippa. Il parvint à se redresser, mais dut rester accroché là alors qu'une montagne d'eau soulevait fortement le patrouilleur par l'avant. Quand celui-ci atteignit le haut de la vague, De Angelis avait déjà réussi à se remettre en position. De nouveau, le navire de plongée était en vue. L'ecclésiastique lâcha une autre rafale. Horrifié, Reilly vit des dizaines de balles former des arcs lumineux, traçant leur route meurtrière à travers l'obscurité pour aller s'abattre sur le bateau grec. Des flammes et des nuages de fumée s'élevèrent au moment où les projectiles frappèrent la poupe du *Savarona*.

Recroquevillée derrière un coffre d'acier, Tess sentait son cœur battre à se rompre tandis que le bateau tressaillait sous le feu impitoyable du canon à tir rapide. A mille coups par minute, même une brève rafale libérait une salve dévastatrice.

Les balles endommageaient le pont autour d'elle. Soudain, une explosion étouffée montant des profondeurs du vaisseau la secoua jusqu'à lui arracher un cri. Presque aussitôt, un nuage de fumée noire s'éleva de l'arrière et des cheminées du pont de travail. Le bateau gîta, comme si quelqu'un avait actionné les freins. Tess comprit que le moteur avait été touché. Elle devina que le réservoir de carburant avait été épargné, puisque le navire n'avait pas explosé sous elle. La jeune femme se mit à compter les secondes, s'attendant au pire. Rien ne se passa.

Mais la situation n'était guère enviable.

Sans moteur, le navire devenait totalement impuissant face à la mer déchaînée. Les vagues convergeaient de toutes les directions, frappant l'embarcation et la faisant vaciller et tournoyer comme une auto tamponneuse dans une fête foraine.

Avec horreur, Tess vit une paroi phénoménale se dresser derrière le *Savarona* et s'écraser sur le poste de pilotage. Elle parvint in extremis à attraper un garde-corps du bastingage et à l'agripper de ses bras avant que l'eau ne retombe en avalanche sur le navire, inondant tout le pont et faisant exploser les vitres de la passerelle.

Elle dégagea ses mèches mouillées de son visage et regarda la cabine de commandement ravagée. Il n'y avait aucun signe de Vance ou des autres. Sentant les larmes monter, elle se recroquevilla en boule en s'accrochant de toutes ses forces. Désespérée, elle regarda dans la direction où elle avait vu le patrouilleur la dernière fois, espérant qu'il se serait encore rapproché. Mais il n'y avait plus rien en vue.

Et alors, elle l'aperçut. Une lame immense de vingt mètres de haut. Si raide qu'elle était presque verticale, avec devant elle une cuvette énorme qui semblait vouloir avaler le *Savarona.*

Elle fonçait sur le bateau en détresse par bâbord.

Tess ferma les yeux aussi fort que possible. Sans moteur, il n'y avait aucun moyen de manœuvrer l'embarcation, que ce soit pour faire face à la vague ou pour s'en éloigner, si tant est qu'il y eût encore quelqu'un à la barre. L'une ou l'autre tentative n'aurait pas empêché le navire d'être très sérieusement secoué, mais il aurait eu une chance de s'en sortir.

Ce monstre allait donc les frapper par le travers.

Et quand cela arriverait, la vague soulèverait les cent trente tonnes d'acier du navire sans effort et le retournerait comme un jouet.

Reilly regarda les balles exploser contre la poupe du bateau de plongée et la fumée noire s'en élever. Il hurla vers De Angelis aussi fort qu'il le put. Mais il savait que l'ecclésiastique n'avait aucune chance de l'entendre dans le vent hurlant et le fracas des salves.

Il se sentit soudain épuisé, effondré. Cependant, il comprit à cet instant précis ce qu'il avait à faire.

En s'arc-boutant contre le bastingage, il sortit son Glock, stabilisa le canon autant que possible dans les assauts du vent et pressa la détente plusieurs fois. Des taches rouges apparurent dans le dos de l'homme d'Eglise, qui se cambra brutalement avant de retomber en avant sur le canon, dont le fût bascula vers le ciel furieux.

Reilly jeta l'automatique de côté et scruta les flots. Les yeux affrontant les rafales, il chercha le *Savarona*. Mais tout ce qu'il put voir à travers les rideaux de pluie n'était que montagnes et vallées d'eaux écumantes.

Les plongeurs étaient parvenus à revenir à bord avec les hommes qu'ils avaient arrachés à la mer. Reilly sentit que le patrouilleur changeait de cap. Les moteurs accéléraient afin de hâter la manœuvre et de limiter le temps où ils allaient se présenter par le travers en risquant de se faire fracasser. Un sentiment de panique s'empara de lui lorsqu'il comprit qu'ils repartaient.

A cet instant, la houle s'atténua quelques secondes et ses yeux s'élargirent en apercevant le bateau de plongée chaviré. Sa coque s'enfonçait sous les vagues.

Il n'y avait aucun signe de survivants.

Regardant derrière lui la passerelle du patrouilleur, Reilly vit le commandant qui lui faisait de grands signes pour le faire revenir à l'intérieur. Il tendit le doigt vers l'endroit où il avait aperçu le *Savarona*. Karakas fit non de l'index et le pointa dans la direction du retour, indiquant qu'ils devaient filer tant qu'ils le pouvaient encore.

L'agent fédéral étreignait le bastingage de toutes ses forces. Ses articulations étaient blanches. Son esprit passait fébrilement en revue toutes les possibilités, mais il n'y avait qu'une seule chose qu'il parvenait à envisager.

Il se précipita vers le canot pneumatique, que les plongeurs avaient laissé amarré sur le flanc du patrouilleur. Cherchant dans sa mémoire tout ce dont il pouvait se souvenir d'un cours de formation de routine du FBI avec les gardes-côtes américains, il sauta dans le Zodiac, tira le levier de débrayage et, accroché aux manettes, retenant sa respiration, largua les amarres pour se jeter dans la mer en furie.

78

Reilly avait réussi à lancer le moteur du canot pneumatique. Cherchant à percer le rideau aveuglant de pluie et d'embruns, il se dirigea vers l'endroit où il pensait avoir vu le *Savarona* retourné pour la dernière fois. Il progressait à l'instinct… et à l'espoir. L'eau était si écumeuse et l'air si saturé d'eau qu'il était presque impossible de dire où la mer finissait et où commençait le ciel.

Les flots se soulevaient et retombaient en une houle vertigineuse. Une vague s'écrasait sur lui et remplissait d'eau le petit canot presque aussi vite qu'une autre le secouait et renversait l'eau. Il s'accrochait quand l'embarcation grimpait ou dévalait des murs d'eau. Son moteur lançait un hurlement infernal chaque fois qu'elle était projetée au-dessus d'une vague et que l'hélice tournait dans le vide.

D'interminables minutes plus tard, il repéra une forme sombre saillant d'une cuvette qui ressemblait à un gouffre dans la mer. Les muscles tendus, il dirigea le petit hors-bord vers le navire en perdition. Mais les vagues déferlantes, peu coopératives, ne cessaient de le déporter. Il devait constamment rajuster son cap en fonction des apparitions fugitives du chalutier retourné entre les montagnes d'eau.

Il n'y avait aucun signe de Tess.

Plus il se rapprochait, plus la vision devenait terrifiante. Des débris étaient dispersés autour de la coque, flottant le long de celle-ci dans une sinistre danse de mort. La partie arrière du navire était immergée et sa proue, pointant hors de l'eau comme un iceberg anguleux, glissait sous les vagues.

Eperdu, il cherchait des survivants. Et Tess. Son espoir s'évanouit, pour renaître quand, à l'autre extrémité de la coque, il la repéra dans un gilet de sauvetage orange. Elle agitait les bras.

Dirigeant le canot vers elle, il manœuvra autour de la coque massive incrustée de bernacles et s'approcha de la jeune femme. Reilly gardait un œil sur les vagues qui s'écrasaient sur eux sans répit. Quand il fut assez près, il tendit un bras vers la main de la jeune femme. Mais il la rata. Sans se décourager, il refit une tentative. Cette fois, leurs doigts se touchèrent, s'agrippèrent, et il parvint à ne pas la relâcher.

Avec un timide sourire sur le visage, il la tira à l'intérieur du Zodiac. Là, il vit le soulagement éclairer les traits de la naufragée, puis l'effroi. Elle regardait derrière lui. Il se tourna juste à temps pour voir un fragment du *Savarona* précipité droit sur lui par une vague déferlante.

Alors tout devint noir.

Désorientée, Tess était certaine qu'elle allait mourir. Aussi put-elle à peine en croire ses yeux quand elle vit Reilly venir vers elle dans un canot de sauvetage pneumatique.

Mobilisant ses dernières forces, elle parvint à attraper sa main tendue pour se hisser dans le petit Zodiac. Mais aussitôt, elle vit une pièce de bois tournoyer au-dessus d'une vague et s'écraser sur lui. La planche le frappa en pleine tête et l'envoya par-dessus bord.

Sans hésiter, elle se jeta à l'eau, tendit le bras et l'agrippa à son tour. Le maintenant d'une main, elle luttait de l'autre pour s'accrocher à l'une des poignées de l'embarcation. Elle vit que les paupières de Sean étaient fermées. Sa tête rebondissait sur le col du gilet de sauvetage. Du sang coulait d'une grande entaille à son front, apparaissant et disparaissant au gré des vagues qui lavaient la blessure.

Elle essaya de le remonter dans le canot, mais comprit vite que c'était une tâche impossible. Pire, elle y perdait le peu d'énergie qui lui restait. L'embarcation devenait davantage un handicap qu'une planche de salut. Peu à peu, elle se remplissait d'eau et menaçait de les heurter à chaque reprise de la houle. Le cœur lourd, elle lâcha la poignée à laquelle elle s'agrippait et en profita pour soutenir Reilly à deux mains.

Regardant le canot pneumatique s'éloigner, elle luttait de toutes ses forces pour maintenir la tête de l'agent fédéral hors de l'eau. Pendant un temps qui lui parut une éternité, il lui fallut toute sa détermination pour rester consciente. La tempête ne montrait aucun signe d'apaisement. Tess savait qu'elle devait demeurer en éveil, mais c'était une bataille perdue. Ses forces s'évanouissaient.

C'est alors qu'elle vit un grand morceau de bois, un panneau d'écoutille, supposa-t-elle. Farouchement, elle se mit à nager vers lui, un bras autour de Reilly, jusqu'à ce qu'elle parvienne à toucher le panneau du bout des doigts et à s'arrimer à une corde qu'il traînait derrière lui. Après quoi, elle se hissa sur la plate-forme en tirant son compagnon. Puis elle utilisa la corde pour accrocher du mieux qu'elle put leurs deux corps à cette épave. Elle attacha aussi les deux gilets ensemble par la ceinture. Rien ne pourrait plus les séparer. D'une étrange manière, cette pensée alluma en elle une étincelle d'espoir.

Alors que la tempête continuait de déchaîner toute sa puissance, Tess ferma les yeux et aspira de longues bouffées d'air. Elle essaya d'apaiser ses angoisses. Quoi qu'il advienne, elle ne pouvait se permettre de paniquer. Elle devait trouver la force de les empêcher, Reilly et elle, de perdre leur équilibre ténu. Hormis cela, elle était impuissante. Tout ce qu'elle pouvait faire, c'était rester allongée et laisser les éléments les emporter à leur gré.

Le radeau de fortune parut se stabiliser un moment. Tess ouvrit les yeux en se demandant si ce répit était un signe que les choses allaient en s'améliorant. Elle n'aurait pu être plus éloignée de la vérité. Une vague gigantesque les dominait, une vague à côté de laquelle celle qui avait fait chavirer le *Savarona* ressemblait à une naine. Elle donnait l'impression de rester suspendue au-dessus d'eux, immobile, comme si elle narguait la jeune femme.

S'accrochant à Reilly, Tess ferma les yeux. La vague bascula sur eux et les engloutit.

79

Toscane, janvier 1293

Tournant le dos à la bise mordante qui soufflait du nord, Martin de Carmaux était accroupi près du petit feu. Les mugissements du vent étaient amplifiés par le grondement d'une chute d'eau qui plongeait dans les profondeurs obscures d'une étroite ravine. A côté de Martin, enveloppé dans les vestiges loqueteux d'une cape récupérée des mois plus tôt sur un mamelouk tué à Beer el-Sifsaaf, Hugues marmonnait doucement dans un sommeil agité.

Au cours de leur interminable périple, depuis qu'ils avaient échoué sur le rivage après le naufrage du *Faucon-du-Temple*, Martin s'était pris d'une affection croissante pour le vieux marin. En dehors d'Aimard de Villiers, il n'avait jamais rencontré quelqu'un qui soit animé d'un plus grand sens du dévouement et d'une plus grande détermination, pour ne rien dire de son acceptation stoïque de tout ce qui pouvait lui arriver. Durant les longues et pénibles journées de leur voyage, le navigateur avait été plusieurs fois blessé au combat ou lors de chutes accidentelles. Mais il continuait de couvrir kilomètre après kilomètre sans une seule plainte.

Du moins cela avait-il été le cas jusqu'aux tout derniers jours. Le dur hiver les avait attrapés dans ses griffes mortelles et les rafales glacées qui descendaient des chaînes de montagnes les séparant de la France commençaient à prendre leur tribut sur l'homme affaibli.

Pendant les premières semaines après leur départ de Beer el-Sifsaaf, Martin avait décidé de ne pas séparer les quatre survivants. Il pensait que tant qu'ils restaient à portée de leurs ennemis musulmans, ils avaient besoin d'unir leurs forces.

Cependant, après avoir quitté le territoire mamelouk, il considéra que le temps était venu d'appliquer le plan d'Aimard et ils se divisèrent en deux groupes. Les dangers auxquels ils avaient encore à faire face étaient très réels – en particulier les bandits hantant les monts de la Stara Planina[1] et une grande partie des milliers de kilomètres qui les séparaient encore des Etats vénitiens.

Il avait choisi d'appliquer un plan simple. Après s'être divisés, ils chemineraient à environ une demi-journée d'écart. De cette manière, ceux qui allaient en tête pouvaient avertir ceux qui venaient derrière des dangers. Et ceux-ci pouvaient se porter à leur aide s'ils rencontraient un problème.

« A aucun moment, avait-il insisté, la sécurité des lettres ne doit être compromise. Même si cela signifie que nous devons abandonner l'un d'entre nous à son destin. »

Personne n'avait discuté.

Il n'avait pas prévu la difficulté du terrain. Des montagnes, des abîmes, des rapides et des forêts denses se dressèrent en travers de leur route. Ils furent obligés de faire de nombreux détours et de s'écarter de leur itinéraire. Après leur séparation, alors qu'Hugues et lui constituaient l'équipe de tête, ils n'avaient eu qu'une fois un signe de leurs camarades, il y avait des mois de cela.

En chemin, ils avaient perdu leurs chevaux, morts ou échangés contre de la nourriture. Et depuis des semaines, ils en étaient réduits à marcher. Plusieurs fois par nuit, alors qu'il était allongé près du feu de camp, épuisé mais incapable de dormir, il se demandait si l'autre équipe avait eu plus de chance. Peut-être avait-elle même trouvé une route plus facile et plus sûre, et était-elle déjà à Paris.

Cela ne changeait rien à ses plans. Il n'avait pas le droit d'abandonner. Il devait continuer.

Les yeux perdus sur la silhouette endormie d'Hugues, une pensée s'insinua dans son esprit. Il se dit qu'il était improbable que le vieux marin puisse atteindre Paris. Les rigueurs hivernales empireraient, le terrain allait se détériorer et la toux sifflante de son compagnon s'aggravait de jour en jour. Un peu plus tôt, cette nuit même, une fièvre foudroyante s'était

1. Massif montagneux des Balkans dans l'actuelle Bulgarie. (*N.d.T.*)

emparée de lui et, pour la première fois, il avait craché un peu de sang. Aussi réticent à cette idée qu'il pouvait l'être, Martin savait que le temps où il allait devoir quitter Hugues pour poursuivre sans lui approchait à grands pas. Mais il ne pouvait pas abandonner son ami, malade et impuissant, dans les premiers contreforts de ces montagnes, où il mourrait de froid. Il devait lui trouver un abri, un endroit où il pourrait le laisser avant de continuer sa route.

La veille, ils avaient aperçu une petite ville, de l'autre côté de la montagne. La bourgade était toute proche d'une carrière qu'ils avaient longée. Ils y avaient aperçu au loin de minuscules silhouettes trimant au milieu de nuages de poussière et d'énormes plaques de marbre. Il rencontrerait peut-être là-bas quelqu'un à qui confier le vieux marin.

Quand, au petit jour, ce dernier sortit de son sommeil troublé, Martin lui fit part de ses pensées. Le capitaine secoua la tête.

— Non ! s'insurgea-t-il. Tu dois continuer vers la France. Je te suivrai comme je pourrai. On ne peut pas s'appuyer sur des étrangers.

C'était vrai. En affaires, il était impossible de faire confiance aux habitants de ce pays. En outre, ici, dans le Nord, des bandes de voleurs et de trafiquants d'esclaves ajoutaient à la triste réputation de la région.

Ignorant les protestations de son compagnon, Martin dévala les rochers qui bordaient la cascade. Pendant la nuit, la neige était tombée, enveloppant la montagne dans un linceul spectral. En progressant dans une crevasse, Martin fit une pause pour reprendre sa respiration. Il remarqua soudain que l'un des rochers présentait des fissures évoquant une croix pattée, proche de celle dont les Templiers avaient fait leur symbole. Il contempla un moment l'étrange craquelure et y vit un bon présage. Après tout, Hugues allait peut-être trouver une fin paisible dans cette vallée tranquille.

Une fois en ville, Martin se retrouva bientôt à la porte du médecin local, un homme robuste dont les yeux pleuraient dans le froid mordant. Le chevalier lui raconta l'histoire qu'il avait concoctée pendant sa descente vers le bourg : son compagnon et lui étaient des voyageurs en route pour la Terre sainte.

— Mon ami est malade et a besoin de votre aide, l'implora-t-il.

L'homme le regarda avec méfiance. Martin savait qu'il avait l'air d'un vagabond sans le sou.

— Vous pouvez payer ? demanda le médecin d'un ton bourru.

— Nous avons peu d'argent. Mais cela devrait suffire pour payer la nourriture et un toit pour quelques jours.

— Très bien.

Les yeux de l'homme s'adoucirent.

— Vous donnez vous-même l'impression d'être sur le point de vous effondrer. Venez manger quelque chose. Et dites-moi où vous avez laissé votre ami. Je vais trouver des hommes pour vous aider à lui faire descendre la montagne.

Réconforté par ce revirement de son hôte, Martin pénétra dans une pièce au plafond bas. Il accepta volontiers un peu de pain et de fromage. Il était près de s'écrouler ; le boire et le manger étaient un remontant bienvenu pour son corps meurtri. Entre deux bouchées avides, il indiqua la crête où se trouvait Hugues, et l'homme trapu s'en alla.

Tandis qu'il vidait son assiette, Martin sentit un malaise monter en lui. Comme émergeant d'un brouillard, il s'avança à pas feutrés vers la fenêtre et regarda dehors sans se faire voir. Un peu plus loin dans la rue boueuse, le praticien parlait avec deux hommes. De la main, il faisait des gestes vers sa maison. Le templier s'écarta de la fenêtre. Quand il regarda de nouveau, le médecin avait disparu, mais les deux autres venaient vers lui.

Il sentit ses muscles se raidir. Quantité de raisons, il le savait, pouvaient expliquer ce manège, mais il craignait le pire. Alors il risqua un nouveau coup d'œil et vit l'un d'eux tirer une dague de son fourreau.

Fouillant à la hâte la maison en quête d'une arme, il entendit des murmures provenant de l'autre côté de la porte de derrière. Il traversa la pièce et pressa son oreille contre l'huis pour écouter. Il vit la clenche de fer se lever et se plaqua contre le mur tandis que la porte s'ouvrait en grinçant.

Alors que le premier homme entrait, Martin lança son bras en avant et l'attrapa. Il l'obligea à lâcher sa dague et envoya l'intrus s'écraser contre le mur de pierre. Presque simultanément, d'un vigoureux coup de pied, il repoussa la porte, qui frappa son comparse. Récupérant la dague à la vitesse de l'éclair, Martin bondit sur la seconde crapule, hagarde. Il la saisit par le cou et lui planta la lame dans le flanc.

Retirant la dague, il laissa le corps de l'homme s'effondrer sur le sol. Puis il revint à l'intérieur, où le premier agresseur commençait à se relever. Traversant la pièce à grandes enjambées, Martin lui décocha un coup de pied avant de brandir son arme et de la planter dans le dos du Toscan.

A la hâte, le chevalier récupéra toute la nourriture qu'il put trouver et l'empila dans un sac, conscient que cela pourrait être d'une très grande aide pour Hugues. Après s'être glissé dehors par la porte arrière, il contourna la ville avant de trouver le sentier qui partait vers la montagne.

Il ne leur fallut pas longtemps pour se lancer à sa poursuite. Ils étaient quatre, peut-être même cinq, à en juger par les voix furieuses qui résonnaient dans le bois.

Des flocons de neige tombaient d'un ciel sombre quand Martin atteignit la paroi rocheuse près de laquelle il s'était reposé. Ses yeux se posèrent sur la craquelure évocatrice et il s'arrêta en pensant aux instructions qu'il avait confiées à ses compagnons d'armes des mois plus tôt. « A aucun moment la sécurité des lettres ne doit être compromise. » L'esprit en ébullition, il étudia les fissures formant la croix pattée.

Il savait qu'il ne pourrait jamais oublier cet endroit.

Utilisant sa dague, il gratta à la base du rocher, dégageant quelques pierres de la taille d'un poing. Puis il glissa la bourse contenant la lettre loin dans le trou qu'il avait aménagé avant de replacer les pierres et de les marteler du talon de sa botte pour bien les caler. Ensuite il continua son ascension, sans essayer de dissimuler les traces de son passage.

Bientôt, le grondement de la chute d'eau couvrit les cris des hommes qui le traquaient.

Quand Martin atteignit son bivouac, il n'y avait aucun signe d'Hugues. Regardant en arrière, il aperçut ses poursuivants, maintenant en vue. Ils étaient bien cinq. En queue du groupe, il reconnut le médecin qui l'avait trahi.

Attrapant sa grande épée, le templier poursuivit son escalade vers le haut de la cascade. C'était là, décida-t-il, qu'il allait les attendre.

Le premier des poursuivants, plus jeune et plus fort que les autres, avait quelques mètres d'avance. Il bondissait de pierre en pierre, armé d'une fourche à longues dents. Quand il arriva sur lui, Martin se fendit en arrière et coupa avec son épée la poignée de la fourche comme du petit bois. Emporté par son élan, l'homme tomba en avant. Le chevalier se pencha et donna un grand coup d'épaule dans le ventre de son adversaire. Dans le même mouvement, il le souleva et le précipita dans l'abîme, sous la chute d'eau.

Le cri de l'homme résonnait encore dans les oreilles de Martin quand deux de ses complices l'atteignirent à leur tour. S'ils étaient plus âgés et plus prudents, ils étaient aussi mieux armés. Le premier brandissait une courte épée avec laquelle il fouettait l'air devant lui. Pour un chevalier aguerri, affronter ce villageois était presque se battre contre un enfant. Une simple parade suivie d'une attaque de bas en haut suffit et l'épée de l'homme partit, elle aussi, se perdre dans la cascade. En ramenant son arme, Martin trancha l'épaule de son adversaire, séparant presque le bras du corps. Puis il esquissa un saut de côté pour éviter la charge du troisième. Tendant la jambe devant lui, il le fit trébucher. L'homme tomba à genoux et Martin abattit le plat de son épée sur sa tête, lui faisant mordre la poussière. Avec une dextérité de bourreau, il releva sa longue lame à double tranchant et sectionna la colonne vertébrale de l'homme au niveau du cou.

Plus bas, il vit le médecin qui repartait en trébuchant sur le chemin qu'il venait de gravir. Mais soudainement, il ressentit une douleur effroyable dans le dos. Il se tourna pour découvrir que l'homme qu'il avait désarmé en lui coupant le bras s'était remis sur pied. De son unique main valide, il tenait le bout de la fourche du jeune garçon qui avait fait le grand saut. Martin vacilla et bascula en avant. La douleur lui arracha un hoquet. Rassemblant les forces qui lui restaient, il se jeta sur l'homme avec un grand mouvement de son épée et lui trancha la gorge.

Pendant un moment, le templier demeura immobile. Une sensation d'épuisement écrasait ses épaules. Puis, malgré le tonnerre du torrent, il entendit un bruit et se retourna brusquement, tout en gémissant de douleur. Le dernier de ses poursuivants se ruait sur lui, une vieille épée rouillée à la main. Martin réagit trop lentement mais, avant que l'homme l'ait atteint, Hugues sortit en chancelant des taillis. Le Toscan le repéra et se détourna de Martin. Saisissant son arme à deux mains, il la planta droit dans le torse du vieux marin affaibli.

Du sang jaillit de la bouche d'Hugues. Contre toute attente, il parvint non seulement à rester debout, mais à s'avancer en titubant. Il referma aussi puissamment que possible ses bras autour de son agresseur, enfonçant davantage la lame dans sa propre poitrine. Hugues continua d'avancer, poussant l'homme en arrière, pas à pas, sans relâcher son étreinte d'acier en dépit des tentatives de son meurtrier pour se libérer. Ils atteignirent ainsi le bord du ravin surplombant la cascade. L'homme comprit ce qui allait se passer. Il hurla en essayant encore de s'affranchir de l'étreinte du capitaine.

Oubliant son propre sort, Martin leva les yeux vers Hugues, suspendu au bord de la chute d'eau avec l'homme prisonnier de sa fatale étreinte. Les yeux du templier rencontrèrent ceux du vieux marin et il surprit quelque chose ressemblant à un sourire sur ses lèvres. Après un ultime signe de tête fraternel, le maître du *Faucon-du-Temple* s'élança dans le vide, entraînant sa victime dans sa chute vers l'éternité.

Un coup frappa l'arrière de la tête de Martin. Il sentit une nausée monter dans sa gorge. Pivotant sur lui-même, à peine conscient, il aperçut la silhouette floue du médecin debout au-dessus de lui, une grosse pierre entre les mains.

— Un homme aussi fort que toi rapportera un bon prix à la carrière. Et je te remercie de m'avoir évité de partager cette somme avec les autres, ricana-t-il. A propos, tu devrais peut-être savoir que certains des hommes que tu viens de tuer sont des parents des contremaîtres de la carrière.

Le médecin souleva la pierre. Martin sut qu'il ne pourrait rien faire pour parer le coup qui allait venir, éviter la capture et l'esclavage, récupérer sa lettre et poursuivre sa route vers Paris. Etendu dans la neige fraîche, il vit flotter devant lui des images d'Aimard de Villiers et de Guillaume de Beaujeu. Puis la pierre retomba et leurs visages se fondirent dans le noir.

80

Un coup de tonnerre retentissant éclata au-dessus de Tess. Elle remua, encore à demi inconsciente, ignorant l'endroit où elle se trouvait. Elle sentait la pluie tomber à verse sur sa nuque. Chaque parcelle de son corps était douloureuse. Elle avait l'impression d'avoir été piétinée par un éléphant. A mesure que ses sens se réveillaient, elle pouvait entendre le vent souffler sur elle et les vagues s'écraser tout autour. Ces perceptions la troublèrent. La dernière chose qu'elle se rappelait était un mur d'eau sur le point de l'engloutir. Une soudaine angoisse l'étreignit. Elle se demanda si elle était encore en mer, perdue dans la tempête, malmenée par les vagues, mais quelque chose ne collait pas. Tout lui semblait différent. Brusquement, elle comprit ce que c'était.

Elle ne bougeait plus. Elle était sur la terre ferme.

La peur laissant place au soulagement, elle essaya d'ouvrir les yeux. Ils la brûlaient et elle dut s'y prendre avec précaution. Les images autour d'elle étaient floues et voilées. Elle paniqua un bref instant, croyant avoir perdu une partie de sa vision, avant de s'apercevoir que quelque chose l'obstruait. Tendant des doigts tremblants, elle repoussa une masse de cheveux mouillés qui recouvraient son visage. Puis elle se frotta doucement les paupières. Comme ses lèvres, elles étaient gonflées. Tess tenta de déglutir, mais en fut incapable. Elle avait l'impression d'avoir une pelote d'aiguilles plantées dans la gorge. Il fallait qu'elle boive de l'eau douce.

Lentement, sa vision redevint nette. Le ciel était encore sombre et gris, mais elle sentit que le soleil se levait derrière elle. Au bruit du ressac, elle devina que c'était aussi dans son dos que se trouvait la mer. Elle tenta de se redresser, mais son autre bras était immobilisé par une entrave qui l'empêchait de bouger. En tirant dessus, elle fit naître une douleur qui parcourut tout son être. Cherchant à atteindre ce bras de sa main libre, elle constata qu'il était lié par une corde qui avait mordu dans sa chair. En se rallongeant, elle se rappela que c'était elle qui s'était attachée à Reilly et au panneau de bois.

Reilly. Où était-il ?

Elle s'aperçut qu'il n'était pas à côté d'elle sur la planche. De nouveau, une inquiétude la saisit. Elle parvint à s'asseoir et s'attela à libérer son bras. Elle finit par arriver à le glisser sous la corde. Elle se mit à genoux, puis se releva pour examiner l'environnement : une longue bande de sable avec des promontoires rocheux à chaque extrémité. Elle hasarda quelques pas hésitants, scrutant la plage déserte, les yeux mi-clos. Rien. Elle aurait voulu hurler le nom de son ami, mais sa gorge brûlante ne le lui permit pas. Alors elle sentit une nausée et un étourdissement l'envahir. Elle refit quelques pas mal assurés et tomba à genoux, ses dernières ressources épuisées. Elle eut envie de pleurer, mais aucune larme ne vint.

Incapable de résister plus longtemps, elle s'effondra sur le sable, sans connaissance.

Quand elle se réveilla, le cadre était très différent. Avant même d'ouvrir les yeux, elle perçut le calme. Il n'y avait pas le moindre souffle de vent, pas de bruit de vagues. Si elle pouvait entendre le martèlement de la pluie au loin, tout était tranquille autour d'elle. Puis elle sentit la literie. Ce n'était plus une planche de bois, ni un matelas de sable. C'était un vrai lit, bien réel.

Elle déglutit et constata que le feu de sa gorge s'était apaisé. En regardant autour d'elle, elle comprit pourquoi. Au-dessus de sa tête, elle vit une poche de perfusion, suspendue à une petite potence de chrome. Un cathéter était planté dans son bras. Ses yeux balayèrent la pièce, sommairement meublée. A proximité du lit, elle aperçut une simple chaise de bois et une table. Une carafe d'eau et un verre étaient posés sur un napperon de dentelle blanche aux bords légèrement usés. Les murs étaient blanchis à la chaux et nus, en dehors d'un petit crucifix de bois sur le mur.

Elle essaya de s'asseoir, mais sa tête tournait. Lorsqu'elle bougea, son poids fit craquer le lit. Le bruit dut s'entendre à l'extérieur de la pièce. Tess perçut des pas et quelques mots déformés. C'était une voix féminine, pressante. Puis la femme apparut. Tout en regardant Tess d'un air un peu soucieux, elle lui sourit. Assez forte, avec un teint olivâtre et des cheveux bruns bouclés noués sous un foulard blanc de type bandana, elle devait approcher la cinquantaine. Ses yeux pétillaient de bonté et de chaleur.

— *Doxa to Theo. Pos esthaneste ?*

Avant que Tess ait pu répondre, un homme entra. Il avait l'air ravi de la voir. Le nouveau venu portait des lunettes à monture de fer et arborait un hâle cuivré et des cheveux couverts de gel qui brillaient comme de l'émail noir. Il bredouilla quelques mots rapides dans la même langue étrangère que la femme avant de sourire à Tess et de lui demander quelque chose qu'elle ne comprit pas davantage.

— Je suis désolée, marmonna-t-elle d'une voix tremblante.

Elle s'éclaircit la gorge.

— Je ne comprends pas...

L'homme parut désarçonné et échangea un regard interrogateur avec la femme avant de se retourner vers la jeune naufragée.

— Je vous prie de m'excuser. Je pensais que vous étiez... Vous êtes américaine ? s'enquit-il avec un accent prononcé.

Il tendit la main et lui présenta le verre d'eau.

Tess but une gorgée et hocha la tête.

— Oui.

— Que vous est-il arrivé ?

— J'étais sur un bateau. Nous avons été frappés par la tempête et...

Elle se tut. Son esprit commençait à s'éclaircir et des questions se formèrent.

— Où suis-je ? Comment suis-je arrivée ici ?

L'homme se pencha et lui palpa le front tout en lui parlant.

— Mon nom est Costa Mavromaras. Je suis médecin et voici mon épouse, Eleni. Des pêcheurs vous ont trouvée sur la plage à Marathounda et vous ont amenée ici.

Les noms et l'accent troublèrent Tess.

— Ici... C'est où ?

La formulation fit sourire Mavromaras.

— Chez nous. Dans notre maison. A Yialos.

Le visage de Tess dut refléter son trouble.

— Yialos, à Symi, expliqua-t-il.

Puis il fit une pause en la fixant.

— Où pensiez-vous être ?

L'esprit de Tess nageait dans la plus parfaite confusion.

Symi ?

Que faisait-elle sur une île grecque ? Une foule de questions envahit son cerveau. Elle savait que Symi était l'une des îles du Dodécanèse, non loin de la côte turque. Mais elle voulait savoir où elle se trouvait exactement et comment elle était arrivée là. Elle voulait aussi savoir quel jour on était, combien de temps s'était écoulé depuis que la tempête avait frappé le *Savarona*, combien de temps elle avait dérivé en mer... Mais tout cela pouvait attendre. Il y avait autre chose qu'elle devait découvrir.

— Il y avait un homme avec moi, dit-elle d'une voix tremblante sous l'effet de l'angoisse. Est-ce que les pêcheurs ont trouvé quelqu'un d'autre... ?

Elle se tut en remarquant l'expression réservée du médecin, et son inquiétude monta d'un cran quand elle le vit se tourner vers sa femme. Puis Mavromaras regarda de nouveau Tess. Elle lut dans son regard une incontestable tristesse qui lui fit chavirer le cœur.

— Oui, on a trouvé quelqu'un sur la même plage que vous. Mais j'ai peur que son état ne soit un peu plus sérieux que le vôtre.

Tess repliait déjà ses jambes pour sortir du lit.

— Je dois le voir, les pressa-t-elle.

Déjà affaiblies et à peine capables de la supporter pour la courte marche dans le couloir jusqu'à la pièce voisine, les jambes de Tess s'effacèrent quasiment sous elle quand elle vit Reilly. Le haut de sa tête était enveloppé dans un grand bandage blanc. Autour de son œil gauche et sur sa joue, elle aperçut une ecchymose jaune sombre. Ses paupières étaient tellement bouffies qu'il n'aurait pu ouvrir les yeux, ses lèvres gercées et meurtries. Un goutte-à-goutte semblable au sien serpentait jusqu'à son bras, et un masque relié à un respirateur était fixé sur son visage. La machine pompait bruyamment à proximité. Mais le pire de tout, c'était la couleur de sa peau. Une pâleur bleuâtre mortelle.

Tess ressentit une grande déchirure. Mavromaras l'aida à s'asseoir sur une chaise près du lit. Dehors, la pluie n'avait pas cessé. Le médecin expliqua que les pêcheurs les avaient trouvés quand ils étaient allés vérifier leurs bateaux sur une plage de la côte est de Symi. Malgré des conditions météo délicates, ils avaient bravé les routes trempées de l'île pour gagner la ville et sa clinique.

Cela remontait à deux jours.

Sa propre santé ne les avait jamais inquiétés. Son pouls avait vite répondu à la solution administrée en intraveineuse et, même si elle ne s'en souvenait pas, elle n'avait cessé de divaguer entre conscience et inconscience. Reilly était dans un état bien plus sérieux. Il avait perdu beaucoup de sang et ses poumons étaient affaiblis. De ce point de vue, ils pouvaient faire quelque chose. Le vrai problème, c'était le coup qu'il avait reçu à la tête. Mavromaras ne pensait pas qu'il souffrait d'une fracture du crâne, mais il ne pouvait en être absolument certain, car il n'y avait pas d'équipement de radiologie sur l'île. Dans tous les cas, il avait subi un traumatisme grave et n'avait jamais repris connaissance depuis qu'il avait été retrouvé à demi noyé sur la plage.

Tess sentit le sang quitter son visage.

— Que dites-vous ?

— Ses signes vitaux sont stables. Sa pression sanguine s'améliore. Sa respiration est certes faible, mais au moins il peut respirer seul, sans assistance. Le respirateur n'est là que pour s'assurer que son cerveau reçoit assez de sang. A part ça…

Le visage de Tess s'assombrit tandis qu'elle tentait de refouler une pensée terrifiante.

— Vous voulez dire qu'il est dans le coma ?

— Oui.

— Est-ce que vous avez tout ce qu'il faut ici pour le soigner ? Je veux dire : est-ce qu'on ne devrait pas l'emmener dans un hôpital ?

— C'est une petite île. Nous n'en avons hélas pas ici. Le plus proche se trouve sur Rhodes. Je suis en contact avec ses équipes. Malheureusement, leur hélicoptère a été endommagé il y a trois jours en essayant d'atterrir dans la tempête. Ils attendent des pièces qui doivent arriver d'Athènes par avion. De toute façon, à cause de la tempête, cet hélicoptère n'aurait pas pu voler jusqu'ici pour l'instant. Ils espèrent que le temps va s'améliorer demain. Mais, pour être franc avec vous, je ne suis pas sûr que le déplacer soit une bonne idée. En outre, je crois qu'il ne sera pas mieux traité là-bas qu'ici. Il n'y a pas grand-chose qu'ils puissent faire de plus, à part le relier à des moniteurs plus perfectionnés que les nôtres.

Tess sentit que le brouillard qui enveloppait la pièce s'épaississait.

— Il doit bien y avoir quelque chose que vous puissiez faire ? bégaya-t-elle.

— Je crains que non. Pas avec un coma. Je peux garder un œil sur sa pression sanguine, sur l'oxygénation de son sang, mais il n'y a aucun moyen de…

Il fit une pause pour chercher le mot approprié.

— ... réveiller quelqu'un et le sortir de là. Nous devons simplement attendre.

Elle eut presque peur de demander.

— Combien de temps ? parvint-elle à dire.

Il écarta les mains vers le ciel pour traduire son incertitude.

— Quelques heures, quelques jours, quelques semaines… Tout est possible… Il n'y a pas de moyen de le savoir…

Sa voix se tut, mais ses yeux exprimèrent le reste. La question n'était pas seulement de savoir « quand ».

Tess hocha la tête. Elle lui était reconnaissante de ne pas verbaliser l'horrible possibilité qui s'était immiscée dans sa tête dès l'instant où elle était entrée dans la pièce.

81

Poussant son pied à perfusion, Tess erra entre sa chambre et celle de Reilly pendant tout le reste de la journée. Chaque fois, elle trouvait Eleni près de lui. L'infirmière la ramenait gentiment vers son lit en lui assurant dans un anglais sommaire que son ami allait bien.

La jeune archéologue avait donné au médecin et à sa femme une version édulcorée des événements qui les avaient conduits, Reilly et elle, sur cette île. Elle avait notamment omis d'expliquer pourquoi ils étaient là et n'avait pas mentionné le patrouilleur turc qui avait ouvert le feu sur eux. Elle avait veillé à préciser qu'ils n'étaient pas seuls sur le bateau de plongée, au cas où d'autres naufragés auraient été trouvés, vivants ou morts. Mavromaras l'avait informée que si des débris, provenant sans doute du *Savarona*, s'étaient échoués sur leur île, il n'avait pas entendu parler de la découverte d'autres survivants ou de corps.

Tess avait utilisé le téléphone pour appeler l'Arizona. Elle avait immédiatement obtenu la maison de sa tante. Kim et Eileen étaient là. Elles avaient été très inquiètes de ne pas avoir de nouvelles. Malgré les parasites et l'écho de la ligne, leur étonnement fut considérable quand elles apprirent qu'elle se trouvait sur une minuscule île grecque. Tout au long de la conversation, elle avait bien fait attention à ne pas prononcer le nom de l'île, tout en se demandant ensuite pourquoi elle s'en était souciée. Puis elle avait compris qu'elle ne se sentait pas prête à affronter le monde extérieur et ses questions.

Après avoir raccroché, elle estima qu'elle s'était assez bien débrouillée pour apaiser leurs craintes. Elle leur avait expliqué qu'elle explorait une possibilité professionnelle inattendue dans la région et qu'elle les recontacterait prochainement.

Vers le crépuscule, deux femmes du cru se présentèrent à la maison du médecin et furent conduites dans la chambre de Tess. Si elles parlaient peu l'anglais, elle comprit qu'elles étaient les épouses de certains des pêcheurs qui les avaient trouvés sur la plage. Elles lui apportaient des vêtements : deux pantalons de coton, une chemise de nuit, deux chemises blanches et un épais gilet de coton dans lequel elle s'enveloppa avec plaisir. Les autochtones avaient aussi apporté un vaste plat d'argile plein de *giouvetsi* bouillant. Eleni expliqua qu'il s'agissait d'un ragoût d'agneau et de riz. Reconnaissante, Tess se surprit à en dévorer une grande assiettée avec un appétit retrouvé.

Plus tard, un bain chaud accomplit des miracles sur ses courbatures. Mavromaras vint changer le pansement de son bras. En les voyant, elle eut l'impression que les meurtrissures violettes laissées par la corde ne disparaîtraient jamais. Puis, en dépit des objections de son hôte, elle passa l'essentiel du reste de la soirée assise au chevet de Reilly. Tess savait que certaines personnes parlaient aux êtres qu'elles aimaient et qui se trouvaient dans le coma. Mais elle éprouva des difficultés. Elle ignorait si cela pouvait l'aider ou non et, au regard de tout ce qui s'était passé, elle n'était pas sûre que la voix qu'il ait envie d'entendre soit la sienne. Elle se sentit coupable de tout ce qu'ils avaient traversé et même s'il y avait beaucoup de choses qu'elle aurait voulu lui dire, elle préférait le faire quand il serait en mesure de répondre. Favorablement ou non. Elle ne voulait pas s'imposer à lui alors qu'il était au mieux un auditeur captif et, au pire, incapable de l'entendre.

Vers minuit, elle succomba à la fatigue, tant physique que nerveuse, et regagna sa chambre. La tête nichée entre deux oreillers, elle plongea sans effort dans le sommeil.

Le lendemain matin, Tess se sentit assez forte pour s'aventurer à l'extérieur de la maison. Le vent continuait de souffler mais la pluie s'était arrêtée. Elle estima qu'une courte promenade lui ferait le plus grand bien.

Elle enfila ses vêtements et alla voir Reilly. Eleni était là, comme toujours, et lui massait doucement la jambe. Mavromaras apparut bientôt et l'examina. L'état de Reilly était stable, lui dit-il, mais il ne s'était pas amélioré significativement.

Il lui expliqua que dans ce type de situation, l'amélioration n'était pas progressive. Elle survenait d'un coup. Reilly, s'il devait émerger de son coma, se réveillerait simplement, sans signe physiologique annonciateur.

Le médecin devait aller voir un autre de ses patients à l'autre bout de l'île et annonça qu'il serait de retour deux heures plus tard. Tess lui demanda si elle pouvait l'accompagner jusqu'à sa voiture.

— Le service médical aérien de Rhodes m'a appelé ce matin, l'informa-t-il quand ils furent dehors. Il devrait pouvoir envoyer l'hélicoptère demain.

Si Tess était impatiente, quelques heures plus tôt, de conduire Sean dans un hôpital décent, elle doutait à présent.

— J'ai réfléchi à ce que vous avez dit. Est-ce que vous pensez que nous devrions l'envoyer là-bas ?

— Ça dépend de vous. C'est un très bon hôpital et je connais son directeur. Ils vont veiller sur lui. Je peux vous l'assurer.

L'incertitude dut transparaître sur le visage de Tess, car le médecin ajouta :

— Nous n'avons pas à prendre une décision maintenant. Voyons comment il sera demain et nous déciderons à ce moment-là.

Ils traversèrent la rue en contournant deux grandes mares d'eau et arrivèrent près d'une vieille Peugeot rouillée. Mavromaras ouvrit sa portière qui, remarqua Tess, n'était pas fermée à clé.

Elle regarda la rue étroite de haut en bas. Malgré le mauvais temps persistant, la ville était d'une beauté époustouflante. Des rangées de maisons néoclassiques bien ordonnées, peintes de couleurs pastel, enjambaient la colline pentue jusqu'au petit port lové au-dessous. Nombre d'entre elles avaient des frontons triangulaires et des toits de tuiles rouges. Elles présentaient une plaisante uniformité de style. De chaque côté de la rue, l'eau coulait des gouttières débordantes et dévalait les volées de marches raides coupant la colline. Au-dessus de leurs têtes, le ciel déchiré semblait encore prêt pour un nouveau déchaînement.

— C'était une tempête apocalyptique, observa Tess.

Mavromaras regarda les nuages en acquiesçant.

— Elle était bien pire que tout ce dont on peut se souvenir ici. Même les plus vieux ne se rappellent pas en avoir vu une semblable. Surtout à cette période de l'année...

Tess songea à la tempête qui avait frappé le *Faucon-du-Temple* plusieurs siècles auparavant et, presque pour elle-même, murmura :

— La manifestation de la volonté divine.

Surpris par la remarque de la jeune femme, le médecin souleva un sourcil intrigué.

— Peut-être. Mais si vous voulez penser en ces termes, pensez qu'il s'est surtout agi d'un miracle.

— Un miracle ?

— Oui. C'est un miracle que vous et votre ami ayez échoué sur notre petite île. La mer est vaste par ici. Un peu plus au nord, vous auriez atterri sur la côte turque qui, dans ce secteur, est rocheuse et totalement déserte. Les villes sont de l'autre côté de la péninsule. Un peu plus au sud, vous auriez totalement raté notre île pour partir dans la mer Egée et...

Il leva les sourcils et hocha la tête d'un air entendu, laissant à Tess le soin de compléter.

— Je dois y aller. Je serai de retour cet après-midi.

La jeune femme regrettait qu'il s'en aille. Sa présence avait quelque chose de réconfortant.

— Il n'y a rien que je puisse faire pour l'aider ?

— Votre ami est en de bonnes mains. Mon épouse est une excellente infirmière. Et même si notre clinique ne ressemble pas aux hôpitaux auxquels vous êtes habituée en Amérique, croyez-moi quand je vous dis que nous avons beaucoup d'expérience concernant le traitement de toutes sortes de blessures. Même sur une petite île comme celle-ci, les gens se blessent.

Il s'interrompit, réfléchit un moment puis ajouta :

— Est-ce que vous lui avez parlé ?

— A lui ?

— Vous devriez. Parlez-lui. Donnez-lui de la force.

Son ton était presque paternel.

— Vous devez penser que vous êtes tombée sur quelque charlatan un peu sorcier d'un obscur trou perdu. Mais je vous assure que ce n'est pas le cas. De nombreuses études d'éminents professeurs soutiennent cette idée. Qu'il soit dans le coma ne veut pas dire qu'il n'entend pas. Cela signifie simplement qu'il ne peut pas répondre... Pas encore.

Il s'arrêta à nouveau, les yeux brillants d'optimisme et d'empathie.

— Parlez-lui... et priez pour sa guérison.

Tess laissa échapper un petit rire et détourna un regard plein de regret.

— Je ne suis pas très douée pour ça.

— A votre manière, même si vous ne vous en rendez pas compte, vous le faites déjà. Vous priez pour lui simplement en souhaitant qu'il guérisse... Beaucoup de prières sont dites à son intention.

Le médecin tendit le doigt vers une petite chapelle, de l'autre côté de la rue. Tess put voir quelques autochtones se saluant à sa porte, certains entrant, d'autres sortant.

— Beaucoup d'hommes sur cette île vivent de la mer, continua-t-il. Il y avait quatre bateaux de pêche en mer la nuit de la tempête. Leurs familles ont prié Dieu et l'archange saint Michel. Maintenant, de nouvelles prières sont dites. Des prières d'actions de grâce. Et des prières pour la guérison de votre ami.

— Ils prient pour sa guérison ?

— Nous le faisons tous.

— Mais vous ne le connaissez même pas.

— Cela n'a aucune importance. La mer nous l'a amené. Il est de notre devoir de le soigner et de le guérir pour qu'il puisse poursuivre sa vie.

Il monta dans sa voiture.

— Maintenant, je dois y aller.

Avec un petit signe de la main et un dernier regard, il partit en franchissant des mares boueuses et disparut au bas de la colline.

Pendant un moment, Tess le regarda s'éloigner. Elle tourna les talons pour regagner la maison, puis hésita. Elle ne pouvait se souvenir de la dernière fois qu'elle était entrée dans une chapelle, une église ou tout autre édifice religieux – sauf pour son travail et, naturellement, pendant le bref épisode de son passage dans l'église calcinée de Manhattan. Traversant en pataugeant la rue trempée, elle franchit la petite cour de cailloux, poussa la porte et pénétra à l'intérieur.

La chapelle était à demi pleine. Assis sur de vieux bancs usés par les ans, des fidèles étaient plongés dans leurs prières. Tess resta au fond et regarda autour d'elle. La petite église était toute simple avec ses murs blanchis à la chaux recouverts de fresques du XVIIIe siècle. La lueur de dizaines de cierges l'éclairait. Faisant le tour du sanctuaire, elle remarqua une alcôve qui contenait des icônes de saint Gabriel et de saint Michel ornées de pierres précieuses. Une étrange sensation envahit la jeune femme, transportée par la lueur des bougies tremblotantes et les murmures étouffés. Elle ressentit un soudain élan vers la prière. Cette idée la mit mal à l'aise et elle la refoula, convaincue que prier serait parfaitement hypocrite.

Elle s'apprêtait à s'en aller quand elle remarqua les deux femmes qui, la veille, lui avaient apporté la nourriture et les vêtements. Deux hommes les accompagnaient. Les îliennes la virent et se précipitèrent vers elle. Elles manifestèrent un plaisir non dissimulé de la voir rétablie, répétant incessamment la même phrase :

— *Doxa to Theo.*

Même si Tess ne comprenait pas ce qu'elles disaient, elle leur sourit en retour et hocha la tête, émue par l'intérêt qu'elles portaient à sa santé. La jeune archéologue devina que les hommes étaient leurs maris, les pêcheurs qui avaient échappé à la fureur de l'ouragan. Ils la saluèrent eux aussi chaleureusement. L'une des femmes montra du doigt un petit groupe de bougies dans une niche au fond de la chapelle. Elle dit quelque chose que Tess ne comprit d'abord pas, mais dont le sens s'éclaira progressivement. Elle expliquait à Tess qu'elles avaient allumé des cierges pour Reilly.

L'Américaine les remercia. Un moment, elle resta immobile, à observer la nef de la chapelle et la population de la petite ville qui était assise là, unie dans la prière à la lumière diffuse des bougies. Puis elle repartit vers la maison du médecin.

Elle passa le reste de la journée près du lit de Reilly. Après des débuts hésitants, elle s'aperçut qu'elle était capable de lui parler. Elle évita d'évoquer les événements récents et, comme elle connaissait très peu sa vie, elle décida de s'en tenir à son propre passé. Elle lui raconta des histoires concernant ses aventures sur le terrain, ses fouilles, ses succès, ses échecs, des anecdotes sur Kim, tout ce qui lui passait par la tête.

Eleni entra dans la chambre vers midi pour l'inviter à descendre déjeuner. Le moment ne pouvait être mieux choisi, car elle se trouvait à court d'histoires et se dirigeait – fort périlleusement – vers l'obligation d'affronter tout ce qu'ils avaient traversé ensemble. L'idée de parler d'un sujet sensible avec lui alors qu'il était encore inconscient la mettait mal à l'aise.

Mavromaras était rentré de ses consultations. Tess l'informa qu'elle avait réfléchi à l'idée de déplacer Sean à Rhodes, et qu'elle préférait le laisser là où il était, tant que le médecin et sa femme acceptaient de les accueillir. Sa décision parut le réjouir et elle fut soulagée de l'entendre répondre, en termes dénués d'ambiguïté, que son ami et elle pouvaient rester là jusqu'à ce qu'une décision importante concernant son état doive être prise.

Le lendemain matin, Tess s'installa au chevet de Reilly. Après le déjeuner, elle ressentit le besoin de prendre l'air. Constatant que la tempête s'était apaisée, elle décida de s'aventurer un peu plus loin.

Le vent n'était plus qu'une forte brise et la pluie avait enfin cessé. En dépit des gros nuages sombres qui flottaient dans le ciel au-dessus de l'île, elle se dit qu'elle aimait cette ville. Elle n'avait pas encore été souillée par le développement moderne et avait conservé intact le charme simple de son passé. Tess trouva apaisantes les ruelles étroites et les maisons pittoresques, et réconfortants les sourires des passants qu'elle croisait. Mavromaras lui avait raconté que Symi avait vécu des temps très durs après la Seconde Guerre mondiale. Pendant le conflit, une grande partie de la population avait dû faire ses paquets et quitter l'île après son bombardement tant par les Alliés que par les forces de l'Axe qui, alternativement, l'avaient occupée. Heureusement, l'île et ses habitants avaient connu des améliorations significatives de leur situation ces dernières années. Elle prospérait de nouveau maintenant que les Athéniens et les étrangers, séduits par son charme, achetaient les vieilles maisons et les restauraient soigneusement pour leur redonner leur ancienne splendeur.

Elle gravit les marches de pierre de la Kali Strata, dépassa le vieux musée et atteignit les ruines d'un château qui avait été construit par les chevaliers de Saint-Jean, les Hospitaliers, au début du XVe siècle, sur le site d'une fortification plus ancienne. Mais il avait été détruit par une explosion pendant la dernière guerre, alors qu'il abritait des stocks de munitions nazis. Tess se promena dans les méandres de l'ancien site. Elle s'arrêta devant la plaque célébrant le souvenir de Philibert de Naillac, le grand maître français des chevaliers[1]. Encore des chevaliers, jusque dans ce petit coin perdu de la planète, songea-t-elle en pensant aux Templiers. Elle s'extasia devant le panorama spectaculaire qui s'offrait à elle sur le port et la mer moutonneuse au-delà. La jeune femme regarda des hirondelles entrer et sortir des arbres près des vieux moulins à vent. Un bateau solitaire – un chalutier – quittait le petit port endormi. L'immensité bleue encerclant l'île réveilla un sentiment déstabilisant au fond d'elle. Réprimant son malaise, elle éprouva une envie soudaine de voir la plage où Reilly et elle avaient été découverts.

Elle se dirigea vers la place principale, où elle rencontra un automobiliste qui se rendait au monastère de Panormitis, au-delà du village de Marathounda. Un court voyage cahoteux plus tard, l'homme la déposa à l'entrée de la bourgade. En s'avançant au milieu du petit groupe de maisons, elle rencontra avec surprise les deux pêcheurs qui les avaient sauvés sur la plage. Leurs visages s'illuminèrent quand ils la reconnurent. Ils insistèrent pour qu'elle vienne prendre une tasse de café avec eux à la petite taverne locale. Tess accepta volontiers.

Bien que la conversation fût sérieusement limitée du fait de la barrière de la langue, Tess comprit que de nouveaux débris du *Savarona* avaient été découverts. Ils la conduisirent jusqu'à une petite décharge juste derrière la taverne. Là, ils lui montrèrent les morceaux de bois et de fibre de verre qui avaient été ramassés sur les plages des deux côtés de la baie. La

---

1. Grand maître des Hospitaliers de 1391 à 1421 (né vers 1340). Après la défaite et le carnage de Nicopolis (1396), où les troupes du sultan Bajazet Ier déciment les armées croisées, le grand maître de Naillac, qui a échappé de peu à la mort pendant la bataille, contribue largement à sauver les prisonniers (en payant la rançon quasiment sur ses propres deniers) et à les faire soigner à Rhodes, rétablissant par là la vocation hospitalière première de l'Ordre. (*N.d.T.*)

tempête et le naufrage lui revinrent en mémoire. Elle éprouva de la tristesse en pensant aux hommes qui avaient perdu la vie sur le bateau et dont les corps ne seraient jamais récupérés.

Elle remercia encore ses sauveurs et se retrouva bientôt sur la plage déserte balayée par le vent. La brise ramenait les effluves vivifiants de la mer agitée. La convalescente fut soulagée de voir le soleil se deviner à travers les nuages et se frayer un passage après une longue absence. Elle marcha lentement le long de l'eau. Les images floues de cette matinée fatale remontèrent à sa conscience.

A l'autre extrémité de la plage, hors de vue du petit village à l'embouchure de la baie, elle atteignit un affleurement de roches noires. Elle grimpa dessus, trouva un espace plat et s'assit. Serrant ses genoux contre sa poitrine, elle tourna son regard vers la mer. A bonne distance, un gros rocher sortait de l'eau. Des lames déferlantes et écumantes s'écrasaient dessus. Il avait l'air dangereux. Encore un péril auquel Reilly et elle avaient échappé. Elle prit conscience des cris des mouettes. Levant les yeux, elle en vit deux plongeant gaiement sur un poisson mort qu'elles se disputaient.

Au même instant, elle s'aperçut que des larmes coulaient sur ses joues. Elle ne sanglotait pas. Elle ne pleurait même pas vraiment. C'étaient juste des larmes, coulant de nulle part. Aussi vite qu'elles étaient apparues, elles se tarirent. Elle se rendit compte qu'elle frissonnait. Mais pas de froid. C'était quelque chose qui montait du plus profond d'elle-même. Sentant qu'elle devait se débarrasser de cette sensation, elle se releva et continua sa promenade. Elle gravit les rochers et trouva un sentier qui serpentait le long du rivage.

Elle le suivit, dépassa trois criques rocheuses et atteignit une autre baie, plus isolée, à l'extrémité sud de l'île. Aucune route ne semblait y conduire. Un croissant de sable vierge se déployait devant elle pour se terminer au pied d'un autre promontoire déchiqueté.

Dans le crépuscule diffus, elle baissa les yeux vers la plage au-dessous d'elle. Une forme étrange attira son attention. Elle gisait à l'autre bout de la baie, au pied des rochers. Tess plissa les yeux pour mieux accommoder dans la lumière déclinante. Insensiblement, elle prenait conscience que sa respiration s'accélérait et que sa bouche s'asséchait. Son rythme cardiaque s'emballa.

Ce ne peut pas être… ce n'est pas possible, pensa-t-elle.

Elle se retrouva courant sur le sable. La possibilité qu'elle entrevoyait lui donnait le vertige. Hors d'haleine, elle arriva à quelques mètres de la « chose » et s'immobilisa.

C'était bien la figure de proue à tête de faucon, encore prisonnière de son harnachement de cordages et enveloppée dans les flotteurs orange à demi dégonflés.

La tête paraissait intacte.

82

Avec hésitation, elle tendit les doigts et toucha le faucon. Puis, ses yeux écarquillés détaillant la sculpture, elle passa ses mains dessus comme pour une caresse. Son imagination la propulsa dans le passé, jusqu'à l'époque des Templiers, jusqu'à Aimard et ses hommes, jusqu'à leur ultime et fatal voyage à bord du *Faucon-du-Temple*.

Une mosaïque d'images envahit son esprit. Elle essaya de se remémorer les mots d'Aimard. Qu'avait-il dit exactement ? Le coffret avait été placé dans une cavité creusée à l'arrière de la tête du faucon. Le trou avait été comblé par de la résine, puis recouvert avec une pièce de bois s'ajustant parfaitement, calée par des chevilles. Et une autre couche de résine avait achevé de sceller l'ensemble.

Examinant l'arrière de la tête de faucon, elle discerna les marques indiquant l'endroit où la résine avait été appliquée, les bords de la plaque et les chevilles qui la maintenaient en place. Les sceaux avaient tous l'air intacts. Apparemment, l'eau n'avait pu s'introduire à l'intérieur de la cavité scellée par la substance visqueuse. D'après ce qu'elle pouvait voir, il était probable que ce qui avait été enfermé à l'intérieur, dans le coffret, était intact aussi.

Regardant autour d'elle, elle repéra deux galets et les utilisa comme marteau et burin pour dégager la cavité. Les premières couches de bois cédèrent facilement, mais le reste résista à ses outils de fortune. En faisant le tour de la plage, elle tomba sur un morceau d'acier rouillé dont elle employa le côté pointu pour gratter la résine. Travaillant fébrilement, avec un total mépris des questions de conservation auxquelles l'archéologue qu'elle était n'aurait pas manqué de veiller quelques semaines plus tôt, elle parvint à dégager le couvercle de bois et à attaquer la cavité. Elle pouvait maintenant voir le côté du coffret. Il était petit et ouvragé. Essuyant son front en sueur, elle réussit à gratter suffisamment de résine autour de l'objet et utilisa la barre pour le déloger. Enfin, elle put glisser ses doigts autour de la petite boîte et la sortit.

Son excitation était à son comble. Elle essaya de la contrôler, mais c'était impossible. C'était là, vraiment là, dans ses mains. Bien que le coffret fût abondamment orné d'incrustations d'argent, il était d'une légèreté étonnante. Elle le porta à l'abri d'un gros rocher afin de pouvoir l'examiner soigneusement. Le fermoir de métal n'avait pas de serrure, mais un anneau de fer forgé. Elle se servit d'un autre morceau de roche pour le marteler. Il finit par se séparer du bois. Alors elle fut en mesure de soulever le couvercle du coffret et regarda à l'intérieur.

Avec précaution, elle sortit son contenu. C'était un paquet enveloppé dans une peau d'animal huilée ressemblant à celle qu'Aimard avait utilisée pour protéger l'astrolabe. Elle défit les liens de cuir qui l'entouraient et, très lentement, déplia la peau. Bien protégé à l'intérieur se cachait un livre, un manuscrit ancien relié de cuir.

A l'instant où elle le vit, elle sut ce que c'était.

L'objet lui sembla inexplicablement familier. Son humble simplicité contredisait son prodigieux contenu. Avec des doigts tremblants, elle souleva légèrement la couverture et contempla l'écriture de la première page. La calligraphie était défraîchie, mais lisible. Et pour autant qu'elle pût le dire, le contenu du manuscrit n'avait subi aucun dommage. Avec une absolue certitude, elle sut qu'elle était la première personne à le voir, à voir le trésor mythique des Templiers, depuis qu'il avait été placé dans le coffret sept siècles plus tôt par Guillaume de Beaujeu et confié à Aimard de Villiers.

Sauf que ce n'était plus un mythe.

C'était réel.

Soigneusement, consciente que cette opération aurait dû s'effectuer en laboratoire – ou tout au moins pas en extérieur – mais incapable de résister à l'envie irrépressible de s'offrir un examen plus attentif, Tess ouvrit le manuscrit un peu plus et souleva une feuille de parchemin. Elle reconnut la teinte brunâtre familière de l'encre utilisée à l'époque, faite d'un mélange de suie de charbon, de résine, de lie de vin et d'encre de seiche. L'écriture manuscrite était difficile à déchiffrer, mais elle reconnut quelques mots qui lui suffirent à comprendre qu'il s'agissait d'araméen.

Elle marqua une pause. Ses yeux étaient rivés sur le manuscrit ancien.

De l'araméen.

La langue parlée par Jésus.

Le sang battant bruyamment à ses tempes, elle examina les feuillets libres et reconnut d'autres mots ici ou là.

Très lentement, presque à contrecœur, elle commença à deviner ce qu'elle avait entre les mains. Et à comprendre qui était l'homme qui, le premier, avait touché ces feuilles de parchemin, celui dont la main avait tracé ces mots.

C'étaient les écrits de Jeshua de Nazareth.

Les écrits de l'homme que le monde entier connaissait sous le nom de Jésus-Christ.

83

Etreignant la peau tannée qui contenait le manuscrit, Tess rentra en suivant la plage. Le soleil se couchait. Les dernières lueurs filtraient à travers le mur de nuages gris qui flottaient sur l'horizon.

Elle avait décidé de ne pas rapporter le coffret, choisissant plutôt de le cacher derrière un gros rocher, afin de ne pas attirer l'attention. Elle reviendrait le chercher plus tard. Son esprit se débattait encore avec les implications de ce qu'elle croyait tenir dans ses mains. Ce n'était pas un tesson de poterie. Ce n'était même pas une Troie ou un Toutankhamon. C'était quelque chose qui pouvait changer le monde. Cela devait être manipulé, pour le moins, avec un soin extrême.

En approchant du petit groupe de maisons de Marathounda, elle retira son gilet et en enveloppa le paquet. Les deux pêcheurs avaient quitté la taverne, mais l'un des hommes encore présents la reconnut et accepta de la ramener en voiture chez le médecin.

Lorsqu'elle fit son apparition, Mavromaras l'accueillit avec un immense sourire.

— Où êtes-vous allée ? Nous vous avons cherchée.

Avant que Tess ait pu inventer quelque mensonge, il l'entraîna à l'intérieur de sa maison, vers les chambres.

— Venez vite. Quelqu'un veut vous voir.

— Salut, dit Reilly faiblement.

Il la regardait. On l'avait déconnecté du respirateur. Une vaillante tentative de sourire affleurait sur ses lèvres desséchées. Adossé à trois grands oreillers, il était assis confortablement. Tess sentit quelque chose remuer en elle.

— Salut, répondit-elle.

Le soulagement se lisait sur son visage. Elle se sentit euphorique comme elle ne l'avait jamais été. Essayant de ne pas attirer l'attention d'Eleni ou du médecin sur ce qu'elle faisait, elle déposa le gilet roulé en boule sur une petite commode faisant face au lit. Puis elle se rapprocha de Reilly et lui tapota très doucement le front. Ses yeux parcoururent le visage meurtri de son ami et elle se mordit la lèvre inférieure.

— C'est formidable de te voir de retour parmi nous, parvint-elle à dire d'une toute petite voix, sentant les larmes monter.

Il haussa les épaules. Son visage s'illumina lentement.

— A partir de maintenant, c'est moi qui choisis nos destinations de vacances, d'accord ?

Cette fois, ce furent ses traits à elle qui s'éclairèrent. Elle fut incapable de retenir une larme.

— Promis.

Les yeux humides, elle se tourna vers le médecin et sa femme. Ses lèvres formèrent un « Merci », mais aucun son n'en sortit.

Le couple se contenta de sourire et de hocher la tête.

— Je... nous vous devons tous les deux la vie. Comment pourrai-je jamais vous exprimer ma reconnaissance ? bredouilla Tess.

— Voilà une bien belle absurdité, répondit Mavromaras. Nous avons un proverbe : *Den hriazete euharisto, kathikon mou.* Cela signifie qu'aucun remerciement n'est nécessaire pour ce qui est un devoir.

Il regarda son épouse et lui adressa un signal muet.

— Nous allons vous laisser, ajouta-t-il doucement. Je suis certain que vous avez beaucoup de choses à vous dire.

La jeune Américaine se précipita vers le médecin, qu'elle étreignit et embrassa sur les deux joues. Rougissant sous son hâle, il sourit et sortit de la pièce pour les laisser seuls.

En revenant vers le lit de son compagnon, Tess regarda le gilet roulé en boule sur la commode, comme une bombe prête à exploser. Elle se sentit soudain mal à l'aise à l'idée d'être malhonnête, tant vis-à-vis du couple généreux qui lui avait sauvé la vie qu'envers Sean. Elle avait terriblement envie de lui parler de sa découverte, mais elle savait que ce n'était pas le bon moment.

Bientôt.

Le cœur lourd, elle parvint à sourire et le rejoignit près du lit.

Reilly avait l'impression d'avoir été absent des semaines. Il ressentait un étrange engourdissement des muscles. Une sensation de vertige ne quittait pas sa tête. L'une de ses paupières était encore fermée. Et sa mémoire n'était pas totalement revenue.

Il ne se souvenait pas de ce qui s'était passé après avoir tiré sur De Angelis et s'être jeté à l'eau. Il avait demandé à Mavromaras comment il s'était retrouvé là. Le médecin n'avait pu lui fournir que des détails fragmentaires qu'il avait appris de Tess. Mais se réveiller et découvrir qu'elle était là elle aussi avait été un immense soulagement pour lui.

Prudemment, il essaya de se redresser pour s'asseoir. L'effort lui arracha une grimace de douleur, aussi se laissa-t-il retomber sur les oreillers.

— Alors, comment avons-nous atterri ici ? interrogea-t-il.

Il écouta Tess lui raconter ce dont elle se souvenait. Mais sa propre mémoire présentait une lacune, entre l'énorme vague et le réveil sur la plage. Elle lui parla du choc qu'il avait reçu à la tête, du panneau d'écoutille auquel elle les avait attachés. En évoquant cet épisode, elle lui montra la profonde trace sur son bras et continua en lui expliquant comment elle avait accroché leurs gilets de sauvetage ensemble. Et puis il y avait eu cette montagne d'eau.

A son tour, Tess voulut savoir pourquoi le patrouilleur des gardes-côtes turcs leur avait tiré dessus. Alors Reilly lui narra ses propres aventures, depuis le moment où De Angelis était descendu de l'hélicoptère dans la montagne turque.

— Je suis désolée, répondit-elle, contrite. Je ne sais pas ce qui m'a pris. Je ne sais pas… C'était juste… J'ai dû perdre la tête pour te laisser là comme ça. Toute cette folie…

Elle ne put trouver les mots pour traduire son remords.

— Ne t'inquiète pas, répondit-il.

Un sourire timide passa sur ses lèvres craquelées.

— N'en parlons plus. On s'en est sortis tous les deux et c'est le principal, non ?

Elle continuait de se sentir gênée, mais elle hocha la tête et lui sourit pour le remercier de se montrer si compréhensif.

Sean poursuivit. Il lui expliqua que l'ecclésiastique se trouvait derrière toute l'affaire. C'était lui qui avait tué les cavaliers à New York, il était allé jusqu'à manœuvrer lui-même le canon sur le *Karadeniz*. Enfin, il lui raconta comment il avait tué De Angelis.

Puis il se mit à parler des révélations du cardinal Brugnone.

Tess éprouva un immense sentiment de culpabilité quand Reilly lui exposa tout ce qui lui avait été dévoilé au Vatican. La réalité phénoménale de ce qu'elle avait trouvé sur la plage se voyait confirmée par ceux-là mêmes à qui cette découverte devait nuire le plus. Ils avaient tout avoué à Sean et cette révélation électrisait la jeune femme. Mais elle ne pouvait pas le montrer. Elle fit de son mieux pour paraître étonnée, posant des questions et se détestant un peu plus à chaque fois qu'elle devait simuler la surprise. Elle aurait voulu sortir le manuscrit de son paquet et partager cette découverte avec lui, ici et maintenant. Mais elle ne pouvait le faire. Elle voyait bien qu'un malaise hantait l'agent du FBI. Il était évident que l'aveu de Brugnone et l'exposé du mensonge sur lequel l'Eglise était bâtie avaient ouvert une plaie béante en lui. Elle ne pouvait pas lui porter maintenant le coup final en lui dévoilant ce qu'elle avait trouvé. A cet instant, elle n'était même pas certaine de pouvoir le faire un jour. Il avait besoin de temps. Et elle aussi en avait besoin, pour réfléchir à tout cela.

— Ça va aller pour toi ? demanda-t-elle.

Reilly regarda dans le vide un moment. Son visage s'était voilé. Il essayait de traduire ses sentiments en mots.

— C'est bizarre, mais toute cette folie, la Turquie, le Vatican, la tempête... J'ai l'impression que ce n'était qu'un cauchemar. Peut-être que je suis abruti par les médicaments, je suis sûr que tout va ressortir à un moment donné. Pour l'instant, je me sens si fatigué... J'ai simplement la sensation d'être totalement vidé. Mais je ne sais pas quelle part de cet épuisement est physique et quelle part est... due à autre chose.

Tess scruta le visage affaibli de son ami. Non, ce n'était assurément pas le bon moment pour lui parler.

— Vance et De Angelis ont eu ce qu'ils méritaient, dit-elle à la place.

Ses traits s'illuminèrent.

— Et toi, tu es vivant. Il y a là motif à avoir la foi, tu ne crois pas ?

— Peut-être, répondit-il avec un demi-sourire peu convaincant.

Les yeux de Reilly parcoururent le visage de Tess. Bien qu'il eût envie de dormir, il se surprit à penser à l'avenir. Jusqu'alors, il n'y avait jamais réfléchi. Il fut étonné de voir ces préoccupations lui traverser l'esprit à cet instant, alors qu'il était à peine vivant sur ce rivage lointain.

Pendant un moment, il se demanda s'il continuerait ou non à faire partie du FBI. Il avait toujours aimé son métier, mais cette affaire allait lui laisser des cicatrices profondes. Pour la première fois, il se sentit fatigué de la vie qu'il avait choisie, fatigué de passer ses journées à se débattre pour comprendre ce qui se passait dans la tête de crapules démentes, fatigué de côtoyer ce que la planète avait de pire à offrir. Il se demanda si un changement de carrière permettrait de restaurer son plaisir de vivre et sa foi en l'humanité.

Il sentit ses paupières tomber.

— Désolé, articula-t-il. Je crois qu'on va devoir remettre la suite à plus tard.

Tess le regarda plonger dans un profond sommeil et se sentit elle-même épuisée.

Elle repensa à une chose à propos de laquelle il avait plaisanté : le choix des vacances. Cette évocation ramena un sourire sur ses lèvres et elle secoua doucement la tête. La jeune femme songea que c'était justement de vacances qu'elle avait besoin, et elle savait exactement où elle allait les prendre. Tout à coup, l'Arizona eut le parfum du paradis. Elle décida de s'y rendre sans même retourner au bureau. Un simple changement d'avion et elle filerait rejoindre sa fille. Et si Guiragossian ou qui que ce soit d'autre à l'institut n'aimait pas ça, eh bien qu'il aille au diable.

Il lui apparut soudain qu'il y avait quantité de choses intéressantes à faire pour une archéologue dans les Etats du Sud-Ouest. Elle se rappela que Phoenix possédait un musée de renommée internationale. Puis elle jeta un nouveau coup d'œil à Sean, né et élevé à Chicago, New-Yorkais d'adoption, manifestement accro aux mégapoles et incapable de s'en éloigner. Elle se demanda s'il pourrait un jour mener une existence paisible dans un Etat désert. Cette question avait de l'importance pour elle. Beaucoup d'importance. Peut-être plus que toute autre chose.

Sortant sur le balcon de la chambre, elle se perdit dans la contemplation des étoiles. Délicieusement, elle se remémora cette nuit où Reilly et elle s'étaient retrouvés seuls à bivouaquer, en route vers le lac.

L'île était silencieuse, même dans la journée. Mais, la nuit, elle devenait divinement paisible. Tess s'imprégnait de son calme et de son silence. Peut-être existait-il de telles nuits en Arizona, mais pas à New York. Elle pensa à Reilly en se demandant ce qu'il dirait et ferait si elle quittait l'institut Manoukian et déménageait. Elle lui poserait peut-être la question.

Goûtant le spectacle de la mer scintillante, elle s'interrogea sur ce qu'il y avait lieu de faire du manuscrit. C'était indubitablement l'une des découvertes archéologiques et religieuses les plus importantes de tous les temps, une découverte qui pouvait avoir des conséquences cruciales pour des centaines de millions d'êtres humains. La rendre publique ferait d'elle le membre le plus célèbre de sa profession depuis les trouvailles faites dans les grandes pyramides d'Egypte, près de quatre-vingts ans plus tôt. Mais quelles seraient les répercussions sur le reste du monde ?

Elle voulait parler de cela à quelqu'un.

Tess comprit qu'elle allait devoir le faire, et très vite. Mais pour l'instant, elle avait surtout besoin de se reposer. Elle pensa d'abord regagner son propre lit, mais elle revint dans la chambre de Sean et se blottit près de lui. Fermant les yeux, elle s'endormit très vite.

84

Les jours suivants s'écoulèrent dans une sorte d'enchantement. Tess passait du temps avec Reilly le matin, avant de sortir pour de longues promenades, puis rentrait à l'heure du déjeuner. Elle ressortait en fin d'après-midi, généralement pour monter jusqu'aux ruines du château, d'où elle pouvait voir le soleil se fondre dans les eaux égéennes scintillantes. C'était le moment du jour qu'elle goûtait le plus. Plongée dans ses réflexions silencieuses, avec les fragrances de sauge et de camomille descendant de la colline, elle trouvait cet endroit au milieu des rochers rassurant. Ce répit l'éloignait du petit paquet posé dans sa chambre, qui ne cessait de tourmenter son esprit.

Au cours de ses promenades, elle avait rencontré beaucoup de monde. Les autochtones n'étaient jamais avares de sourires et ils avaient toujours du temps pour une brève conversation. Dès le troisième jour, elle connaissait la plupart des petites rues et des passages de la ville et avait commencé à s'aventurer plus loin. En suivant la mélodie pastorale des braiments des ânes et des clochettes des chèvres, elle était partie explorer les coins les plus perdus de l'île. Elle avait ainsi fait une longue marche jusqu'au minuscule îlot de San Emilianos. Là, elle avait admiré les icônes de l'église blanchie à la chaux et elle avait erré sur la plage de galets, observant les oursins sur les rochers, juste sous la surface de l'eau. Elle avait aussi visité le monastère tentaculaire de Panormitis, où, à sa grande surprise, elle avait rencontré trois hommes d'affaires athéniens d'une quarantaine d'années. Ils lui avaient expliqué qu'ils résidaient quelques jours dans les austères chambres d'hôtes en quête de repos, de contemplation et de ce qu'ils avaient appelé « renouveau ». En fait, il était quasiment impossible d'échapper à la présence de la religion sur l'île. Les églises étaient au centre des villages et, comme toutes les îles grecques, Symi possédait des dizaines de minuscules chapelles dispersées sur presque toutes les collines. Où que l'on se trouve, il y avait toujours un témoignage de l'influence de l'Eglise. Pourtant, Tess ne ressentait pas cette omniprésence comme oppressante. Bien au contraire. Elle semblait faire partie de la vie de l'île, comme un aimant qui rapprochait ses habitants et leur apportait force et réconfort.

L'état de Reilly s'améliorait de jour en jour. Sa respiration était beaucoup moins difficile, ses lèvres et ses yeux avaient dégonflé et sa pâleur cireuse avait disparu. Désormais, il faisait quelques pas autour de la maison. Ce matin-là, il avait même dit qu'il ne pouvait demeurer éternellement à l'écart du reste de l'univers. Maintenant qu'il y était prêt, il allait devoir organiser leur retour. En sortant de la maison, Tess eut l'impression de porter le poids du monde sur ses épaules : elle savait que, bientôt, elle allait devoir parler avec lui de ce qu'elle avait trouvé.

Elle passa la matinée à Marathounda. Sous le rocher où elle l'avait laissé, elle retrouva le coffret qui avait contenu le manuscrit. Elle remontait vers la maison du médecin quand elle rencontra les deux femmes qui lui avaient apporté de la nourriture et des vêtements le premier jour. Elles sortaient de la petite église et étaient manifestement enchantées de la voir. Elles lui firent comprendre qu'elles avaient appris la guérison de Reilly et l'étreignirent chaleureusement, gesticulant et hochant la tête à l'unisson pour exprimer leur soulagement. Encore une fois, leurs époux les accompagnaient. Les hommes lui serrèrent la main. Leurs visages aussi irradiaient la sympathie. Puis le quatuor souriant s'éloigna en faisant de grands signes à Tess qui les regardait partir. Elle resta là un moment, immobile, perdue dans ses pensées.

C'est alors qu'une évidence l'envahit. Elle prit conscience de quelque chose qui criait au plus profond d'elle-même depuis des jours, une sensation troublante qui avait supplanté les instincts d'une vie cynique, mais qu'elle n'avait cessé de nier. Jusqu'à maintenant.

Cette pensée la tourmentait, jour et nuit, depuis qu'elle avait trouvé le manuscrit. Toutes les personnes qu'elle avait rencontrées au cours des derniers jours, toutes ces personnes qui avaient été pour elle bonnes et généreuses, étaient concernées par ce que contenait le manuscrit. Elles et d'innombrables autres dans le monde entier.

Cela pouvait détruire leur vie.

Cette seule pensée lui donna soudain la nausée. Si l'Eglise pouvait inspirer des gens, si elle pouvait les inciter à vivre ainsi, à donner ainsi, particulièrement à cette époque, pensa Tess, alors c'était qu'elle faisait quelque chose de bien, de juste. Elle méritait d'être préservée. Quelle importance si elle était fondée sur une histoire qui enjolivait considérablement la vérité ? Etait-il même possible de créer un tel pouvoir d'inspiration, se demanda-t-elle, sans dépasser les strictes limites du monde réel ?

Debout dans la rue, regardant les deux couples s'éloigner et retourner à leurs occupations, elle ne parvenait même pas à croire qu'elle avait jamais pu envisager d'autre solution.

Elle savait qu'elle ne pouvait pas le faire.

Mais elle savait aussi qu'elle ne pouvait pas différer plus longtemps une conversation avec Sean.

Ce soir-là, après l'avoir évité pendant le plus clair de l'après-midi, elle l'entraîna vers les ruines du château. La paume moite, elle le tenait par la main. Son autre bras serrait étroitement un petit paquet enveloppé dans son gilet. Le soleil avait presque disparu. Le ciel qui retenait les derniers feux du jour resplendissait d'une lumière rosée diffuse.

Elle déposa le paquet sur un muret à demi effondré et se tourna vers Reilly. Eprouvant des difficultés à le regarder en face, elle sentit que sa bouche était sèche.

— Je...

Tout à coup, elle n'était plus sûre. Et si elle se contentait de cacher le manuscrit, de l'ignorer et de ne jamais le mentionner ? Est-ce qu'il ne valait pas mieux pour lui ne jamais savoir, surtout après ce qui était arrivé à son père ? Est-ce qu'elle ne lui ferait pas une faveur en ne lui révélant jamais qu'elle l'avait trouvé, vu, touché ?

Non. Elle aurait vraiment aimé pouvoir le faire, mais elle savait aussi que c'était une erreur. Elle voulait ne plus jamais lui mentir. Au fond d'elle, en dépit de tout ce qui s'était passé, elle espérait qu'ils avaient un avenir ensemble. Et elle savait qu'il leur serait impossible de se rapprocher avec un non-dit aussi important entre eux.

Elle prit soudain conscience de l'extraordinaire quiétude qui l'entourait. Les moineaux qu'elle entendait quelques instants plus tôt s'étaient tus, comme pour participer à la sérénité de l'instant, à sa paix, à son harmonie. Elle s'arma de courage.

— Il y a quelque chose dont je voulais te parler, mais il fallait que j'attende que tu ailles mieux.

Reilly la dévisagea, intrigué. Elle se doutait que son malaise était visible.

— Qu'est-ce que c'est ?

— Il faut que je te montre quelque chose.

Elle se tourna et déplia son gilet, révélant le manuscrit caché dans ses plis.

Une expression de surprise effleura les traits de Sean. Il releva les yeux pour l'observer attentivement. Après ce qui sembla à Tess une éternité, il lui demanda :

— Où l'as-tu trouvé ?

Soulagée de pouvoir enfin se débarrasser de ce qui lui pesait sur la poitrine, elle répondit aussi vite qu'elle put :

— Le faucon s'est échoué sur une plage, à deux baies de l'endroit où nous avons été trouvés. Les flotteurs y étaient encore attachés.

Elle regarda Reilly tandis qu'il examinait la couverture tannée avant de prendre soigneusement le manuscrit entre ses mains, de l'ouvrir et de regarder l'une des pages.

— C'est incroyable. Ça a l'air si... primitif.

Il se tourna vers Tess.

— La langue. Tu peux la lire ?

— Non. Je peux juste dire que c'est de l'araméen.

— Et je devine que c'est la bonne langue, celle dans laquelle ça devrait être écrit, si c'était authentique ?

Elle hocha la tête, mal à l'aise.

— Oui.

Reilly laissait ses yeux parcourir la moindre parcelle de l'antique couverture.

— Et alors ? Qu'en penses-tu ? Est-ce authentique ?

— Je ne sais pas. Il semblerait, mais on ne peut en être définitivement certains sans l'envoyer dans un labo. Il y a quantité de tests qu'il faudrait lui faire subir : la datation au carbone 14, l'analyse de la composition du papier et de l'encre, l'examen de la cohérence calligraphique...

Elle s'arrêta et lâcha un soupir nerveux.

— Mais c'est là la question, Sean. Je ne pense pas qu'on devrait l'envoyer dans un labo. Je pense que personne ne devrait faire de tests sur ce manuscrit.

— Que veux-tu dire ?

— Je pense qu'il faut simplement oublier qu'on l'a trouvé, déclara-t-elle solennellement. On devrait brûler cette maudite chose et juste...

— ... et juste quoi ? l'interrompit-il. Agir comme ça, ce n'est pas possible. On ne peut pas faire ça. Si ce n'est pas authentique, si c'est un faux fabriqué par les Templiers ou par n'importe qui d'autre, alors il n'y a pas de quoi s'inquiéter. Mais si c'est authentique, alors...

Il fronça les sourcils en baissant la voix.

— ... alors personne ne doit rien savoir, insista-t-elle. Mon Dieu, j'aurais voulu ne jamais avoir à te parler de ça.

Reilly la regarda, perplexe.

— Est-ce que j'ai raté un épisode ? Quoi qu'il puisse arriver, « le monde mérite de connaître la vérité » ? N'est-ce pas ce que tu disais ou écrivais ?

— Je me trompais. Je ne le pense plus.

Tess laissa de nouveau échapper un long soupir.

— Tu sais, aussi loin que je puisse me souvenir, je n'ai jamais vu que ce qui n'allait pas dans l'Eglise. Son histoire sanglante, sa cupidité, son dogme archaïque, son intolérance, ses scandales, ses abus... Il y en a tant que c'est quasiment devenu matière à plaisanterie. Je continue de croire qu'une grande partie de tout ça devrait être sacrément remaniée, ça ne fait pas le moindre doute. Mais rien ni personne n'est parfait. En revanche, si tu regardes ce que l'Eglise accomplit, quand tu songes à la compassion et à la générosité qu'elle inspire... C'est là que se trouve le véritable miracle.

Elle sursauta quand un lent applaudissement résonna dans les ruines désertes derrière elle.

Se tournant dans la direction d'où venait le bruit, elle vit William Vance sortir de derrière un mur de pierre. Les yeux rivés sur ceux de la jeune femme, il continuait de battre des mains en détachant chaque claquement. Ses lèvres esquissaient un sourire.

85

— Alors, comme ça, tu as vu la lumière. Je suis vraiment ému, Tess. Notre infaillible Eglise a fait une nouvelle convertie.

Le ton de Vance n'aurait pu être plus moqueur ou plus sereinement menaçant.

— Alléluia ! Gloire au Seigneur !

Reilly le regarda s'approcher et sentit tous ses muscles se raidir. Le professeur était dans un piteux état, plus maigre, plus décharné que jamais. Il portait des vêtements simples, sans aucun doute le don d'un îlien charitable. Mais, plus important, il ne possédait apparemment aucune arme, ce qui était un soulagement. L'agent spécial n'aurait pas aimé avoir à le désarmer. Pas dans l'état de faiblesse qui était le sien. Mais sans pistolet et diminué lui aussi par l'épreuve de la tempête, l'universitaire ne représentait pas une menace sérieuse.

Bill Vance continuait de s'approcher de Tess. Ses yeux s'étaient déplacés sur le manuscrit que tenait Reilly.

— C'est comme s'il avait voulu être découvert, vous ne croyez pas ? Si j'étais croyant, pouffa-t-il, je serais tenté de croire que nous étions destinés à le trouver.

Tess avait l'air incrédule.

— Comment avez-vous... ?

— Oh, à peu près comme vous, j'imagine, répondit Vance. Je me suis réveillé la tête dans le sable, sous les yeux intrigués d'un couple de crabes. Ensuite, je suis parvenu à me traîner jusqu'au monastère de Panormitis. Le père Spiros m'a conduit à leur hospice. Il ne m'a pas posé la moindre question et je n'ai pas ressenti le besoin de m'expliquer. C'est là que je t'ai vue. J'étais ravi que tu aies pu t'en sortir, toi aussi. C'était déjà plus que je n'aurais pu espérer, mais ce...

Ses yeux retournèrent vers le manuscrit. On aurait dit qu'il le fascinait, qu'il l'hypnotisait.

— C'est un vrai don. Puis-je ?

Reilly leva la main pour l'arrêter.

— Non. Vous êtes assez près.

Vance s'immobilisa et son visage arbora une expression amusée.

— Allons. Regardez-nous. En toute logique, nous devrions tous être morts. Est-ce que ça ne vous suggère pas quelque chose ?

L'agent fédéral demeura impassible.

— Ça me suggère que vous allez pouvoir être jugé et passer quelques années comme invité de notre service pénitentiaire.

A sa mine contrite, l'érudit donna l'impression d'être déçu et même blessé. Il laissa son regard partir dans le vague. Puis soudain, en un mouvement prompt, il se jeta sur Tess. D'un bras, il lui attrapa le cou, et de l'autre main, il approcha un grand couteau de plongée de sa gorge.

— Désolé, Tess, mais je suis d'accord avec l'agent Reilly sur ce point. Nous ne pouvons nous contenter d'ignorer le destin qui s'est écarté de sa route pour nous faire signe. Tu avais raison dès le début. Le monde mérite de connaître la vérité.

Lançant des éclairs furieux, ses yeux roulaient dans leurs orbites et gardaient Reilly en point de mire.

— Donnez-le-moi, ordonna Vance. Vite !

L'agent fit une rapide évaluation de la situation. Le couteau était trop près de la gorge de Tess pour qu'il puisse agir, surtout dans son état de faiblesse. Il était plus sûr de donner le manuscrit à Vance et de traiter avec lui dès que la jeune femme serait hors de danger. D'une main, il fit un geste d'apaisement vers le professeur.

— Du calme, d'accord ? Vous pouvez prendre ce maudit livre.

Il tendit l'autre main, celle qui tenait le manuscrit.

— Voilà. Prenez-le.

— Non, s'interposa Tess avec colère. Ne le lui donne pas. On ne peut pas le laisser rendre ça public. C'est notre responsabilité. C'est *ma* responsabilité.

Reilly secoua la tête.

— Ta vie vaut plus que ça.

— Sean…

— Ce manuscrit ne vaut pas ton sacrifice, insista-t-il en lui adressant un regard fermement déterminé.

Vance avait un petit sourire.

— Mettez-le sur le mur et reculez. Lentement.

L'agent déposa le manuscrit sur les pierres grossières et fit quelques pas en arrière. L'universitaire se déplaça vers le muret, traînant sa captive avec peine.

Il resta quelques secondes debout à côté du manuscrit, presque effrayé à l'idée de le toucher. Puis il avança des doigts tremblants et, précautionneusement, souleva la couverture. Alors il se mit à le parcourir dans un silence émerveillé. Il tournait les feuilles de parchemin en se marmonnant à lui-même : *Veritas vos liberabit.* Un calme bienheureux émanait de ses traits las.

— J'aurais vraiment aimé que tu partages ça, Tess, lui dit-il doucement. Tu verras. Ça va être merveilleux.

A cet instant précis, la jeune femme décida d'agir. Elle écarta violemment le bras que le professeur avait passé autour de son épaule et se dégagea. Vance perdit l'équilibre. En tendant la main pour se retenir, il lâcha le couteau, qui rebondit sur le muret et disparut dans les buissons.

L'historien se redressa, referma le manuscrit d'un coup et le saisit à deux mains. Il vit que Reilly venait de se placer entre le sentier menant vers la sortie des ruines et lui. L'agent du FBI lui barrait la route. Et Tess était à côté de lui.

— C'est fini, dit Sean.

Les yeux de Vance s'écarquillèrent comme s'il venait de recevoir un grand coup de poing dans le ventre. Il jeta de rapides coups d'œil autour de lui. Son hésitation fut brève. Brusquement, il sauta par-dessus le mur et se précipita dans le lacis de ruines.

Reilly fut prompt à réagir. Il enjamba le muret et courut sur ses talons. En quelques secondes, ils disparurent tous les deux derrière les vieilles pierres.

— Reviens ! hurla Tess. Qu'il aille au diable, Sean ! Tu ne vas pas encore assez bien. Ne fais pas ça !

S'il entendit ses cris, son compagnon ne s'arrêta pas. Haletant, progressant tant bien que mal sur la terre meuble et glissante, il gravissait la colline à la poursuite de Vance.

86

Vance courait vite, engagé sur un sentier raide taillé dans le flanc de la montagne. Les quelques arbres et les oliveraies laissèrent rapidement place à des roches et des buissons secs. Regardant en arrière, il vit que Reilly le suivait toujours et jura intérieurement. Il scruta l'environnement immédiat. La ville n'était plus en vue, et même les ruines du château et les moulins à vent abandonnés avaient disparu. Sur sa droite, la pente de la montagne se raidissait abruptement, et à sa gauche, le sol rocheux s'incurvait brutalement pour filer vers la mer. Il n'y avait qu'une alternative. Soit il affrontait Reilly, soit il continuait. Il opta pour cette dernière solution.

Derrière lui, l'agent du FBI haletait en essayant de ne pas se laisser distancer. Il avait l'impression que ses jambes étaient en caoutchouc. Les muscles de ses cuisses le brûlaient en dépit de la distance relativement courte qu'il avait couverte. Il trébucha sur un affleurement, mais parvint à garder son équilibre et évita de peu de se fouler la cheville. En se redressant, il ressentit un vertige et inspira plusieurs fois profondément. Durant quelques secondes, il ferma les paupières et se concentra en tentant de rassembler toute son énergie. Rouvrant les yeux, il regarda dans la direction de Vance. Au milieu des rochers, il vit sa silhouette sur le point de disparaître. Réunissant tout son courage, il força ses jambes à bouger et reprit sa poursuite.

En courant sur les rochers glissants, le professeur finit par atteindre le sommet d'un promontoire, pour se rendre compte qu'il était piégé. Devant lui, un à-pic surplombait des roches déchiquetées loin en dessous. Une mer animée s'écrasait contre elles en explosions régulières d'écume blanche.

Se tournant en hâte, il vit que Reilly grimpait toujours derrière lui et se rapprochait.

L'agent atteignit le bord de la falaise et se hissa sur un gros rocher. Il était à présent au niveau de l'universitaire, à moins de dix mètres. Les deux hommes se toisèrent.

Epuisé par l'effort, Vance reprenait sa respiration à grandes bouffées. Il balaya le paysage d'un regard furieux. Voyant que le sol était plus ferme sur la droite, il décida de poursuivre de ce côté-là.

Reilly lui emboîta le pas.

Le professeur courait sur la falaise, qui à cet endroit formait des sortes de degrés. Il comptait de nouveau une vingtaine de mètres d'avance sur son poursuivant quand il se prit le pied dans une fissure et trébucha. Il retrouva rapidement son équilibre, mais l'agent avait regagné du terrain.

Douloureusement conscient qu'il lui restait peu de forces dans les jambes, Reilly entrevit la chance qui s'offrait à lui. Il plongea en tentant d'attraper les chevilles du professeur. Ses doigts le touchèrent à peine, mais cela suffit. Vance perdit de nouveau son équilibre précaire et chuta. Grimpant comme il pouvait à quatre pattes, Reilly se précipita sur les chevilles du professeur. Mais ses bras étaient aussi faibles que ses jambes. Sentant la menace, son adversaire se retourna et fit un bond en arrière, le manuscrit toujours fermement serré dans ses bras. Un coup de pied atteignit Sean au visage. L'agent spécial tomba deux mètres plus bas. Momentanément libéré de la menace, l'historien hésita puis repartit en avant.

L'esprit de Reilly nageait en plein chaos. Il avait l'impression que sa tête pesait une tonne. Il essayait de dissiper ce brouillard et de se relever quand il entendit la voix de Tess derrière lui.

— Sean, lui cria-t-elle, laisse-le partir ! Tu vas finir par te tuer !

Il la vit grimper vers lui et se tourna vers Vance. Celui-ci avait maintenant beaucoup plus de mal à poursuivre son ascension. Il pouvait encore l'atteindre. L'agent du FBI fit de grands gestes en direction de Tess.

— Repars ! Va chercher de l'aide.

Mais Tess était déjà à son côté, hors d'haleine. Elle s'agrippa à lui.

— C'est dangereux. Tu l'as dit toi-même. Ça ne vaut pas le sacrifice de nos vies.

Reilly la regarda et sourit. A cet instant précis, il sut avec une absolue certitude qu'il allait passer le restant de ses jours avec cette femme. A la même seconde, il entendit un hurlement de panique venant de la direction de Vance. Juste à temps, il se tourna pour voir le professeur glisser de la corniche qu'il était en train de gravir. Ses doigts cherchaient sans en trouver des prises à la surface polie des roches noires de plus en plus abruptes.

Quelques mètres plus bas, les pieds de Vance finirent par atterrir sur un minuscule rebord. Pendant ce temps, l'agent spécial s'était élancé vers la falaise. Il arriva sur le surplomb juste au-dessus du professeur et regarda en bas. Vance étreignait le mur de pierre d'une main tremblante. L'autre était toujours refermée sur le manuscrit.

— Prenez ma main, cria Reilly en la tendant aussi loin qu'il pouvait.

L'historien leva des yeux dans lesquels se lisait une expression de terreur. Il déplaça le bras tenant le manuscrit vers le haut, mais il manquait encore quelques centimètres.

— Je ne peux pas, bredouilla-t-il.

Au même instant, le rebord sur lequel étaient posés ses pieds commença à s'effriter. Son pied gauche ne rencontrait plus que le vide. Comme il tendait la main pour se retenir, ses doigts lâchèrent instinctivement le manuscrit. Celui-ci tomba et s'ouvrit en rebondissant sur une saillie rocheuse. Les pages se mirent à tournoyer et à flotter dans l'air salé, plongeant en spirale vers la mer qui se fracassait sur les brisants au pied de la falaise.

— Ne...

Reilly n'eut même pas le temps d'aller plus loin.

Le professeur venait de hurler un « Non ! » désespéré en tentant de rattraper les parchemins au vol.

Il bascula dans le vide, les bras écartés, fouettant au passage les pages voletantes qui semblaient le narguer. Sa chute s'acheva quelques dizaines de mètres plus bas, sur les rochers.

Tess arriva près de Reilly. Ils se penchèrent au bord de l'à-pic et regardèrent le précipice vertigineux. Le corps de Vance gisait en bas. Les vagues s'écrasaient autour de lui. Elles le soulevaient et le brinquebalaient comme une poupée de chiffon.

Tout autour de son corps désarticulé, des pages de l'antique manuscrit s'éparpillaient sur l'eau. La houle effaçait l'encre qui disparaissait du parchemin comme elle lavait le sang des plaies béantes de l'universitaire déchu.

Reilly étreignait fermement la jeune femme. Avec un air de regret, il regardait la mer avaler les dernières pages du manuscrit.

« Nous ne saurons jamais », songea-t-il tristement, en serrant les dents à cette pensée.

Soudain, quelque chose attira son regard.

Lâchant Tess, il entreprit de descendre de quelques mètres le long de la paroi rocheuse.

— Que fais-tu ? hurla-t-elle en se penchant pour voir où il allait.

Sa voix trahissait une extrême inquiétude.

Quelques instants plus tard, il réapparut au bord de la falaise. Tess tendit la main pour l'aider à remonter et vit ce qu'il tenait entre les dents.

C'était un morceau de parchemin.

Une page du manuscrit.

Il la donna à une Tess incrédule.

— Au moins, nous avons quelque chose pour prouver que nous n'avons pas tout imaginé, parvint-il à dire, encore essoufflé par l'effort qu'il venait de produire pour le récupérer.

Un long moment, la jeune femme étudia la page. Tout ce qu'elle avait vécu depuis cette fameuse nuit au Met, tout le sang versé, toute la peur et le tumulte qu'elle avait ressentis au fond d'elle-même lui revenaient brutalement à l'esprit. Et à cet instant, elle sut. Elle sut sans l'ombre d'un doute ce qu'elle devait faire. Sans une hésitation, elle sourit à Sean, déchira le morceau de parchemin et le jeta dans le vide.

Elle regarda les fragments tomber dans la mer, puis se tourna vers son compagnon, qu'elle enlaça.

— J'ai trouvé tout ce dont j'ai besoin, lui dit-elle avant de lui prendre la main et de s'éloigner de la falaise.

Epilogue

Paris, mars 1314

La tribune de bois somptueusement décorée se dressait en bordure d'un champ, sur l'île de la Cité. Des étendards aux couleurs vives ondulaient dans la brise. Le timide soleil se reflétait sur les accoutrements tapageurs des courtisans et des serviteurs du roi déjà assemblés.

Le petit peuple s'était massé lui aussi. A l'arrière d'une foule excitée et bavarde, un homme attendait, voûté et las. Il portait une robe brune élimée, don d'un moine qu'il avait rencontré quelques semaines plus tôt.

Bien qu'il eût tout juste dépassé la quarantaine, Martin de Carmaux avait beaucoup vieilli. Pendant près de deux décennies, il avait trimé dans la carrière toscane sous un soleil de plomb et les coups de fouet impitoyables des contremaîtres. Il n'avait jamais abandonné l'espoir de s'évader. Les éboulements de rochers étaient nombreux et, un jour, un effondrement pire que les autres avait tué une douzaine d'esclaves, mais aussi des gardes qui se trouvaient en dessous. Par un heureux coup du sort, Martin et l'homme à qui il était enchaîné avaient pu exploiter la confusion et les nuages de poussière tourbillonnants pour s'échapper.

Les longues années passées en quasi-esclavage ne l'avaient jamais découragé. Totalement coupé de toutes nouvelles du monde au-delà de cette maudite vallée, Martin n'avait qu'une chose en tête. Il avait filé droit vers la chute d'eau et retrouvé le rocher singulier aux craquelures évoquant la croix pattée des Templiers. Là, il avait récupéré la lettre d'Aimard et entamé sa longue marche à travers la montagne et la France.

Le voyage lui avait pris plusieurs mois, mais son retour longtemps différé dans sa patrie ne lui avait apporté qu'une cruelle déception : il avait appris le désastre qui avait frappé les Templiers. Et plus il s'était rapproché de Paris, plus il avait compris qu'il était trop tard pour faire quoi que ce soit qui puisse infléchir le destin de l'Ordre.

Il avait cherché ses frères et posé des questions sur leur compte, aussi discrètement que possible. Mais il n'avait rien trouvé. Tous s'en étaient allés. Soit ils étaient morts, soit ils se cachaient. Le drapeau du roi flottait sur le grand Temple de Paris.

Il était seul.

Pour l'heure, attendant au milieu de cette foule cancanière, Martin venait d'identifier la silhouette grise du pape Clément. Il montait les marches de la tribune et prenait place au milieu des courtisans qui ressemblaient à des paons.

Tandis que le templier observait ce qui se passait, l'attention du souverain pontife se tourna vers le centre du champ où étaient plantés deux pieux entourés de fagots. Un mouvement attira l'œil de Martin. Les corps émaciés et disloqués de deux hommes étaient amenés sur le pré. Martin savait qu'il s'agissait de Jacques de Molay, le dernier grand maître de l'Ordre, et de Geoffroy de Charnay, le précepteur de Normandie.

Ne possédant plus la moindre capacité physique de résistance, les condamnés furent promptement attachés aux poteaux. Un gros homme s'avança avec une torche allumée, puis il se tourna vers le roi dans l'attente d'instructions.

Un silence soudain tomba sur la foule. Martin vit le roi lever la main d'un geste insouciant.

On mit le feu au bois.

Rapidement, la fumée commença à s'élever. Bientôt, des flammes apparurent. Les branchages éclataient et crépitaient sous l'effet de la chaleur croissante. Ecœuré, incapable d'intervenir, Martin de Carmaux voulut tourner les talons et s'enfuir. Mais il sentit que son devoir lui ordonnait de rester, d'observer, afin de pouvoir porter témoignage de cet acte ignoble. Malgré ses réticences, il s'avança pour gagner les premiers rangs de la foule. C'est alors, à son grand étonnement, qu'il vit Jacques de Molay lever la tête et regarder directement vers le roi et le pape.

Même à distance, cette image ébranla Martin. Les yeux de Molay brûlaient d'un feu plus féroce que celui qui allait bientôt le consumer.

En dépit de son apparence frêle et brisée, la voix du grand maître était puissante et ferme.

— Au nom de l'Ordre des Chevaliers du Temple, lança-t-il d'une voix rauque, je vous maudis, roi Philippe, et toi, Clément, son pape bouffon. Et j'en appelle à Dieu tout-puissant pour que vous me rejoigniez devant Son trône avant qu'une année soit passée, afin d'être jugés et de brûler à jamais dans les fournaises de l'enfer...

Si Molay dit autre chose, Martin ne l'entendit pas, car le feu rugissait, couvrant les cris des suppliciés mourants. Puis la brise tourna et la fumée envahit la tribune et la foule, charriant avec elle la puanteur de la chair calcinée. Toussant et crachant, le roi trébucha en descendant les marches. Juste derrière lui accourait le pape, les yeux larmoyants à cause de la fumée. Quand ils passèrent près de l'endroit où se trouvait Martin, le templier regarda le saint-père. Il sentit la bile monter en lui et brûler sa gorge. A cet instant-là, il sut que sa tâche n'était pas terminée.

Peut-être pas de son vivant, mais un jour, peut-être, les choses redeviendraient différentes.

Cette nuit-là, il partit. Il quitta la cité et prit la direction du sud et de Carmaux, la terre de ses ancêtres. Il comptait s'établir là, ou ailleurs en Languedoc, jusqu'à la fin de ses jours. Mais avant de mourir, il s'assurerait que la lettre ne disparaîtrait pas. D'une manière ou d'une autre, il trouverait le moyen de la faire survivre.

Elle devait survivre.

Elle devait accomplir sa destinée.

Il le devait à tous ceux qui étaient morts, d'Hugues le marin à Guillaume de Beaujeu, et par-dessus tout il le devait à son ami Aimard de Villiers, pour que leurs sacrifices n'aient pas été vains.

Tout reposait maintenant sur ses épaules. Il pensa à l'ultime révélation d'Aimard cette nuit-là, au plus profond de l'église, près du saule, à ce qu'il lui avait dit des efforts assidus de leurs prédécesseurs qui, les premiers, avaient conçu l'artifice, des neuf années de travail méticuleux, de la préparation soigneuse du grand projet qui avait mis près de deux cents ans à porter ses fruits…

« Nous sommes arrivés tout près, pensa-t-il, si près. C'était un noble but. Le dur labeur, les sacrifices consentis le valaient bien. »

Il savait ce qu'il avait à faire.

Il devait s'assurer que l'illusion soit entretenue, qu'elle survive. Que l'on croie que l'incroyable preuve existait encore quelque part, attendant son heure.

Que l'on croie à sa réalité.

Et au bon moment – certainement pas de son vivant – quelqu'un serait peut-être capable d'utiliser leur chef-d'œuvre perdu pour accomplir ce pour quoi ils avaient tous œuvré.

Alors, un sourire doux-amer filtra sur son visage tandis qu'une pensée optimiste s'immisçait dans son esprit.

« Peut-être qu'un jour, songea-t-il, ce sera inutile. Peut-être que le grand projet ne sera plus nécessaire. Peut-être que les individus auront appris à dépasser leurs petits différends, à cesser de se battre pour des questions de foi et à s'élever au-dessus de toutes ces querelles religieuses. »

Secouant la tête, il écarta cette pensée en se réprimandant pour sa candeur. Puis il reprit sa marche.

Remerciements

De nombreuses personnes ont généreusement apporté leur contribution à ce livre en partageant leurs connaissances, leur domaine d'expertise ou leur soutien. Je voudrais commencer par remercier mon grand ami Carlos Heneine pour m'avoir fait découvrir les Templiers et, comme toujours, avoir pris du plaisir à débattre avec moi ; Bruce Crowther, qui m'a aidé à pénétrer dans ce nouvel univers ; et Franc Roddam, qui s'y est plongé et lui a permis de prendre son essor.

Je voudrais aussi remercier personnellement Renaud Bombard et Anne Michel pour leur enthousiasme et leur soutien, ainsi que Sophie Thiébaut et la fabuleuse équipe de représentants des Presses de la Cité. Vous pouvez me traîner au Blue Sky quand vous voulez, vous n'avez qu'à demander.

Toute ma chaleureuse gratitude aussi à Karsten Diettrich, Deborah Druba, Olivier Granier, Simon Oakes, Cephas Howard, Eric Fellner, Leon Friedman, maître François Serres, Howard Ellis, Adam Goodman et toute l'équipe de Mid-Atlantic Films, à Budapest, pour leur soutien constant, Kevin et Linda Adeson (désolé d'avoir malmené Mitch), le Dr Philip Saba, Matt Filosa, Carolyn Whitaker, le Dr Amin Milki, Bashar et Mona Chalabi, et Patty Fanouraki.

Un immense remerciement va à mon agent littéraire, Eugenie Furniss. Sans sa passion et des années de soutien permanent, ce livre n'aurait jamais pu exister. Je remercie aussi Jay Mandel, Tracy Fisher et toute l'équipe de l'agence William Morris, ainsi que, bien sûr, Jane Southern.

Enfin, mais à des galaxies d'être la dernière, je voudrais remercier mon épouse Suellen, mon amie et âme sœur, qui a vécu avec ce projet depuis si longtemps ; un homme ne pourrait souhaiter un plus grand soutien.

Composé par Nord Compo
à Villeneuve-d'Ascq